C000142867

797,885 Books

are available to read at

www.ForgottenBooks.com

Forgotten Books' App
Available for mobile, tablet & eReader

ISBN 978-0-243-85744-9
PIBN 10755687

This book is a reproduction of an important historical work. Forgotten Books uses state-of-the-art technology to digitally reconstruct the work, preserving the original format whilst repairing imperfections present in the aged copy. In rare cases, an imperfection in the original, such as a blemish or missing page, may be replicated in our edition. We do, however, repair the vast majority of imperfections successfully; any imperfections that remain are intentionally left to preserve the state of such historical works.

Forgotten Books is a registered trademark of FB &c Ltd.
Copyright © 2017 FB &c Ltd.
FB &c Ltd, Dalton House, 60 Windsor Avenue, London, SW19 2RR.
Company number 08720141. Registered in England and Wales.

For support please visit www.forgottenbooks.com

1 MONTH OF
FREE
READING

at

www.ForgottenBooks.com

By purchasing this book you are eligible for one month membership to ForgottenBooks.com, giving you unlimited access to our entire collection of over 700,000 titles via our web site and mobile apps.

To claim your free month visit:

www.forgottenbooks.com/free755687

* Offer is valid for 45 days from date of purchase. Terms and conditions apply.

English
Français
Deutsche
Italiano
Español
Português

www.forgottenbooks.com

Mythology Photography **Fiction**
Fishing Christianity **Art** Cooking
Essays Buddhism Freemasonry
Medicine **Biology** Music **Ancient
Egypt** Evolution Carpentry Physics
Dance Geology **Mathematics** Fitness
Shakespeare **Folklore** Yoga Marketing
Confidence Immortality Biographies
Poetry **Psychology** Witchcraft
Electronics Chemistry History **Law**
Accounting **Philosophy** Anthropology
Alchemy Drama Quantum Mechanics
Atheism Sexual Health **Ancient History**
Entrepreneurship Languages Sport
Paleontology Needlework Islam
Metaphysics Investment Archaeology
Parenting Statistics Criminology
Motivational

ZEITSCHRIFT

FÜR

DEUTSCHES ALTERTHUM

HERAUSGEGEBEN

VON

KARL MÜLLENHOFF und ELIAS STEINMEYER.

NEUE FOLGE. FÜNFTER BAND.

SIEBENZEHNTER BAND.

BERLIN
WEIDMANNSCHE BUCHHANDLUNG.
1874.

A. 34134.

Druck von J. B. Hirschfeld in Leipzig.

INHALT.

VIER GEISTLICHE GEDICHTE.

)er Göttweiher codex B 25 (alt 426), bekannt durch die My-
ie' anhang p. cxxxvi abgedruckten segen und durch einige an-
über sein umfänglichstes deutsches denkmal, die Minnerede,
tsche blätter 2, 85, Germ. 3, 360, enthält zum grösten teil
:he und gelehrte werke in lateinischer sprache, von fol. 1 bis
: von hier ab bis zum schlufse fol. 120$^{b\beta}$ überwiegend deut-
geistliche gedichte, ascetische prosa, segen, alles in einer nieder-
'schen mundart, welche ich in meiner Geschichte der nieder-
'schen geschäftssprache als vi bezeichne. geschrieben wurde
teil der handschrift nach 1373. denn fol. 98$^{b\alpha}$ steht Explicit
lmus Anno domini Millesimo septuagesimo tertio in octava
äionis. Explicit hic totum: propina da in potum. fol. 98
'erdings das letzte blatt des zwölften quaternio und der er-
: schreiber glaubte vielleicht in der tat dafs nun die sammlung
/fsen sei und die lagen geheftet werden sollten. — die allmäliche
ung zeigt besonders die aufzeichnung eines lateinischen werkes
'schen inhalts — de virtute de fide de spe de caritate pro-
le zelo et fervore usw., an welches sich Genesis bis Paralipo-
anschliefst. das werk beginnt fol. 55^b auf blatt 6^b des
en quaternio, und von hier bis fol. 86^{aa} sind die seitenspalten
'abischen ziffern — noch unhäufig um diese zeit, s. Watten-
ateinische paläographie p. 42 — bezeichnet, auf welche sich
m werke auf fol. 54^b. 55^{ab} vorausgeschickter index bezieht.
h beginnt der dreizehnte quaternio mit einem neuen gröfsern
uf fol. 99^{aa}. der leere raum von 98$^{b\alpha\beta}$ ist zur aufzeich-
ünes lateinischen gedichtes über die künste der frauen ver-
worden: Noscere si queris quantum sciat ars mulieris usw.

*aber nichts weist darauf hin, daſs die zwölf ersten quaternionen je
für sich geheftet worden wären, oder daſs die von fol. 99ªα ab
folgenden drei letzten teile einer andern handschrift seien. perga-
ment format verhältnis des textes zur fläche der seite stimmt über-
ein. auch der wechsel von grobem und sehr feinem pergament
widerholt sich. so war der elfte und zwölfte quaternio, fol. 84
—98, von feinem pergament gewesen, ebenso ist es der vierzehnte,
fol. 107—112; der zwölfte quaternio ferner hatte nur aus sechs
blättern bestanden — ein siebentes wurde eingeklebt —, sechsblättrig
ist auch der vierzehnte. — daſs man für den beginn des werkes,
welches fol. 99ªα anhebt, nicht den raum unter der subscriptio
fol. 98ᵇα benützte, beruht auf der neigung unsrer handschrift
gröſsere werke mit einer neuen seite beginnen zu laſsen. so endigt
ein lateinischer physiologus mitte fol. 93ªβ: fol. 93ᵇα folgt der dia-
logus des h. Anselmus de passione domini, s. Schade Geistliche ge-
dichte von Niederrhein p. x und Interrogatio SAnselmi de passione
domini 1870. der leere raum von fol. 93ªβ wird mit folgenden
versen ausgefüllt:*

>   Missam qui dicis post amplexum meretricis,
>   Ibis ad antra stygis, quia dominum crucifigis.

>   Quingentos decies et bis centum minus uno
>   Annos dic ab Adam donec verbum caro factum.

>   Est arbor quedam ramos retinens duodenos,
>   Quinquaginta duos rami retinent sibi nidos,
>   Nidorum quisquis septem volucres habet in se,
>   Et volucrum quisquis nomen retinet sibi pulchre.

*einmal soll das neue stück sogar erst mit seite a des folgenden fo-
liums anfangen, obwol auf seite b des vorhergehenden platz wäre.
eine abhandlung über die priesterlichen grade hatte mit fol. 116ªα
geschloſsen. das folgende gröſsere stück, die fünfzehn ermahnungen
unsres herrn, beginnt erst fol. 117ªα. ein versuch die lücke von
116ªβ bis 116ᵇβ durch Wipos proverbia auszufüllen bricht nach ein
par zeilen ab und die ganze bseite des fol. 116 bleibt leer.*

   *Da nun die schriftzüge und die orthographie der deutschen
stücke nicht widersprechen, so hindert nichts die aufzeichnungen der
letzten drei quaternionen unsres codex dem ende des 14 jhs. zu-
zuweisen.*

I. *fol.* 105ᵇᵃ—112ᵃᵃ. **Das gedicht von der liebe —
de mynnen rede.**

*Die einsilbigen reime sind vocalisch so genau, dafs eine an-
ernde bestimmung der mundart, in welcher das denkmal abgefafst
, möglich ist: unrein sind blofs* 893 sait: bibat (*latein.*) — 856 est
in.): ziit — 567 alsus: bis — 881 mich: uch — 639 huys:
— 65 barfuz: biz, *lauter reime, welche analogien zeigen zu
durch die mundart gerechtfertigten fällen. als zeichen nieder-
nischer mundart werden demnach gelten dürfen:* 615 intfain
ipere): -gan (*ire*) 817, 286 schoyslin: aynsen (*aspectus*), —
sein (*videre*): vlein (*fugere*), 778 gesein (*videre*): sint, 794 ge-
(*videre*): sprechen, — 280 in (*eum*): servum, 376 sun: bin,
75 lyp (*carus*): lyp (*corpus*), 864. 298 lyin (*iacere*): flein (*fu-*
), 508 is (*id*): lycht (*lux*), 593 sein (*videre*): vlein (*fugere*),
756 vrunt: kunt, — 100 gemuyt (*moratus*): dugint (*virtus*), —
meyst: steyt (*stat*), 348 wiseyt: steyt, 544 steit: bereit, —
r ableitungssilben 400 kestigin (*castigo eum*): meynen (*opinor*),
meyster: ir, 782 in: meltin (*nuntiarent*), 794 gesen (*visum*):
echen, 848 in: rufen. — *aber* 236 es (*latein.*): keuftis, *vgl.*
est (*latein.*): ziit. — *die verlängerung der kurzen vocale in
nen paroxytonis ist ersichtlich:* 77 lebin: sterven, 79 gemude:
le, 84 hugyn: wugin (*fluctus*), 96 woyle: zomale, 312 her-
ze: wege, 360 geslegte: gedede, 382 eren: beyeren, 457 gevyn:
din, 467 dede: begerde, 481 begerden: leben, 518 ligen(?):
en, 536 zwolve: ueven, 542 bedit: siczit, 545 lebe (*carus*):
en, 595 daubin: loben, 605 werden: reden, 627 gesege (*vi-*
t): wege, 718. 813 virderbden: leben, 775 esse (*latein.*): wesen,
herre: yre, 858 werden: rede, 887 gurtil: vogil. — *dazu
niederrheinische* treken: 47 verdreckede: dente (*latein.*), 93 ure
a): pure (*pura*).

Der regellose versbau und die reimhäufungen zb. 187. 430.
. 582. 601. 718. 809. 838, *fünf reime* 146, *sechs* 380 *sind
niederrheinischen gebrauch des* 14 *jhs. ganz angemefsen, s.
tsch Über Karlmeinet p.* 259 *und vgl. besonders die reimprosen
den fünfzehn graden Germ.* 6, 156 *f v.* 145 *f und die Geistlichen
n Germ.* 3, 56.

*Die reime aber sind ungenauer als die irgend eines nieder-
nischen gedichtes des* 14 *oder* 15 *jhs. schon oben wurde ge-*

zeigt, dafs nicht einmal die vocale der einsilbigen reime sich decken, bei den mehrsilbigen geht die freiheit noch weiter. man begnügte *sich bei paroxytonis und proparoxytonis mit dem reim auf der unbetonten silbe, so dafs zwei ableitungssilben oder eine ableitungssilbe und eine wurzelsilbe durch den reim gebunden werden:* 9 gedenken : danken, 29 guytrede (*perf.*) : ubele, 79 gemude : mede (*cum*), 102 virwenyt : gingen, 122 begerde : beyden, 228 bevangen : lyden, 266 mulen : mylen, 445 predigde : durchwaigthe, 459 uvirgude : genade, 516 streckede¦ : gerugede, 548 bekummeren : hynderen, 550 sprachen : kunte, 592 kumen : namen, 680 erde : sunde, 792 suster : meyster, 796 inbeyte : harthe, 800]weynen : hergremmen, — 235 es (*latein.*) : keuftis, 405 kestigin (*castigo eum*) : meynen, 540 meyster : ir, 782 in : meltin, 794 gesen : spregchen, 854 in : rufen. — *in sere : venit (latein.)* 617 *stimmen nicht einmal die vocale der ableitungssilben genau.*

Diese reime würden das gedicht dem Anno, dem h. Albanus, Morannt und Galie, Wernher vom Niederrhein näher bringen als etwa den von Schade herausgegebenen geistlichen gedichten. aber die darstellung hat nichts altertümliches, mit ausnahme von 623 bis 636, obwol auch nicht vollständig — die antithese von 632 zb. nicht —, und vereinzelt finden sich reime der ableitungssilbe auf wurzelsilbe auch bei jüngern gedichten: Osterspiel zs. 2 p. 302 v. 190 erst : vorderst, *v.* 936 cuninc : jungelinc, — *Dorothea bei Schade p.* 1 *v.* 140 gher : kerker, 256 her : schriver, — *Margarete bei Schade p.* 71 *v.* 254 genedich : mich, — *Bartsch Über Karlmeinet p.* 240 vierzich : sich, mich : zwenzich, mich : schuldich *usw. p.* 255 hundert : vart, hundert : unwert, — *bei eigennamen reimen ableitungssilben allein* Burgonjen : landen, Astonjes : berges, — *das gedicht von der Pariser beguine Schade p.* 333 *zeigt wie nachläfsig auch die vocale einsilbiger reime in später zeit behandelt wurden:* 36 himelrich : uch, 40 oitmoedicheit : wilt, 102 hait : niet, *so dafs die entstehung unsres gedichtes im* 14 *jh. noch immer möglich erscheint.*

Ein andrer umstand aber verstärkt das gewicht der unreinen und tieftonigen reime. neben den eben aufgeführten zahlreichen bindungen der form ⌣́ : ⌣̀, *mit mhd. mafse gemefsen, gibt es andre, welche die hd. quantität voraussetzen:* ⊥ : ⌣̀. 100 gemuyt : dugint, 191 peperit (*latein.*) : mede (*cum*). — 344 *hat die handschrift allerdings* gewar : gevar, *aber anstatt* gewar : gevaren *wird*

ware : gevaren *zu lesen sein*, 633 abe : *dach steht wol für* af :
:h. *hd. sind die ersten zwei beispiele zu beurteilen wie die in*
SD p. 332. 408 *besprochenen fälle. bei* gemuyt : duginl *v.* 100
nte man allenfalls an die niederrheinischen unorganischen e
ken, denen immer formale analogien zu grunde liegen: Moraunt
d Galie 2 Vrancriche : sich, 497 himelryche : siche *(se)*, 103
boden : gode (*deum*), *Tundalus* 53 war (*verum*) : geborin, *Ma-*
nklage zs. 1, 35 *v.* 49 Symeon : solde (*deberet*) (*Schade Geisl-*
le gedichte p. 208 Symeon : solt), *Von der Pariser beguine*
lade p. 333 *str.* 33 schate (*thesauro*) : stache (*pupugit*), — *aber*
b v. 191 peperit : mede *ist dieser ausweg durchaus verschlofsen.*
nun fallen v. 100 *und* 191 *in einen abschnitt des gedichtes,*
' *welchem man das fehlen von reimen der oben besproche-*
s form ≃ : ≃ *für keinen zufall halten kann. ebenfalls zwi-*
en v. 96 *und* 312 *wird ein vers eines oberdeutschen liebesliedes*
stlich verwendet 218 ich bin dyn, du bis myn. *der dichter*
eint ein stück eines hd. gedichtes hier in seine darstellung auf-
sommen zu haben. aber dieses müste notwendig dem 12 *jh.*
gehört haben, nach v. 100, *der genauer reimt, wenn man die*
l. form gemüt mit dugent binde*t. welches der anfangs- und*
lufsvers dieser entlehnung war — letzterer jedesfalls vor 256 —
d ob nicht nur einzelne stellen eines älteren gedichtes durch verse
i jüngeren dichters verbunden wurden, wird sich nicht mit sicher-
lt ermitteln lafsen. — der oben seines altertümlichen tones
gen citierte abschnitt schien auch nicht ganz aus einem gufse
sein.

Im ganzen aber hat der niederrheinische dichter nach einem
einischen werk gearbeitet. v. 186 *f heifst es:* da steyt uch aso
meliflui facti sunt celi. *es geht kein andres citat unmittelbar*
rher, auf welches sich da bi bezöge. *das gedicht zeigt ferner eine*
he unrichtiger angaben, welche sich unter voraussetzung einer
einischen vorlage erklären. unter den vielen richtigen bibelcitaten
ein falsches: miserunt me solum *steht trotz des dichters aus-*
ücklicher angabe v. 900 *nicht in den evangelien. es ist nicht*
ublich, dafs er die originalschrift, in welcher er die worte ge-
en, für ein evangelium gehalten habe, wol aber, dafs er geglaubt
be, dieses in seiner vorlage stehende citat stamme wie so viele
dre aus den evangelien. aufser der bibel gibt der dichter nur
en autornamen für seine citate an, den h. Hieronymus, v. 110.

der ausdrucksweise von 110 vermuten könnte, hat Hieronymus nicht geschrieben: der dichter kann nur das Helvidius gewidmete *buch De perpetua virginitate* meinen, worin ein ungefähr ähnlicher gedanke vorkommt; s. anm. zu 110. — 254 kann sich auf die erklärung des Matthäusevangeliums von Hieronymus beziehen c. 7, 9, aus der nur hervorgeht, dafs unter andern angeführten auch Saul Pharao Nabuchodonosor, also fürsten, die gabe der prophetie besafsen. von den h. drei königen sagt meines wifsens Hieronymus nichts ähnliches. es ist darnach nicht anzunehmen, dafs der dichter den h. Hieronymus selbst aufgeschlagen habe. wenn aber seine vorlage sich zum beweise der nie verletzten jungfräulichkeit Mariens auf Hieronymus berief, der so viel zu ihrem preise gesagt habe, und die auffallende tatsache, dafs heidnische könige mit der gabe der prophetie ausgerüstet waren, durch hinweis auf die von Hieronymus in seinem commentar zu Matth. c. 7, 9 beigebrachten analogien erklärte, dann ist es begreiflich, wie unser dichter zu seinen irrtümlichen ansichten und angaben kommen konnte: möglich auch, dafs beide citate von Hieronymus dem oben vermuteten hd. gedichte entstammen. — 905 ist Jesus genötigt, nachdem er in Jerusalem festlich war empfangen worden, nach Bethanien zu gehen, das zwölf meilen von Jerusalem entfernt sei. das misverständnis ist, da der dichter sonst sich des lateinischen hinlänglich mächtig zeigt (s. unten), graphisch zu erklären. Marc. 11, 11 exiit in Bethaniam cum duodecim. cō las er für m = milia. er weifs also nicht, dafs Bethanien ganz nahe bei Jerusalem lag. — 722 ff si sazthen in uf eynen hoin berg, uf dat si in stissin vorwert. en tuyschen si her hyue ginck: ein veilz in du inphynk. der baugde sich as her wesen were. das ist Lucas 4, 29 f et duxerunt illum usque ad supercilium montis, super quem civitas illorum erat aedificata, ut praecipitarent eum. ipse autem transiens per medium illorum ibat et descendit in Capharnaum. in der vorlage wird caphernaū gestanden haben oder cafernaū. das hielt der flüchtige dichter für cavernam. die vorstellung konnte befördert werden durch das protevangelium Jacobi, nach welchem c. 22 Elisabeth und Johannes von einem sich öffnenden felsen aufgenommen wurden. — im evangelischen text aber folgt auf Capharnaum unmittelbar civitatem Galilaeae. hätte der dichter würklich die bibel vor sich gehabt, so wäre das misverständnis viel weniger zu entschuldigen, als wenn er-ache vorstellung aus einem citate erhielt, welchem die erklärende opposition fehlte. [1]

Aus der vorlage werden somit jene lateinischen phrasen stammen, welche nicht biblische citate sind, die aber ihrer abgerifsenheit wegen auch nicht als eigentum des deutschen dichters gelten können v. 70. 900. doch s. zu 70.

Ob der dichter aufser einer lateinischen vorlage gar keine andre schriftliche quelle benutzt habe, kann man natürlich nicht wifsen. 443 heifst es also steyt in eynre stat 'cuius gloriosa facies celos illuminat'. das kann eine reminiscenz aus des dichters lectüre ebenso gut sein als die widerholung eines auf ähnliche weise in der vorlage angezogenen citats. 919 scheint er sich auf mündliche tradition zu berufen.

Nach dem erwähnten wird man am sichersten gehen, wenn man dem deutschen dichter keinen anteil an der composition des werkes und an der darin niedergelegten nicht bedeutenden theologischen gelehrsamkeit zuschreibt. diese zeigt sich nur in kenntnis der bibel, zweier schriften des h. Hieronymus, mehrerer sehr bekannter traditionen und contaminationen: Maria, welche Jesus die füfse salbt und mit ihrem haare trocknet Joh. 12, 3, vgl. Matth. 26, 7. Marc. 14, 3, ist mit der sünderin zusammengeflofsen, welche Luc. 7, 38 das gleiche tut. der bräutigam von Cana hat sich den jüngern Jesu angeschlofsen. in der Erlösung 3849 ist es sogar der apostel Johannes, vgl. das Marienlied xs. 3, 130 v. 10; — der streit der göttlichen töchter 21 f und unten, die zeichen bei Christi geburt 60. 186 ff und bei seiner ankunft in Egypten 328 ff, dafs Moses aus der hölle, Elyas aus dem paradise zu Christi transfiguration gekommen sei 768, — einiger theologischen sätze: gott hat die welt aus liebe geschaffen 3, s. Honorius Augustod. Elucidarius (Anselmi op. Coloniae 1612 p. 223 C), Jesus ist die göttliche weisheit 348; s. Scherer zu Dm. xliii 1, 1 und anm. — die com-

---

[1] Hartel macht mich auf ähnliche misverständnisse aufmerksam, welche in den alten lateinischen bibelübersetzungen vorkommen. so wurde Exod. 40, 2 νουμηνίᾳ στήσεις τὴν σκηνήν durch numeniae in tabernaculum widergegeben, Ezech. 41, 18 διάστημα τῶν πλευρῶν durch intervallorum laterum, Jer. 22, 14 ταφὴν ὄνου durch saepulturam quam non, 38, 25 ἐλάσησά σοι durch locutus es qui, Ez. 27, 4 τῷ βεελεὶν durch dobelin: s. Par palimpsestorum Wirzeburgensium ed. Ern. Ranke, Vindobonae 1871 p. 413.

*position ist gleich der der Erlösung und vieler ähnlicher werke.
daſs sie der autor der lateinischen vorlage erfunden habe, ist nicht
zu beweisen, s. unten.*

*Eher mag diesem angehören die anordnung der taten und schick-
sale Jesu, welche dieselben als beispiele für allgemeine zu erweisende
sätze erscheinen läſst. so wird von 475 bis 521 Jesus güte an
beispielen gezeigt, gegenüber den judenkindern, dem kranken sohn
des regulus Joh. 4, 47, den jüngern beim sturm, auf der wander-
schaft, beim ährenlesen, aber — ein sehr bequemer übergang — er
lieſs keinen nepotismus aufkommen 522—559: beispiele an den ver-
wanten, den jüngern und an Marien. milde gegen sünder 591 bis
711: erst theorie Petrus gegenüber, dann beispiele, von den ungast-
lichen, welche die jünger verfluchen wollen, von Zachaeus, von der
ehebrecherin, von Marien Magdalenen. demut Christi 712—785:
sie zeigt sich als die juden ihn vom felsen stürzen, ihn steinigen,
zum könig machen wollen und bei der transfiguration. letzterer
geht die scene von Christus mit Maria und Martha voraus 742 ff.
die schluſssentenz 754 f daſs Jesus Mariens liebe beſser schmeckte
als eſsen und trinken, kann kaum dem allgemeinen urteil über
Christi demut untergeordnet werden. sollte das ein einschiebsel des
deutschen dichters sein? — aber man muſs sich hüten aus compo-
sitionsfehlern im gedicht zu rasch auf erfindung des deutschen
dichters zu schlieſsen: 821 heiſst es Her quam zu Bethanien
fure zu Symons huys. aber er war ja gerade dort gewesen.
810 endet die darstellung von der erweckung des Lazarus. die vor-
lage hatte sich hier an Johannes gehalten, wo nach der erweckung
des Lazarus die beratung der juden und pharisäer erzählt wurde,
welche Jesum töten wollten, 11, 45 ff, wie im gedicht 811 ff, aber dann
noch von Jesus zurückgezogenheit in der wüste, wo er bis ostern ver-
weilte, was die deutsche bearbeitung nur in dem allgemeinen satz
819 f zusammenfaſst. doch vielleicht fehlt hier etwas nach 820. —
sehr ungeschickt beginnt auch der abschnitt 883 Als schyre as unse
herre in de stat quam, — er ist ja schon seit 833 in Jerusalem.
aber das würde nur zeigen, daſs der lateinische schriftsteller sich
keine sonderliche mühe bei der contaminierung seiner bibelstellen
gegeben habe. der festliche einzug in Jerusalem war nach Johannes
geschildert worden. der hat aber nicht das austreiben der käufer
und verkäufer: also wurde ziemlich plump Matthaeus 21, 7 ff oder
Lucas 19, 36 ff angefügt. auffällig ist daſs die nachtherberge Christi*

bethanien nicht nach Matthaeus 21, 7, sondern nach Marcus 11, rzählt wird; s. oben. — ist aber die gruppierung nach charak- ligen Christi eigentum des lateinischen autors so sind es wol r die reflexionen, oder wenigstens die manier erzählung mit ralisation, betrachtung und lehre abwechseln zu laßen. s. die blickende betrachtung über Christi ärmliche und beschwerliche heit 298 ff. 323 ff, über verträglichkeit 382 ff, nepotismus ff. güte gegen sünder 641 ff, verhaßheit 661 ff, demut 728 f, rfreudigkeit 732 ff, güte 920 ff, so daß die lateinische com- lion sich bereits der form einer predigt nähert. diese tritt be- lers dort hervor wo die erzählung einer biblischen begebenheit durch ein par prägnante worte der lateinischen evangelien ein- let wird: Zachee festinans descende 623 vor der erzählung vom ner, oder Dimissa sunt tibi 692 vor der erzählung von der Maria Magdalena verwechselten sünderin.

Auch die manier zuerst die wichtigste tatsache einer episode, die ursachen oder die vorhergehenden ereignisse anzugeben, aus dem lateinischen originale stammen, s. 61. 238. 276. . 457. 912.

Über den deutschen dichter kann man nur wenig ermitteln. niedre herkunft läßt schließen 194 ff. 487 ff, stellen, in denen ervorhebt daß nicht die mächtigen, sondern geringe leute der göttlichen verkehrs gewürdigt wurden, daß Christus es sogar nied vornehme zu besuchen. auch wenn diese gedanken der vor- angehörten, ist ihre beibehaltung in der freien bearbeitung akteristisch. 248 f spricht nicht dagegen. geistlichen stand nahmen scheint die unsicherheit der theologischen bildung zu rielen.

Aber er verstand latein: das beweisen vor allem jene stellen in er nicht citiert, sondern lateinische worte und phrasen den schen constructionen einverleibt 61. 108 ff. 143. 148. 270. 761. . dann auch die unübersetzt gelaßenen oder richtig, wenn auch phrasierend, verdeutschten bibelstellen. weniger die germanisierten le contemplacien gracien 572 f. 908, *glorie* 760. *— aber Je- ist ihm eines schmiedes sohn 355. 413. er kennt also faber nur ler jungen beschränkten bedeutung und weiß nichts von der be- enden kirchlichen tradition.* granum frumenti Joh. 12, 24 *über- t er durch* hayr 861. *— das stimmt zu seiner geringen enheit in den heiligen schriften, welche oben hervorgehoben wurde.*

in demselben gedankengange erhält 391 ff. mehr nachläſsigkeit des
ausdrucks vielleicht ist 487 her quam zu eyme sigchen knappen,
— aber er gieng eben nicht hin wie in dem folgenden hervorgehoben
wird, denn fürstenwohnungen — also auch die des regulus Joh. 4, 47
— zu betreten liebt er nicht: her in woilde nie zu grosin vorstin
gerachen. durch diese nebengedanken aber verliert der dichter die
erinnerung an den eingang und fährt fort der in lut in sin huys,
als wäre früher von dem vater des kranken die rede gewesen. 174
und 180 stimmen auch schlecht zusammen. ich habe deshalb die
leicht wegzuschaffende anakoluthe 66 ff im texte belaſsen.

Wie wir oben vermutet, war auch die vorlage des dichters nicht
eine geradlinige erzählung. jedesfalls fällt es dem deutschen dichter
zur last, wenn er in folge dessen undeutlich oder unverständlich
wird. er hat entweder unberechtigter weise bei seinem leser dieselbe
vertrautheit mit der vorlage vorausgesetzt — s. oben über v. 70.
900 —, die er sich gerade erworben, oder die dunkelheit des ori-
ginals nicht erhellt. schlecht ist gleich der streit der göttlichen töchter
erzählt v. 30 dit klipsin: es war aber noch gar kein streit vorher-
gegangen. beinahe unverständlich ist die versuchung in der wüste.
die ermahnung zur verträglichkeit 382 ff kann doch nur aus der
herablaſsung, welche Jesus dem teufel gegenüber zeigte v. 392, ab-
strahiert werden, nicht aus dem fasten und dem verkehr mit tieren
und engeln 379 ff. ebenso muſs der ungelehrte, für den das gedicht
doch berechnet ist, 63 wie 180 und 437 erraten wer die braut sei;
und was ist das subject in 84? abrupt ist der übergang 328, sehr
läſsig der ausdruck 45.

Dagegen öfters das bestreben durch synonyme zuweilen im
klang verwandte ausdrücke zu malen. 29. 148 ff inmensus deus
kramp und schramp zu hant also kleyne und also krank. 228.
645. 710.

In der erzählung der biblischen begebenheiten finden sich züge,
welche in den evangelien nicht vorkommen und deren wahrschein-
lich traditionellen ursprung ich nicht nachweisen kann: 131 ff
Jesus kommt Gabriel bei Marien zuvor, — ähnlich sagt Jesus, er
wolle selbst mit dem boten gehen in dem nach 1174 geschriebenen
Leben Christi zs. 5, 17 v. 87; — 427 ff Jesus nimmt den
bräutigam von Kana unter seine jünger auf, vgl. oben; — 681 f die

isder glauben er schreibe ihre sünden auf die erde; — 772 ff
 der dichter den inhalt des gesprächs zwischen Jesus, Moses
 yas; ua.

Die forschungen nach den quellen solcher berichte können auch
 mit grofser zuversicht angestellt werden, da in einigen fällen
 eht, dafs der deutsche dichter selbst erfunden hat. so die ein-
 besprochenen stellen 905 ff. 722 ff in denen er seine mis-
 ändnisse malerisch ausführt, oder in einer weise motiviert,
 e auf rührung berechnet ist: Jesus mufs zwölf meilen weit
 weil ihm niemand herberge angetragen habe. — einen ähn-
gefühlvollen und erbaulichen charakter haben eine reihe andrer
 en zu der erzählung der evangelien. 65 Jesus trug wollen-
 r und war barfufs, 318 Maria hatte weder holz noch kohlen,
 sie nähte und spann fleifsig, 422 Jesus beschenkte die spiel-
 438 ff war bei seiner kümmerlichen lebensweise gelb und
 r geworden, 519 wehrte den aposteln die fliegen, 600 ff
 nie, 709 f hatte wunde füfse, 732 wollte nicht den
 en tod durch steinigen sterben, 794 f Martha sieht es Jesu
 dafs er Marien wünscht, 915 ff Jesus afs aus bescheidenheit
 zu abend, allerdings mit berufung auf tradition. es ist mög-
 dafs alle diese stellen aus der erregten empfindung des deut-
 dichters stammen, welcher die heiligen begebenheiten seinen
 n durch detailmalerei mit deutschem costüm näher rückte, um
 dadurch dieselbe weiche rührung einzuflöfsen, welche ihn
 durchdrang.

Auch in den betrachtungen zeigt sich diese schmelzende empfindung
 dabei das bestreben, den hörer zu gleicher seelenbewegung an-
 ten: 123 gott konnte es nicht erwarten sich mit der h. jung-
 zu vereinigen 174 ff, Jesus wäre gerne über die neun mo-
 in der jungfrau geblieben, aber doch liebte er die menschheit
 hr, dafs er wider den tag nicht erwarten konnte und in der
 geboren wurde 180 f, 218 f die liebe Mariens zu Christus
 durch den vers eines liebesliedes illustriert, glühend ist auch
 childerung der liebe zwischen mutter und sohn 285 ff, zum
 fs wundert sich der dichter wie Mariens herz eine solche fülle
 iebe ertragen konnte ohne zu brechen 297, s. auch 338 ff;
 bezaubernde liebenswürdigkeit 601 ff, gegensatz zwischen
 behandlung im himmel und auf erden 662 ff, sein schmerz
 azarus tode 802 ff, seine herablafsung auf einer eselin zu

reiten 833 *f,* *seine discretion* 920. — *selten der ausdruck des unwillens über die feinde Christi, so über Judas* 826.

Auch die darstellung selbst ist ganz durchzogen von gefühls-ausdrücken: statt Christus braucht der dichter gewönlich ein wort der zärtlichkeit: herzetruit 64. 134. 426, der lebe 298. 546. 589, der leve here 421. 433. 505, der lebe meyster 475. 513, der edil meyster, unse leve boyle 403, der allerbeste 665, der herzesuyze 707, — *die apostel sind* sine leben 506. 578, *oder* lybe herren 433, *oder* die leben zwolve 536. *auch Mariens und Moses namen werden auf diese weise teils ersetzt, teils ge-schmückt* 161. 169. 209. 769. — *dazu kommen dann die be-kannten umschreibungen Jesus* 361. 631. 663. 718. — *ähnlich statt des berichtes ausrufungen mit* wat! wy! 211. 214 *f.*

Weniger geläufig sind dem dichter redefiguren: einfache ana-phern: 50. 227. 298. 809 *f, die gewönlichsten bilder und ver-gleiche. die bildlichen ausdrücke für Jesus und Maria sind gewis alle überliefert. — nur die antithese tritt mitunter durch traduction verstärkt mehr hervor:* 78. 153. 208. 212. 430. 441. 864 *ff.* 632 der allit dink besorgit ane sorgen.

     In principio — do her is wolde,
   allis dat bilche sin solde,
    van minnen und begerden
    geschuf her byemil und erden.
5   minne was ye syn lebin
   und van mynnen mynnen plegen:
   sundir mynne inmoychte her ne gewesin.
   diz salt du in dine berze legin
   und ummyr gedenken
10   und van herzen gode danken,
    dat her ye und ye zu dir drug den mut,
    dat her dich van mynnen geschuf
    und na sines selvis bilde.
    sine ewige mynne dit spil spilde.
15   du der mensche was geschaffin,

Die reimzeilen sind nicht abgesetzt nur in der regel durch puncte bezeichnet.

    1 *kein punct*   8 legin] *dazu fand ich in der abschrift eines ver-storbenen germanistischen freundes die conjectur* lesin; *aber s.* 305
14 mynne.   15 der] h'

do volgede her na deme dragchin.
do der ewige got dat gesach,
her laygthe uf einen starken dach.
der kunich gesaz in syme trone
20 ubirclair und ubirschone.
do waren siner doygter vyire,
als ich sagin sal schyre,
der refyn zwo wafyn sere
ubir den armin virredere,
25 der sich selvir hait virloryn:
si spragen her were bas ungeborin.
do was eine de hize Pax,
de guytlige her wedir sprag:
hoiffiliche stilliche si das guytrede:
30 si sprag 'dit klipsin vugit uns ubele.'
de andir de da was gereit,
de hyz godis Barmherzecheyt,
de bewegete got also sere,
das frauwin Justiciyn ingeschach inkeyne ere.
35 do wolde Veritas uch vor gan:
eyne ychelige woilde ir regthe began:
Veritas und Justicia wolden den menschen virschalden,
Minne und Barmherzecheyt wolden in behalden.
got uf den menschin grozyn unmut drug:
40 her sprach 'it ruyt mich dat ich den menschin ye geschuf.'
frauwe Justicia de wolde also,
dat her de plage geboyt.
frauwe Barmherzecheyt ingab yme dekeyne raste:
si inlys in nyt by gemache,
45 bis de zyit queme
dat de plage ende neme.
Mynne got do alle bidalle asso verdreckete,
dat her vergaysse *dentem pro dente.*
fortis ut mors: dat sprigchit in duschyn asso:
50 mynne ist starkir dan der doit.

21 vyir   24 virrerdir   27 *kein punct*   29 stilliche.   guyt rede
40 ruyt mich.   42 geboyt de plage.   44 by͞mache   45 *kein*
punct   48 dente   49 mors] mort |

mynne twank got,
dat her uf sich nam de noyt:
mynne godis gudin geboit,
dat her kauft syn ungenois. —
55 nu ist uis de alde rede,
dat der alde got wilynd e dede.
da na geyt eyn ander ane,
da man wunder mach horen vane.

Do de ziit quam ryche,
60 dat frede was in ertriche,
in illo tempore ein guyt man quam, eyn prophete.
her heis meystir Jhesus van Nazarete.
her quam sugchen sine bruyt
in unsem elende, der herzetruyt.
65 her sugthe si wullyn und barfuz,
uf dat si genese des mordygin appils biz,
den si mit ungehorsamecheyde
hattyn genomen zu unseme leyde:
da vane si eweliche solden syn virloren.
70 asso der hemelsche vader sprag '*ego cogito* —
mich herbarmit menschynkunne,
quis ibit nobis — wer sal is wedir gewinnen?'
'dat sal ich' sprag der son, 'mir werde wi odir we:
ecce ego! mitte me.
75 der mensche ist mir also lyp:
ich wil an dun sinen lyp.
uf dat her eweliche moge lebin,
so wil ich selve vor in sterven.'
zu hant gestilde des vadir gemude,
80 da her dusint yair also veigthe mede.
. . . .
da her sprag '*lapidibus obruatur more maiorum* —

---

53 gē̄boit   56 wilynd e] willȳde   57 an.   60 ertrich   62 nazarz
kein punct   67 *kein punct*   68 genome.   69 vane *fehlt*   70 *kein*
punct.   die zeile scheint unvollständig. es war nicht genug raum ge-
lafsen für den rot zu schreibenden lateinischen text, so dafs das o von
cogito *in das* m *von* mich *hineingeschrieben ist*   73 son   74 *kein punct*
76 *kein punct*   80 *kein zeichen einer lücke*   81 da] dat   maiorum] ma

iz sal yme gain zu beyne,
man sal in drumme steynen',
er wart also guder hugyn,
85 dat her bestunt wagchin und wugin.

     Ab eterno vas provisum — eyn vas van mynnen,
reyn beyde, uysin und innyn,
dat was de kunyngynnen Marie,
schone, edil und vrie.
90 reynir creaturen
ingeschuf nye got van naturen,
also ganz und also pure,
dat her ne ingeschit van ir eyne ure.
sint si was geschaffin, de lybe,
95 si geheylgde inre muder libe.
si behaygde yme also woyle,
dat her in si sturte al zo male
den trisor syner genaden,
unbescheyden und unberaden.
100 si was gar woil gemuyt,
an ir inwas nyt dan clair dugint —
van seden seir virwenyt,
alle ire aderyn ingene gode gyngen,
ir herze was der gotlichyn mynnen bach:
105 her muyst got mynnen wer si sach.
wer uch in bosin willyn was,
as her si an gesach, her genas.
o magna amirationis gratia! de schoynst van al der werilde,
das ir ny nyman inbegerde,
110 as so sprichit sente Jheronymus
in ipsius laudibus.
got wyelde sinre dube selbe
   . . . .

   . . . .

dat sal sin werliche dyn gelaube.
was ire anders moygthe berysen

---

83 in *fehlt*   90 *kein punct*   91 *kein punct*   94 *kein punct*
96 **woyl.**   112 sine   *nach* 112 *kein zeichen einer lücke*

115 van menslicher spisin,
dat plag si den armen zu geben:
alsus was der reyner mede leben.
spiraculum angelorum et hominum — engelen und menschen
si luygthe
myt yrme gelaze und mit irre zugthe.

120 si was der birnende sterne,
der godes gotheyt bragthe also verre
bit irre grosin begerde,
dat her numme inmoygthe beyden.
cum esset rex in acubitu suo,

125 *nardus virginis* roych as woil do,
dat her sinen boden sante uys,
Gabrielen, zu irme huys,
der ir kunthe de grosse siner mynnen,
dat si van gode sune sulde gewinnen.

130 *tunc dixit 'ecce venio'.* —
dit sprigit in duschyn asso:
e der bode queme vor de duyr,
her was selbe kumen fur.
uyssir des vader schoisse spranch der herzentruyt,

135 als voychte yme sin herze na siner lebir bruyt.
as de iunffrauwe vernam dyse mere,
si undirquam is harde sere:
want irre oytmudicheyt was also gros,
dat in alme ertherich inwas nyt ir genoys.

140 in der heylgen geystis schole
was gewurzilt de vyoile,
allir rosin rose, allir lylien lylie,
digna parere dei filium.
si sprag, de edil kunnenginnen

145 'ich byn godis dirne: er geve mir syne mynne.'
as de milde kunynginnyn dis wort gesanc,
der heylge geyst des werkis sich undirwant.
et verbum caro factum. inmensus deus kramp und schramp
zu hant also kleyne und also krank,

---

125 do] da   128 de *fehlt*   129 godis   *kein punct*   138 g̊se
142 rose.   145 dirne.

150 dat in de iunfrauwe in yren engin aderyn betwanc.
de reyne mudir, si buyf sich uf,
si gink dat gebirge al uf;
si drug den, der si da drug:
dat was eyn wundirlich ungevuch.

155 do si zu irre munen quam,
dat kyndelen in irme lybe, Johan,
iz wart also vro und blide,
dat it turnierde und spilde.
do sprag irre mune alsus

160 'benedicta tu in mulieribus.'
do sprag uch de edil roseblume
'myne sele lobit got, mune,
und myn geyst ist uyssir mir gesprungen:
ich byn in got, myn heylant, gedrungyn:

165 want her hait an gesen de oytmudicheyt siner dernen.
dar umme solen wir ummer alle werlichen denen:
want her mir grosse .dink hait gedain.
sin heylich name moygte is woil beyain.'
de edil kuneginnen,

170 si wart eyne arme dirne van mynnen.
bit irre munen si dri mande bleyf,
si was zu irme dinste bereyt.
deme ewigen gode behade si asso woyle,
dat her in der reyner lylien daile

175 me dan nuyn mande wolde lyin beslossen.
des inhethe in dannoch nummer virdrossin,
moygthe iz syn gewesin,
dat wir also weren genesin.
dat insulde nyt sin.

180 her drug so grose mynne zu der brude sin,
der nyt inmoygthe gebeyden uf den dach:
her wart geboren in der nagt
sundir alle menschen helfe und macht.
de heylich engil lobeden de godis kraft.

185 da steyt uch aso bi:
meliflui facti sunt celi.

154 w̄dirderlich   160 mulie; *kein punct*   169 kůneginñē   173 woyl
186 *zwei puncte*

uf den selven dach
floys zu Romen van oley eyne bach.
noch dan merre wunder geschag:
190 zwa sunnen man schynen sach,
de oyssin uf dem velde reiffin mede
virgo peperit, virgo peperit.
unseren heylant de engil virmeldetin
den hirtin uf deme velde,
195 nit den greven noch den landesherren,
wande den oytmudichen dorferen.
et venerunt festinantes — si quamen gelaufin inde funden
godis sun in armen dugelyn bewunden.
hie salt du, mensche, mirkyn
200 we begerlich du sulis laufin zu dynre kirchyn,
da her ist sinen vadir ebengeweldich,
der zu Betleem bi siner mudir lach also bermelich.
nu salt du vorbas horen de rede
was de edil kunnengynnen dede,
205 allda her lach vor deme vie.
si viel darnedir uf irre kne,
si betede den an, der van irme libe was geboren,
der engil wunne, de hymilze sunne.
zu yren brustyn si in twank:
210 o wat freuden ir edil herze du gewan,
du her in yren armen lach,
den hymel noch erde begrifen mach.
we mynnenclige si in an sach,
wy lipliche si zo yme sprach
215 'suge, *dilecte mi, suge cordis mei.*' dat sprigchit: suck, herze
                                                        min,

·suck, truyt myn:
ich byn dyn,
du bis myn.
alda her lach in sinen windelyn
220 as eyn ander kyndelin.
her leyt an syner menscheyt

---

192 peperit,] pep   197 festinanto   207f an: libe quam, wunne :
sunne ?

alle unse krancheyt.
syn herze was bit grosir engest bevangen,
wan her woil wiste was her soilde lyden.

225   Des achten dages beginch her wunder groys,
da her van minnen syn iunk bloyt virgoys.
mynnen in also sere twanc und bant,
dat her wart as eyn dip gescant:
wande hervor de sunde was dy *circumcisio*
230   in der e gescriben also,
de got gab hern Abraham.
der megede sun her indorftis nyt, doch her is began.
her dedis allis durch sine bruyt,
dat de scryft wurde hervult:
235   *sponsus sanguinum tu mihi es.*
dat sprigit: du bis myn brudegam dar umme dat du mich
                        bit dyme blude keuftis.

     Dye dri kunynge van verren
brachtyn unsem heylande goilt wyroch und myrre.
si dadin is in deme heylgen geyst,
240   nyt sime armude zu voleyst.
si hatten gelesin in irre prophecien
dat eynre iungir frauwen geburt de werlt sulde gebenedyen.
des gingen si sizzen uf den hohen berge
und wartynden na eyme sterne,
245   da in were eynis kyndis bylde,
dat eyn cruce uf siner aselin hylde.
si waren kuningherren,
dat si nyt inaychten uf alle mere.
wande des zwivilden viil lude
250   was dat bedute,
dat si dat gestirne herkanten:
si wainden dat edillude dat nyt inhethen zu handen.
sente Jheronimus
der scribit van in alsus,

228 gebrant   232 nyt.   237 *kein roter anfangsbuchstab*
238 heylande. goilt. wyroch.   253 iheroni⁹

255   dat si is plegin alre meyst,
      as uch van deme kuninge Pharaho gescriben steyt.
      unse iunck kunink nam de gabe mit syner wyser cleynre hant,
      her gap si syner mudir al zu hant.
      her muse uns unse herzen intphengen,
260   innen bit deme fure syner mynnen,
      bit deme de kuninkge branten,
      de in sugtbin van also verren landen.
      si muysten sere ylen:
      si suylden ubir dusint mylen:
265   dar umme quamen si gerant uf snellen mulen,
      de eyns dagis ryden hundirt mylen.

      Dar na oppirde de reyne muder iren sun
      deme hymilschen hern in dat templum.
      onerata nobili onere —
270   wer gesach ye dis wundirs me? —
      si inmoygte nyt geleysten eyn lamp,
      de da bracht hatthe al der werilde heyland.
      si brachte durtildubin zwu,
      as in gescriben was du.
275   Symeon, der alde,
    ·   her quam gelaufin balde:
      wande her hatthe gehort dat her nit insolde van disime elende,
      her inneme Christum in sine hende.
      van groszir begerungin halsede her in:
280   ubirmudis her sprag 'nunc *dimittis servum* —
      nu nim mich, herre,
      want ich gesein dine ere.'
      die edil kunyngynnen druch yren sun heym.
      iz inwart nye suyssir honychseym
285   as du was dat liplich schoyslin
      und dat mynnenclige aynsen.
      uyssir sinen augen luychte eyn so gotlicher schyn,
      dat ir herze zuch zu male in dat syn.
      ir beyder herzen zufloissin

255 is *fehlt*   256 as] al   268 hymilchen   hern *fehlt*   272 wrilde
273 brachten   277 gehort.   279 *kein punct*   281 nu] u
284 seyme   285 as *fehlt*

290 und as eyn ways van mynnen zusmulzen.
dat da was in tuyssin,
dat helsin und dat kussen,
inkunde nie herze herdenken
noch zunge vur brengen.
295 du si yme in sins herzen grunt sach,
dat was groys wunder dat ir herze nyt inbrag.

Do der lyebe in deme lyeben schoyse solde lyin,
her muyst zu Egipten flein,
want der engil warind herin Joseph des,
300 dat her fluge den kunyck Herodes.
her inmoychte der methlicher mylche nyt gebruchen,
de yme susze was zu sugin:
her ingewan ne ruge noch raste.
dat lege in din herze vaste.
305 e dat her wurde geboren,
her muste mit siner mudir varen.
zu Betlehem da leyt her de schoke:
wande her ylede zu deme totthe.
da si syn soilde genesin, —
310 wan si wistis uf ir ziit wesen, —
si invant stat noch herberge.
des muyste si blyben in deme wege:
si genas sin in der straissin.
diz mag dir allis din lyden mayssin,
315 wilt du gedenken we kalde her lach,
in groszir ungereytschaf,
in deme kalden wintir: sin mudir inhatthe die kolin noch
dat hoilz.
we sin wir armen stolz?
unse scheppere, der hymel und erde hait gemaycht,
320 her inhaitte uf erterich dat dach:
her ingewan ne guden dach.
dat wir des nyt indenken, owach!
iz gebe uns trost in armude,
gedult in wedermude,

318 wir] mir

325 de uns geburent beyde:
iz were unse hergezzen in allim leyde.

Du unse frauwe zu Egiptin quam,
alle ire afgode vilen zu hant.
noch dan was de edil frauwe arm und ellende,
330 bekummirt war si sich wente.
bit groisime armude
zuych si unsin heylant uf, de gude mudir:
durch sinen willen
was si vlislich ire nailden und irre spillen:
335 bit glyderen und mit sinnen
plach si irs herzen mynnen:
iz inkunde nye herze herdenken noch gespregen munt
der grundelosen mynnen grunt,
wie mynnencligen si in zoyg zwoilf gair,
340 as ich wenyn vor wair.

Dar na virlois si unsen bulen:
her intlyf ir und lyf zu scholen.
do si sin wart geware,
si sprach 'sun, we hais du sus gevaren?
345 ich was ruich und dyn vader:
wir suchtyn dich alle gadir.'
du antwerde de godis wiseyt
'enwissit ir nyt dat iz mir woil steyt,
dat ich si in myns vader huys?'
350 her volgede in, der oitmudige Jhesus,
her was in undirdenich.
hore, mensche, unde schame dich:
godis sun was dryssich yair unbekant,
putabatur filius Joseph — her was ie eyn smidis sun genant.

355 Du her zu sinen yaren quam,
van Johanne her den daufe nam.

328 *kein punct*   331 *kein punct*   337 h denkn.   339 zoyg.
341 *neue zeile*   343 gewar   344 gevar   355 *kein grofser anfangs-
buchstab*

under den grosin sunderen,
den der heylge deufere sprag dat si weren
lude as nathyren geslegte:
360 undir in quam er, der nie sunde ingedede.
cherubin und seraphin di undirquamen,
do si iren spigil sagin
baden in der Yordanen bach.
der heylige paffe al herscrak,
365 du her in rurthe bit sinen henden:
her inmoygte iz doych nyt wedir wenden.
wande unse heylant sprach also
'sine modo.'
dat sprigit: iz ist geregthekeyt behalden,
370 dat man undirdenich si yungen und alden.
der hemil sich uvir yme intsloys,
godes geyst as eyne dube uf in floych.
des vadir stimme sprag alsus
'tu es filius meus dilectus.'
375 dat sprigit: du bis myn lebir sun,
in dir ich mir selbe huylt bin.

Her na ginck her in de wuste:
vierzich dage her da vastede.
her lach undir den dyren:
380 de engil denden irym herren.
den grosin god salt du eren,
mynnen und alleyne beyeren,
den mynnencligen herren,
der dich so guytliche wolde leren,
385 we du virdrages den ungesieten
und lebis mit alle der lude vriden.
her na unsin herren hungeren wart:
Sathanas laygthe yme vur eynen steyn hart,
dat her in machte zu brode.
390 driwerve her in bekorde.
diz leyt allit der oytmudiche herre,

uf dat sine gedult were dir eyne lere:
alse dir bekorunge zu queme,
dat si dir were geneme,
395 dat du dynen nutz da mede dedis,
dat god lobedis und erdis.
wande her selbe sprigit also
'*ego quos amo castigo.*'
dat sprichit: wen ich mynnen, ich kestigin:
400 sin heyl ich werlich meynen.

Her ginck vch in der Juden schole.
der edil meystir, unse leve boyle,
her steych uf den lettere, her las sine eirste letze,
die van yme hate gesprochen der prophete:
405 *Spiritus domini super me — ewangelizare pauperibus* — dat
sprichit: godis geyst hait mich gesalbit und gesant,
dat ich kundigen siner genaden hand,
dat ich de armen gebenediche
und de sigchen gearzedige.
de groze meystir begunden bebyn: —
410 si inwistin iz nyt van yme gescriben: —
si wundirde wan yme die wisheyt queme,
so her eyns armen smiedis sun were.

Her ginck uys in de werilt
und uysherwelte zweilve,
415 de mit yme syn soilden:
noch dan mangcher yme volgede.

Virnemit was her do began.
zu eynre bruloft her bequam:
der brudegam was sin neve:
420 der leve herre begunde sine gaven geven,
den spiluden nyt alleyne,
wan alle den, de da waren gemeyne:

401 *kein roter anfangsbuchstab*   405 p^{au} *kein punct*   413 *kein
roter anfangsbuchstab*   415 *soilde*   417 *kein roter anfangsbuchstab*
419 *kein punct*

dat wassir wandelt her in guden win:
si muysten alle vro und blide syn.
425 nu sig wat me dede der herze truyt:
her schit den brudigaym van der bruyt,
her dede in yme volgen na,
wande her yme groselich wolde lonen dar na.

Der grose got, der geweldich herre,
430 hymils und erden eyn scheppere,
her ginck as her eyn knegt were
und eyn armer stolkenere.

. . . .
mit den lyben herren zu steden van steden,
· und van lande zu lande,
435 wande yme sin herze sere branthe
na sinyr bruyt uys herkoren:
des muyste yme sin schoner lyf dorren.
. her vaste dicke lange,
de sunne in sere branthe.
440 des muyste gelwin sin schone angesicht,
da abe de engil herluychtit sint:
also steyt in eynre stat:
cuius gloriosa facies celos illuminat.
her lerede, her predigde,
445 de nachth in sime gebede durchwaigthe.
her ginck ubir scarpe steyne
sugchin sin bruyt, de reyne:
her leyt ryffin und sne,
yme wart dicke we und we:
450 her leyt kalt und heis:
dicke in wuysch der starke sweys.

Her quam eynis durstich und mude
bi eyne puzen, de ubirgude.
her was selve *fontis unda perpetis:*

432 stolken: *kein zeichen einer lücke*   433 und mit herren] h'ten
440 *kein punct*   443 illuminat] ill.   452 *kein roter anfangs-
buchstab*   454 Fotis ppetis vnda

455 noch dan eyme armen wibe her drynken hiesch.
si inwoilde is yme nyt gevyn,
wand si inkante nyt den werdin.
du sprach der uvirgude
'wistis du, frauwe, de genade,
460 wer der ist, der dir drinkyn heyszt, du heitis in gebeden
dat her dir den lebyndichin burne hetde gegiebin.'
de frauwe was heydyns:
her inwoilde si dar umme nyt miden:
guytlich kotirte her bit ire,
465 manigen schonen sprug sagede her ir.
dorch de selin her is allis dede,
der her so sere begerde.
dat was sin beste ezsin und drinken,
dat her de selin moygthe gewinnen.
470 also antwerde her auch sinen kynden,
de in hizsen ezsen und drinken:
her sprag 'ih sal eyn spise ezsin,
van der ir noch nyt inmogit wissin.'

Der lebe meystir her was also guyt van naturen,
475 dat her medesame was bit allin luden.
man invint is nit dat her versade
ye menschen sine genade:
her seinte de Judenkynder,
her halsede si, der grose mynner:
480 van mynnen und van begerden
verloys her zu leste sin leben.
her was den armen heymelich:
dat was sin art natuyrlich:
wand her was der edilste und der beste,
485 der in erterich ye gereste.

Her quam zu eyme sigchen knappen, —
her inwoilde nie zu grosin vorstin gerachen, —
der in lut in sin huys.
. . . .

460 heyszt.   462 heydẏns   474 *kein roter anfangsbuchstab*
486 *kein roter anfangsbuchstab*   *nach* 488 *kein zeichen der lücke*

her sprach 'din sun sal genesen':
490 her inwuylde doch selve da nye wesin.

Her fur uber mere
mit sinen leben, der lebe herre.
da huyf sich dat starke wedir:
si inmoygthyn vort noch wedir.
495 her was in deme schiffe intslafin:
si riffin alle wafin,
si wecktin den werden:
si sprachen 'wir virderven.'
her stilte de winde,
500 yme gehoirsamden des meris unde.
zu eyme anderen male,
da si wanden virderben zu male,
her quam gegangen uf den mere
mit druckennen vussin, der vil lebe herre.
505 sine leben wurden herverit sere:
si wanden dat it eyn gedrugchenisse were.
her sprag 'gehaldet uch wail, ich bin is.'
her was werlich dat geware lycht.
her leyt und lerde si, her vugde und hute
510 de yme waren getirmit, der uvirsuzse gude:
her was der sinen scirmbert,
der leve meystir van Nazaret.
as si waren mude
und de sunne sere glude,
515 sin edil beyn her streckede,
bis her ewenich gerugede:
her dede si nedir ligen,
her werde in de vligen.
her mynnede si also sere,
520 dat it yme gink an syn ere.

• Si quamen in eynen ackir,
si ahertin durch hungir dappir.
de Juden dat gefrisin,

501 *kein punct*   509 si.   514 blude   516 awenich

unsim herren si iz zu yschen:
525   si sprachen war umme her in dat virgebe,
dat si brechen den ewen.
du intsculdichde si der suze herre
und wart ir vursprechere:
'*si sciretis*' sprach der suzse man
530   '*quandam misericordiam* —
wistit ir we groiz godis barmherzichet were,
ir inheitis hude virkerit so sere.'
bonus pastor — der getruge hirthe,
her virstunt sine leve herte.

535   Der leben zwolve,
der waren vire sine neven:
zwene wolden mageschaf geneisen,
dat si bi siner siten sezsen.
der wise meyster
540   sprag 'was eyschit ir?
ir inwissit was ir bedit.
dat ir bi mir siczit,
an mir is insteit,
wan den is min vadir hait bereit.'
545   her belerde uns, der lebe,
dat wir miten fleysliche leben,
bit unsin magen uns nyt insolin bekummeren,
wanne is plegit an godis dinste zu hynderen. —
unse frauwe sin mudir reyne wulden sprachen.
550   her stunt und predegde, du man yme dat kunte:
her antwerde, der ubirgude
'wer is myn mudir?'
her recthe sine gebenedygde hant
uf sine iungeren zu hant,
555   her sprag 'der da deit mynis vadir willin,
der da is in den hymelen,
der ist myn brudir
suster und mudir.'

535 *kein roter anfangsbuchstab*   539 *kein punct*   546 *lebe*

Unsis herren iungeren waren sebinzich und zwene,
560 de her uys sante zwene und zwene,
in welche stat her soilde kumen,
dat si kunteden sinen namen.
her gab in gewalt ubir de bosen geyste
bit sines geystes volleyste.
565 her sprag also,
dat si des nyt inweren alzo vro,
dat si bose geyste virdrebin,
wan des, dat ir namen in deme hemyl weren gescriben.
zu den selben stunden
570 frauwin her sich begunde
in grozir contemplacien
van sines vadir gracien.
in des heylgen geystis ere
sprach er 'vadir, vadir herre,
575 is was ye din wille alsus,
dat du den stulzen virborgen bis.'
zu sinen leben her sich kirde,
alsus her si lerde
'sitis perfecti: pater meus dabit vobis regnum — wesint leven
birve:
580 myn vadir wil uch geben sin erve.
alle dinc mir gegeben sint van deme vadir myn.
kumit zu mir alle, de beswerit sint:
ich wil uyr restom und uyr trost sin.'
si vuren dort hyn,
585 de sebinzich und zwene,
. . . .
si daden wundir in sime namen,
wat ir was, si alle sament.
wan der lebe quam na:
ingeyn ubil inbleyp al da.

590 Also in deme ewangelio steit in eynre stat . . . dat
sprigchit: wer in gerurte deme wart bas:

563 geyst   564 geyste   568 des.   579 regnum] r.   nach 585
kein zeichen einer lücke   590 *kein roter anfangsbuchstab   nach* stat
freigelaſsener raum von faſt einer zeile

au libe und au selin her genas.
de blinden dede her sein,
de maleter de sugthen vlein,
her dede horin de daubin,
595 her dede de stummen got loben,
her dede uf sten de doden,
de geyste gehorsamten sinen worten:
her dede alle gude sagchen.
ne mensche ingesach in gelachen:
600 ie doch was der mynnenclige so guytliche gedan,
dat neman des indorfte han wan,
dat her mit unmude were bevan.
her moygthe bit eyme anwinken alle gude herzen vain,
iz inmoygthe auch ne suzsir raisse werden
605 dan de sprache siner reden.
ex habundancia cordis os loquitur — nach sins herzen grunde
gingen de wort van sime munde.

Sente Peter vragede in we dicke her soilde virgeben,
ob her seben werbe sulde virgeben.
610 do sprach unser herre 'ich inspragchen nyt seben werbe,
wan eynis dagis sebenzich werbe seben werbe.'
du horte sine iungeren des begeren,
dat si dat fuir muste verzeren,
de in nyt wulden intfain.
615 her inliz is in nyt woil hergan:
her geschuldichde si sere:
des her sprag '*filius hominis non venit* —
des menschen son inis nyt kumen
wan durch der selen heil und vromen.'
620 der selen heil acker her iagede,
den sunderen dede her groisse genade.

Zachee festinans — do her zu Jericho quam,
Zacheus da was, eyn heydins man.

600 gedane; *kein punct*   602 bevangen   606 nach] Noch
608 *kein roter anfangsbuchstab*   610 herre.   werf   616 *kein punct*
617 sprag. *kein punct*   622 festin°   623 Zach⁹

her was sere ryche,
625 dat guyt gewan her unredeliche.
her beierde dat her gesege
den grozen meyster in deme wege:
her inmoygte, her inwas nyt lanck:
den hoyn baum her uf clamp.
630 dat inmoychte deme nyt sin verborgen,
der allit dink besorgit sunder sorgen.
her ryf yme schyre her abe,
dat her in infhinge undir sin dach.
her spranch ave snellich,
635 her inphink in frolich.
der lebe meyster sprag alsus
'quia hodie huic domui salus —
salich sal ummer sin din huys,
wande du hude Habrahe sun worden bis.'
640 hi bi macht du mirkin
wi ruchlois du siis an den werkin,
obe du in ruwin begerlich
intpheys den kunick van hymilrich,
dat du werdis geheylygit
645 gereynigit girechtit.

Di bose Juden waren unsem herren viil gram:
van hasse und van nyde dat quam.
si grunzedin und grynen,
war umme her were heymelich den genen,
650 de da waren groize sundere.
do antwerde der suysse predigere
'ich inbin nyt durch de gerechtin kumen,
sundir durch der sunder vromen.'
her dede schone zeychen:
655 dez leyt her ydewiz und smaheyte.
si sprachin deme alre bestin,
her were bit deme hoistin viende besessin,
und her verdriebe de bose geyste

637 domui salus] do. s.   642 *kein punct*   645 gereynigit.   649
heymelich.   650 sūder   655 smaheyt

mit des viendes volleiste.
660 der virwende der in heimilrich was virzart,
owe wi bittirliche iz yme in erterich uys gedrebin wart!
her was in swere an zu sien,
in deme sich lustin de engil zu besein.
si sprachin her were eyn vrezsere
665 eyn drenkere und eyn virredere:
so her doch nye vleyszis inbeiz
wan dat payschlamp also heyz:
dat as her iairs durch noit,
wan iz de do geboit.
670 si vairthin yme an wortin und an werken,
ob si yt an yme moygthen gemirken.

Si bragtin yme zu eynen zidin
eyne groisse sunderen in groissim nyde.
si sprachin alle gemeyne,
675 de hyzsin si steynen.
du antwerde der barmherzich
'iz uyr keyner sunden unschuldich,
der hebe den ersten steyn uf und werfe uf si!'
. . . .
du neygde sich der gude und screyb up de erde:
680 du doigthe eyn ygkeliche dat her vor des anderen stirnen
sehe gescriben sine sunden.
da hubin si sich alle uf
und ilede eynir na deme anderen hyne zu hus,
van deme ersten biz an den lesten.
do bleyp der aller beste
685 bit der armir vrauwen alleyne.
her virgab ir de sunden al gemeyne,
her insazthe ir do keyne pine
noch ander karine,
wan akkir dat si hilde dat gemude,
690 dat si der sunden me huyte.

659 volleist   *kein punct*   662 *kein punct*   664 *kein punct*
668 *kein punct*   676 barmherziche   *nach* 678 *kein zeichen einer
lücke*   682 zu hus *fehlt*   687 *kein punct*

Dimissa sunt tibi. — Alsus vergap her uch Marien Mag-
dalenen,

    de mit yren heysen trenen
    zu yme geloufin quam:
    alle ir schande her up sich nam.
695 du her saz zu deme dische,
    irre ruwe was sine beste fische.
    her ingap ir keyne buysse,
    her sprach 'quoniam dilexit multum' —
    wande si in mynde van herzen —,
700 her insazthe ir keyne smerzen,
    alleyne was iz harte noit
    dat do soyte mynne, starkir wan der doit,
    virzarte schire den ungevuch
    und de unzoycht groyz genuch.
705 sy salbede yme uch sine vuze.
    dat nam der herzesuysze
    vil sere gerne,
    wande si hatten viil kerbere:
    si waren iemerlichen gescrunden
710 zukenen und zuswullin.

    Symon was eyn gudir man.
    de anderen waren yme viil gram,
    si sprachen was herren er were,
    dat her de sunden virgebe.
715 si daden alle de loisheyt
    de si moygthen, und de boysheyt,
    we si in virderbden,
    der da was dat ye geware leben.
    si ruynden und reden
720 wi si in moygten virlisen.
    si sazthen in uf eynen hoin berg,
    uf dat si in stissin vorwert.
    en tuyschen si her hyne ginck:
    ein veilz in du inphynk.

701 noit *fehlt kein punct*   702 soyte.   711 *kein roter anfangs-
buchstab*

Z. f. D. A. neue folge V.

725 der baugde sich as her wesen were:
da inne bleyp der geweldige herre.
dat dede sine groysze oytmutcheyt,
anders keyne noitdurftcheyt.

    Zu eyme anderem male do si in wulden steynen,
730 her flug uzir deme templin alleyne:
her niwolde also gemegchelich nyt sterven,
her wulde bitterlich verderben.
her floyg gemache und ere,
der viil lebe herre,
735 da man in kuninck wolde machen
umme de sachen,
dat her sate funf dusint menschen
mit funf broden und zweyn viischyn.
der oytmudiche herre her floyg,
740 dat her uns da mede lerde also.

    Her quam eynis zu Marthen huys,
da Maria was und Lazaruys.
Maria ginck siczen bi sine fuyzse,
sugen sin wort suyse.
745 si was bekummirt innen
und durchdrunken van mynnen,
dat si vursmecke was uyssen:
si lis ire suster alleyne beruszen.
da si begunde clagen
750 dat si ir nyt inhulfe dragen,
her antwerdte 'si hat dat beste herkoren,
dat ir numer inmach werden benomen.'
yme smackede bas ire mynne
dan keyne ezzen odir drinkin.

755   Unse herre nam sine vrunt,
den her vor den anderen was kunt,
Petrum Jacob ind Johan:

---

729 *kein roter anfangsbuchstab*   730 alleyn   737 *kein punct*
741 *kein punct*   742 *kein punct*   755 *neue zeile*   757 Petrū. Jacob.

den berg Thabor her uf clam.
her zeunthen do sine glorie,
760 de da was an syme undoytlichen corpore:
sin angesigthe wart claire dan ye sunne.
si wurden gar virwunden,
si in moygtins numme liden,
si muysten nyder sygen.
765 ime urkunte sin vader here
dat her sin lebir sun were.
Helyas uyzsiir deme paradyse quam,
Moyses uyszir der hellen, der suzse man,
und kotirden bit unsem herren
770 heymelich mere, —
de den luden was virborgen, —
dat man in suylde morden.
do Peter zu yme selver quam,
her sprag as eyn drunken man
775 'bonum est nos hic esse.'
her woilde da ummer wesen,
wande her hatte gesein
de angesichte, dan abe de engil herluychtit sint.
der oytmudige herre
780 her insuchte keyne irdinsche ere:
her virboit in,
dat si de heymilcheyt nyt meltin,
biz her durg menschenkunne
den doyt virwunne.

785 Do Lazarus doyt was,
der yme eyn lip frunt was,
her inwas nyt da:
her quam dar na.
Martha clagede sere
790 dat ir lebe bruder doit were.
si sagede ire suster
'dich heyschit unse meyster.'
dat hatte si yme an gesen,

768 hellen.   770 *kein punct*   781 *kein punct*   789 *kein punct*
793 hatte *fehlt*

si inhatz in nyt horen spregchen.
795 Maria nyt inbeyte,
wande ir was viil harthe
zu yrem leben herren:
si mynde in unmaisse sere.
du her si sach weynen,
800 her begunde sich selve hergremmen.
flevit super eum et dixit s. — her inmoygthe sich nyt int-
halden numme,
wande sin herze was in we
as eyn wais ingeine deme fure.
  .   .   .   .
her ginck zu deme grabe,
805 her heyz den steyn dun abe,
syn augen hub er up zu hemilriche,
sinen vader lobeder heymeliche:
her dede den doden up stan,
her dede in gebunden fuir gan.

810   Do her dis hathe gedan,
di Juden begunden rait an gan
wi si in virderbden,
do yme aller best stunt sin leben.
in wart viil bange:
815 si sprachen 'beyden wir lange,
de werlit sal yme na gan,
de Romere solen unse stat van.'
her diz woil wiste
und ire vil bose liste.

820   Her quam zu Bethanien fure zu Symons huys:
da was Martha und Lazarus.
Maria salbde deme suzsen
sin haubt und sine fuze.
Judas dar weder ryf, —
825 her was eyn schalk und eyn dif, —

___

795 maria.   *nach 803 kein zeichen einer lücke*   807 heymelich
810 *kein roter anfangsbuchstab*   817 vahen   825 schalk.

her sprag war umme man de salbe dure
nyt inkerde in der armen gefure.
du indeschuldichde si unse herre
und sprag 'wat wizzint ir yre?
830 si hait wail gedan,
si wil myne grabeleyde vur begain.'
. . . .
wi wunderliche guyt dat was,
dat her up eyme esilline woilde ryden,
den hymyl und erde enmag begriffen.
835 do her der stat neikede,
bitterliche her weynede.
uf dat sin schande desde merre were,
her wart inphangen as eyn herre.
si sprachen 'gebenedichder herre,
840 dat du kumist, des habe got ere.'
den wech si ingegin yme bespreyten
mit blomen und mit cleyderen.
dat was den Juden zorne, —
si waren scharpe dorne, —
845 si spragin zu unsime herren
war umme her in nyt indorste weren den de in erden.
do antwerte her in
'ob si swigen, de steyne suylden rufen.'

Heydenen waren kumen zu deme hogezide,
850 si wainden bi der werder sizzen.
si sprachen zu Andrese
'herre, wir segen meystir Jesum gerne.'
Andreas und Philipes,
deme leben meyster gewugen si des.
855 her antwerde in zu hant alda '*tempus est.*'
dat sprigchit: it iz an der ziit
dat des menschen sun geerit sal werden.
da besprag her dese rede

---

nach 831 *zwischenraum von beinahe einer zeile*   832 widerliche
843 zorn   846 weren *fehlt. ist vielleicht unnötig*   852 wir] mir
Jesum] ihm̄   853 philips

'ich sagin uch vuyr wair,
860 it iuvalle in de erde dat hayr,
iz inbrengit vruycht inkeyne:
wanne it blibit alleyne.
der mynnet sinen lyp,
der muys in virlesen umme lip.
865 der sineu lip hye verlusit,
zu den ewin her in kusit.
der mir volgit und denit,
van myme vader her grosse ere gewinnet.
da ich selbe sal sin,
870 da solint si myt mir syn.'
na dirre redeu her zu hymel sach,
syme vadir her dyse wort zu sprach
'vader, vader here,
du mit mir dine ere.'
875 du quam eyne stymme van hymilriche
und antwerte yme . . . . . .

. . . .
'ich sal myn ere dun' sprag si.
du si dit gehorten, si begunden it virkeren
dat it dunreslege weren.
880 do sprag unse herre 'nyt durg mich
iz kumen dyse stymme: durg uch.'
do her dit gesprag,
vor in her sich virbarg.

Als schyre as unse herre in de stat quam,
885 predigen iu deme tempil her beian.
her slug uys myt sime gurtil
der wesler gelt und vogil.
si musten stille swigen
und guytlichen genigen,
890 wan syn gedene was as gruylich,
dat ir keyner endorste geweren sich.
her stunt und ryf as dat ewangelium sait

876 *f zwischenraum von einer halben seile*   884 h're.   *kein punct*
889 gewigen   890 guytlich

'*si quis sitit veniat et bibat* —
den durste der kume zu mir drinken:
895   ich sal yme den lebenden burn dun springen.'

      Do her geprediget hatte alle den dach
und viil mude was bi der nacht,
dat ewangelium uns sagit alsus
miserunt me solum —:
900   si gyngen heym gemeyne,
si lyszin in alleyne:
van in allen neman yme inboit
noch de herberg noch dat broit.
her muste noch do ylin
905   zu Bethanien zwoilf milen,
zu Marthen und Marien huys:
da was siner gracien thalamus.
do her gynk in deme wege,
syn edil herze was belegen
910   bit so starkir hungirs noyte,
dat her eynen guden baum bit floyge doythe,
do her nyt ain yme invant:
her sprag 'nummer inbizse dyn menschenzant.'
nu horent vor bas de rede
915   was her in der herbergen dede.
Marthe bethe deme leben gaste:
si inwiste nyt dat her noch do vaste:
man sagit dat her also genck slaiffin.
dat wir des ummer virgessen wafen!

. . . .

920   der guden de her vorte,
der her nyrgen zu indorte.
durg unsich her it allit dede:
nu geyt ave de Mynnenrede.

896 *kein roter anfangsbuchstab*   902 allen.   906 Marien.
909 h`re   910 noyt   *kein punct*   *nach* 919 *kein zeichen einer lücke*
922 unsich]unsiĥ

ANMERKUNGEN.

1 In principio] *Gen.* 1, 1 in principio creavit deus caelum et terram.

2 bilche] *Lacomblet Urkundenbuch* 3, 636 (*Breisig* 1363) dieghene, die id bilche 'duyn solin.

29 stilliche] *nicht mhd. vdSchueren p.* 260ᵃ, *Kilian Dufflaeus p.* 530ᵇ, *Schambach p.* 211ᵃ, *Bartsch Über Karlmeinet p.* 327.

30 klipsin] *Graff* 4, 548 klipsi rixae.

48 dentem pro dente] *Exod.* 21, 24 oculum pro oculo, dentem pro dente, manum pro manu, pedem pro pede. *auch Levit.* 24, 20, *Deut.* 19, 21, *Matth.* 5, 38 *steht* oculum pro oculo *voran.*

49 fortis ut mors dilectio] *Cant. cant.* 8, 6 quia fortis est ut mors dilectio.

50 mynne ist starkir dan der doit]• *s. v.* 702.

70 *f* ego cogito — mich herbarmit menschynkunne] *vielleicht mit benutzung einer biblischen stelle, Jer.* 36, 3 — si forte audiente domo Juda universa mala, quae ego cogito facere eis, revertatur unusquisque a via sua pessima, et propitius ero iniquitati et peccato eorum; *vgl.* 26, 3.

72 *ff* quis ibit nobis? — ecce ego, mitte me] *Isai.* 6, 8 et audivi vocem domini dicentis 'quem mittam? et quis ibit nobis?' et dixi 'ecce ego, mitte me.'

73 mir werde wi odir we] *vgl.* 85 wagchin unde wugin, *Marienlieder zs.* 10, *p.* 7, 34 schone inde schin, *p.* 16, 26 schonsteme schinsteme, *p.* 35, 11 weschen — wischen.

81 lapidibus obruatur more maiorum] *Exod.* 21, 28. 29 si bos cornu percusserit virum aut mulierem et mortui fuerint, lapidibus obruetur; et non comedentur carnes eius. dominus quoque bovis innocens erit *usw.* more maiorum *kommt in der stelle der exodus nicht vor.*

84 guder hugyn] *Köditz von Salfeld* 39, 34.

110 *f Hieronymus sagt in seiner schrift De perpetua virginitate (ed. Paris 1602, tom.* 2, 205 *ff) nur dafs Maria auch in der ehe jungfrau geblieben sei, denn Joseph hätte nicht gewagt sie zu berühren.*

nach 112 *fehlt ein wahrscheinlich sehr gedrängter abrifs von Mariens jugendgeschichte. sie wurde im tempel erzogen und von einem engel gespeist.* esca quam cotidie de manu angeli accipiebat ipsa tantum se reficiebat: escam vero quam a pontificibus consequebatur pauperibus dividebat. *Pseudoevang. Matth. c.* 6.

118 spiraculum angelorum et hominum] *Prov.* 20, 27 lucerna domini spiraculum hominis, quae investigat omnia secreta ventris.

124 cum esset rex in acubitu suo, nardus virginis —] *Cant. cant.* 1, 11 dum esset rex in accubitu suo, nardus mea dedit odorem suum — *Reimprosa von den funfzehn stufen, Germ.* 6, 151: *der nardus des hohen liedes wird mit Marien verglichen, dann:* dit krut gaf sine ruch so sere, dat des heimeles inde der erden here des ruches so wale geluste, dat he in der meyde lif inde sele komen muste, inde nam dar in unse menscheit.

130 tunc dixit 'ecce venio'] *Psalm.* 39, 8 tunc dixi 'ecce venio.'

11 vyolle] *WGrimm Goldene schmiede* XLII.

12 allir rosin rose, allir lylien lylie] *WGrimm Goldene schmiede* XLII.

19 et verbum caro factum] *Joh.* 1, 14 et verbum caro factum est et vit in nobis.

50 benedicta tu in mulieribus] *Luc.* 1, 28.

74 in der reyner lylien daile] *Cant. cant.* 2, 1 ego flos campi et convallium. — *Hartmanns credo* 711 di frowe generosa, scone als sa, di gebar daz scone lilium, daz da heizet lilium convallium, *Ma-b MSD* XL. 3, 5. 5, 11.

51 der] dér.

90 zwa sunnen] *über* zwa *s. Bartsch Über Karlmeinet* 353, *Marien-zs.* 10, 127, 1, *Schade Geistliche gedichte* 376, 310 zwac.

92 virgo peperit] *Isai.* 7, 14. *Matth.* 1, 23 virgo pariet. *aber die ob-r im pseudoevang. Matth. c.* 13 *ruft würklich:* virgo concepit, virgo t, virgo permansit.

97 et venerunt festinantes] *Luc.* 2, 16 et venerunt festinantes (pa-).

28 dat her wart as eyn dip gescant] *der vergleich entstammt deut-rechtsgebrauch, s. JGrimm RA* 709, *entmannung als strafe für ahl, vgl.* 638, *Wilda Strafrecht* 510. 892, — *allerdings nur bei n.* — *Kaiserchron.* 8896 *Mafmann,* 271, 22 *Diemer,* rehte sam :p scenden (*hs.* sceden), *Aneg.* 39, 11 daz man als einen diep den hten gotes sun erhie, *Christi tagzeilen* 7.

35 sponsus sanguinum tu mihi es] *Exod.* 4, 25. 26.

53 *Hieronymus sagt In Matth. c.* 7, 9 (*ed. Paris* 1602 *tom.* 6, 23) *lie gabe der prophetie oft unwürdigen verliehen werde:* nam et Saul laam et Caiphas prophetaverunt nescientes quid dicerent, et Pharao et hodonosor somniis futura cognoscunt, *vgl. auch In Jonam c.* 1, 4 5, 308 *D*).

80 nunc dimittis servum] *Luc.* 2, 29 nunc dimittis servum tuum, do-secundum verbum tuum in pace.

54 putabatur filius Joseph] *Luc.* 3, 23 et ipse Jesus erat incipiens annorum triginta, ut putabatur, filius Joseph.

68 sine modo] *Matth.* 3, 15 respondens autem Jesus dixit ei (Joanni tae) 'sine modo.'

74 tu es filius meus dilectus] *Marc.* 1, 11, *Luc.* 3, 29.

98 ego quos amo castigo] *Apoc.* 3, 19 ego quos amo arguo et castigo, 12, 6 quem enim diligit dominus castigat.

05 spiritus domini super me — ewangelizare pauperibus] *Luc.* 4, 18 is domini super me propter quod unxit me: evangelizare pauperibus me.

32 stolkenere]? — *Schambach* 212ª, stolker *ein langer hagerer und steifer und unbeholfener mensch,* — *Schmeller* 3, 657 storger *land-her.*

33 und mit den lyben herren] *vgl.* 534.

54 fontis perpetis uuda] *Joh.* 4, 14 fons aquae salientis.

64 kotirte] *s.* 769. *Diefenbach unter* qithau: *westfälisch* quadern,

487 gerachen] vdSchueren 202ᵃ raken treffen; vgl. vGroote glossar zu Christian Wierstraats reimchronik von Neuſs 122, Bartsch Über Karlmeinet p. 290.

510 getirmit] mhd. getermen, vdSchueren 272ᵃ betermen.

516 ewenich] Schade Geistliche gedichte vom Niederrhein, Mackabeer 701 ewenich, Gottfried Hagen Reimchronik von Cöln 2515. 3221. egein, Lacomblet Urkundenbuch 2, 444 (1257) eweder, 3, 670 (1369) oüser eghein, in egheinre wis, 721 (1372), — Unser frauen klage zs. 1, 38, 142ᵃ ademe für an deme.

529 ſ si sciretis — quandam misericordiam] Matth. 12, 7 si autem sciretis quid est misericordia.

533 bouus pastor] Joh. 10, 11 ego sum pastor bonus.

579 sitis perfecti: pater meus dabit vobis regnum] Matth. 5, 48 estote ergo perfecti sicut et pater vester celestis perfectus est.

birve] biderbe: vdSchueren 24 berve, Schambach 21ᵃ berbe berwe, Meraunt und Galie ed. Lachmann 324 berve, Karlm. 372, 39 birflich, Bartsch Über Karlmeinet p. 272, H. Ernst 3, 4 sturven (: birven).

590 in die hücke sollte wol Luc. 6, 19 kommen: et omnis turba quaerebat eum tangere: quia virtus de illo exibat et sanabat omnes.

593 maleter] Schade Geistliche gedichte vom Niederrhein 262. 470.

599 ne mensche ingesach in gelachen] bruder Philipp sagt dasselbe von Marien 379.

606 ex habundancia cordis os loquitur] Luc. 6, 45 ex abundantia enim cordis os loquitur.

617 filius hominis non venit] Marc. 10, 45 nam et filius hominis non venit ut ministraretur ei, sed ut ministraret.

620 acker] ackers Schmidt Westerwäldisches idiotikon, mhd. acht eht; — ecker WGrimm zu den Marienliedern zs. 10, 15, 13 Bartsch Über Karlmeinet 2, 79, — eckersch Müller Aachener mundart.

622 Zachee festinans] Luc. 19, 5 zachee festinans descende.

637 quia hodie huic domui salus] Luc. 19, 9 quia hodie salus domui huic facta est.

655 smaheyte] vdSchueren 144, Scherer zGDS 439.

660 ein ähnlicher gedanke in Anselmus boich Schade Geistliche gedichte 253, 189 zarte lude werdent si geslagen, si kunnent vil min verdraegen dan grove lude; auf Christus bezogen.

691 dimissa sunt tibi] Luc. 7, 48 sagt Jesus remittuntur tibi peccata zur sünderin, welche ihm die füſse gesalbt hatte.

698 quoniam dilexit multum] Luc. 7, 47 bezieht sich auf dieselbe.

708 kerbere] kerben?

710 zukenen] zerkinen. — zukenen und zuswullin] Roth. 2441 do was der weinige man harte barliche getan, zeschunden unde zeswellit, Gregor. 2745 din füeze solden unden breit sin und zeschrunden als einem wallendem man.

724 veilz] Kilian Dufflaeus 580ᵇ erklärt vels velts für ein 'sicambri

worl, dh. es war in Cleve Geldern Jülich heimisch. — aber viel-
steht z in veilz für s wie in iz für is 856.

25 as her wesen werc] 'als ob er lebte'. wesen ist wol infinitiv, vgl.
— Der wilde mann (Wernher vom Niederrhein) 11, 18: Jesus stiefs
reuz in den stein, daz he von vorthen al zekein. — das protevan-
n Jacobi c. 22 erzählt dafs Elisabeth und Johannes von einem sich
den felsen aufgenommen werden.

47 vursmecke] das mhd. wb. hat nur das substantivum vursmac.

48 beruszen] mnl. rusten.

75 bonum est nos hic esse] Luc. 9, 33 et factum est cum discederent
, ait Petrus ad Jesum 'praeceptor, bonum est nos hic esse.'

01 flevit super eum et dixit s.] Luc. 19, 41 flevit super illam (civi-
) dicens.

35 neikede] vdSchueren 178ᵃ geneken, Kilian Dufflaeus 332ᵃ naeken.

55 'tempus est' dat sprighcit: it iz an der ziit dat des menschen sun
sal werden] Joh. 12, 23 venit hora ut clarificetur filius hominis.

60 dat hayr] mhd. der har.

93 si quis sitit veniat et bibat] Joh. 3, 37 si quis sitit, veniat ad me
st.

07 siner gracien thalamus] Alanus ab Insulis Anticland. 151, 9 in
ventris thalamo sibi summa paravit deitas hospitium.

XCURS ÜBER DEN MYTHUS VON DEN
VIER TÖCHTERN GOTTES.'

Psalm. 84, 11: Misericordia et veritas obviaverunt sibi:
ia et pax osculatae sunt. 12 Veritas de terra orta est, et
ia de caelo prospexit.

Wir können im wesentlichen drei formen unterscheiden, in

.

Es waren mir nicht alle denkmäler zugänglich, in welchen die im
s besprochenen motive behandelt worden sind. vielleicht die wich-
unter diesen mir verschlofsenen quellen ist das Speculum vitae
li, s. Michel Libri psalmorum Oxonii 1860 p. XXI. weder die univer-
bibliotheken von Wien und Göttingen noch die Wiener hofbibliothek
l das werk. — aber auch die folgenden schriften kenne ich nur
italen und allgemeinen inhaltsangaben und habe sie deshalb nicht
seine gruppierungen verwerten können: das altfr. Leben des Tobias,
ight Biographia britannica 2, 333, Martin, Guillaume de Normandie
lt de dieu p. v, das Chateau d'amour des Robert von Lincoln v.
', s. de la Rue Essai 3, 107, das altfr. gedicht von den vier schwestern,
Volf Denkschriften der Wiener akademie 13, 159, den altfr. liber

welchen der aus diesen versen entstandene bis ins 17 j̶a̶h̶r̶h̶
(*Weinhold Weihnachtsspiele p.* 298) *etymologische mythus historis̶c̶h̶e̶*
verwendung gefunden hat. die älteste ist

A: *der streit der vier töchter gottes, von denen Wahrheit u̶*
Gerechtigkeit den gefallenen menschen verurtheilt, Barmherzigk̶
und Friede begnadigt wissen wollen, *wird durch den ausweg*
schlichtet, dafs gottes unschuldiger sohn für den menschen die̶ str̶
erleiden solle. — *Predigt des h. Bernhard in festo annuntiatio*
b. Mariae virginis c. 1140 (*Opera ed. Mabillon Paris* 1719, *t̶*
3 p. 977 ff), — *das Anegenge* (*Hahn Gedichte des 12 und 13 j̶*
28, 3 ff), — *ein gedicht Roberts von Lincoln* (*Michel Libri p̶*
morum Oxonii 1860 *p.* xxi), — *ein gedicht Stefans Lang̶*
(*Michel Libri psalmorum p.* 364), — *die Erlösung* (*ed. Bart̶*
Quedlinburg und Leipzig 1858), — *ein anonymes gedicht mit d̶*
anfang Sich hûb vor gotes trône (*Erlösung ed. Bartsch p.* ix),
die Minnerede, s. oben.

Das interesse dieser composition ruht auf dem glücklich bei̶
legten streite, wie am deutlichsten aus SBernhard und den z̶
französischen stücken ersichtlich ist. aber auch die deutschen
dichte, welche die erlösungsgeschichte und z. t. den engelfall in i̶
darstellung einbeziehen, setzen quellen oder vorstellungen ähnlic̶
art voraus. — *auch ist die selbständigkeit des rechtshandels in ̶*
sen gröfseren compositionen noch ersichtlich: s. den eingang
Anegenge 28, 23 daz wir iu dâ wellen sagen dâ hœret vlâizechlîc̶
zuo, wie der wâre got duo uns dem tivel an gewunne, — *unv̶*
mittelt beginnt die episode in der Erlösung 349. — *das anony̶*
gedicht, Erlösung p. ix, *zeigt sogleich durch den eingang* Sich b̶
vor gotes trône *ein gespreche schöne was ihm als hauptsa̶*
erscheint und ist genötigt den sündenfall nachträglich zu erzähl̶
v. 7. 35 ff. — *die Minnerede · bietet einen deutlichen einsch̶*
zwischen der erzählung von dem himmlischen processe und der

rationationis im psautier de Corbie, s. FMichel aao. p. xi, *das Mys̶*
de la conception, s. FMichel aao. p. xxxiii, *Parfait Histoire du thé̶*
français (1834) 1, 71. 78, *die altschottische passio Christi, s. FMi̶*
aao. p. xxxii, *Heinrichs von Neustat Buch von unsers herrn zukunf̶*
Weinhold Weihnachtsspiele 298 anm., *die deutschen dramen von Maius M̶*
ritius Garlebe, Gödeke Grundrifs 1 *p.* 310 *n.* 162, *p.* 324 *n.* 297, *p. ̶*
n. 331; *vgl. Palm zu Rebhuhn, bibliothek des litterarischen vereins, b̶*
49, *p.* 190. — *dazu kämen noch manche der kunstpoesie angehö̶*
bearbeitungen der neuzeit.

v. 55 nu ist uis de alde rede, dat der alde got wilynd
e. da na geyt eyn ander ane, da man wunder mach
vane.

em ursprung näher zeigt sich diese form durch unvollständ-
thropomorphisierung: im Anegenge werden die vier tugenden
inmal schwestern oder töchter genannt, ihre scheidung von
18, 35, gewalt und weisheit 28, 38. 29, 4 ff ist nicht ganz
h, — bei SBernhard p. 979 und Robert Lincoln hat der
i die vier tugenden, welche zugleich als handelnde personen
ten, durch den sündenfall verloren, — bei SBernhard p. 982,
egenge 29, 73, bei Stefan Langton und in der Minnerede
7. 38 hat Friede eine im begriff des friedens begründete son-
lung gott und den drei schwestern gegenüber, — und auch
obert Lincoln und in der Erlösung v. 645 droht sie sich von
u entfernen, was sie bei Stefan Langton und im Anegenge
ch getan hat. — vielleicht zufällig ist dafs in der Erlösung
n der Minnerede der entschlufs des sohnes durch die liebe
telt wird, Erlösung v. 702 f, Minnerede v. 51; — an letz-
stelle ist mynne *mit* pax *identificiert wie v. 38 zeigt. —*
schlofsenheit der composition begünstigte den übergang der
ie zur parabel; in allen darstellungen unsrer gruppe mit
hne des Anegenges ist, wenn auch mit consequenz nur in den
tsischen gedichten, die scene an den hof eines königs verlegt.
änger ist B, der process Belial. der teufel erhebt ansprüche
m gefallenen menschen und wird von Wahrheit und Gerech-
unterstützt, von Barmherzigkeit und Friede bekämpft: aus-
ie in A. — so im Belial des Jacob von Theramo 1383 und
i deutschen bearbeitungen des 15 jhs., Weinhold Weihnachts-
296, dann im Paradiesspiel, Weinhold Weihnachtsspiele 302.
las interesse dreht sich hier um den gegen den teufel gewon-
process. der teufel tritt als eine neue person zu den in A
nmenden hinzu, — wobei die anzahl der streitenden schwe-
auf zwei vermindert werden kann wie im Paradiesspiel. dafs
ine verminderung ist, zeigt die nicht zu dem psalmvers stim-
parung: Barmherzigkeit und Gerechtigkeit, nicht Barmherzig-
und Wahrheit, oder Gerechtigkeit und Friede. nur letzteres
igt ein französisches weihnachtslied, B. de la Monnoye Noëls
ignons, ed. Fertiault 1842 p. XXXIII, eine fafsung, welche
em folgenden typus anzugehören scheint.

Das mit A stimmende Ansegenge zeigt eine gewisse verwantschaft zu B. der gegenstand der erzählung ist wie gott uns dem teufel abgewonnen 28, 23: aber das muste auf dem weye rechtens geschehen, der teufel durfte nicht vergewaltigt werden 29, 33. 60 ff.

An A knüpft die dritte form C an. der mensch ist gefallen und soll dennoch gerettet werden: dies geschieht durch die aufopferung des göttlichen sohnes. — niederfränkisches osterspiel za. 2, 303 v. 128 ff, — die eerste blijscap van Maria 1444, Willems Belgisch Museum 9, 61 ff, — Van den drie coningen 1498, Jonckbloet Geschichte der mnl. litteratur ed. Martin 1, 313, — Krüger Von dem anfange und ende der welt 1580, Tittmann Schauspiele des 16 jhs. zweiter band, Gödeke Grundriſs 312.

Hier handelt es sich in erster linie um die erlösung, welche sich an den process anschlieſst: vorher geht nicht nur der sündenfall sondern auch der fall der engel. — bei der geringeren wichtigkeit, welche hier der process für die composition hat, ist es nicht auffallend, daſs in C wie in B die zahl der streitenden personen von vier auf zwei sinken kann: im nfr. Osterspiel und in dem spiel van den drie coningen sind wie in B nur Gerechtigkeit und Barmherzigkeit übrig geblieben. — da ferner die erlösungsgeschichte des menschen dargestellt werden soll, fällt die parabolische einkleidung weg. — vielleicht zufällig ist es, daſs alle darstellungen unserer gruppe dramatisch sind, — in A waren es nur die zwei französischen stücke gewesen: — aber es fällt in die augen, wie hier der stoff zu dramatisierter gestalt drängte.

Die eerste blijscap neigt zu A durch die selbständige stellung der Friede, welche erst auftritt, nachdem die erlösung der menschen eine beschloſsene sache ist. — und bei Krüger erklärt Friede wie bei Bernhard p. 981 und in der Minnerede v. 30, daſs streit sich für die göttlichen tugenden nicht zieme, Tittmann 2, 399: — im gedicht Sich hûb vor gotes trône macht der sohn gottes diese bemerkung v. 199.

Ob eine andere form, in welcher der streit der schwestern nicht mit der erlösung sondern mit der schöpfung des menschen in verbindung gebracht wird, eine jüngere übertragung ist oder auf älterer jüdischer tradition beruht, vermag ich nicht zu entscheiden, bekannt ist Herders parabel vom kinde der Barmherzigkeit in den Blättern der vorzeit, Werke zur schönen litteratur und kunst Stuttgart und Tübingen 1828, band 9 p. 13. hier sieht Barmherzigkeit

rei andern gegenüber. eine ähnliche composition hat JAFabri-
ekannt, Codex pseudoepigraphus veteris testamenti 1713 p. 36:
be bei JFMayer in einer papierhs. ein altdeutsches werk ge-
— aus der zeit vor Luther — in welchem prosa mit versen
hsle. über den inhalt des zweiten capitels bemerkt er: in hoc
feruntur coram trinitate congregatae fuisse universae vir-
iustitia consilium sapientia misericordia potentia etc. quas
consuluerit de futuro lapsu Luciferi et hominum. cumque
a poenas exegisset ab homine, misericordia et gratia veniam
set, habe gott den streit durch den entschlufs seinen sohn zu
s geschlichtet. consilium sapientia und potentia werden wol
stitia und misericordia nicht coordiniert gewesen sein, sondern
ttlichen personen bezeichnet haben. — auch bei Heinrichs von
hen bearbeitung der weltchronik findet sich diese vierte form
ythus, s. Jacobs und Ukert Beiträge 2, 245, und einige
hkeit zeigt Liutwins Adam und Eva bl. 2ᵇ der Wiener hs.
: Liebe und Barmherzigkeit veranlafsen die schöpfung des
hen.

Es ist sehr wahrscheinlich, dafs A und C auf die predigt des
rnhard zurückgehen und auch B sie voraussetzt. und Bern-
darstellung zeigt deutlich, dafs er sich für den erfinder dieser
sition hält: p. 979 nach dem psalmcitat magnum sacramen-
fratres, et diligentius perscrutandum, nisi et intellectus
rio et ipsi quoque intellectui verba deessent. dico tamen
que modicum id quod sentio, si forte vel occasionem dedisse
sapienti. — p. 980 ex hoc sane (ut prophetae istius para-
prosequamur, qui sibi obviasse eas et reconciliatas in osculo
ravit) gravis quaedam inter virtutes videtur orta contentio.
cht aber nach motivierung. — p. 991 forte enim inter-
tibus (Pace et Misericordia) tale dicatur dedisse responsum
pater): usquequo preces vestrae etc. — quis putas illi
juio meminit interesse et indicabit nobis? quis audivit et
bit? forte inenarrabilia sunt et non licet homini loqui.
a tamen controversiae totius haec fuisse videtur.

Aber die anthropomorphische auffassung der vier tugenden ist
und SBernhard setzt sie voraus. nirgends erzählt er uns,
es vier schwestern und töchter gottes seien, die er im streite
hrt: er nimmt das verhältnis als bekannt an. s. besonders
1. — mancherlei war es, was hier die mythenbildung her-

persönlicher auffaſsung der vier abstractionen an. die alten psal
commentare machen auf die poetische figur aufmerksam: Ca
dorus, ed. *Garetius Rotomagi* 1679, *tom.* 2, *In psalterium expo*
bemerkt zu 84, 11 hoc schema dicitur somatopoeia i.e. cor
attributio, quando rebus incorporeis corpora tribuuntur. nam
misericordia et veritas, pax et iustitia incorporea sint, du
gressum, duabus dedit amplexum, quod utique constat esse
poreum; — *Beda,* ed. *Coloniae Agrippinae* 1688, *tom.* 8 *p.* 9, (
mentarius in psalmos, erklärt 84, 11 sunt enim hae duae vir
(iustitia et pax) quasi duae sorores, quia altera non vult ve
sine altera; — *auch bischof Bruno von Wirzburg findet n*
die versöhnungsküsse der iustitia *und* pax, *welche er für iden*
mit misericordia *und* veritas *erklärt, durch menschliche gew*
heiten zu illustrieren: so zu ps. 84 *in der incunabelausgabe, w*
beginnt: Corrigendi emendandique psalterii prologus beati Bru
episcopi herbipolitani. — *aus den worten Bedas aber kann*
nur folgern, daſs ihm die auffaſsung der iustitia *und* pax
zweier schwestern nicht geläufig war, denn ein jahrhundert n
finden wir die vorstellung bei Otfried, *der sie wider nicht z*
gebildet hat. er *und* Alcuin *kennen nämlich eine dreiheit*
tugenden, welche sich in dem himmel der seligen finde: liebe
rechtigkeit friede. O. 5, 23, 119 Ist thorot ána zuíval thiu brua
scaf ubaral, Caritas thiu diura, thiu búit thár in wára mit i
giziugon. — Ádeilo thu es ni bist wio in buachon siu gil
ist. — búent ouh gimuato zuá suester iro guató, reht inti fr
thár. — *im vierten buch setzt er schon als bekannt voraus*
die zwei schwestern der Caritas *sind:* 4, 29, 23 *hat* caritas
rock Christi *gesponnen* v. 57 sumenes farent thanana thió
suester zuá: afur thisu in mín wár ist emmizigen io thár.
Alcuin begnügt sich De fide sanctae et individuae trinitatis cap
auch nur mit einer anspielung, ed. Froben *tom.* 1 *pars* 3 *p.* 7
unus amor omnibus, una concordia cunctis, verus honos
nulli negabitur digno, nulli deferetur indigno. nec ad eum
veniet ullus indignus, ubi nullus permittitur esse, nisi dig
ubi nihil adversum a seipso quisque nec ab aliquo patietur.
pax *wird ausdrücklich genannt, die zwei andern umschrieben.*
etwas verändert findet sich die dreiheit bei Guiot Bible 1141 (
rité vérité justice, *wider* caritas *mit zwei tugenden des* 84 ps

unden. vielleicht Caritas Pax Misericordis *bedeutet* Güete Minne
nherzicheit *in Liutwins Adam und Eva fol.* 2".

*Zur bildung dieser bei Otfried deutlich personificierten dreiheiten
len beigetragen haben die drei soyenannten theologischen tugen-
fides spes caritas — welche auch als personennamen verwendet
len waren: der erste august ist gedenktag dreier christlicher
tyrinnen, der schwestern Spes Fides Caritas, der töchter der
entia, s. Acta Sanctorum ed. Bollandi* 1 august, p. 16, *und die
3die Sapientia der Hrotswitha, — andererseits jene auffassung
dreieinigkeit, welche gott dem vater vorzugsweise macht, dem
e weisheit, dem h. geist zuerst liebe, dann seit Abälard güte
hrieb; s. Scherer in MSD* 396 anm. *in beiden fällen steht ca-
s dem begriffe nach vereinzelt und konnte sich leicht mit einem
ndpars des* 84 psalms *zu der beliebten dreiheit verbinden. —
geläufig die drei theologischen tugenden sowol als die vier der
men dem volke waren zeigen Simrock Mythologie*[2] 368 f *und
nhardt Weihnachtsblüthen* (1864) p. 161. 179.

*Die vorstellung von der parteinahme der göttlichen tugenden
und gegen den menschen wird jüdischen ursprungs sein. Fabri-
Codex apocryphus novi testamenti* 3, 402 *citiert Ephraim
us a Zaccagnio editus pag.* 116: Angeli etiam et Archangeli
irrunt sanctorum orationibus et suscipientes eas ad thronum
iae s. Dei perducunt . haec enim magna gratia sanctorum
lorum est et ineffabilis laetitia cum sanctorum orationes
issimas coram deo obtulerunt. — Similiter thalmudici docent
angelos, misericordiae ministros, qui deferunt preces ho-
is ad deum, et vicissim si homo iudignus sit hac gratia, esse
s angelos crudeles et accusatores, qui discerpunt preces illas
ie impediunt ne ad deum perveniant. vide *G. Elies. Ed-
i ad cap.* I Berachot p. 197.

*Es ist darnach wol begreiflich dafs unabhängig von SBernhards
ligt sich ähnliche dichtungen über die im himmel beschlofsene er-
ng des menschen bildeten, so bei Hugo von SVictor, der* 1141
t, *während die predigt des h. Bernhard um* 1140 *fallen soll:
Hugonis de SVictore Opera ed. Garzonii Moguntiae* 1617 *tom.
. 50" in den von Liebner für echt erklärten Annotationes eluci-
riae in quosdam psalmos David cap.* 63, *ein dramatisch dar-
ellter streit zwischen Barmherzigkeit und Wahrheit über das lofs
sündigen menschen. aber nicht durch die stellvertretung des*

rechtigkeit bestimmt: dadurch stellt sich der friede zwischen gott und dem menschen wider her. — dem h. Bernhard wird ferner fälschlich zugeschrieben eine parabel, De pugna spirituali, tom. 3, p. 1251 ff. hier kämpfen die tugenden Spes Prudentia Sapientia *mit den lastern um die rettung des menschen. entscheidung wird durch* Caritas *gebracht welche sich selbst dazu anbietet. auch hier ist die scene am hof eines königs.*

In dieser letztern composition ist ein vers aus Isaias verwertet, Prudentia, *dann der könig fragen* quis ibit nobis? Caritas *antwortet* ecce ego, mitte me, *nach Isaias* 6, 8. — *der vers hätte sehr gut in den rahmen des processes der drei formen A B C gepasst. aber er kommt dort nicht vor. nur SBernhard in der unter A citierten predigt benutzt ein ähnliches citat, psalm* 39, 9 ecce venio, *welches er dem sich zur stellvertretung erbietenden Christus in den mund legt, auch hier der tradition folgend, welche seit dem pseudo-hieronymianischen breviarium in psalterium (Hieronymi Opera ed. Martianat Paris 1699 tom. 2) den vers auf Christus gedeutet hat: so bei Athanasius, Ambrosius, Augustinus, Arnobius, Cassiodorus, Beda, Notker, Bruno, Albertus Magnus. — aber abgesehen von der predigt des h. Bernhard hat keines der oben angeführten schriftwerke, welche den streit der vier göttlichen schwestern behandeln, weder psalm* 39, 9 *noch Isaias* 6, 8 *benutzt. — wol aber wurde Isaias* 6, 8 *unabhängig von der darstellung des rechtshandels für die erzählung von der erlösung des menschen durch Christus derart verwendet, daß* quis ibit nobis? gott dem vater, ecce ego, mitte me *dem sohne oder dem erzengel Gabriel in den mund gelegt wird. letzteres in dem leben Christi zs. 5, 17, v. 93. 107, ersteres in der Minnerede v. 72. 74, in einem abschnitt der erzählung, welcher von dem streit der schwestern durch den oben besprochenen einschnitt v. 63 abgetrennt ist. man könnte daraus auf späte entstehung oder geringe würkung der pseudo-bernhardischen parabel schließen, in welcher Isaias* 6, 8 *zwar nicht mit dem rechtsstreit der göttlichen tugenden aber doch mit einem kampf der tugenden und laster in verbindung gebracht worden war, dessen object das heil des menschen ist.*

Die verbindung der zwei motive scheint vorzuliegen in einer novelle der Gesta Romanorum Wackernagel LB 1^, 933 ff. kaiser Adonias hatte einen weisen sohn, dessen frau sich mit dem 'hof-

ister' verfehlt und verstofsen wird. aber ihr elend erregt das mit-
l ihres mannes, der ihr durch einen boten straflose rückkehr zu-
ern läfst. sie erklärt aber nur dann halte sie sich für unge-
rdet, wenn ihr gatte selbst komme. dieser befragt nun seine
e, die dahin übereinkommen, dafs er einen weisen mann schicken
e der verstofsenen seine entscheidung mitzuteilen. aber in dem
zen reich will niemand die botschaft übernehmen. da entschliefst
l der junge fürst selbst seine gattin abzuholen und auch der vater
damit einverstanden. es scheint hier das quis ibit nobis? zu
nde zu liegen. — der streit der schwestern, der darauf folgt, ist
· äufserlich angeheftet. kaiser Adonias hatte nämlich auch vier
ter — das war im eingang kurz erwähnt worden, — Gerechtig-
· Wahrheit Barmherzigkeit Friede. als diese den entschlufs des
ders vernommen, protestieren die zwei ersteren bei dem vater und
len nicht mehr seine töchter heifsen, wenn er ihre schwägerin be-
dige. Barmherzigkeit erklärt aber, auch sie wolle nicht mehr ihres
ers tochter heifsen, wenn er die sünderin nicht begnadige. — das
t einen stand der dinge voraus, in welchem der vater sich noch
t entschieden hat. — Friede flieht nun vor dem streit und ver-
t das reich. vgl. Anegenge, Stefan Langton, Erlösung 645.
echtigkeit und Wahrheit aber bringen ihrem vater das schwert
Gerechtigkeit, mit welchem er über die ungetreue richten solle.
ist also hier und noch nicht verurteilt. — Barmherzigkeit
t sich dagegen auf. der neu beginnende streit der drei schwestern
nun von dem bruder geschlichtet werden. dieser erklärt durch
schuld der drei habe er die vierte schwester Friede verloren.
mufs auf alle weise wider hergebracht werden. das ist aber nur
lich durch die begnadigung seiner frau. Barmherzigkeit soll
e holen, Wahrheit Gerechtigkeit wider Friede in das reich zurück-
gen. das geschieht. Vnd also belaib ez, und machet ainen
zwischan den swestern und schickt nach seiner frawen, —
rend im ersten teil gerade auf das persönliche erscheinen des
es bei seiner verstofsenen frau das hauptgewicht gelegt worden
. — der zweite nähert sich der oben charakterisierten form A,
interesse beruht auf dem glücklich gelösten rechtshandel: nur ist
lösung eine ganz andre. in A werden durch stellvertretung die
egenstehenden ansprüche der schwestern befriedigt: hier mufs
weniger wichtige dem wichtigeren — dem frieden im reiche —
rgeordnet werden.

4 *

II. *fol.* 112^{ʰ,ᵃ}.   Gottes wunden.

Das gedicht scheint oberdeutsch zu sein und dem 12 jh. an-
zugehören.

Wilt du sunden miden
und sanfte wederstriden,
wilt du de dugende gewinnen,

. . . .

wilt du weynen und sufzen,
5   und wilt dyn herze herlutheren,
so salt du zu allen stunden
gedenken an godis wunden,
we her anme cruce hink,
we das bluyt uysir sinen wunden gink.
10   sezze dyn herze und alle diu zuversigt
in godis wunden und in sinen stich,
der durch dich in sine site gestoygchen wart:
so wirdis du geyn den duvyl stark,
und wirt dyn herze reyne.
15   also sal man das herze reynen.
zu ychelicher virsugungen gedenke
an godis wunden:
zu den gedenken ykelich
magche eyn cruce vor dich:
2·)   dyn hand sal zu allen ziden
dat cruce vor dyn herze scriben.

III. *fol.* 119^ʰβ—120^ʰβ.   Christi tagzeiten.

Das gedicht, welches wie das folgende von Marien tagzeiten in
einer der niederfränkischen mundarten vii bis ix meiner bezeichnung
verfaſst zu sein scheint, ist durch seine metrische gestalt bemerkens-
wert, welche es mit den ungleichstrophigen gedichten gleicher verse in
eine gruppe stellt, MSD p. 283. die siebente strophe zeigt wo sich
die aufzählung zur ermahnung wendet, einen einschnitt. durch die
10 und 12zeiligen strophen nähert es sich dem gedichte von den

---

     nach 3 kein zeichen einer lücke   **5** *kein punct*   **6** *kein punct* *drei jünglingen im feuerofen, der Judith und dem Laudate dominum. diese form veraltet nach dem 12 jh., während die eigentlichen leiche bis ins 16 jh. hinein gedichtet werden. s. Koberstein 1⁵, 290.*

Das thema beider gedichte wurde mehrfach bearbeitet: die sieben leiden Christi und Marias von Regenbogen (?), Erlösung ed. Bartsch p. 209 und xxxiv, vgl. Engelhart Der ritter von Staufenberg p. 21, Jacob und Ukert Beiträge 1, 158. 160, Maſsmann Anzeiger 1832 p. 41. — daneben gab es auch sieben freuden Marias s. Suchenwirt ed. Primisser p. 123 und die mnl. heptalogie Weinhold Weihnachtsspiele p. 292.

1   Christus mensche und got,
der alle de werlt herlosit hait,
des ewigin vaders wisheyt,
de gotliche wairheyt,
5 zu mettyn wart gevangin,
geslagin an sine wangen
und gevurit as eyn dip,
von den, dei yme waren lip,
verlazen zu der selvir ziit,
10 van Judas virkaufet durch nyt
den iuden und virraden
zu pynign als si daden.

2   Jhesus zu prime gefuret wart
vor Pylatum und alzuhart
bezuget van gezugen valz.
mit gebunden henden an den hals
5 wart her geslagen sere,
und sin anlizze here
wart virspiyt gemerliche,
as de propheten eygentlige
wissagende waren
10 vor mangen hundert yaren.

Die strophen beginnen mit der zeile   1, 1 prist'   7 *kein punct*
8 verlazen von 9 verlazen] und zu 10 ward virkauft 2, 1 hesus
prim̄e 4 henden.

3   Zu tercien stunden
    de ungetrugen hunde
    ryffen alle 'crucige in'.
    si spotten und si cleyten in
5   mit pellen und zustachen
    sin heubit und zubrachen
    bit dornen spicz und lanc:
    sin herne yme durg sin swarte dranc.
    dar zu drug he des sundirs last
10 uf sime rucke, des crucis ast,
    an de stat, da her solde
    den doit lyden over wolde.

4   Unsyr herre zu sexte ziit wart
    an dat cruce genegelt hart.
 · in durste van der grymmen pin,
    de da laeyt dat herze sin.
5   de iuden wurden kallen,
    si drencktin in mit gallin

   . . . .

    mit schegeren was her behangen.
    der gude sprag her were got,
10 der bose hattis sinen spot.

5   Unser herre Jhesu christ
    zu nonen durch uns gestorben ist.
    hely hely! was sin ruf:
    sine sele gap her up.
5   mit eyner glanzen de was breyt
    eyn ryttir sine syte up sneyt
    und grup durg dat herze sin.
    dye sune virloys yren schyn,
    de erde erbebde, der steyn zubrach,
10 dar zu viil wunders da geschach.

    3, 1 zu] ů   3 crucige in] crucifige   4 *kein punct*
5 pellen.   6 yme sin   8 heruē   sine   12 over] vñ
4, 1 nsir   ziit. — *nach* wart *kein punct*   3 pinē   *nach* 6 *kein*
zeichen einer lücke   5, 1 nser   4 dem vader up   6 yme sine

6   Von deme cruce frone
got, der eren crone,
Marien kint fin und zart,
zu vesperziit genomen wart.
5 sin lyp der was verstellit gar,
durre bleyg und gelvar,
und sine kraft virborgen lach
in gode biz czu den oystirdag.
mit yamers cresnie
10   des lebenes arzedie
Jhesus gestorven ist also,
daz wir gesunt sin und vro.

7   Deme grabe wart gegebin
der edel lyp, daz ewige leben,
zu completen, und allentalben
mit gecrude und mit salben
5 gesalbet wart der milde christ.
de schrift alsus hervullit ist.
mensche, du salt dusin doit
und duse yemirliche noit
mit flizse in dime herzen dran,
10   gode lop und ere san
und betrachten sine pin:
so mach dyn ende gut syn.

8   Diese sieben heylgen stunden
mit herzen und mit munden
beyen ich bit bescheydenheyde
bit andach und mit innecheyde,
5 of du suzer Jhesus Crist
biz an din ende gemartilt biz,
daz ich mit dir in diner pyn
eyn medelider muyzse syn

6, 1 Von] on   4 verpziit   9 cresnie] cresme *Scherer*
7, 1 Deme] eme   2 lyp. *nach* leben *kein punct*   4 edelen ge-
crude   5 x͞pc   7 *neue zeile. fehlt* O?   8, 1 iese   8 me-
delide͂

vor dim antlizce, in dyns vader ere,
10   in vreuden ewig ummermere.

9   Jhesus lieber herre myn,
du mir dyn helfe schyn.
dez lebendichen godis sun,
mir sunder zu helfin kum,
5   und sezze dinen heren doit
und dine bittirlige noit
und dine barmherzekeyt,
die groiz lanc ist wit und breyt,
tuyschin mich und dyn uyrteyl:
10   so ruryt mich der selden heyl
ummyr ewynclyge
myt dir in hyemilryche. amen.

Darauf folgt:

Wer diz sprichit allin dag,
nyt woil got inthalden mach,
15   her muysse yme syne missedait
vergeben, de her begangen hait:
dar zu sigcherlige
der babist gnaden ryche
druhundirt dage abelais giit
20   den, die da spregchent dyse geziit.

IV. *fol.* 120ᵇβ.   M a r i e n   t a g z e i t e n.

1   Godis muder und mait,
Marien zu metten wart gesait
dat ir kint, unsir herre,
van den iuden gevangen were.
5   si quam schere und alzohant
in Annen huys da si in vant.
si horte selvyr und sach
die smaheyt, die yme da geschag.

8, 9 dime   dynes   9, 1 hesus   13 Wer] er   18 rych
1, 1 odis   4 w

da wart si sigchirligen
bedrubit herzeligen.

2   Maria zu primen vragde na
irme kynde ir was ga
vor Pylatum da her sas
zu geregthe, und horte das
her van valszen gezugen hart
gerugit und gezugit wart,
und sin antlize mynnenclyge
sach sy virspiien yemerlyche:
si sach da zu und zweyg,
alleyn drug si irs herzen leyt.

2, 1 aria

RICHARD HEINZEL.

VON DER HERKUNFT DER SCHWABEN. *1. nach. 19,1*

(*fol.* 152) Qualiter Swevi terram quam nunc incolunt pri-
um obtinuissent.

In plaga septentrionali quedam provintia adiacet mari, quam 1
eviam aiunt nuncupari. que dudum ydololatrie fuit in tan-
n dedita, ut prae ceteris nationibus ob cultum ydolorum per-
traret scelera immaniora. omni itaque anno in honore deorum
orum duodenos christianos solebant trucidare atque hoc nefario
u ipsos sibi placare. huius facinoris enormitate deus celi
isperatus in ultionem christiani sanguinis conprovintiales illos
gellavit attenuitate famis.

eo tempore habuerant regem quendam vocabulo Rûdolfum, 2
um eque prudentissimum. hic cunctos sue regionis optimates
iverat, ut consultu ipsorum gens sibi subdita evaderet famis
ommodum. atque illi absque liberis, sicut eis denuntiatum
erat, ad regalem curiam profecti pari consensu statuerunt qua-
us hii qui plures filios haberent omnes praeter unum sibi

---

1 *die überschrift fehlt bei Goldast*   4 Swevi *hs. verbefsert von G.*
11 habuerunt *G.*   12 aequi *G.*   13 acciverat *G.*

karissimum interimerent, idque ea ratione decreverunt, ut, quanto
pauciores haberentur in provintia, tanto minus grassaret in po-
pulo famis inopia.

huic assentationi quidam Anshelmus intererat, qui liberos
5 quinos habebat. hic postquam est discessum, et ipse mestus re-
pedavit domum. tum unus ex filiis ipsius nomine Ditwinus,
animadvertens patrem solito tristiorem, causam meroris sciscita-
tur, set tamen a parente minus illi condicta res ortentatur.
tandem pater a filio coactus acquievit et ei que in regali curia
10 fuerant decreta pandit. cui Ditwinus 'et si' inquit 'hec ita se
habuerint, consequens erit et me peremptum iri, quoniam me
kariorem habes filium. veruntamen et in hoc vehementius ad-
miror tot satrapas prudentes in tantum desipuisse, non ut cre-
derent aliter posse comprovintiales famem evadere nisi liberorum
15 suorum nece. revera si vestris colloquiis interessem, longe
saniora consilia deprompsissem.' ad hec pater 'iam, fili karis-
sime, oro ut ad regis curiam mecum festines in proxima sessione
et quid tibi videatur super hac re cunctis maturato exponere.'

cum igitur omnes pro(f. 153)vintiae principes in id ipsum
20 convenissent ut diram sententiam prioris sessionis in liberos
omnium promulgarent, Ditwinus quasi ore omnium locutus regi
ceterisque ait optimatibus 'domini mei, licet vestra providentia
gubernari debeant omnia nostra, tamen non bene circumspecta
in hoc fuit vestra prudentia, ut ob famis inopiam statueretis
25 aboleri stirpem vestram.' hec rex audiens dolore tactus, simi-
literque principes illius pro suis caris pigneribus, conpellat Dit-
winum quatinus depromat eis sanius consilium. at ille ait 'si
regi cunctisque suis optimatibus placuerit, innoxius sanguis ho-
minum pro hac necessitate non effundatur, sed potius plures
30 carine acquirantur in quibus hii qui debuerant interimi trans
marina deducantur.' que sententia cum universis placuisset, di-
versa genera navigiorum sparsim congregantur, ut his qui fuerant
proscripti mare transveherentur.

interea exoritur tocius provintiae concursus pro filiis ac

1 quanti *hs. verb. von* **G.**   8 condita **G.**   11 me perempturum
quem *hs. verb. von* **G.**   12 vehementer **G.**   15 interfuissem **G.**
18 quod **G.**   19 provintiae et *hs. verb. von* **G.**   20 dictam **G.**   22 li-
ceat **G.**   24 fuit in hoc **G.**   25 nostram **G.**   hoc **G.**   simulque **G.**
26 pignoribus **G.**   29 potius *fehlt* **G.**

ɔus et lamentum ineffabile ex ipsorum relegatione. igitur
paratis classicis instrumentis omnes qui erant occidendi carinas
ascenderunt moxque vento arrepti vehementissimo eiecti sunt
ɔortu Danorum in loco Sleswic nominato. quo vi tempestatis
ɔlsi cunctas scafas minutatim consciderunt, ne denuo re-
iaret quisquam eorum. deinde provintiam illam perlustrantes
ɔ ex ea spolia diripuerunt ut xx milia de suis ascensores
ɔdatorum statuerent caballorum. reliqua vero multitudo comi-
tur equitantes gradiendo. cumque regionem illam Danorum
ɔu valida peragrassent, ad Albam fluvium conmigrarunt, eoque
sito per finitima loca sese diffuderunt.

Ea tempestate grave duellum inter regem Francorum Theo- 6
cum et Irminfridum regem fuerat Thuringiorum. causa vero
gressionis in hystoria Saxonum describitur talis. Clodoveus
ɔ filios habuerat, quibus ɔ regna diviserat. quorum unus,
ɔdericus videlicet, terram Austrasiorum in qua Mettis oppidum
ɔ est obtinuit atque ex Francorum electione rex illic consti-
imperavit. quo regnante misit legatos ad Irminfridum regem,
ɔu matrimonium duxerat sororem suam quam eius pater
loveus ex legitimo conubio progenuerat, pro pace, pro con-
lia regnique stabilitate. cuius legationem Irminfridus benigne
lem suscepit et iure pacem concordiamque cum eo habere
ruit quod sororem suam sibi in matrimonium copulaverit;
ɔr regni vero stabilitate nil ei posse respondere nisi prin-
ɔm suorum assentatione. soror itaque regis Theoderici, in-
ɔum ducens ipsum regem constitutum, affirmabat illum non
ɔ sibi regnum vendicasse, set potius ex paterna hereditate se
ɔre attinere, ascitoque Iringo Irminfridi consiliario egit cum
ɔuatinus in auribus principum ac fratris veredariorum con-
et, Theodericum patris sui concubine filium fore et ideo
ito sibi servum, non debere regnum invadere, quod eam at-
eret ex paterna successione. his auditis legati non medio-
ɔr verecundati ad dominum suum rediere sibique huiusmodi

---

1 corum *G.* 2 classibus *hs. verb. von G.* 6 quisque *hs. verb.*
G. 15 unus] quartus *G.* 16 Meitis *hs. verb. von G.* 20 con-
ɔ *G.* pace et concordia *G.* 21 regnique sui *G.* 22 concordiam
ɔue *G.* 23 in matrimonio sibi *G.* 27 se] sibi *G.*

verba intulere. qui furorem animi simulans statuit, quia Irminfridus se pro servo haberet, quantocius ei ad obsequendum occurreret, et collecta multitudine Francorum Thuringiorum terras invasit et inmanius vastare cepit.

interea ut praefixum est Swevi Albia flumine transvadato fixerunt tentoria in illius terre confinio. porro Theodericus rex ut audivit quod copiosus exercitus Swevorum adventasset illic, extimuit ne Irminfridus eos in auxilium sui nancisceretur, prior illos anticipavit, eo quod eos sibi propius castra metasse com-
10 perit, missisque ex optimatibus suis spopondit eis terram illam in proprietatem traditurum quam fluvius Salza per decursum suum cingeret defluendo in flumen Sala. qua pactione sancita omnis equestralis ala Swevorum festinarunt Theoderico in auxilium, relicto pedestrali exercitu in loco castrorum.
15 quod ut Irminfridus rescivit, manum validam equestrium elegit et ad pugnandum contra Theodericum direxit. in qua congressione Irminfridus terga vertit atque amnem Unstrot cum suis celerius transivit et in ripa eiusdem fluminis hostibus acrius restitit. quem Theodericus phalangis Francorum atque Swevorum
20 insecutus et ipse alteram fluminis ripam econtra per dies tres occupavit nec quemquam illorum remeare sinebat. ubi dum castra metasset, tum Franci in superiori fluminis parte Swevique in inferioribus sua tentoria fixere. Turingi vero se cernentes devictos pari deliberatione decreverunt, quod exercitibus Theo-
25 derici minus repugnare possent, sese in ipsius deditionem conferrent. unde Iringum compilatorem talis confederationis statuerunt et, quod incentor bellorum foret, et auctor pacis inter se et Theodericum fieret. qui abiens quosque regis optimates convenit et eorum obtentu cum Theoderico pro patria sua fedus
30 composuit. cum igitur rex diu reluctaretur nec fedus inire mallet, tandem sororis conmonitus ut vel cederet pro amore illius; qua praece flexus Theodericus hac conditione cum Turingis iniit fedus, quatinus hoc quod possederant hereditarie, id ab eo reciperent in beneficii iure.

2 quantocius *G*.] quamocius *hs*.   7 illico *G*.   9 propius sibi *G*.
11 quam] quantum *G*.   12 flumen] fluminem *hs*.   13 theodericum
in auxilio *hs. verb. von G*.   17 Vmstrort *G*.   21 remanere *G*.
22 cum Francis *hs*.   Swevi quoque *G*.   23 fixerunt *G*.   31 ut intercederet *G*.

preterea forte accidit ut quidam ex Thuringiis, Wito voca- 9
ripam fluminis accipitrem manu gestans descenderet alteram-
ripam Gosholdus quidam de Swevis e regione ascenderet. et
os Wito accipitrem ad irretiendam ardeam flumen transvo-
a Gosholdo ambe aves sunt intercepte. quem Wito impre-
, ut si suum volatile sibi restitueret, rem quam ignoraret
sinuaret. tum demum Gozoldus fecit eum amnem transire
cipitrem cum ardea recipere. qui caballo vadum quoddam
tavit atque ardeam cum accipitre recepit, Gosholdo quoque
it 'id pro certo tibi notifico, quod reges sunt placati et hoc
hactinus hereditarie possedebamus, ex Iringi superflua
natione modo in praestationem recepimus.' hec audiens
ldus ad commilitones suos rediit eisque causam pactionis
ussim exposuit. at illi confederationes regum metuentes ne
Theoderici sponsionum fraudarentur vel regum conspiratione
rovintia propellerentur, decreverunt noctu vadum per Gos-
m monstratum transire ac Thuringiorum castra ex inproviso
apere. quo peracto tantam stragem de hostibus dederunt,
x quingenti cum Irminfrido evaderent, qui etiam conmigra-
ad Hunorum regem Attilam.

Porro Swevi Thuringiis interemptis occupaverunt (f, 154) 10
la in arvis, in pratis, in nemoribus Unstrŏt flumini contigua,
leinceps nemine resistente incoluerunt ea. pedites vero
orum qui in papilionibus remanserant, ut cognoverant quia
nilitones dimicando optinuissent loca ad commanendum
tuniora, profecti sunt et ipsi, ut sicubi reperirent habitationes
ruas sibi, et venientes ad Danubium transierunt illum.
de paludes eiusdem fluminis ingenti labore transeuntes
ampo amenissimo ac latissimo, Swabowa ab eadem gente
o nuncupato, sese diffuderunt, ut illic aliquamdiu pausantes
ius transcenderent Penninas alpes. decreverunt enim Longo-
iam ire ac illam provintiam inhabitare. erant autem ex uno
e campi Danubius, ex altero vero amplissimum nemus.

2 alteram quoque G. 3 Gozholdus immer G. 5 et a hs. verb.
G. 8 quendam hs. verb. von G. 11 quatinus hs. verb. von G.
ec] hoc G. 15 velut hs. verb. von G. sponsione frauderentur G.
conmigraverunt G. 22 Vmstrort G. flumine hs. verb. von G.
gnoverunt G. 25 optinuisset hs. verb. von G. 27 contiguas G.

eo tempore Wilheri Alpkerum filium Rorsteini de Wilzin in
ipsa regione creaverant ducem pro rege, quod idem Wilheri cum
longe ante trucidarentur, rex suus Waldericus cum omni stirpe
regia est deletus. quam ob rem ex Burgundionum progenie Adil-
5 uolchum Walderici regis filium regem sibi constituere. siquidem
Swevis, ut praefatum est, in campo constitutis, Alpkerus dux
legationem Adilvolcho regi fecerat in Burgundiam, ut copia arma-
torum veniret ac peregrinas nationes, que in illa provintia
emersissent, opprimeret. his compertis Swevi, consilio cuiusdam
10 Luttholdi, matronas suas optimis vestibus amicierunt, auro quo-
que et argento ornatius decompserunt ac in papilionibus cum
infantibus reliquerunt. porro viri ipsarum armis assumptis in
silvam secesserunt et illic in insidiis latuerunt. et factum est,
cum hostes venirent et neminem iu castris nisi mulieres cum iu-
15 fantulis reperirent, ingentem praedam exercuerunt seque onustan-
tes cum feminis et parvulis abierunt. denique Swevi pedetemptim
ex latibulis emergentes collectam multitudinem armatorum invas-
erunt, spoliisque ereptis omnem illam militiam Burgundionum ex-
tinxerunt et terras ipsas circumquaque in suum dominium con-
traxerunt.

1 Wilzhi *G.*   Rorsteini *G.*   2 Wilzhi *G.*   10 Luitholdi *G.*
16 et parvulis] ac puerilis *G.*

*Das vorstehende, in mehr als einer hinsicht sagengeschichtlich
merkwürdige stück ist zuerst von* Goldast *in den Suevicarum rerum
SS. Frankfurt* 1604 *s.* 15—20 (*Ulm* 1727 *s.* 1—3) *unter
dem titel* Anonymi scriptoris de Suevorum origine libellus, *laut
der vorrede nach einer abschrift Frehers, aus einer Pfälzer hs.
herausgegeben. es hat dort, soviel ich weifs, auf keiner seite, auch
da nicht wo man es erwarten sollte, eine beachtung gefunden, aufser
bei Wilhelm Grimm heldens.* 117 *f (Uhlands schriften* 1, 469).
*durch ihn darauf aufmerksam gemacht hatte ich seit vielen jahren
gehofft dafs irgend ein glücklicher zufall einmal die hs. wieder ans
licht bringen würde, übersah aber leider die notiz bei* KPertz De
cosmographia Ethici *s.* 37 *f über den codex Palatinus* 1357 *in der
Vaticana. erst die beschreibung dieser hs. von* Bethmann *im Archiv
der gesellschaft für ältere deutsche geschichtskunde* 12, 352 *ff führte
zur wiederentdeckung, da Dümmler, in der hoffnung ein unge-
drucktes und unbekanntes stück zu finden, durch hrn dr HReimer*

om eine abschrift nehmen liefs und mich damit überraschte.
s. ist unzweifelhaft dieselbe aus der Freher schöpfte. Goldast
manche verderbnisse der überlieferung verbefsert, mehrmals die
tät des verfafsers gemeistert, im übrigen aber weicht sein text
der hs. nicht erheblich ab, wie man aus unsern angaben er-
bei denen nur die blofs graphischen verschiedenheiten nicht be-
richtigt sind.

WGrimm aao. meinte, für die erzählung vom kampf mit den
ingern sei 'nicht etwa Widukind 1, 9 f zu grunde gelegt und
indert, obgleich es so scheinen möchte, weil die Schwaben die
der Sachsen einnehmen; es sei vielmehr eigentümliche und
dige verschiedenheit der sage'. allein es wird 6, 14 ausdrücklich
hystoria Saxonum citiert, so dafs die benutzung einer schrift-
i quelle wenigstens für einen teil der erzählung nicht in ab-
gestellt werden kann. nur kann allerdings Widukind nicht die
e gewesen sein, da erst Eckehard (MG SS 6, 176) die annali-
e notiz über Chlodowech und seine reichsteilung und Metz
oohnsitz des Theoderich aus den gestis Francorum c. 19 mit
widukindischen erzählung verband.' aber auch Eckehards
rsalchronik kann nicht als hystoria Saxonum citiert sein,
rn nur eine daraus abgeleitete, jüngere sächsische chronik, viel-
die von der sogenannten repgowischen zunächst benutzte. denn
die repgowische selbst nicht etwa die quelle war, lehrt der satz
ach der Gothaer hs. bei Schöne s. 103 in ihr lautet 'in den tiden
lodoveus der Vranken vierde koning dot was, sine sone
n dat lant gelike; Tiderike viel to dele Austrasia, dar inne
ezze diu hovestat.' eine wörtliche benutzung der vorlage
u, wenn man Eckehard vergleicht, überhaupt nicht oder nur in
geringem mafse stattgefunden zu haben; aber es wird das werk
Eckehard vorausgesetzt und die arbeit gehört daher keineswegs
in die althochdeutsche periode, wie WGrimm aus den namen-
en glaubte schliefsen zu müfsen. so altertümlicher formen, wie
9, 1 ff, Swabowa 10, 29, Alba Albia 5, 10. 7, 5 konnte sich jeder latei-
schreibende auch im dreizehnten jahrhundert bedienen, in dessen
Bethmann die hs. setzt. die zwiefach barbarische schreibweise Gos-
s, die viermal 9, 3. 5. 9. 16 statt der zweimal 9, 7. 13 vorkommenden,

früher hat der Quedlinburger annalist (s. unten) schon dieselbe com-
ion, aber sein bericht von der sage, obwohl dem widukindischen
ch, ist doch von diesem unabhängig und ebenso Eckehard von jenem.

richtigen Gozoldus *wiederkehrt, ebenso* Luttholdus 10, 10. *statt* Lin-
*toldus laſsen sogar eher an einen noch späteren zeitpunkt der
aufzeichnung denken; doch findet man auch schon zb. im codex
Laureshamensis aus dem ende des zwölften jahrhunderts hin und
wieder* Adelbold Berthold Eberhold Gerhold Hunhold Luithold *udgl.*
wie heutzutage Berthold Gotthold Reinhold Weinhold *statt* Adelolt
Berhtolt *usw. geschrieben und schon früher wie* 10, 1 Ruostein *statt* ·
Ruodstein, Ruoperht *statt* Ruodperht *usw. und berücksichtigt man
daſs uns der text nicht unverderbt in der ersten aufzeichnung vor-
liegt, daſs des verfaſsers vorstellung von dem lang andauernden hei-
dentum in Schweden* 1, 3 *ff (vgl. Denkmäler* [2] *s.* 390, *Adam Brem.*
4, 27 *ff, Grimms myth.* 46. 42 *f) noch ins eilfte jahrhundert zurück-
deutet, daſs er auch die von dort auswandernden in Schleswig —*
in portu Danorum in loco Sleswic nominato 5, 4 — *landen läſst,
das seit dem zwölften jahrhundert alle bedeutung als hafenplatz
verlor, so wird es wahrscheinlich daſs er auch noch in diesem jahr-
hundert und nicht später geschrieben hat, was der sagenmäſsige
charakter und gehalt seiner schrift nur bestätigen kann.*

    *Es darf angenommen werden daſs Widukinds erzählung durch
den abdruck seines werkes von* 1839 *jedem zur hand ist, der dieser
untersuchung folgen will. für die bequemere vergleichung aber
wird es wünschenswert die beiden andern unabhängigen berichte
über dieselbe sage hier vorauszuschicken.*

    Aus Rudolfs von Fulda Translatio SAlexandri (851—865
geschrieben), MG 2, 674. Saxonum gens, sicut tradit antiquitas,
ab Anglis Britanniae incolis egressa, per Oceanum navigans
Germaniae litoribus studio et necessitate quaerendarum sedium
appulsa est in loco qui vocatur Haduloha, eo tempore quo Thiot-
5 ricus rex Francorum contra Irminfridum, generum suum, ducem
Thuringorum dimicans terram eorum crudeliter ferro vastavit et
igni. et cum iam duobus proeliis ancipiti pugna incertaque
victoria miserabili suorum caede decertassent, Thiotricus spe vin-
cendi frustratus misit legatos ad Saxones, quorum dux erat
10 Hadugoto. audivit enim causam adventus eorum promissisque
pro victoria habitandi sedibus conduxit eos in adiutorium. qui-
bus secum quasi iam pro libertate et patria fortiter dimicantibus
superavit adversarios vastatisque indigenis et ad internitionem
pene deletis terram eorum iuxta pollicitationem suam victoribus
15 delegavit. qui eam sorte dividentes, cum multi ex eis in bello

ssent et pro raritate eorum tota ab eis occupari non po-
partem illius, et eam quam maxime quae respicit orientem,
s tradebant, singulis pro sorte sua, sub tributo exercendam;
vero loca ipsi possederunt, a meridie quidem Francos
tes et partem Thuringorum, quos praecedens hostilis turbo
etigit et alveo fluminis Unstrotae dirimuntur, a septentrione
pannos, gentes ferocissimas *usw.*

lus den *Quedlinburger annalen (geschrieben ums j.* 1000),
, 31 *f.* Eodem anno Hugo Theodoricus rex, Clodovei regis
ex concubina natus, cum patri successisset in regnum, ad
nem suam Irminfridum regem Thuringorum honorifice in-
. Hugo Theodoricus iste dicitur, id est Francus, quia olim
Franci Hugones vocabantur a suo quodam ducè Hugone.
namvis nothus esset, a patre Chlodoveo propter sapientiam
titudinem sibi divinitus collatam caeteris filiis suis plus
s, suo iussu totiusque populi consensu inter fratres suos
s, id est Clodomerum Hildebertum et Lotharium, aequalem
partem suscepit. cuius parti cum Thuringia cessisset, Ir-
dus gener eius hortatu uxoris suae Amelburgae invitationem
respuit, dicens Theodoricum uxoris suae, quae soror erat
orici, potius esse debere servum quam sibi vel aliis regem
minum. 'veniat primum' dixit ad nuncium 'ferens secum
ormis pecuniae cumulum ut emat ab uxore mea ex utroque
e nobili, me iubente, libertatis testamentum.' quo responso,
ni Francorum furore, commotus Theodoricus remandavit ei
'veniam ut iussisti, et si aurum mihi non suffecerit, pro
te mea Thuringorum Francorumque capita tibi dabo nu-
inexplicabilia', statimque collecto exercitu venit in regionem
em vocatam et Irminfridum illic sibi bello occurrentem multa
suorum vicit et fugavit. quem insecutus usque ad Ovac-
fluvium iuxta villam Arhen (*l.* Árhêm, *jetzt Ohrum an der*
vocatam maximo praelio fudit, illoque propter suorum
et viventium vulnera amplius eum persequi destitit seque
rationem dolentium statutis munierat castris. audiens autem
oricus Saxones, quorum iam fortitudo per totum pene di-
atur mundum in loco Hadalaon dicto applicuisse, in suum
invocavit auxilium, promittens eis cum suo suorumque xii
simorum iuramento, si Thuringos sibi adversantes vincerent,
n illis eorum terram daturum usque ad confluentiam Salae

et Unstradae fluviorum. qui nihil morantes venerunt ~~effusim~~
et persequentes Irminfridum pugnaverunt contra eum. super Un-
stradam fluvium totamque (*l.* tantamque) Thuringorum. ~~stragem~~
35 illic dederunt, ut. ipse fluvius eorum cadaveribus repletus pontem
illis praeberet. Irminfridus autem cum uxore et filiis et uno
milite Iringo nomine, capta a Saxonibus noctu civitate Schidinga
qua se concluserat, vix evasit. tunc Theodoricus accepto con-
silio victoribus tradidit Saxonibus omnem terram Thuringorum,
40 excepta quam Louvia et Haertz silvae concludunt, absque tributo
perpetuo possidendam; Thuringos vero qui caedi superfuerant
cum porcis tributum regis stipendiis solvere iussit. post haec
Theodoricus data fide Irminfrido in Zulpiaco civitate illum dolo
perimi iussit.

*Die vergleichung ergibt dafs der sagenhafte inhalt des sechsten
abschnittes unseres stückes sich vollständig aus Widukind und Ecke-
hard herschreibt, bis auf die letzten worte* et immanius vastare
cepit, *denen allein eine ähnliche angabe bei Rudolf s. 6 entspricht.
nur Widukind kennt Iring als wortführer der königin, Rudolf nennt
ihn gar nicht, der Quedlinburger annalist nur zuletzt einmal s.
37 so dafs es fast wie eine reminiscenz aus Widukind aussieht.*[1]
*ganz verschieden aber von allen drei älteren berichten, die sämtlich erst,
nachdem das fränkische heer, durch starke verluste in den vorher-
gehenden schlachten geschwächt, unfähig geworden ist allein den kampf
fortzusetzen, die Sachsen durch Dietrich herbeirufen lafsen, lautet unser
siebenter absatz. wenn nun der verfafser sich 6, 14 auf die*
hystoria Saxonum *beruft und daraus schöpfte, hier aber die Svoeven
an die stelle der Sachsen treten läfst, so kann man argwöhnen dafs
die ganze abweichung nur ein werk seiner erfindung ist. doch würde
man ihm damit unrecht tun. er sagt nur dafs die* causa con-
gressionis in hystoria Saxonum describitur talis, *und man darf in
seine worte nicht mehr hineinlegen und ihnen eine gröfsere aus-
dehnung geben, als sie enthalten. er benutzte die schriftliche quelle
nur zur ergänzung eines ihm vorliegenden unvollkommneren und
minder historisch lautenden berichts, und dies war ohne zweifel eine
mündliche überlieferung, eine sage der Nordschwaben an der Bode*

---

[1] *selbst die worte erinnern an Widukind* 1, 13 requisitus (Irminfridus)
cum uxore ac filiis ac raro comitatu evasisse repertus est. *doch vgl. auch*
gest. Franc. c. 22 (*Bouquet* 2, 556) Ermenfridus quoque per fugam vix
lapsus evasit, *und unten.*

Sale, die nur eine variation der sächsischen war, in der sie
selbst an die stelle der Sachsen setzten. in diesem verhält-
der variation, wie es in der mündlichen überlieferung überall
mmt, steht 7, 10 ff deutlich zu des Quedlinburgers z. 29 ff.
Im achten abschnitte muſs man wohl wieder eine gewisse
ngigkeit von der widukindischen darstellung zugeben, obgleich
ich schwer genauer bestimmen läſst. bei Widukind 1, 10 sucht
abgesandte Iring zuerst das mitleid Dietrichs rege zu machen,
n er ihm das unglück seiner schwester und ihrer kinder vor-
Dietrich entschlieſst sich aber erst die unterwerfung seines
agers anzunehmen, nachdem seine von Iring bestochenen rat-
ihm in gleicher weise zugeredet und auf die von den Sachsen
Franken drohende gefahr hingewiesen haben. nach unserm
ymus dagegen 8, 30 ff wird Dietrich nach langem widerstreben
zuletzt durch die erinnerung an seine schwester erweicht und
nahnung ut vel cederet pro amore illius passt sehr wenig da-
laſs vorher im sechsten, aus Widukind abgeleiteten abschnitte
gerade die schwester als die schlimmste feindin des bruders
. Irings konnte die nordschwäbische sage im zwölften jahr-
ert noch ebenso gut als das österreichische volksepos (WGrimm
115 f) und, wie die sächsische, noch als des ratgebers Irmin-
gedenken, so daſs 8, 26—28 nicht eben notwendig 6, 28 ff
voraussetzung hat. der schluſs 8, 32 ff erinnert wieder mehr an
Quedlinburger 40 f als an Widukind und beträchtlich weicht 8,
-23 sowohl von Widukind 1, 9, als auch von Rudolf 7 ff und
) ff ab, da der anonymus weder von einer dreitägigen schlacht
lenneberg, noch von einer doppelten, dort im gau Merstêm und
Dhrum an der Ocker, etwas zu wiſsen scheint und auch die
hlieſsung der Thüringer an der Unstrut ganz anders zu stande
nen läſst.[1]

<hr>

[1] doch herscht in der darstellung eine gewisse unklarheit, da man
recht begreift, wie den Thüringern ein entkommen nicht möglich
wenn sie sich hinter den fluſs zurückgezogen hatten und die Fran-
und Schwaben auf der nordseite desselben lagerten, jene stromauf-
r, diese weiter abwärts. und ist 8, 20 f mit ripam econtra per tres
occupavit ein dreitägiger kampf gemeint? auch bei Widukind bleibt
klar, wenn Irminfrid in Burg Scheidungen nördlich von der Un-
ſich festsetzt und die Sachsen ad meridianam plagam urbis in pratis
contiguis d. i. nach c. 10 auf der südseite des fluſses sich lagern,

*Der neunte absatz hat gleichfalls sein gegenstück bei Widukind,
und der anonymus mag dem Thüringer und dem Sweven, die am
fluſse zusammentreffen, erst nach gutdünken ihre besondern namen
Wito und Gozold beigelegt haben, wie er andre personen im ersten
und letzten teile seiner aufzeichnung ohne zweifel so benannte, von
deren namen kaum der eine oder der andere daran denken läſst
daſs er aus der volkssage entnommen ist· und notwendig keiner da-
her entlehnt zu sein braucht. aber wie wäre er, wenn nicht durch
die volkssage, wohl dazu gekommen den zug hinzuzufügen daſs
der habicht einen reiher gefangen habe, und dann besonders daſs
der kluge Sweve sich von dem Thüringer eine furt habe zeigen
laſsen, durch die es seinen landsleuten möglich wurde in der nacht
den fluſs zu passieren und ihre feinde unvermutet zu überfallen?
von Widukind unabhängige, lebendige volkssage ist hier um so mehr
anzuerkennen, weil sie zuletzt 9, 19 f, an die groſse heldensage an-
knüpft und diese, so wie wir sie in der österreichischen überlieferung
aus dem ende des zwölften jahrhunderts kennen, jene oder doch eine
ganz ähnliche darstellung voraussetzt (WGrimm s. 118) und damit
das alter derselben unzweifelhaft beweist.*

*Der zehnte absatz bringt es dann aufs deutlichste und un-
zweideutigste ans licht daſs wir es zunächst mit einer nordschwäbi-
schen sage zu tun haben. denn nur dem standpunkt einer solchen
entspricht es daſs die Nordschwaben von dem edleren, vornehmeren
teile der auswandernden, den zwanzigtausend die sich in Schleswig
beritten gemacht haben 5, 7—9, hergeleitet werden, die Süd-
schwaben aber nur von der übrigen menge die den reitern zu fuſse
folgen muste. es ist dies um so merkwürdiger weil der anonymus*

---

*wie sie in der nacht die stadt überfallen können ohne durch den fluſs
behindert zu sein. Q 33—36 schlieſst sich an die aus Gregor Tur. 3, 7
schöpfenden gesta Francorum c. 22* fugit Ermenfridus cum Toringis usque
ad Onestrudem fluvium illicque eum persecuti sunt Franci. sed ille reparatis
viribus contra Francos nitebatur. sed tanta caedes ibi fuit de Toringis, ut
ipse fluvius ex eorum cadaveribus repleretur; Franci vero super eos tanquam
per pontem transiebant et conculcabant. *bestimmt ist auch Q 42 ff daher
genommen* Posthac iterum Theudericus, data fide Ermenfrido regi, Tulpiaco
civitate eum ad se venire fecit, cumque super murum ipsius civitatis con-
loquerentur, impulsus de muro urbis ipsius corruit ad terram et mortuus est.
vgl. s. 66 anm.

st keineswegs ein Nordschwabe oder Norddeutscher, sondern ein
rdeutscher, ein Ostfranke Schwabe oder Baier war. er zeigt sich
lich in Norddeutschland ganz gut orientiert. er kennt Schleswig
portus Danorum im norden der Elbe, er läfst Dietrich den
ven terram illam quam fluvius Salza per decursum suum
geret defluendo in flumen Sala (7, 10 ff) d. h. den Nord-
rabengau zwischen Bode und Salza zusagen, und wenn er
iefslich 10, 21 ff ihr gebiet bis zur Unstrut ausdehnt, so ist
m zu erinnern dafs auch Rudolf von Fulda 20 f Sachsen bis
in reichen läfst (und vgl. unten). er schreibt Wito 9, 1. 4. 5,
ker 10, 1. 6, nicht Wido, Albger oder Alfger und seine übrigen
ien, soweit sie nicht aus schriftlichen quellen stammen und wie
vi der gelehrsamkeit angehören, tragen gleichfalls durchaus ein
deutsches, nicht mittel- oder niederdeutsches gepräge, da auch
vin 3, 6. 10. 4, 21. 26 statt Dietwin bei einem Alemannen
' Baiern des zwölften jahrhunderts nicht überraschen kann. er
it nicht minder in Oberdeutschland und wohl aus eigner an-
uung 10, 28 den grofsen strich der Donaumose von Ulm
zum Lech und die südlich davon belegene, 'sehr anmutige und
sedehnte' hochebene, auch die Burgunden als südwestliche nach-
m der Alemannen.

vollkommen rätselhaft aber sind 10, 1. 2 die Wilheri,
die Sweven dort als einwohner antreffen. da sie 10, 1
sohn eines Ruostein de Wilzin nach dem tode ihres königs
derich zu ihrem herzog erwählt haben, so denkt man zunächst
in dafs ein hohes z des zwölften jahrhunderts als h von einem
hreiber verlesen sein könnte. aber Wilzeri statt Wilzi, Wilze'
latabi) ist eine unform und wie kämen die Wilzen nach Schwa-
? der ort Wilzinga im oberamt Münsingen (Stälin 1, 295. 382)
sit der rauhen Alb kann hier nicht in betracht kommen. man
hte an Walche denken, auf die die Churwalchen und das baieri-
Walhogöi führen konnten; aber wie wären aus Walaha, Walhe
l Wilheri, Wilzi geworden? auch 10, 3 oder 5 mufs ein-
der name Waldericus mit einem andern vertauscht werden;
i der könig, an dessen stelle die Wilheri, nachdem er mit
sm ganzen geschlechte zu grunde gegangen, erst einen her-
dann noch einen fremden als könig einsetzen, kann nicht der
r eben dieses burgundischen Adelfolks sein, und es ist unsinnig
gewis nur ein versehen der abschreiber dafs beide denselben

namen führen. seltsam ist auch vorher 10, 29 dafs die land-
schaft im süden der obern Donau bei den einwohnern den namen
Swabowa führen soll. trotz dieser bedenken, verderbnisse und
schwierigkeiten und trotz der zum teil gewis willkürlichen namen-
gebung aber wird man das ganze nicht für eine blofse phantasie
und erfindung des anonymus halten dürfen. die list mit den frauen
10, 10 ff, wie einfältig sie scheint, ist ohne zweifel eine volks-
sage, obgleich ich sie anderswo augenblicklich nicht nachweisen kann.
doch meine ich dafs selbst bei den alten dergleichen vorkommt.

Gegen den ersten teil können ebenfalls ähnliche bedenken rege
werden. aus Schweden eine Swevia 1, 4 zu machen und die
Sweven von dort auswandern zu lafsen scheint ein ebenso wohl-
feiler und armseliger einfall als die gleiche herleitung der Schweizer,
und es ist nicht zu verstehen warum 4, 19 eine zweite ver-
sammlung gehalten werden mufs um den beschlufs der ersten über
die tötung der kinder 2, 15 f zu verkündigen. es soll offenbar
blofs dem Dietwin 3, 15 eine gelegenheit geschaffen werden
inzwischen einen andern, befsern vorschlag zu machen. das un-
geschick der erzählung aber ist vermieden in der dänischen dar-
stellung des auszuges der Langobarden, bei Saxo VIII p. 418 Müll.,
in der reimchronik des fünfzehnten jahrhunderts bei Grundtvig
Danmarks folkeviser 3, 797 und in den volksliedern bei Grund-
tvig 1, 321 ff.

in den zeiten des königs Snio — Snö in der reimchronik,
Snede in den volksliedern — herschte in Dänemark grofser mis-
wachs und hunger. man beschliefst alle alten, kinder und schwa-
chen oder — nach den liedern — jeden dritten mann oder den
dritten teil des volks im lande zu töten. der grausame beschlufs
ruft den widerspruch einer weisen frau, Gambaruc bei Saxo, fru
Inger oder Ingeborg in den liedern, hervor, als ihr — nach Saxo —
derselbe von ihren beiden söhnen Aggo und Ebbo mitgeteilt wird, und
sie schlägt vor einen teil des volkes durch das lofs auszuscheiden
und in die fremde zu senden. der vorschlag wird dann angenom-
men und die auswanderung erfolgt.

die langobardische sage ist hier auf gelehrtem wege aus Paulus
Diaconus und wahrscheinlich schon vor Saxo angeknüpft. aber da-
von abgesehen bleibt eine volkssage, von der die erzählung des ano-
nymus nur eine variante gibt, die daher die echte sagenmäfsige her-
kunft dieser aufser zweifel stellt und durch die übereinstimmung

····· ···· ···· hohes altertum zurückweist. auf dieselbe weise
··te schon die lebendige langobardische sage die auswanderung
·leitet und be∫∫er motiviert haben als es bei Paulus 1, 2. 3
fall ist, da erst die not sie vollständiger begründet und erst
· der vorschlag der auslo∫ung des dritten teiles des volkes von
Gambara, der mulier ingenio acris, *was ihr name bedeutet*
runenlehre s. 55), *ausgieng, sich gleich die hervorragende*
··ng erklärt die sie mit ihren söhnen bei dem zuge einnimmt.
die eine oder die andre weise, entweder ähnlich wie die däni-
oder wie die swevische sage könnte auch die gotländische (Guta-
·. 94 Schlyter, s. 107 *Schildener) die auswanderung der Goten*
·lt haben: siþan aucaþis fulc ɪ Gutlandi só mikit um langan
at land elpti (= eſlti) þann þaim ai alla fýþa. þá lutaþu
bort af landi hvert þriþia þiauþ, só at alt sculdu þair aiga
·iþ ſir bort hafa sum þair uſan iorþar áttu. ſiþan wildu þair
·ugir bort fara *usw. wir dürfen nun unbedenklich die swevi-*
sage in die reihe jener stellen, die die herkunft deutscher völker
der gro∫sen und volkreichen Scadinavia — *denn so und nicht*
·dinavia lautete der name — verlegen, zumal da frühzeitig die
·dhnlichkeit der Suiones oder Sueones und Suevi, Suaba
·uf führen konnte.[1] *wir werden gelegentlich in anderm*
·mmenhange ausführlich darauf zurückkommen und bemerken
·nur noch da∫s die sage vom auszuge der Schweizer aus Schwe-
·(Grimms deutsche sagen nr 508) *zunächst die swevische und*
·r die nordschwäbische volkssage vorauszusetzen scheint; denn
·us würde die seltsame teilnahme der Friesen an dem zuge
sofort erklären, da das Frisonoveld mit dem Hassago (Hessen-
·) die südliche nachbarschaft des Nordschwabengaus gegen die
·ru· bildete.

26. 5. 73.   K. M.

⁄ TATIANFRAGMENTE.

Der güte meines freundes HSuchier verdanke ich eine abschrift
Pari∫er fragmente des Tatian die ich bei meiner ausgabe noch
benutzen konnte. ich la∫∫e dieselben nebst einigen bemerkungen

---

[1] *Adam von Bremen nennt sogar die* Sueones *einmal wenigstens*
·Suevi.

*Suchiers über die hs. und einigen eigenen anmerkungen hiernach
folgen.*

'Zu der von WGrimm in den Abhandlungen der Berliner aka-
demie 1851 s. 241 gegebenen beschreibung der hs. lat. 7641 füge
ich noch folgendes hinzu. angebunden ist ihr Glossa in Horatium
bl. 86ᵃ — 147ᵃ, eine erklärung der oden des Horaz. die sätze aus
dem Tatian stehen auf bl. 4ᵇ — 16ᵃ am rande; ob sie oben, rechts,
unten oder links stehen, habe ich jedesmal angegeben. vorn in der
hs. fehlt wie schon WGrimm angab das blatt der Vaticana, dessen
facsimile er in den Abhh. der Berliner akademie 1849 mitteilte.
sicherer, gröſser und sorgfältiger als die gespräche sind die sätze
aus Tatian geschrieben, am grösten auf bl. 7ᵇ, wo sie den auf der
ersten spalte im glossar leergelaſsenen raum ausfüllen. die gespräche
sind sämmtlich von éiner hand, ebenso die sätze aus Tatian; doch
war die hand welche die gespräche schrieb eine andere als die von
der die stellen aus Tatian herrühren. da sich das offene a (cc),
das noch in dem lateinischen glossar der hs. erscheint, weder in den
gesprächen noch in den sätzen aus Tatian zeigt, so wird die zeit
der niederschrift jener wie dieser ins 10 jh. zu setzen sein. mit
der SGaller hs. stimmen unsre fragmente so sehr überein daſs wol
anzunehmen ist sie seien direct aus ihr entnommen. befand sich
im 10 jh. vielleicht die SGaller hs. in Deutschflandern, wohin nach
Grimm s. 248 die sprache der gespräche weist? — drei stellen (z.
20. 22. 72) konnte ich im Tatian nicht finden. gerade diese stellen
zeigen formen die von Tatians sprache abweichen, aber zu der der
gespräche desto beſser passen (trench 20, brother, neguille 22,
neguil 72); in tinen usa 24 bemühte sich wol der Niederländer mit
schlechtem erfolge hochdeutsch zu schreiben. Grimms angabe s. 244,
in den sätzen begegne keine spur ungewöhnlicher sprachformen, ist
also nicht berechtigt. — in der abschrift der sätze löste ich im
deutschen die ligaturen &, ns, nt, or auf, desgleichen im lateinischen
die abkürzungen. das lateinische steht in der hs. über dem deutschen
wie in der abschrift, nur bei wenigen worten daneben. das lateini-
sche das über der obersten zeile der seiten stand ist zum grösten
teile hinweggeschnitten[1]; über den worten trench tu brother 20
und Ni curi mih ruoran 26 hat es von anfang an gefehlt.'

---

[1] *ich habe diese stücke und einige im deutschen ausgefallene buch-
staben nach G in [—] ergänzt. | bezeichnet zeilenschlüſse. Sievers.*

llerdings ist die übereinstimmung der fragmente mit G eine
maue, wie die unter dem texte mitgeteilten abweichungen von
hs. lehren; wir begegnen denselben graphischen verschieden-
wie in G, sogar der schreibfehler landeri *für* laudteri *kehrt*
wider. dafs also unsere aufzeichnung auf G zurückgeht,
mir keinem zweifel zu unterliegen. wol aber mufs ich be-
ln dafs wir eine unmittelbare abschrift aus G vor uns haben.
hon oben erwähnten drei nicht zum Tatian gehörigen sätze
tu brother, *ne* guille ingangan in tinen usa, *ne* guil
minan brother sin suert *gehören sicherlich mit zu den ge-*
en. sind aber diese drei sätze würklich von derselben hand
leben wie die Tatianstücke, und ist diese hand von der welche
spräche schrieb verschieden, so bleibt nichts übrig als anzu-
n dafs beides, Tatian und gespräche bereits früher in einer hs.
igt war, vielleicht so dafs einem vollständigen exemplar des
die gespräche beigeschrieben waren. denn man kann es
eben glaublich finden dafs jemals selbst in Deutschflandern die
npierte orthographie der gespräche, die hier in unsern drei
wider erscheint, üblich gewesen. die formen guil, guille *usw.*
n der vorlage zufallen, dh. eben der postulierten früheren
ollständigeren aufzeichnung der gespräche; andernfalls wäre
angeln derartiger formen in den doch ziemlich umfänglichen
t aus dem Tatian unerklärbar.
leiläufig bemerke ich noch dafs von unsern fragmenten der
he text vor dem lateinischen mir aufgezeichnet zu sein scheint.
spricht nicht nur das fehlen des lateinischen z. 19 *und* 25,
deutschen häufigere interpunction und das vorkommen der
einischen gänzlich fehlenden initialen, sondern besonders auch
r deutschen wortfolge zu liebe vorgenommene veränderung der
ellung des lateinischen z. 69 *und* 71 *(vielleicht darf man*
num gladium *als ungewöhnlicher hier anreihen) und die eben-*
urch den deutschen text veranlafste hinzufügung von cum *z.* 75.

m) 242, 2 [in nomine patris et filii et spiritus sancti]
　　　　In namen fater. inti funef. inti thefheilangen geiftef.

r domine mi et deuf meuf | (5ᵃ *oben*) 239, 3 [tu me sequere]
Min trothin. inti min got | 　　　　　thu mir folge.

heilagen *G* 　　3 dominus meus *G* 　　4 trohtin *G*

5 242, 1 [in cælo et in terra] 243, 2 [serpentes tollent] 242, 4 [sal-
    In himele. inti in erdu.   Natrun nement.   ther

vus erit] | 244, 2 celum | (rechts) 244, 2 fedit a dextrif
uuirdit heil. | himil | Saz in ceso

dei cum gaudio magno. 230, 2 pax uobifcum 230, 5 manuf
10 gotef. mit mihilemo giúehen.   Sibba fi iu.   mino

meaf. pedef meof. uidete. palpate. | 219, 1 gaudium. magnuf.
henti. min foozi. gifehet. greifot. | gihúehen. mihil.

219, 1 cum timore | (6ᵇ oben) 230, 5 [carnem et ossa non habet]
    mit forótu | Fleifg. gibeini. ni habet.

15 ficut. me uidetif habere. 231, 1 habetif hic aliquid quod
fo ir. mih. gifehet. haben   habet ir. hier uuaz. thaz

manducetif. | (7ᵇ oben) 212, 2 [vir bonus et iustus] 208, 4 [con-
man ezzan megi | guot man inti. reht, Gi-

summatum est] 209, 1 a fummo ufque deorfum |
20 entot ift.   fon obanentic. zunzan nidar. | trench tu

  224, 4 eftif triftef. 226, 3 abierunt. nolo intrare |
brother | Burit gitruobit.   giengun. Neguille ingangan |

in domum tuam   221, 3 mulier quid ploraf quem |
in tinen ufa.   Uuib uuaz uu'ofif uuenan |

25 querif 221, 6 [noli me tangere] 217, 6 non eft hic uenite.
fuochif. Ni curi mih ruoran | Nift er hier. quaemet.

et uidete. locum. | 219, 1 currentef nuntiare. 220, 2 cur-
Inti gefehet tʰiaftat | Loufente fagen.   Lio-

rebant duo fimul | 208, 3 currenf | 217, 1 angeluf dei
30 fun zuuene faman | Liof | Engil gotef

defcendit de celo | et accedenf reuoluit | lapidem
fteig fon himile | inti zuo guangenti aruu'alzta | then ftein.

---

6 himile G   10 michilemo G giúehen G; 'der accent steht zwischen
u und e' P   11 pedes meos] et pedes G   12 min foozi ('das erste o
hat die merovingische gestalt, ꝺ')] inti fuozi G gihúehen 'der accent zwi-
schen u und e' P, giúehen G   17 es steht wol manducet' dh. manduce-
tur wie G hat   22 lies Birut. 'Burit bis inan 34 stehn auf der untern
hälfte der ersten spalte die in folge des zuendegehens des buchstaben A
des lat. glossars frei gelafsen ist'   28 gisehet thia G   32 aruúalzta G

2 [et] fuper eum | (8ª *oben*) 205, 6 domine memento mei
inti. ubar. inan. | Trothin. gihugi min.

ueuerif in regnum tuum 206, 2 [mulier, ecce filius tuus]
u thu cumift in thin rihhi.   Uuib   fenu thiu   fun

:s) 206, 3 et ecce mater tua   207, 2 clamauit.
  Inti fenu thin mother   Rioft

ia **uo|ce**   (9ʰ *oben*) deuf meuf. deuf meuf. [utquid
eru | ftemmu   Got min. Got min. ziu

iquisti me] 208, 1 [sitio] (10ª *oben*) 204, 1 [super caput eius]
:zi thu mih.   Ih thruftu.   Obar min houbit

1, [a dextris et alterum a sinistris eius]   ? 205, 1 [latrones]|
  In zefo.   inti   in fina uuiniftra. Thiob   thioba. |

8 latro | (*rechts*) 197, 7 unde ef tu 197, 8 mihi non loquerif
Landeri | uuananbiftu.   Mir ni fprichif

2 quid ad nof tu uiderif. | (11ʰ *oben*) 196, 8 [facti
Uuaz zi unf. thu gifehef. | Uuarun tho.

amici .... in ipsa die]   195, 5 [rex es tu] 189, 1 [mane]|
ortan friunta. themo tage.   Biftu cuning.   Morgane.|

oben) 190, 1 [adiuro te per deum vivum]   191, 1 [scidit
  Ih bifueru thih. bi themo lebenten gote   Sleiz

menta sua ... blasphemavit] 191, 2 blaffemiam. | (*rechts*) 191, 3 reuf
giuuati.   Bifmarota.   Bifmarunga. | Sculdic

nortif | (13ʰ *oben*) 186, 4 [quid dicas. neque scio] 186, 5 [mi-
ef | Uuaz thu quidif. ne uuiz ih   thie

i   ad prunas.   calefiebant] | (*links*) 188, 4 feruuf
ihta. [zit]heru gluoti Uuermitun fih. | Scalcont

oben) 186, 5 [finem. calefaciens se] 187, 2 [palam locutus sum]
    thaz enti. [s]ih uuermenti   Offano fprechen

3   quid interrogaf me   interroga eo[s] qui audierunt |
    Uuaz fragef   mih. frage   thie diz. gihortun. |

---

14 trohtin G   38 muoter G   rioft *erklärt sich aus dem in*
ligenden lber   42 thurstu G   min] sin G; *derselbe fehler*
: 54   46 sprihhis G   50 bisttu G   52 lh; 'das h hat ganz die
lt eines b'   54 min] sin G, *s. oben*   56 ist todes G noh ih ni
uuaz thu quidis G   57 *lies* seruis   58 zi theru G, *in P einige*
taben weggewischt   scalcont] scalcon thes *usw.* G; *vgl. zu* 36
lih, '*vom s ist keine spur vorhanden*' offano sprah themo G

(rechts) 187, 4 ſic mihi reſpondeſ. | (15ᵇ *oben*) 188, 2 [vere et tu ex
So ant. mir ne liⁿgiſ themo | Ziuuare. thu biſt
65 illis es] tua loquela manifeſtum te facit. 187, 5 maluſ 188, 4 ſeruuſ
ſon ten. Thin ſpraha offanot thih Ubile. ſcalcon
188, 5 neſcio ego quid tu diciſ. | *(links)* 185, 11 unuſ homo. |
Ni ueiz.ih. uuaz thu. ſageſ | Ein man. |
(16ᵃ *oben*) 185, 3 non bibam illum. mitte tuum gladium in
70 Ni trinku inan. Senti tʰin. ſuert. in
uaginam 185, 4 peribunt gladio. | *(rechts)* nolo rogare.
ſceidun. foruuerdent in ſuerte.| Neguil bittan.
meum. fratrem. ſuum. gladium. | 185, 7 cum. gladiiſ et
minan brother ſin ſuert | Ir mit ſuerton. Inti.
75 cum. fuſtibuſ
mit ſtangon.

63 sic respondes pontifici *G* 64 so antlingis themo bisgoffe *G*
65 loquela tua *G* *es steht vermutlich* mal *dh.* (de) malo (ſona) ubile *wie G*
hat seruus] *lies* seruis 66 then *G* 67 ego, tu *und* ih 68 *fehlen in G*
68 uueiz *G* 69 gladium tuum *G* 71 gladio peribunt *G* 75 cum
fehlt G

Jena, 16 *märz* 1873. E. SIEVERS.

EINIGE BEMERKUNGEN ZUM TATIAN.

*In der einleitung und im glossar zu seiner ausgabe des Tatian
hat Sievers ein reiches material zur genauern kenntnis der laut-
und formlehre dieses denkmals gegeben; hiezu hat Steinmeyer
in der anzeige dieses buches (zs. f. d. ph. IV, 473 ff) verschiedene
nachträge und berichtigungen geliefert. neben diesen zusammen-
hängenden aufsätzen werden die nachfolgenden vereinzelten beob-
achtungen, wenn auch an sich geringfügig, doch für die einsicht in
manche sprachliche eigentümlichkeiten eines durch alter und umfang
gleich hervorragenden schriftwerkes als ergänzende anmerkungen
nicht ganz bedeutungslos erscheinen. ich beginne mit den vocalen.*

*Zwei schreiber des SGaller codex G (αα'ε) verwenden zur
bezeichnung langer silben den circumflex. nur zwei versehen hat
Sievers hierbei bemerkt, während ich ungefähr 500 mal eine rich-*

.... gezählt habe.   nun steht der ^ nicht
.... stammsilben der nomina und verba, sondern auch
irtikeln (sô thô) und selbst, freilich selten, auf vorsilben (ûz
d ableitungssilben, wie s. 231, 24 vvuntarlîb, ebenso 233, 37.
iber vergeblich habe ich mich unter diesem halben tausend von
flexen nach einem einzigen umgeschaut, der auf der casus-
i eines substantives adjectives oder pronomens stünde; auch die
i des artikels kennen ihn nicht. es scheinen mir dies genug
ie anzeichen um daraus einen negativen schluſs zu ziehen; und
^ schluſs läge wol näher und wäre mehr berechtigt als der, daſs
ireiber sich nicht veranlaſst fühlten auf diese silben den circum-
i setzen aus dem einfachen grunde, weil zur zeit der vorliegen-
iderschrift des Tatian aus der zweiten hälfte des neunten jahr-
ts die casusendungen der nomina nicht mehr lang waren? ein
eweis aus dem Tatian genommen dürfte schwerlich aufzufinden
vährend meine behauptung noch von einer andern seite her
leine unterstützung erhält. dieselben schreiber αα′ε verwen-
ämlich in mehr als 100 fällen auch den acut. dieser steht
von den stellen abgesehen wo er gleich dem circumflex über
der diphthongen seinen platz hat, durchweg auf denjenigen
silben die auch sonst den ^ tragen; ausnahmen kommen
i vor, doch können sie die regel nicht umstoſsen: s. 67, 5
i. 89, 12 édouuán; 72, 19 ôtáge; 232, 11 giládotun; ganz
ir der gravis 79, 2. 3 dèmo.
)as ortsadverbium thar erscheint viermal mit dem ^ (s. 80, 39.
33. 239, 3. 28).   daſs dieses wort, wo es selbständig ge-
t das lat. ibi ubi widergibt, langen vocal beseſsen muſs
ch wohl zugestanden werden, daſs aber dieselbe partikel in
tllen wo sie ohne eigene bedeutung nur zur verstärkung hinter
dativpronomen tritt (ther thar) die länge des vocals gewahrt
sollte, kann ich durchaus nicht zugeben. als enklitisches an-
t erleidet dieses wörtchen auſser der einbuſse selbständiger
ung noch einen abbruch an lautlicher kraft; der lange und
vocal verengt sich zum einfachen, und auch dieser schrumpft
ch schwächerm e zusammen, so daſs aus thar bei einzelnen
tern ther the de wird. das ther findet sich wohl anderwärts,
M̃SD zu xi, 49, aber im Tatian durchaus noch nicht selb-
g verwendet und gibt somit genügendes zeugnis für die kürze
m relativum nachgesetzten form thar. angemerkt zu werden

~~werdent noch das überaus häufige vorkommen dieser~~ enklitischen
wörtchens gerade im Tatian; es findet sich ~~hier wol 450 mal~~ so
gebraucht, während es bei Otfrid in jedem buche ~~nur mehrere~~ mal
auftritt und im Isidor ganz fehlt; denn an der einzigen stelle wo
wir dort darauf stoſsen v, 4 dhese man dber dhar scoldii chiboran
uuerdan gehört es nicht zum relativ, sondern heiſst ibi, s. Holtz-
mann im glossar.

Die assimilation der consonanten und vocale hat Sievers aus-
führlich behandelt; doch wäre zu s. 30 etwa noch folgendes anzu-
führen. der schreiber und corrector ζ ist von öftern verschreibungen
durchaus nicht frei, doch haben dieselben meist eine sprachliche be-
gründung in dem unscheinbar doch stark würkenden einfluſse der
assimilation. als ergebnisse der assimilation sind formen zu be-
trachten wie gihigita für gihugita 311, 18; diriuuarta für duri-;
iuuueromo für -emo 271, 40; getes für gotes 312, 32; troso-
faz für treso- 313, 39. diese unwillkürliche angleichung benach-
barter vocale erstreckt sich nicht bloſs auf silben eines wortes,
sondern ergreift auch silben unmittelbar neben einander stehender
wörter. so sind zu erklären und nicht zu ändern ub thuruh —
oh s. 269, 19; nuh nu — noh 299, 12; unseri kind — unseru
319, 41; iu unzan — io 268, 31; thiu da salbóta — de 253,
37; thia dar — thie 255, 36; thiu du nioman 297, 41; naman
thaz — namen 293, 2; fun iu — fon 300, 41; bithiu liuht —
lioht 254, 27; ni hiltit — heltit 294, 4. hierher können wir wohl
auch noch ziehen ύzvvurphin inti — -phun 122, 6; ni uirstantet
182, 23, welche form nur hier auftritt (s. Sievers einl. s. 16) statt
des bei γ gewöhnlichen vor; mit thi sie — thiu 235, 34; igiuue-
llh — iog. 86, 25; ir uuizzit — -ut 328, 15. hoffentlich wird
es nun auch nicht mehr anstoſs erregen, wenn wir zwei sonderbare
formen im Isidor als durch assimilation entstanden erklären: uues
— uuas und den bekannten dat. sg. auf -a hantgriffa. diese
raritäten werden durch die vocale der sie umgebenden wörter deut-
lich: huuer uues mezssendi in einemu hantgriffa uuazssar x, a, 8.

Für Tatian können wir diese erscheinung noch etwas weiter
verfolgen. die alte vorsatzpartikel ga wird hier stets zu gi; aber
einmal treffen wir ge in hafte geleitit 273, 7 und einmal go,
thô gohôrta 159, 22. Sievers verweist s. 35 anm. auf MSD s.
302 f, wo Haupt beispiele für go vorbringt, die sich jedoch sämt-
lich durch einwürkung der angrenzenden silben erklären, auch das

Dfr. F ii, 7, 10 thô gosagata.[1] *in gleicher weise findet das*
ulige ze für zi *in cap.* 104, 2 ze desemo *seine erklärung*
l. MSD s. 379 *f*).

Von grofsem interesse ist es diese vocalassimilation nun auch
uteinischen text von G widerzufinden, zum unverkennbaren
m dafs diese angleichung ganz unabsichtlich aus der feder des
bers kam; so steht dobo = dabo 272, 6; dixoro = dixero
14; resurrexoro = -ero 291, 13; meledixit = male- *s.* 63
11; prumptus 305, 24 (*cf. Lachmann ad Lucr.* i, 18); sint
puli 221, 24; sint mi = sunt 305, 9.   et tuo = duo 121, 2
die angleichung des consonanten und ist dieselbe erscheinung
las deutsche mit temo = demo 180, 25.

Sievers hebt s. 46 *die besondere vorliebe einiger schreiber für*
tt ô hervor.   ein seitenstück hierzu bildet uu *für* ou: guuma
6; cuufôt 281, 19; eruugtun 325, 13; *diese drei stellen*
i auf rasur; anderwärts ist einfaches u *zu* o *gebefsert:* su
20; ubar 266, 30; iugiuuelih 268, 28; sénunu 280, 11;
an 266, 33. *auf rasur steht ferner das* ô *von* santôs 302,
ind uuerdôton 314, 13. *unwahrscheinlich wäre es demnach*
dafs der dumpfere laut nicht erst von den schreibern von G
rn von denen der vorlage herrührt.

Hier und da zeigen sich spuren einer art von vocalepenthese
vorwärts und rückwärts; ich meine hiermit formen wie ui si
= thaz 286, 10; ianan = inan 300, 2; tuoron = turon
22 *und besonders das zwiefache lat.* uibi = ubi *s.* 64
9. 11.

Zu den gramm. 1[2], 90 *gegebenen wenigen beispielen kommt*
dem Tat. gitahan = gitán *s.* 198, 2 *mit eingeschobenem h.*

Bei den consonanten glaube ich im T. aufser den von Sievers
l. besprochenen ausstofsungen inlautender n *noch andere der-*
ten fälle wahrgenommen zu haben: uuatib = uuantih 323, 9;
umes = uuant. 334, 6; uueretan = uuerentan 314, 27;
ate = quedanté 229, 8; uuerpfet = -ent 296, 10; saztut
giert zu saztunt 256, 31. *entsprechende beispiele bietet der*
text: madatum 270, 8; saguis 290, 8; venies = -iens

---

[1] *Die glosse zu Virgil Aen.* viii, 105 gomischi senatus *gehört nicht*
er; der stamm ist gomo. *Graff* iv, 201.

213, 2. *ob in diesen fällen, wie Weinhold es AG § 200[1] und BG § 166 thut, nasalierung anzunehmen ist, weifs ich nicht, wogegen dieselbe unzweifelhaft ist im auslaut bei* ûfgan = ûfgang 74, 18 *(vergl. gl. K.* ûzkan *Hatt. s.* 173; uparkan (?) — lues 189; lanlip 190). *dieses nasalierte* n = ng(e) *weist auch der lat. text von G auf zb.* praecinti 65, 3; vintis 318, 29.

Dem ausfall des n *gegenüber steht dessen einschiebung bei der bildung der zweiten pers. pl. (Sievers s. 21) zb.* sprehhent 119, 9; thenkent 130, 27. *da nun das* t *nach consonanten, besonders nach* n, *Sievers s. 11, bisweilen abfällt, so ist wohl kein genügender grund da, um die formen* tâtun 168, 31. 169, 9, *die das lat. fecistis widergeben, für die dritte pers. pl. (s. 455[a]) zu halten. übrigens läfst sich ja im T. nicht blofs bei den infinitiven abfall des schlufsconsonanten auch nach vocalen belegen:* uuizzuuuir 248, 39; giuuenti[t] 259, 18; giberehtô[t] 289, 32; uuestô[s] 280, 14; uba[r] 163, 13; *(aber 194, 19* obar = si). *dem von Sievers angezweifelten* uuor[t] 279, 28 *vergleicht sich* zuouuer[t] 307, 32. *ganz unnütz aber erscheint angeschobenes* t *in* giberehtôt 302, 6; forhtet 294, 20; zîtit 324, 3; feraht 296, 35; *doch läfst sich bei diesen wörtern der grund des irrtums teils in der formverwechselung, teils in dem* t *der folgenden silbe finden.*

Neben der unorganischen consonantengemination, Siev. s. 28, zb. in herzza 294, 20; eccrrôdo 285, 5 *ist auch als gegensatz die seltene vereinfachung der doppelconsonanz nicht zu übersehen:* thane 249, 40; minôta 254, 9; giuueso 139, 30; 167, 37. *aus dem lat. können wir hiermit vergleichen* misa 62 *anm.* 6; remisius 143, 6. 144, 7; presure 300, 17 *usw., und diesen gegenüber* remisseritis 197, 36; accussantes 316, 18. 318, 15; pussilum 96, 34 *usw.*

Als seltene erscheinung einer aus den alten sprachen her bekannten consonantenassimilation fafse ich: throtîm mit salbun 253, 37; quâdum fon mir = dixerunt 315, 6. *anderswo ist* m *nur schreibfehler für* n, *wie* zougitim 270, 31; thiorum 278, 18.

An diese buchstabenangleichung reiht sich füglich eine erscheinung die ich reimassimilation nennen möchte; ihre entstehung ist ganz natürlich und erklärt sich von selbst: inter after 320, 23; gi-

---

[1] *Zu den ältesten belegen gehörte dahin noch* gabutan ligatus *Gall.* 199.

b(it) quidit 239, 10; unserón strazón 216, 20; thi ni 286, 2;
·digen tátin 323, 22. *hierher ziehe ich auch* rebtltho ist
rltho 325, 10, *weil das adj. im T. sonst* rebt *lautet. lat.*
em fidem 124, 29; infidelibus ... dentibus 277, 36 f, *der-
hen findet sich auch sonst nicht so selten und wäre der be-
ung wert: s. zs.* XVI, 26 *gl. zu Prudentius* nr 210 monile
ile *für* gesteine.

Die formen des artikels lauten in G meist ther *und* thie; *sie
lienen besondere berücksichtigung. Sievers nennt s.* 42 thie *eine
den schreibern* αβα' *bevorzugte niederdeutsche gestalt des ar-
ls. allerdings findet sich bei* α *manche form die sich als zum
lerd. hinneigend auffafsen liefse, wie etwa das* ð (*s. Siev. s.* 13,
D *vorr. s.* XVIII) *und* gihézzan 80, 1. *hierbei aber wäre es
h wahrscheinlich dafs* α *sie aus der vorlage herübergenommen
z. nun fragt es sich, ob das zahlreiche* thie *blofse schreiber-
ntümlichkeit sei oder ob es nicht doch dem original angehöre.
die erstere annahme spricht der umstand dafs der corrector* ζ,
· *schon von Graff* v, 4 *bemerkt wurde, die form* thie *möglichst
rall ändert; doch schafft derselbe ja oft alte formen weg, die
z sicherlich aus der vorlage stammen. und eben dies behaupte
auch für die form* thie. *ich folgere dies so: allen schreibern
G war* ther (der) *für artikel und relativum die gewöhnliche
n, denn alle brauchen sie regelmäfsig; aber auch* thie *findet sich,
hon selten genug:* γ 189, 35. 198, 15; 197, 9 *auf rasur.* ð
l, 12. 223, 15. ε 242, 28. 29. 245, 11. 18. 246, 15; 244, 24
·rasur. nun ist es doch höchst auffällig, dafs* ζ *trotz seines
altenden widerwillens gegen* thie, *das er so eifrig ausmerzt,
noch sich selbst dieser ihm widerstrebenden form bedient, und
r nicht weniger als vierzigmal, ja selbst dort, wo er bei andern
·eibern verbefserungen anbringt: s.* 247, 2. 327, 38. *es dünkt
h mithin unzweifelhaft dafs im archetypon des T. für art.* (dem.)
l relat. thie *herschte, und dies bisweilen indeclinabel relativisch;
zeigen stellen wie in* themo mezze thie ir mezzet *s.* 113, 10.
themo mezze the samanót henin irá huoniclín 269, 7. in
mo tage the her ni uuánit inti in theru zíti tbe her ni
íz — *in die qua non sperat et hora qua ignorat* 277, 31. *an
i vermischung des* thie *mit dem öfters erwähnten* thar *hinter
i relativ ist doch wohl nicht zu denken, wenigstens bei dem ersten
·eiber nicht; wo* ther thie *bei einander stehen bedeuten sie* is

Auf die absonderlichen eigenheiten in der orthographie der verschiedenen schreiber hat Sievers sein besonderes augenmerk gerichtet, weil dieselben in wichtigen punkten von einander abweichen. ganz aus den umrisen der sonst im allgemeinen in G festgehaltenen schreibweise tritt heraus der dritte schreiber γ. er bemüht sich zwar auch seinen heimatlichen dialect dem fuldaischen einigermaßen anzupassen, gelangt dabei aber nur zu einer wunderlichen misch-sprache die nichts ursprüngliches ist; so braucht er nebeneinander thie ther the der de; her he er. *seine auffallenden absonderlich-keiten ließen sich etwa in folgende kategorien bringen.* 1. *für schwaches e der endung setzt γ* a: gisehat ezzant uuerda nem-menna suma taga morgana[1] *usw. s. Siev. s.* 41. 2. *umgekehrt wird für a gesetzt e, Siev. s.* 35f. 3. *für* ie *schreibt γ* e *in* geng see *usw.* 4. eo *für* io. 5. -nissi *für* -nessi. 6. p *für* b: prah *Siev. s.* 14. 7. *die zweite pers. pl. auf* -nt *für* -t. *darf man auf diese formen hin den schreiber nicht für einen Baiern halten?*

Indem ich mich schließlich zur kurzen besprechung und änderung einiger stellen im texte wende, bemerke ich daß dies nur solche sind wo meiner meinung nach irrungen des copisten, nicht des übersetzers zu suchen sind.

s. 65 *anm.* 10 *muß selbstverständlich* princeps, *nicht* princi-pes *lauten.*

s. 67, 24. thaz *ist zu streichen. die öftere widerkehr des wortes vorher und nachher hat es auch an diesen unrichtigen platz gebracht.*

s. 68, 18. thaz her wihroub branti = ut incensum poneret. *die übersetzung im anfange der harmonie schließt sich sonst so genau an das lateinische an, daß diese freie verdeutschung auf-fallen muß. ich vermuthe daher für* branti, *trotz* uuihroubbrunsti *z.* 25, *doch* brahti. *vergl. gl. Ker. bei Hatt.* 147 uutr. bringan = incensum offerre.

s. 79, 33. *nach* ginemnit *muß ist ergänzt werden, damit es dem* vocabitur *entspreche.*

ebenso fehlt ist *und muß ergänzt werden s.* 265, 16 *nach*

---

[1] *diese form hat G auch s.* 112, 18, *wo sie nicht zu ändern war.*

'iu himile — qui in caelis est. *vergl. gramm.* 4, 404
4.

s. 264, 16. *nach* nahtes *ist einzuschieben* ûzgangenti —
is.

s. 265, 6. *nach* giheizan *vermisst man* uuesan — vocari.

s. 319, 15. *desgl. nach* forlâzzan uuesan — dimitti.

zu tilgen sind s. 89, 26 *das erste* thén. *s.* 91, 20 *ein* then.
59, 28 sliumo.

s. 138, 35 *war die einschiebung von* in *notwendig; der aus-
der präposition ist leicht erklärlich; es hatte wohl* in in *da-
nden; dies* in *für* inti *hat mehrfach störungen veranlafst: s.*
4. 316, 30. *die kürzere form kommt in G übrigens öfter
als im glossar vermerkt ist, zb. s.* 83, 25. 122, 2. 124, 37.
4. 163, 35. 165, 14. 173, 14. 221, 32. 253, 25. (339, 32 —
37, 3).

s. 100, 12. *hinter* beilta *sind drei worte ausgefallen:* iogi-
hba suht inti — omnem languorem et. *in G können sie
fehlen; denn im glossar ist* suht *aus dieser stelle angezogen
bei Schmeller stehen sie auch.*

ganz dasselbe ist der fall s. 202, 24, *wo nach* dage *zu
iben ist:* ih nerstigu ze desemo itmâlen dage — ego non
ido ad diem festum istum.

s. 164, 36 *liest man jetzt* thaz brôt thaz, *wovon alle buch-
n mit ausnahme der beiden* th *vom corrector auf rasur ge-
eben sind. was hat ursprünglich dagestanden? genau mit
oviel lettern* ther leib thie; *vergl. aao. z.* 10. *solche änder-
n nebst zeilenergänzungen zeigen dafs der corrector nicht ohne
vorlage einzusehen die gröfseren emendationen vornahm.*

s. 335, 3 *bietet G* derecumberet; *das* de *war nicht wegzu-
fen; seine spur ist schon eingedrückt s.* 158, 31 *in* drecum-
es *und s.* 324, 14 *treffen wir* derelequisti *wo in F das* de
zugefügt ist. sollte nicht in jenem d *vor* r *das späterhin
e vorschlags-*d *vor* er *vielleicht zu finden sein? s. MSD zu*
6.

s., 361ᵃ *ist nach* edili *aufzuführen* edo — aut c. 7, 3. *Graff
7 führt freilich noch mehr beispiele aus T. an die nun zu
then wären.*

s. 373ᵇ *ist hinter* gifremen *zu vermerken* thuruhfremen —
cere c. 92, 1.

s. 434[b] *ist nach* sih *einzuschieben* sîhan = excolare *c.* 141, 18.

Berlin, märz 1873.   IGNAZ HARCZYK.

BEDEUTUNG DER BUCHSTABEN.

81.

A bezachinet[1] gvvalt. oder lip. *B* gvvalt | od'urlouge. *C* unde *D* trubesal un tot | *E* unde *E*[2] edeli blut. *G* mannes ual. od'wibes | val. od'[3] reine mût. *I* guten lip *K* tumpliche | frov- de. *L* ere. *M* michel~p~ser *N* du gesiches | daz dir lib ist. *O* gvvalt od' din lip. *B* allen | list[4]. *Q* gvvarheit dines libes *R* geleideten | od' gevvundeten man. *S* frôde dines mû|tes. *T* ze ... s[5] ferlust *V* tot *X* mere fon di nen frunden. *Y* daz dir lib ist. *Z* daz | minn[6] diʀ.

1 *so statt* bezachinet   2 *lies* F   3 *gehörte wol ursprünglich zu* H   4 li *ist sehr zweifelhaft*   5 *vielleicht sind die verblassten buch-staben* nne   6 *nicht ganz sicher*

Das vorstehende stück befindet sich auf dem letzten blatte (83[b]) *der Wiener hs.* 2245, *deren sonstiger inhalt des weiteren im zweiten bande der Tabulae s.* 42 f, *angegeben ist. die schrift ist dieselbe wie im vorhergehenden und gehört mit sicherheit dem* 12 jh. *an, ist aber so verblasst dafs trotz der freundlichen unter-stützung Joseph Haupts einige stellen zweifelhaft blieben. das aber wird nun ersichtlich sein dafs wir es nicht mit einer 'precatio germanica', wie die Tabulae angeben, zu tun haben, sondern mit den deutungen der buchstaben die auf stäbchen eingeritzt oder auf täfelchen oder blättchen geschrieben zum lofsen dienten.*

Die kursiv gedruckten buchstaben waren in dem ms. rot; die zeilenschlüfse der hs. sind angegeben.

STEINMEYER.

SANCT CHRISTOPHORUS.

Got mit seiner gotlichen macht hat
ze pilde manig hantgetat
dem menschen geben ze erchennen,
dar umb daz er scholt wenden
5   sein sin, sein gedanch auf die spar,
daz ez den rechten weg var,
den er so wol geraitet hat
mit dem wart, des er do bat
seinen vater von himelrich,
10   ob ez macht gesein pillich,
daz er der marter wurd uberhabt.
vil pald im daz wurd widersagt
auf dem berg Olivet.
dar nach er vil pald tet
15   waz im der engel von himel sait:
wie grozzlich wurd der menschen lait,
ob er nicht snel an sich nem
da von Adam aus noten chem
und allez sein geslehte.
20   daz macht den gotes sun an mahte
von der menschlichen natur,
die von Mariam sein gothait durch fur:

Zu A: 'zwischen den einzelnen absätzen ist ein leerer raum, in welchen vermutlich bildliche vorstellungen hatten eingezeichnet werden sollen.' Joseph Chmel 1827. bilder hat denn die hs. B würklich, sie nehmen aber andere stellen ein als die in A angedeuteten, sind sehr schlecht und ihre beschreibung ist, als unnütz, hier nicht mit angegeben worden.
    1 gotleich *A* hat *fehlt AB*   2 der z. *AB* maniger *A*   3 den *B* gegeben ze chennen *A*   4 er *fehlt A* schol *AB* solt *WGrimm*   5 seinen — seinen *B* spur *A*   6 für *A*   7 gerayt *A* also w. beraitet *B*
    8 daz e. *A* w. do er sprach oder pat *B*   10 ob sein es mocht *B*
11 vberhaben *B*   12 ward *A* vndersagen *B*   15 e. von seinē vater seit *B*   16 wie grewleich ward der menschait l. *B*   18 davon alle welt *B*   20 den *fehlt B*   22 martter *B*

vnd do er die menschait an dem chreuze verchert,
Christus Mariam da von ein swert
25   vil dicke durch ir herze stach
vnd mit der gothait die hell aufprach
und nam heraus die da innen waren
gebesen vor manig tausent iaren,
Adam vnd Evam, daz geslecht,
30   da von manig groz gepreht
ze himel vor gotes anplich ist.
dar nach mit gotlicher list
verspart er do die helle,
daz dar in nieman kumt wan den er welle
35   mit rechtem ganzen willen dar in.
dar umb hat er die fumf sin
einem ieglichen menschen geben,
daz er erchen an seinem leben
waz bös oder guot sei getan,
40   daz guot er tue vnd daz bös lan.
tuet er daz endeclich,
so vert er in daz vron himelrich;
tuet er aber daz nicht,
so vert er in ein jamerclich geschicht
45   ze tal in der hell grunt,
daz im wirt grozzer jamer chunt.

Daz bezeichnet uns ein haidnischer man,
dem was ein chunichrich undertan.
nach haidnischem sit
50   volgte im manig tausent ritter mit,
der chainer christen gelauben het.

---

23 und do die menschait *A* do *fehlt B*   24 durch Christerum ein
swert *A*   Simeon Christum davon ein swert *B*   25 Marian (Marie *B*) ir
herz vil dichte durich stach *AB*   27 dar in *A*   32 goteleicher *A*
33 Der spart *A*   do *fehlt B*   34 den er wel *A*   vnd daraus n. k. wann
er well *B*   35 wil *B*   37 einen *AB*   38 erchenne *B*   40 daz gut
thuen daz pöz soltu lan *B*   41 endicheleich *A* endleich *B*   42 so wirt
er gefurt in daz h. *B*   43—46 *fehlen B*   44 in *fehlt A*   47 daz er-
zeigt uns got an einem man *B*   50 volicht *A* vollet *B* volgte *WGrimm*

doch got mit im ein zaichen tet.
als er uns erzaigt an dem dorn,
der ist wahs und herte als ein horn
55 mit seinem zucken vreislich,
aber des saf ist minniclich,
die ros die dar aus grüenet:
also het got mit im erblüemet,
daz von dem haiden chem ein purt
60 da von die welt getrost wurt.
nu getrawe ich dem vil guoten,
dem stolzen vnd wol gemuoten,
von dem die aventeur sait,
er nem mich von meinem lait
65 als lang, daz ich meinen sin
genzlich dar auf lege hin,
daz ich ez recht bedeute,
daz furbaz die leute
got ze danchen dar umb haben,
70 daz er ze troste hat geladen
solch süezze, da mit wir gelich
chomen in daz himelrich.
nu wil ich wider da hin,
da ich verlie meinen sin.
75 als ich hie han gesait
von dem haiden der do mait
christen gelauben gar,
er was gesezzen zu Persia.
Arabia was genant ein lant
80 da der haiden was inne erchant
ze einem herren grozz,
an tugenden was niemant sein genozz.

---

52 ein czaichern mit ym thet *B*   54 waych *A*   hertt vnd wegschs
als *B*   55 Mit se .... zuchten vieleich *A*   56 der saft *A*   daz saf *B*
57 ras *A*   rose *WGrimm*   58 mit *fehlt B*   enphlinnet *A*   enplümet *B*
59 chomen solt *B*   ein pued *A*   ein burt *fehlt B*   61—74 *fehlen B*
63 dem man die *A*   64 meinen *A*   71 do *A*   75 ich vor h. *A*
ich euch hie *B*   76 hern *A*   do *fehlt B*   77 christenleichen *B*
78 Persia *fehlt A*   bei P. *B*   79 ein lant *fehlt A*   80 in *A*   da er
yme *B*   82 tugnt w. nimpt *B*

wie er doch ein heiden wer,
so was ez im ein grozz swer,
85   wo er von vntugenden reden hort.
der eine was seiner sele mort,
daz er der tauf nicht enhet:
daz was seinem got Machmet
gar ein liebez mer.
90   sein vrawe was auch achtber,
schon vnd dar zu tugenthaft.
seuftens si vil oft gedacht,
daz si chindel het chain;
des cham si oft in grozz wain
95   da irm abgote ze chlag,
daz si sich vil oft verwag
vnd jach, si wolt sich verchern
vnd christen gelauben lern,
ob si nicht solt haben ein sun,
100   der nach vater tod landes tum
solte treiben vnd auch haben:
des must si werden begraben
e ir zit, ob daz nicht geschech.
in zorn tet si oft ein smech
105   den abgoten, daz si so riche was
vnd chaines chindes bei dem heiden genas.
in dem zorn si ser grimt
(daz ir her nach vil wol vrumt)
vnd sprach zwar vnd werlich
110   'ich wil mich richten teglich
daz ich heimlich vnd auch taugen
dienen wil unser vrauen
die Maria ist genant,

---

83 doch *fehlt B*   84 grozz *fehlt B*   85 vntugnt *B*   86 den
ains waz der s. *A* denn seiner s. *B*   87 er *fehlt B* der der *A* enhiet *A*
88 dar *B*   90 was *fehlt B* achper *A*   92 gaystens *A*   94 der
— main *A* dez — wain *B*   95 d. vor i. *B*   96 vnd sich v. *B*
97 sach *A* pechern *B*   100 noch *A* tun *A* laides rüm *B*   103 des *A*
ob ez *B*   104 zornte *A* in zorn *B* tet *WGrimm*   105 gott'n *B* mich
w. *AB*   106 herrn *B*   108 noch — chvmpt *A* daz irm hern noch v. *B.*
111 auch *fehlt B*   112 wil dienen *B*

daz mir von ir werd bechant
115 ein tracht da von die lant
nach vater tod sein benant.'
also die vraw in einen gart
dar nach do gen wart,
zu churzweilen nach der rede si gie.
120 der haiden si do vmbe vie
vnd vragt si der mere
wo si gebesen were.
also vergie sich wechselred
unz der tag ein end het;
125 do giengen si zuo chemenaten,
die was wol beraten
mit gold vnd mit gestain.
der haiden zu der vrauen rain
an daz bet er sich smukt,
130 gar minniclich er si drukt
daz lieb weib an sein brust.
die vraw in den gedenchen chust
den haiden mit irm mund:
si gedachte an die stund
135 do von si geredet het,
daz erhort wurd ir gebet.
also lieplich vergie sich die nacht,
der einer se oft heten gedacht.
dar nach vergie sich selten ein tag,
140 die vraue irs gebetes phlag
gegen Maria gar unlanger.
do die haidinne ward swanger
und si ir verstund daz,

114 *fehlt A* mir *fehlt B* 115 Eintracht *A* 116 wewart *B*
117 ein *B* zu gart *vgl.* 150 118 dornoch *A* 119 si *fehlt A für* 118. 9 *hat*
B in den gedenkchn chürczweilen gie. *sollte, wenn die stelle für verderbt*
erklärt wird, warten 118 *reimwort sein?* 120 s. gar schon enphie *B*
121 do m. *A* 123 also gie red wid red *B* 125—138 *fehlen in B*
 126 pe barten *A* beráten *WGrimm* 130 beyb *A* wip *WGrimm*
132 in in d. *A* 135 hat *A* 138 der se oft hetten ainer g. *A*
139 n. sich selten ergie *B* 140 gepet *B* 141 g. williger *B* 142 daz
die *AB* 143 daz si nu cham daz si v. d. *A* im *B*

daz die warhait da was,
145 daz si der purd emphand,
daz potenprot ze hant
gewan si von dem haiden her.
des gewan sein herz noch vreuden mer.
er hiez ir schon warten,
150 ez was seiner selden garten
erst mit vreuden ergrüenet gar.
do daz chind auf erde erhar,
do was ez so mehtig vnd so grozz,
ein chind bei einem jar sein genozz
155 macht man nicht haben funden.
daz chind schon in gebunden
trug man ze hant an die stet
für Apollo vnd Machmet
vnd dankt den der genaden,
160 die doch lutzel von iu chomen waren,
vnd gaben im vor Apollo alsus
den namen vnd hiezen ez Offorus.

Daz chind trug man wider dan.
daz ward in eim jar als ein man
165 der iezunt ist bei dreizzich jarn.
mit ammen must man in bewarn,
der het er zehen oder mer,
dennoch wainte Offorus nach mer.
do er nu cham zu zwelf jarn,
170 do wolt man in bewarn,
den edeln junglinch, daz er lert
da mit er Apollo vnd Machmetn ert.
als er dan cham in den tempel,
do was daz ein grozz exempel,

148 nach fr. ger *B*   151 er ist *A*   152 d. nu d. — gepar *B*
153 ir s. *A*   155 nicht *fehlt A*   157 d'stet *B*   158 f. irn abgot
den m. *B*   159 dem *AB* dankchten *B*   160 d. do *A* ym *AB*
161 also *B*   162 Offoro *B*   163 m. da wider von dann *B*   165 dreyz-
zign *A*   167 zwelff vnd *B*   168 noch m. *A* waint er n. *B*
169 im ch. *B*   174 grozz *fehlt B*

175   daz dan die weile der abgot chain
         mit chainem haiden het gemain.
         daz was doch ein grozz dinch,
         daz got mit dem junglinch
         so fru daz erzaigen wolt,
180   daz er in im selber erholt
         zu einem lieben diener.
         des er seit lait grozze swer.
         do er nu cham zu zwainzich jarn,
         die heiden wegunden in an varn,
185   daz er solt lern ringen,
         schiezzen vnd springen,
         vnd si im brachten hornbogen.
         als in sein maister het gezogen
         wie er den bogen solt ziehen,
190   so musten die haiden vliehen:
         do zoch er mit eines vinger ort,
         daz der pogen gie ze drumen drot,
         daz nicht vor im macht beleiben.
         wurfens den stain oder die scheiben,
195   daz verwarf er dan so verr hin,
         daz zwelf den stain mit irm sin
         herwider nicht machten getragen.
         also het in got vberladen
         mit chreften, da mit er hernach
200   dient got vil manigen tag.

         Eines tages cham ez also,
         daz sein vater wolt wesen vro,
         daz man beruft ein *vareiz*.
         daz tet der vater in solcher weis,
205   daz der sun sehe

---

175 die weile *fehlt B*   176 m. nimpt wolt habn g. *B*   179 fuor?
W Grimm   180 ym in *A*   selbn wolt *B*   182 daz er sein l. *B*
183 zwainch *A*   im ch. *B*   185 leren *B*   186 v. auch sp. *A*
188 erczogn *B*   189 bogen *fehlt A*   190 h. von im fl. *B*   191 einem *AB*
192 da ze drümer d. *B*   194 dan st. *A*   od'sluegn sch. *B*
195 warf *B*   196 sinne *B*   197 tragn *B*   198 got in *B*   203 var-
eiz *fehlt A*   daz man ruefft in ein vareiz *B*   vâris?   205 d. sein s.
ersäch *B*

seiner ritter gebere
vnd daz si im wurden erchant.
daz ward verruft in manige lant.
do nu cham die samenung
210   von Persia, von Arragung,
do ward Offorus schon angechlait.
in der zeit do in rait
die herren alle gemain,
Offorus der selich rain,
215   der was so grozz an seiner chraft
daz in chain ros getragen macht,
gegen den gesten chert er ze fuzzen
vnd emphie si mit worten suzzen.
da was er so grozz vnd so lanch
220   daz chain haiden mit seinem gedanch
ze rosse raicht an die gurtel sein;
ob der gurtel gab er zwelf chlafter schein.
do man da ze tische saz
vnd man met vnd wein moraz
225   für die herren alle dar trug,
do schuf man daz si alle genug
heten, waz si wolten
daz gab man in vngescholten.
do nu die tische wurden ploz
230   vnd man daz wazzer vmbe goz,
do ret man hin vnd her
wer jener wer oder der,
vnd sagten von haiden vnd von christen,
wie sich einer von den andern must vristen.
235   also traib man die wechselred.
nu hort waz Offorus tet:

207 vnd *fehlt B*   208 werueft *B*   209 smung *A* sáumung *B*
samenunge *W Grimm*   211 Offorus *fehlt A* Offro sch. gechlaid *B*
212 zu d'zit da zue raitt *B vgl. Gr.* IV 197   217 get *B*   221 czu
rozzen *A* ze rosse *fehlt B* geraichen mocht *B*   223 da *fehlt B*
224 maaz *A* wein vnd met m. *B*   225 do tr. *A* do alle tr. *B*
228 angescholten *A* vngescholten *B und W Grimm*·   232 ener *A* einer
wer diser od'der *B*   233 f *fehlen A*   235 do man die wechsel vil ge-
red *B*   236 nu *fehlt B*

do si nu hin vnd her sagten
vnd von den landen vragten,
er gedachte 'waz sol mein weis?
240 ich wil legen meinen vleiz,
daz ich chom zu einem herren,
daz ich auch chunn sagen von verren.
ez ist mein leben hie ze nicht
vnd wirt mein chraft hie enwicht.
245 si sagent von baiden vnd von christen,
wie sich ieder man mttz vristen:
ich getraw meiner chraft wol,
bei welchen herren ich beleiben sol,
da wil ich vmb in verdienen daz,
250 daz er mir nimer trage haz.
ich wil auch chainem zwar dienen nicht,
der vor iemant chain vorhte hiet.
ich wil einem dienen, den man melt,
daz er ze dem hochsten ist gezelt;
255 der mag mir gehelfen vnd geraten
vnd mag auch mich ze lest beraten.
erhort ich nur die mer
wo ein solcher her gesezzen wer,
der solch macht vnd chraft hiet
260 daz in niemant von erbteil schiet
noch auch geschaiden chund!'
also gedachte er im an der stund
vnd sazte im für in seinem sin.
als bald die massenei fur hin,
265 so wolte er sich auch erheben,
den fursatz het der rain degen.
da mit gie er mit züchten dar
zu seiner herschaft ane alle var.

237 nu *fehlt B*   244 mein sterkch m. chr. *B*   245 iuden v. v. *A*
sagten *B* in *fehlt AB*   251 auch zwar chainē *B*   252 der vor im hat chain
varicht geschich *A* der vor im hat vorcht geschieht *B* vorhte hiet *W Grimm*
vgl. 495   253 ainen *A* welt *AB*   254 den *B*   256 *fehlt B*   259 chraft
vnd macht *B*   261 geschadn *B*   263 sinne *B* *'nahm sich vor cf.*
266' *W Grimm*   264 mageney *A* mässnei für von hine *B*   266 werd d. *B*
268 war *A* var? *W Grimm* zu der herschaft die schautn in gar *B*

die vreuten sich der mer,
270 daz ir junger her so starch wer
vnd sprachen 'wer sol nu wider uns?
mein herre, der jung Offorus
bestet ein ein ganzez her,
wan er ze jarn chumt, mit ritters wer.'
275 dar nach vertraib man die zeit also
daz chain man was unvro.
do sich die massenei vergie
vnd sich daz volk do entlie
mit urlaub nemen manigvald,
280 Offorus gedachte do vil bald,
wo er den herren suechte,
der seines dienstes geruechte.
vnd do sein vater ze tische saz,
Offorus des nicht vergaz,
285 er wurd fast gedenken dar
wo er solt chomen auf die spar,
da er den herren funde,
der im gehelfen chunde
und hochgeboren wer.
290 des teten im die gedanken swer,
daz er des tages ein lutzel az;
daz vrumt den chamerern an der maz.
do man nu von tische gie,
Offorus mit seuften ane vie
295 ein rede gegen seinen vater.
'ey, lieber herre zarter,'
sprach er zu dem vater sein
'machte ez mit deinem willen sein,
so wolte ich chern von hin.
300 mein gedanch und mein sin

269 vnd fr. *B*   270 d. Offor' s. *B*   273 rettet ain ein g. *A* ·
westet *B* ritet an *W Grimm*   274 ze veld *B*   275 also v. *A*   276 d.
da nimpt w. *B*   *für* 277 *hat B* do sich die zeit auch nu vergie vnd sich
die mässney entlie   280 da *A*   do *fehlt B*   282 seiner dinstzt *A*
dienst *B*   286 chern — schar *B*   288 gerattn *B*   290 gedankch *B*
291 des males vil l. *B*   292 stumpt *A* d. frumpt chainen *B*   296 vil z. *B*
299. 300 hinne : sinne *B*

wegent mich vil vaste,
daz ich also verraste
vnd verlige in meiner jugent.
ich chan weder witze noch tugent
305 hie ..... gelern nicht,
an sin, an chraft wurd ich enwicht.
gib mir urlaub durch Apollo.'
also ret Offorus do.
des erschrach der vater ser.
310 'ach heute vnd iemer mer!
wer geit dir, Offer, solchen rat?
ich wen, er nicht lieb zu mir hat,
der dich also raizt von mir.
sweig, Offer, hab sein nicht gir,
315 daz ich dich iemer mer von mir lazze
weder auf weg noch auf strazze.'
da mit der haiden anders tet
sein bete vnd fur mit ander red,
daz er sein solt vergezzen.
320 nu het Offorum vmbesezzen
die gotliche gnade mit dem gaist,
daz sein gedanch ward ie maist,
daz erz nicht wolte verlazzen,
er wolt sich heben auf die strazzen.
325 do nu der vater ze mitten tag
in chemnaten seins slafes phlag,
do nam im Offorus lutzel für,
daz er gieng an seines vater tür
vnd urlaub wolt er gern.
330 er gedachte 'ich wil rechte chern,
ich enruech, wellent oder wie.'

---

301 vast *A* vaste *JGrimm* 302 vasrat *A* rast *B* verraste *WGrimm*
304 weder was n. *A* ich weder weiz n. *B* 306 ich *fehlt B*
307. 8 *sind in A und B umgestellt* 310 nimer *A* 311 der *A*
dir *WGrimm* Offor' *B* 313 haist *A* raczt *B* 315 nimer *A*
317 an der stet *AB* 320 Offor' *B* 321 seinen g. *A* 322 ward
fehlt A 323 er n. *AB* 324 hin ze str. *B* 325 an eim t. *B*
326 in ein' ch. *B* 327 in *A* O. im l. *B* 329 pegern *B* 331 ich
ruech *AB*

mit den gedanchen er ane vie
vnd gie für daz burgtor,
da er oft was gewesen vor.

335   do luegt er her vnd auch hin,
er west nicht, wellent er seinen sin
solte chern der lande,
die wege warn im vnerchande.

wan er nur wise vnd wald sach,
340   er gedachte 'da wird guet gemach
zu gen für der sunne hitze.'
er nam im lutzel für die witze,
daz er ezzen noch gut getranch
funde, des het er chainen gedanch.

345   er het auch nicht an dem herzen,
daz er chlagt seine smerzen
weder Machmeten noch Apollo.
er acht ir nicht als umb ein stro,
er vreut sich nur der sterche sein.

350   also hueb er sich in den wald hin ein.
nu wer phlag nu des junglinch?
der het weder sin noch gedinch
zu seinem vater nicht mer.
nu sach Offorus der fürste her

355   vor im gen einen weg,
chaum als prait als ein steg
(dar auf er vil bald chert,
als in der hailig gaist lert),
der trueg in tief in den wald.

360   da vand er einen prunnen chalt,
dar zu leit sich der rain
vnd erchuelt seine pain.
nu het er so vast geeilt,
daz in die dorn heten geveilt

---

336 wo er *A*   338 unpechant *B*   339 pis *A*   wise *WGrimm*
wäld vnd perg *B*   342 ein l. *A*   345 da het er a. *B*   346 seinen *A*
350 an d. *A*   352 w. müet n. *B*   354 fast *A*   355 vor jm
einen smalen weg *B*   356 in der preit a. *B*   362 seinen *A*   363 als
v. *B*   364 estt h. *B*

365 vnd vnder ougen heten zart,
    daz er hete gebluetet hart.
    daz was im allez enwicht,
    er sprach 'wie halt mir geschicht,
    ich wil den wald durchgan,
370 ob mir iendert chem ein man,
    der mir sagt die rechten mer,
    wo ein herre grozzer wer.'_
    also hueb er sich wider auf,
    sein gen daz richt er in ein lauf,
375 wan der hunger vnd die nacht
    in begriffen mit grozzer macht.
    sein mal zer nacht was im vnchunt,
    daz ezzen solt sein seliger munt.
    do nu die nacht her slaich
380 vnd die vinster in begraif,
    er gedacht 'wo beleib ich nu
    (die nacht get mir vast zu)
    vnd waz sol ich heint ezzen?
    des muez ich heint vergezzen
385 vnz margen, daz ich erstreich
    wurzen, chraut, waz ich begreif.'
    ab dem wege er do chert
    (als in der hailig gaist lert)
    vnd besach, wo er macht geligen.
390 des ezzen het er sich verzigen.
    do sach er vor im ein huetten stan,
    die het gemacht ein waldman,
    der schuzzel vnd becher machen chund.
    do er die sach, wie balde er begund

---

365 vnd vnder den augen hetten geschrart *A* cert *B* 366 harte
fehlt A vast *B* gebluotet vaste *W Grimm* 367 alz ein nicht *B*
368 wie we m. *B* 369 durich vnd an *A* durchgen *B* 372 wo d'grozz
herr gewessn wăr *B* 374 zu einen lauff *A* 377 mol er nacht war *A*
378 sălig *B* 379 im d. *B* 380 wegrăff *B* 382 recht z. *B*
384 i. leich h. *B* 385 daz bestraych *A* 386 w. vnd chr. *B*
388 also *A* heilig *fehlt A* 389 v. wesehen *A* sehen *B* besehen *W Grimm*
393 pecher vnd schuessel *B* 394 bie b. *A* wie *fehlt B*

395   eilen zu der huetten dar.
       der selig Offorus der nam war,
       ob ez im getöchte,
       daz er dar inne geligen möchte.
       da was die huette so grozz niet,
400   daz si sein gelid gedacht hiet,
       vber die achsel sloff er dar in.
       do vuegt im got ein gewin,
       daz er ches vnd brot vand
       da hie neben an der wand,
405   daz het der drechsel dar bracht.
       des er zu vier wochen het gedacht
       an dem wald da mit beleiben,
       daz was Offoro als ein rüebscheiben,
       er az ez allez ze einem mal.
410   dar nach in den slaf ze tal
       sein seligez haupt da nider sanch,
       an chain polster was sein gedanch.
       vor müed er sein augen slozz,
       wand er vierzig meil grozz
415   des tages het gestrichen.
       nu was die nacht geslichen
       gar vber daz gevilde:
       Offorus lag in der wilde,
       nieman mit segen er sich enphalch.
420   in der zeit do zue slaich
       der lieb tach mit seinen schein,
       die vogel hueben ein groz schrein.
       do Offorus erwacht,
       wie bald er aber gedacht
425   'ich wil aber fürbaz trachten.'
       also het er sein achten.

---

395 h. do *AB*   396 *fehlt B*   397 si im *B* getauch *A*   398 er
fehlt A   400 daz si gedacht hiet sein gelid *A* wedecht *B*   402 gab
— einen *B*   404 daz h. *A fehlt B*   406 vil w. *B*   407 da mit an
dem wald ze weleibn *B*   408 Offorum als ein scheiben *A* wac Offorum? *A*
409 zu dem ein mal *B*   411 salig *B* da *fehlt B*   412 chom s *B*
414 vnd er *A* wann er *B*   419 n. er sich mit segen enphlich *B*
420 do er slaich *A*   421 t. nimt s. *B*   423 da vö O. *B*

nu was der weg im ze eng,
des must er haben grozz gedreng
mit ranen vnd mit dorn,
430   daz er den weg het verlorn.
do gestuend er in dem sin,
er enwest weder her noch hin.
do horte er einen grozzen schal
in dem wald bei im ze tal
435   von jegern vnd von hunden.
er gedacht an den stunden
'da wil ich mich zue richten
vnd mit dienst gen in verphlichten;
ob er mir behage,
440   daz wil ich suchen e mit vrage'
vnd chert entwerch hin ze tal,
da er vernam der hunde gal.
do er in chem also nachen,
daz si in ersachen,
445   die jeger luegeten in vraizlich an,
wan si nie als grozzen man
bei irn zeiten heten gesehen.
ir herz begund in wegen
vor vorchten vnd hueben sich in die vlucht.
450   Offorus ir einen zucht
vnd sprach 'beleib hie bei mir,
wan ich nicht tun dir,
vnd tue mir vür recht bechant,
wer herre sei hie in dem land.'
455   der jeger do mit vorchten sprach
'herre, tue mir chain vngemach,
so wil ich eu sagen recht,
wer mein herre ist vnd ich sein chnecht.
welt ir, ich fur euch dar,

428 treng *B*   431 stuend *B*   432 er west *B*   433 ein *A*
436 Ez geschach *A*   438 ym enphlichten *A*   439 ez *B*   441 entwer *A*
443 nachent *B*   448 regen *A*   wechn *B*   449 ze flucht *B*
450 enczucht *B*   452 nichz *A*   453 uor *A*   456 tüet *B*   457 *im*
dativ setzen die handschriften gewöhnlich euch *aber auch* ew, eu. *die*
letztere form ist durchgeführt worden   459 ew *A*   euch in dar *B*

460   da ir vindet die rechten spar
        auf den huefslach, den er da reit;
        ich wen, er eur wol enbeit.
        er ist mechtig und rich,
        niendert vint man sein gelich,
465   er hat ze reichen und ze geben,
        ez mag nieman wider in streben.'
        Offorus sprach 'nu fur mich dar,
        daz wil ich vmb dich dienen zwar.'
        der jeger gie vor, Offorus nach.
470   do chamens an einen grozzen bach,
        da macht der jeger uber nicht,
        als noch oft einem geschicht.
        Offorus in vnder sein v̆chsen vie,
        dem gie daz wazzer an daz chnie.
475   nu waren die herren da bei nachen
        vnd horten vnd auch sachen
        waz Offorus vnd der jeger taten.
        daz er also het gewaten,
        des nam die herren wunder:
480   daz si gemaine teten vnd wesunder.
        do der herre daz vervie
        daz Offorus so stille gie,
        do het er nicht den sin,
        daz er wolt vliehen hin,
485   ·   doch mit sorgen er bestund.
        Offorus do begund
        dem herren mit haupt neigen sich;
        der herre in vorchten weislich
        in enphie mit seinem gruzz.
490   do dancht im Offorus der vil suzz.

---

460 recht *B*   461 huefflach *A*   huofslac *JGrimm*   do *A*   da *fehlt B*
463 wann er *B*   464 n. lebt s. *B*   467 so für *B*   470 ein *A*
472 einen *A*   hewt einen *B*   473 v. daz v̆chsen *A*   474 den *A*   der
pach nicht a. *B*   476 auch *fehlt B*   477 teten *A*   vnder den iägern
tett *B*   480 daz se gemain hetten wesunder *A*   daz se chain hetten
wesunder *B*   485 fragen *A*   486 Offorum er grüez wegund *B*
487 haup *A*   vnd mit dem h. n. s. *B*   488 varicht *A*   der hern mit
orchtn wisleich *B*

Offorus sprach 'vil lieber herr,
ich bin gevarn vil verr,
daz ich zu einem herren chem,
da bei ich nicht lite schem
495   vnd der auf niemant voricht hiet.
in des dienst wolt ich mein glid
mit treue vast brauchen.'
do begund dem herren entlauchen
die vorcht von dem herzen sein,
500   er sprach 'entreun, wilt du mein
diener haizzen vnd auch wesen,
die weile ich han mein genesen,
so wil ich mit dir tailen waz ich han.'
also ward Offorus sein vndertan.
505   nu heten die jeger gar erjagt,
als vns die aventeur sagt,
zwen hirsen mit den hunden,
dar zu heten si funden
ein hauptswein vnd ein ber,
510   der ervelt was mit maister ger.
do heten si bei in nicht die vug,
so starch ein wagen der ez trug.
Offorus sich bald versan,
daz wiltpret er auf seinen ruk nam
515   vnd trueg ez dem herren zu haus
ganz vnd gar als mit der paus.
nu cham den herren do an,
daz er sich rensen began
vnd sein chin begunde renchen,
520   ein chreuz wegund er schrenchen
mit der hand vür seinen mund.

---

492 von landen verr *B*   493 zu einen dinst ch. *A*   494 da ich
pey litt chain chom *B*   495 niemat *A*   auch auf nympt sorg h. *B*
496 der d. *A*   497 m. dinst v *B*   500 entrawn *B*   501 auch *fehlt B*
502 dann h. m. *B*   509 sv f. *A*   510 er velt *A*   511 h. die
iäg' n. *B*   512 so starch wägn d' daz wiltpret trüeg *B*   515 es mit
dem h. *A für* 515. 6 *hat B* und trueg ez mit ganz' paus Alz dem hern
alz hin ze haus   517 do *fehlt B*   518 reuschn *B*   519 chnie? *W Grimm*
sein mund wegunder reuschn *B*   520 *fehlt B*   521 sein *B*

Offorus daz merchen begund
vnd vragt den herren, war zu erz tet,
daz er ein chreuz gemacht het
525   vür sich, des nam in wunder.
er sprach 'daz tuu ich besunder
vür einen, der ist der tiefel genant,
der macht vil werrens in dem lant,
den muz ich besargen
530   den abunt vnd den margen.
vnd daz der selbe nicht enwer,
so hiet wir auf nieman swer.'
Offorus gedacht ze hant
'demselben wil ich mit dienst bechant
535   werden, ob ich iendert mag.
wol mich, daz ich han die vrag
so gar rechte hie getan.
ich wil werden des tiefels man.'
der gedanchen er niemant gewueg.
540   der herre gab im des nachtes genueg,
des morgens er fru auf stund:
Offorus in do tet chund
seinen segen allen,
er sprach 'ez wil mir hie nicht gevallen
545   mein leben, daz ich hie westen.
mit eurem willen wil ich gen.'
also hueb sich der werde degen.
in der burg ward im chain segen
nach getan von den bueben,
550   si sprachen 'er het mit vngevuegen
uns zelest gewarfen aus
uber die maur.' des hetens graus.

Do Offorus nu cham her dan,
ein weg er im da vur nam,

523 er daz *A*   wär zu ers *B*   524 daz chr. *B*   527 ain *B*
528 werren *B*   den l. *A*   531 en *fehlt B*   532 h. ich a. *B*   536 die
fehlt B   539 daz wilpret er auf die vest trug *A*   542 tet im do *B*
543 s. mit a. *A*   545 h. well westen *B*   546 m vrlaub w. *B*
549 noch g. *A*   550 er wer hiet mit v. *A*   vnfugē *B*

555 der gie gein dem wald hin.
mit grozzen schreiten hueb er sich dar in.
er gie vnz auf mitten tag,
ezzens, trinchens er nicht phlag.
nu west der tiefel wol die mer,
560 daz Offorus geparn wer
von der grozzen wegirde
die die haidinne mit wirde
gen Maria gelegt het.
do voroht der tiefel an der stet,
565 im wurd Offorus enzucht da van,
ob er chem dar da ein man
wer, der im recht sagt,
wer Maria wer die magt,
vnd von irm sun, dem lieben.
570 also wegund der tiefel stieben
vest her mit grozzem schall
gegen Offorum, der ane gall
mit treue suechte den,
der im wol bei machte gesten.
575 do Offorus den tiefel sach,
gar zuchtichlich er do sprach
'sagt an von wan reit ir?
daz solt ir recht sagen mir,
ob ir mir icht chunt gesagen
580 von einem, da ich nach wil vragen.'
der tiefel sprach vraizlich
'ich bin ein chunich herlich,
gewaltig vber alle lant,
als chlain ein har ist mir bechant,
585 freien vnd grafen furchtent mich,
niendert so lebt mein gelich.
ich han ze geben wem ich wil,

---

555 den *B*   556 drin *A*   *fehlt B*   558 e. noch tr. *B*   559 nü
d. m. *B*   560 gepain *A*   geparn = geporn *JGrimm*   nu geporn w. *B*
562 *fehlt B*   565 von *A*   566 ch. do e. m. *A*   569 den *AB*
572 O. den er a. g. *B*   573 s. er d. *B*   574 der im ymer schold peysten *B*
576 czuchleich *B*   580 noch *A*   581 fräueleich *B*   583 allew *B*
584 ist ein har *A*   a. chl. als vmb ein har *B*   585 grave *B*

    meins reichtums ist unmazzen vil,
    ros, harnasch hab ich vberchraft,
590   laien vnd phaffen die sind all behaft
    von rechten sorgen, die si haben auf mich.
    wilt du, ich wil reichen dich.
    der tiefel so bin ich genant,
    in aller welt ist mein gewalt erchant.'
595   do Offorus vernam daz,
    daz ez der rechte tiefel was,
    er sprach 'ich bin ze selden chomen,
    daz ich dich hab hie vernomen,
    daz ich dich funden han so schier.
600   ich wil gerne dienen dir
    mit wiu ich chan oder mag,
    (daz) du an mir nicht verzag.'
    also sprach er ze dem tiefel do.
    der was der rede harte vro.
605   ze hant macht er im ein ros mit chraft,
    daz Offorum getragen macht.
    des vreut sich Offorus vaste
    'wol mich, daz ich nu raste;
    ich han harte gesuecht dich,
610   du hilfst mir billich.'
    do sprach der tiefel 'daz sol sein,
    leb nur nach dem willen mein,
    ich wil dir raten vnd auch geben,
    daz du an sorge wol macht leben.'
615   also furt der tiefel sein vngenozz
    vber ein haide, die was grozz.
    Offorus want er tet vil recht,
    daz er was worden des tiefels chnecht.

---

588 rechtuns *B*   589 vbermacht *B*   590 werhaft *A* sint wedacht *B*
591 rechten *fehlt B*   594 *fehlt B* alle der *A* ist *fehlt A*
597 chemen *A*   598 hie han *B* vernamen *A*   599 han *fehlt B*
600 ich gern dienen dir *A*   601 m. we i. *AB*   602 daz tüe vnd an m. *B*
603 sp. der t. *AB*   604 redhait *A* h. gar v. *B*   609 Ich hait g. *A*
610 werleich (pilleich) *A*   611 t. da s. *B*   612 lob mir noch *A*
615 vngenaz *A* ungenôz *WGrimm*   616 h. wild vnd grozz *B*
617 t. gar r. *B*   618 waren *A* worden *JGrimm*

vnlang si in der wild ritten,
620 da het ein schacher einen versniten,
einen christen, vmb sein aigen gut:
da sazte man ein chreuz als man noch tut,
wann ein man wirt versert,
zu zaichen, ein chreuz sol ein swert
625 sein fur des tiefels list;
daz zaichen ist des christen genist.
also stund ein chreuz vor dem graben.
der tiefel ward an sich haben
vnd macht daz chreuz nicht sehen an.
630 Offorus sprach 'war zu hast du daz getan,
daz du den weg nicht wilt reiten?
ich mag nicht lenger gebeiten,
du ensagest mir die warhait recht,
oder ich wil nicht wesen dein chnecht.
635 hast iendert vorcht an dir,
daz solt du recht sagen mir.'
der tiefel sprach 'vorcht han ich nicht.
da weilent ist geschehen ein geschicht,
davon ich von gewonhait
640 nicht mag gesehen daz herzelaid,
daz an dem zeichen ist geschehen,
daz du ein chreuz horest iehen.
da von bin ich vnd mein geslecht
chomen in ein iemerlichz gebrecht.'
645 Offorus sprach 'nu wer ist der,
da von dir ist worden so ser?
macht du nicht mit deiner chraft
an im werden sighaft?
oder machtu nicht chomen zu im?'
650 der tiefel sprach mit lauter stim

620 da hat e. sch. e. gesniten *A*   622 da saz ein chr. *A*   stakcht *B*
624 schol sein sw. *A*   so sein sw. *B*   626 daz daz zaichen ist des
chrewzes gerust *A*   gerist? *WGrimm*   gnist *B*   627 an einen gr. *B*
628 der tiefel .... *B*   630 daz tan *B*   632 peyttn *B*   633 du
sagest *AB*   634 wesen nicht *A*   nicht *fehlt B*   635 hast du *B*
638 den w. *A*   dann w. *B*   640 noch mag angesehen daz herzelaid *B*
646 so *fehlt B*   647 machstu *A*   für 649. 50 *hat B* der tiefel
sprach in grozze grim vnd in fraizzleicher stim

'da er da ist, dar hin ist ze verre,
er ist so machtig ein herre,
daz mir sein chrieg ist zu swind.
er hat mit im ein grozz gesind.'
655 do Offorus daz erhart,
er bald von dem ros trat,
er sprach 'reit hin wo du wilt,
meins dienstes mich bei dir wevilt.
hab dir dein ros vnd dein gab,
660 ich wil gen auf einem stab.
ich muz vinden einen herren,
der niendert hab ein werren
vnd der vber alle herren ist.
den wil ich suchen mit liebem genist.'
665 also schied sich Offorus
von dem tiefel .alsus.
der tiefel ward grimig gar,
daz er het gesagt so war,
daz feur wegund von im prechen,
670 daz gestanch ward von im rechen.
Offorus sich dar umb nichtes annam,
er wider auf den weg cham,
der trug in in churzer weil
des waldes wol zehen meil.
675 vnlang er verrer aber gie,
daz mer in nicht verrer lie,
daz stiez mit grozzen vnden
gegen im an den stunden.
do luegt er do mit gedult
680 wellent er wolt oder schult.
also gie er nach des meres gestat.

---

651 do er do ist do ist hin ew verr *A* do er da ist daz ist mir ze
verr *B* 652 alz ein mächtig⸴ h. *B* *für* 653. 4 *hat B* daz ich in
nicht vberobern mag du la von deiner vppigen frag *vgl.* 770 658 we... *A*
bevilt *WGrimm* 660 einen st. *A* 661 ain *B* 663. 4 *fehlen*
in B 664 liebs *A* 668 gesagt het *B* 669. 70 *fehlen B*
669 im *fehlt A* 671 nichts dar vmb *B* 674 in den wald w. *B*
675 ver irr *A* verr er do ab gie *B* 676 verr irr *A* in doch nicht
verlie *B* 679 do an der stund *A*

gar bald er aber vant ein phat,
daz het gemacht ein einsidel,
der manig zeit sein gelübede
685 mit reinen leben het volbracht.
Offorus da im gedacht
'ich wil dem weg nach geu,
ob ieman chem, den ich westen
mit vrag, daz ich chem zu leuten,
690 die mir recht chunden bedeuten,
wo daz lant were
dar in der grozz herr were.'
also gie er mit seinem rat
den selben weg zeitlich drat.
695 do er also hin schrit,
wie bald in got do werit.
do sach er den einsidel sten,
der het muot nach wazzer ze gen.
do der einsidel in ersach,
700 er hueb sich mit grozzem gach
in sein chlausen er do chart,
sein chrueg im zebrochen wart;
er slug vast den rigel fur,
er want der tiefel wer vor der tur.
705 er zucht den pater noster in die hant,
unsern herren er vil vaste mant,
daz er wehuetet würd,
daz in der tiefel nicht hin fürt.
also stund der einsidel darin
710 vnd lugt durch die venster hin.
Offorus nam des nicht war,
er gie senftichlichen dar

682 vand aber *B* 684 gelide *AB* 686 im *fehlt B* 687 den
weg noch *AB* 693 seinen *A* a. g. er nach des mers gestat *B* 694 sitt-
leich tratt *B* 695 schriet *B* 696 do *fehlt B* 698 vnd het mût
noch w. *A* vor seiner zell wolt nach w. g. *B* 699 Offorü ersach *B*
701 in sein zell mit grozzer chraft *B* 702 der chrueg vor gäch erstozzen
ward *B* 703 stozz *B* schóz? 705 p̄r n̄r *A* pat`nr *B* 706 Gott
er vil *B* nant *A* 709. 10 *fehlen B* 711 enwar *A* ewär *B*
712 geduldchleich *B*

vnd ruft mit stiller stim,
ob iemant wer dar in.
715   do in der einsidel recht aus nam,
wie bald er zu im selber cham.
er sprach 'wen sucht ir?'
Offorus sprach 'ge heraus zu mir,
lieber freunt, des bit ich dich.'
720   der einsidel sprach 'daz tun ich.'
do der einsidel Offorum an sach,
wie bald er do zu im sprach
'seid got wilchomen, mein lieber herr,
ir mugt wol gegangen sein von verr,
725   daz ir seit so staubig gar.
gewant vnd har ist missevar.
waz eu lieb ist her ze mir,
daz solt geschehen schir.'
Offorus saz in ein schat,
730   den einsidel er do mit vleiz bat,
daz er zu im nider sezz
vnd geb im rat, daz er ezz.
der einsidel sprach 'daz ich da han,
daz solt dir wesen vndertan.'
735   ein ascherzelten bracht er im do
(des ward Offorus harte vro),
ein chrueg mit wazzer in auch nicht saumt.
der einsidel an im wol gaumt,
daz er edel wer,
740   der selig hochgeber.
der ascherzelt hat schir ein end,
daz wazzer ward auch schir verswent
in einem trunch gar aus.

713 senft᾿ B   714 wär dinn B   715 der in den tiefel A   der in
der einsidel B   716 er do zu A   s. gar ch. B   721 e. nu O. sach B
724 waz ist ewr wille   da h᾿ B   725. 6 fehlen B   727 w. ist
euch l. B   728 pald vnd schir B   729 einen B schat = schate WGrimm
        732 v. im gäb rätt wie er geäzz B   735 czelt B prach A   737 euch
auch B   738 fehlt B   739 ein edel man w. B   740 Offor' d᾿salig
par B   742 pald B   743 einen A

der einsidel gedacht, in sein chlaus
745   hiet der man bald verzert
waz mir got ein manet beschert.
do sich sein hunger ein teil verlie,
sein rede er zehant an vie
'sagt an, lieber, ist dir icht chunt,
750   daz du mir sagst im ganzen grunt,
wellent ein herr wer so mechtig vnd so grozz,
daz niemant macht gewesen sein genozz
oder leben mocht auf erde,
in himel oder vnter erde?'
755   er hiet im daz fürgenomen,
er wolt mit dienst zu im chomen
vnd wolt im vndertan wesen,
die weil er hiet sein genesen.
der einsidel sprach 'habt ir den muet,
760   so wil ich eu sagen, waz ir tuet.
ich lern eu bald den sin,
daz ir churzlich chomt da hin,
daz ir denselben vindet zwar.
daz sag ich eu genzlich vnd gar.'
765   Offorus vreut sich zehant,
er sprach 'lieber, zaig mir daz lant,
da der selbe herre ist,
dar in er hat sein genist.
da wil ich hin chern
770   vnd sein hofgesinde mern.'
der einsidel aber zu im sprach
'herre, nu nemt eu gemach
bei mir, so wil ich euch bewarn,
daz ir chunt die strazze ervarn.'

    744 do gedacht im d'ainsidel waz in meinē haus *B*   748 er *fehlt B*
750 ein g. g. *B*   751 wellet ein herr war so mechtig grozz *B*
752 n. war sein g. *B*   754 in erd *AB*   758 mit sterben vnd mit ge-
nesen *B*   761 ich gib *B*   762 vindet in *B*   763 d. ir vindet
den selben z. *B*   764 vnd für war *B*   765 da ze h. *B*   766 vnd
sprach für mich in daz lant *B*   767 er selb *A* er selb' *B*   768 ich
dien ez vmb dich an argen list *B*   769. 70 *fehlen B*   772 e. heint
g. *B*   774 daz ir die strazze chunt varn *B*

775   do sprach Offorus 'daz sol sein.
       ich beleib gern durch den willen dein
       vnz ich mich des ervar,
       daz ich lerne die recht spar,
       da ich den hochen herren vind.'
780   also chuelt er sich an dem wind.

       Nach der müede enslief er da.
       die weile gie der einsidel sa
       in sein zelle vnd puoc ein prot,
       daz Offorus az fur hungers not.
785   do geschach aber ein wunder:
       daz der einsidel het besunder
       gemacht nur zu einem mal,
       daz selb nu so wol ergab,
       daz dar aus ward so vil prot,
790   daz ein monet sein sat
       der einsidel wol gehabt hiet;
       so wol im daz pachen geriet.
       vnd do er sein ein lutzel az,
       in daucht, wie er aber maz
795   hiet genug ane hunger.
       er sprach 'daz fuegt wol dem jungen.
       got ist hie mit seiner chraft,
       der mich nie verlazzen hat.'
       do sich daz nu allez vergie,
800   er viel nider auf die baren chnie,
       er sprach 'got herr, gib mir den sin,
       daz ich den jungen pring da hin,
       da mit er dir zu dienst werd;
       daz er von mir werd gelert,
805   daz er dem werd gelich
       der da wesizt das himelrich.'
       er sprach 'Maria, rainiu mait,

777 des *fehlt B*   778 dez ich *A* rechtn *B*   779. 80 *fehlen B*
781 nach d' rede *B* enzleif *A*   783 macht *A*   785—797 *fehlen B*
   787 ainen *A*   789 so vil prot ward *A*   800 der ainsidel viel nider
auf seine chnie *B*   801 leich m. *B*   802 grossn man p. *B*   806 daz
er *AB*

gedench den sun, den ich nie versait
noch auch (nicht) versagen mag.
810 ob dir meins gastes dienst wehag,
so sterch in mit deiner chraft,
daz er ler tragen den schaft,
da der himel ane sweben ist.
des weger ich, suzzer, lemptiger Christ.'
815 dar nach sprach er sein tagzeit ze steur
seiner sele, zu trost vür daz hell feur.
da mit gie er zu Offoro,
der an der zeit entwacte do.
Offorus sich do von dem slaf prach.
820 der einsidel zu im sprach
'herre, habt ir noch den sin,
daz ir mut habet vnd welt da hin
zu dienst dem sich niemant gelichund ist?'
'ia' sprach er 'ane allen list
825 wil ichs an dich geruechen,
daz du mich in lernest suechen.'
'herre, so mercht recht,
wie ir solt werden sein chnecht.
da hie nachen bei leit
830 des meres phlum, ist tief vnd weit.
dar cham oft eines gesindes genug,
daz ein schiffung vbertrug.
nu hat die schiffung abganch.
nu seit ir starch vnd auch lanch:
835 dar hin solt ir eilen
vnd enthalt euch da enweilen,
vnd wer euch ruff durch liebe des got,
den tragt vber an allen spot.
wan er wirt dan gewar,

808 ich *fehlt B*   810 geist *B*   812 daz er an die tieffel werd sig-
heft *B*   813 daz der h. von an s. i. *A*   813. 4 *fehlen B*   816 der h. *B*
820 *fehlt B*   822 welt *fehlt A*   823 geleich vnd *A* geleich ist *B*
825 ich an *AB*   826 do du *A*   827 Er s. *B*   830 m. ein pläum *B*
831 do *AB* chumpt *B*   832 do weil ein schiff vbertrug *B*
833 daz scheff *B*   834 auch *fehlt B*   835 do hin *AB*   836 ettleich w. *B*
837 rueft durch got *B* nach 838 *hat B* vnd auch durch mai' er den
tragt auch hin vnd her   839 dann wirt g. *B*

840 daz ir im dient ane var
    vnd in seinem namen vbertragt,
    so werdent im die mer gesagt,
    daz ir in seinem dienst tut,
    wes man benamen an euch mut.
845 so solt ir endlich da vür haben,
    daz ir wert gen hof geladen
    mit grozzer hocher wurdichait.
    daz habt sicher an meinen ait.
    auch solt ir wizzen daz,
850 daz ir nicht solt sein zu lazz;
    wer euch ruff in Marias er,
    den tragt auch hin vnd her.
    dar zu will ich alle tag
    zu eu gen, wie ez eu wehag,
855 und mit eu teilen, waz ich han,
    unz ir wert sein undertan,
    vnd wil ich euch auch teglich lern,
    wie ir in mit worten solt ern.'
    Offorus der vreut sich do
860 vnd was innercliche vro,
    daz im der vil gut man
    so recht het chund getan,
    wie man den herren suchen solt,
    da mit er chem zu seiner huld.
865 nu vertriben si baid die zeit
    mit rede unz sich die nacht leit
    auf den walt vber all.
    gestilt ward der vogele schall.
    Offorus leit sich in daz gras,
870 ein rain sein hauptpolster was,

---

840 daz ir im an sein dienst an var *B*   841 vnd *fehlt B*   844 mit namen *A*   w. m. an euch gert vnd muet *B*   845 daz mir *AB*
846 laden *A*   gein hof wert g. *B*   848 sich auf m. *B*   849—852 *fehlen B*   853 *zweimal geschrieben in B*   854 ez *fehlt B*
    856 vnder lan *A*   857 welt ir ich wil e. *B*   860 in nerleich *A*
Er ward minnichleich fro *B*   861 vil *fehlt B*   862 s. gar recht *B*
863. 4 *fehlen B*   866 vnz daz *A*   867 dem *AB*

da slief er im gnug an not
vnz vber in gie die morgenrot.
der einsidel trug im pald her
einen zelten prât, daz was sein ger.
875   der ward da vil pald verzert;
mit solichem er sich da her nach ernert.
do sein ezzen het ein end,
Offorus sprach 'nu wellent
get der steig zu dem phlaum?'
880   der einsidel sprach 'ich euch nicht saum.
ich wil euch pald furn dar,
daz ir da recht nemet war,
ob ir ez wol volfürn mügt;
ob ez eu dann nicht tügt
885   vnd leichte tief were da,
so lat (uns) suochen anderswa
daz eu nutz sei zu tunne,
daz ir entwerft des herren rede.'
da mit giengen si zu dem se,
890   der was weit vnd auch snelle,
von seinen grozzen vnden
machtn in die leut nicht ergrunden.
do er nu dar zu cham,
Offorus eines paumes stam
895   zucht von der erde auf,
die este er pald abestrouf
vnd versucht des wazzer tief,
wie verre ez gen den handen lief.
do enphand er an der rahen,
900   daz er da wol mocht vbergetragen.
in der weil do chamen acht,
die hatten mit ruffn grozz gepracht;

---

871 in g. *B*   873 ab' h. *B*   874 aschenzelt d. *B*   875 w. auch
v. *B*   876 m. s. ezzen er sich hernach wert *B*   878 Er sp. *B*
879 steg — plaum *B*   882 da *fehlt B*   883 wol *fehlt B*   884 ir —
taugt *A* betaugt *B*   885 ze t. *B*   886 uns *fehlt AB*   888 *fehlt A*
896 abstrauft *A* abstraif *B*   900 wol vber macht tragen *B*
901 do *fehlt B*

Z. f. D. A. neue folge V.

daz man in hulf vber se,
also was ir aller geschre.

905   do Offorus daz vernam,
des paumes stam in die hant er nam
vnd ·wuet hin durch mit gewalt
vnd sprach 'wol her zu mir pald.'
er nam auf iede ahsel zwen,

910   vnder arm die vier an allez wenken
trueg er her ubir gewaltichlich.
der einsidel sprach 'werlich,
mit dem verdient ir grozzen solt,
vnd wirt eu dar zu sunder holt

915   alle die messenei die pei dem ist,
der do haizzet Jesus Christ.
da von lat euch sein nicht verdriezzen.'
'got sol euch sein lan geniezzen'
sprachen die er het getragen

920   vnd begunden den einsidel vragen:
'vnd solt der man lange da wesen,
er verdient der sele genesen.'
do sagt er in gelich;
er wolt da sein teglich.

925   also erschallen die mer,
daz ein man chomen wer,
der trug vber wer dar chem
vnd chain miet dar vmb nem.
des vreutn sich die armen man.

930   die zu lon hetten nicht ein ·pan,
die versmahten in vil chlaine,
er truog si vmbsust allgemaine.
daz traib er so lange dar,
daz got wolt nemen seins dienstes war,

---

904 daz w. *B*   906 er in die hant n. *A*   908 der z. *A*   910 vnd
arm — ane wen *A* alle wenn *B*   913 er grozzen lan *A*   914 sunder
fehlt B   915 mesnez *A* allez daz daz pey im ist *B*   917 lat en s. *A*
    918 *fehlt A*   919 die do er *A*   922 s. leben *A*   923 s. im der
ainsidel g. *B*   925 do die m. *B*   926 e. gross' m. *B*   932 all vmb-
sust gemeine *B*

935 als er noch heute chainen verleit,
der im dient an widerstreit:
dem lont er vnde vreut in
vnd geit im ze lest den gewin,
daz er gar gewaltichlich
940 vert in daz himelrich.
daz erzaigt got an Offorum den rain,
dem iezt erchuelt waren die pain
von dem waten hin vnd her.
got wolt in versuchen mer
945 vnd macht an den stunden,
daz des wazzers vnden
wurden slachen vast.
Offorus lag vnd rast
vnder einem grozzen paum,
950 do er do het sein gaum
ob iemant chem in gedult,
den er do vber tragen solt.
also lag er vnd entslief.
ein stim im do vil suzzlich rief
955 'Offer, seliger junger man,
durch den dem du pist vndertan
gewesen mit dienst manigen tag,
durch des willen mich vbertrag
vnd durch seine mutter Maria.'
960 wie pald er zu im selber da
cham do er die stim erhart,
auf den elpogen er sich chart
vnd lugt wer da were.
do sach er in solicher pere
965 ein chlainez chind pei siben jarn.
in daucht, wie er pei seinen tagen
so lieplichs nie gesehen hiet.

---

939 daz er zu im gemachtichleich *B* 940 vurt *A* d. fron h. *B*
941 O. vnd an den rain *A* Offorum vil raine *B* 942 ist e. *A* dem
Offorum erchalt waren seine p. *B* 946 marges *A* meres? 949 grozzen
fehlt B 950 do er het *B* 954 ruft *A* rüeft *B* 961 erhort *A*
stimme hort *B* 962 chert *A* chort *B*

'ob mich niemant dar vmb beriet,
so wolt ich dir helfen zwar.'
970   also hueb er sich dar.
vnd do er hin vber cham
vnd des chindleins war nam,
do was ez verswunden,
daz er sein nicht sehen chunde.
975   er gedacht 'wo pistu hin?
wie hat mich so betrogen mein sin!'
allein er her vber wuet
vnd leit sich in den schat guet;
da er gelegen was,
980   leit er sich nider in daz gras.
ze hant entslief er aber do.
die stim er aber hort also
'Offer, rainer seliger man,
daz dir behuet werd dein leben
985   vnd daz dir der muoz wider varn,
den Maria hat getragn:
hilf mir vber, rainer man,
daz dir sein got immer lon.'
Offorus aber auf sach,
990   wider sich selber er do sprach
'daz ich vmbsust nu wuete gar,
ich will noch ainst gen nach dir zwar.'
aber er sich aufswang,
in die hant nam er sein stang
995   vnd wuet aber vber den pach.
des chindes er aber nicht ensach.
er sprach 'ist daz nicht ein wunder,
daz ich zwir besunder
da her vber gewaten han
1000   vnd siech nu niemant hie stan?'

972 chindz *B*   974 chunden *AB*   976 b. da m. s. *B*   977 her wider vber w. *B*   978 saczn *B*   984?   988 d. din s. *B*
990 do gedacht *B*   991 wuelte *A*   sünst wuet *B*   992 ainsten noch die z. *A*   ainst nach d. z. *B*   994 *fehlt B*   996 aber er nicht sach *A*
1000 nu niemant pey mir stan *B*

er ruft vast 'wo sint si nu,
die ich sol tragen vber den phlum?'
nu was ez also an der zeit,
daz der tag het sich geleit
1005 vnder daz gepirge hoch
vnd die nacht von irm loch
her wegund sich senchen.
der einsidel wegund gedenchen,
von wiu Offer nicht enchem
1010 vnd het sorgen, im wer ein hœn
von dem tiefel widervarn
oder in het pegriffen ein zorn,
daz in verdruzz der arebait.
des het der einsidel herzenlait.
1015 ein lucerne er pald nam
mit einer cherzen, die dar in pran
vnd wolt ervarn die mer,
wo Offorus hin chomen wer.
do der einsidel den weg vervie,
1020 nu hort, wie ez Offoro ergie.
als ir vor habt vernomen daz,
daz er hin vber gewaten was
vnd des chindes nicht envand,
Offorus sich aber ze hant
1025 hueb her wider vber den pach.
er gedacht 'ich wil zu gemach
mich nu verrichten.
ez ist nu ze nichten,
daz ich iemant vbertrug,
1030 die vinster ist zu vngefug,
daz ich dar zu nicht gesehen mocht,
daz mir zu tragen heint getöcht.'
nu wolt got in versuchen paz.

1001 r. laut *B*   1004 sich het g. *B*   1006 nach i. *A*   aim l. *B*
1007 sich *fehlt B*   1010 hon *AB*   1012 het *fehlt AB*   1015 latern *A*
   1016 die *fehlt B*   1025 h. aber h. *B*   1026 ich *fehlt A*   1027 nu
richten *B*   1028 ze richten *B*   1029 nympt vbertrag *B*   1030 i.
mir z. *B*   1031 nicht *fehlt B*   1032 hiet gedacht *A*   1033 got
versuecht iu ab paz *B*

Offorus sich hueb hin sein straz,
1035   do hort er aber des chindes stim
vnd sprach 'Offer, durich die minn
vnd lieb die du hast zu dem,
der dir sol immer peisten,
nu trag mich vber in seinen ern,
1040   daz er dich churzlich muz gewern.'
Offorus aber vber ahsel sach,
wider sich selber er aber sprach
'vnd solt ich die nacht heint hie besten,
so wil ich noch ainst nach dir gen.'
1045   in die hent nam er sein ruet,
vber daz wazzer er do wuet.
nu erchant der suzz Jesu Christ,
daz Offorus an argen list
mit dienst was im vndertan.
1050   des wolt er in geniezzen lan.
an der selben stunt
Offorus sehen wegund
Jesum den vil suezzen,
Offorum wegund er gruezzen
1055   aus seinem gotlichen mund.
Offorus an der stund
sprach 'ge her, du seligs chind,
la dich tragen e mir zu swind
die vinster werd vber den pach,
1060   daz wir icht leiden vngemach.
vnd wie pistu so ein,
daz dich dein muter hat allein
lazzen in der wilde?
daz ist ein grozz vnpilde.'
1065   die weil sich die rede vergie,

1034 E sich Offorus hueb zu d' strazz *B*   1038 der schol dir
i. *A*   besten *B*   1041 vber *fehlt B*   1042 er do spr. *B*   1043
hie *fehlt B*   ·   1044 i. noch noch dir g. *A*   ich w. n. ainsten n. *B*
1045 met *A*   ruot *WGrimm*   1046 vber den pach er ab wüt *B*
1049 im waz *B*   1050 er ir *A*   1052 O. schein b. *A*   sehen *WGrimm*
1059 winster *A*   werd dew winster *B*   6410 d. duncht mich e. *B*

Offorus sich praucht auf die chnie,
Jesum er auf den arm nam.
er sprach 'ez ist ein scham,
daz ich dich einez tragen sol.
1070 wern deiner hundert, ich trueg si wol.'
also hueb er sich in den phlum.
nu was der einsidel mit goum
chomen zu dem se do
vnd tet war, waz Offoro
1075 saumpt so lange.
do hort er in mit der stange
in dem wazzer vmb streben.
er wegund gachen
gegen im mit der lucerne schein.
1080 do Offorus nam war sein,
daz er sich verrichten chund,
daz er nicht chem in tiefen grund,
do sach der einsidel an der stet,
daz manich tausent engel swebt
1085 ob Offoro vnd dem chlainen chind.
er sprach 'gotes chreft die sind
mit gewalt chomen zu Offoro'
vnd was des geschichtes vro.
do Offorus auf daz wazzer enmitten cham,
1090 got sich do des annam,
daz er sich versinnen wolt
daz er Offorum wer holt.
got leit im sein hand auf sein haupt
vnd macht Offorum betaubt.
1095 Offorus, der selig werd,
sprach 'vnd trueg ich himel vnd erd
auf mir, ich trueg so swer nicht,

1069 ain *AB*   1070 *fehlt B*   1071 an d. *A*   1077 straubn *A*
strebn *B*   1078 b. vast g. *B*   1079 in *B* d. latern s. *A*   1085
chlain *A* chlainen *fehlt B*   1089 in d. w. ch. *B*   1090 do des
fehlt A des *fehlt B*   1091 *fehlt B*   1092 vnd d. *AB* O. da w. *B*
1093 die haut *B*

als mir heint von dir geschicht,
vnd pistu doch ein chlainez chind zu sehen.
1100 ruck vnd pain machstu mir wehen,
daz ich schier verzaget han.'
also sprach Offorus der treue man.
an der stat tet got ein zaichen.
des meres grund begund waichen
1105 vnder den fuezzen Offoro.
do sprach Jesus also
'e wastu genant Offorus,
nu soltu haizzen Christofforus,
dar umb daz ich Christus pin
1110 gib ich dir meinen nam zu dem deinen hin,
daz du solt gewaltiglich
mit mir besitzen daz himelrich.'
also gab im got selber den tauf:
des meres vnde mit dem lauf
1115 vberguzzen in da an der stet.
got aber ein zaichen mit im tet.
die rueten, die er do trug,
die was grozz vnd vngefug,
die ward im grüenend in der hand.
1120 da tet im got mit bechant,
daz er gelauben solt daz,
daz er der ware got was,
vnd tun macht waz er wolt,
daz er daz gelauben solt.
1125 ze hant verswant Jesus
von dem hailigen Christofforus.
aus dem wazzer er sich chert,
als in der hailig gaist lert,

1098—1102 *fehlen A*   1101 daz ich schir v'czait han *B*   1104 ent-
weichen *B*   1105 wider den suezzen O. *A   B hat für* 1105. 6 Offoro
vnd' den fuezzen do sprach Jesus d' vil suezze   1107 *fehlt B*   1109 i.
dein got Chr. *B*   1110 deinen *fehlt B*   1111 *fehlt A*   1113 die t. *A*
1114 wazzer v. *B*   1117 da *fehlt B*   nach 1118 *hat B* dew er
lange zeit ze stab het tragn da er sich mit het gehabn   1119 gruenet in
sein' h. *B*   1120 da mit t. *B*   1121. 2 *sind in A umgestellt*
1124 *fehlt B*   1125 v. do J. *B*   1126 h. rain Chr. *B*   1127 s. do ch. *B*

gegen dem einsidel do,
1130 der was der geschiht vro.
er viel nider auf seineu chnie,
sand Christoffen er vmb vie
nider vmb die pain,
von vreuden wegund er wain.
1135 er sprach 'edler furst sand Christofforus,
hast du erchant die offenung,
die dir got hat getan?
da solt du gedenchen an,
daz er dich zu im selb hat erwelt.
1140 nu verzag nicht, du werder helt.
ich sag dir, daz ez der recht ist,
der da haizzet Jesu Christ
vnd da niemant wider mag.
da von du nicht mir verzag.'
1145 sant Christoff zu dem einsidel sprach
'mich reut nicht mein vngemach
wan ich den herrn her han getragen.'
also wegund er im sagen,
wie er die stim het vernomen.
1150 in den mæren warens chomen
zu des einsidel zell.
do ward im pracht vil snell
ein ascherzelt vnd ein wazzerchrug.
des enpaiz er mit gefug,
1155 wann er vor vreuden nicht geezzen macht.
sant Christoffer im gedacht
an die abenteur do,
do im geschehen was also.
nu stund ez dar nach unlange vrist,
1160 daz unser herre Jesu Christ

1130 *das erste* der *fehlt A, das zweite B*   1136 offnom *A*   offe-
nunge *WGrimm*   hoffnung *B*   1140 Nu verzagt nicht ir werder helt *A*
da vö nu nicht verzag du werd' helt *B*   1143. 4 *fehlen B*   1147 den
ich her han getragn *AB*   1149 e. dem ainsidel s. *B*   1150 waren ch. *A*
1152 der w. *AB* dar?   1155 n. ezzen m. *B*   1156 in des g. *A*
vnd er nur dar an g. *B*   1159 dvr n. *A*

sant Christoffen wolt versuchen.
got wegund des ruechen,
daz sich der phlaum verswilht gar,
daz ein ieglich mensch sein spar
1165 selber da wol haben macht.
do sant Christoffer des gedacht,
daz er nicht got dienst macht erzaigen,
des wegund im daz leben laiden
vnd het mit dem einsidel rat,
1170 wo er solt chomen an ein stat,
da er hin chomen chund,
da er Jesum Christum fund.
der einsidel sprach 'ich waiz nicht mer
den ein stat schon vnd auch her,
1175 die ligt hie pei nachen.
dar solt ir zu gachen.
da ist ein haiden hochgepære,
der tuet den leuten grozz swære,
die des christengelauben sind,
1180 die haizt er toten als die rind,
wo man die mag wegreifen
vnd in seinem lant erstreichen.
macht ir der chemphe sein,
da wurd Jesu eur dienst mit schein.'
1185 do sant Christoff daz vernam,
vrlaub wegert er do san
von dem einsidel gut
vnd sprach 'ich wil mein mut
dar legen, wie ich immer mag.
1190 ich muz chomen mit vrag,
daz ich chem zu den christen,
ob ich die mug gevristen

  1162 des *fehlt A* 1163 versucht *A* verschütt *B* 1164 ein ge-
leich *A* 1165 w. dar vb' m. *B* 1167 g. nicht da d. *B*
1170 chom *A* w. e. nü chom a. *B* 1171 ch. mächt *B* 1172 daz im
got sein' dinst do gedächt *B* 1174 dann e. *B* 1175 hie da p. *B*
1176 do s. *A* da scholtu dar zue g. *B* 1177 hochgeparen *A* 1178 g.
schadn *A* 1180 baist *A* 1182 *fehlt B* 1183 d. erchemph' s. *B*
  1184 w. got e. *B* 1189 dur *A* 1191 dem *A* 1192 er vristen *B*

vor dem pozen haidendiet.'
als er von dannen schiet,
1195   der einsidel chust an die stet,
do sant Christoff getreten het
vnd naig im mit dem haup nach,
dar vmb daz er so *
geliten het durch Jesu Christ:
1200   daz was her nach seiner sele genist.

Sand Christoff der eilet nu dar.
do er cham auf ein spar,
der was getriben mit wegen vil,
der trueg in gleich an daz zil,
1205   daz er die stat vor im sach.
wider sich selben er do sprach
'ei, Jesu Christ, nu hilf mir,
daz ich churzlich sech die zier,
die du hast in deinem rich.
1210   dar umb wil ich teglich
dir zu dienst werden
gegen den haiden hie auf erden.'
in die stat er also zoch,
daz volch allez vor im vloch.
1215   do erschullen vor dem haiden die mer,
wie ein grozzer man chomen wer,
der wer so chrefticlich grozz,
daz niemant het gesehen sein genozz.
ditz nam den haiden wunder
1220   vnd besant in selber wesunder
vnd hiez in vragen, wes er ruecht
oder in der stat suecht.
do sant Christoff die rede vervie,
er sprach 'ich pin dar vmb hie,

1195—1200 *fehlen B*   1197 noch *A*   1198 so sprach *A* solhe
smâch?   1202 slag *B*   1205 *fehlt B*   1206 selb *AB* daz e. *B*
    1210 i. dir t. *B*   1216 *fehlt B*   1218 gesehen hiet *B*   1220 be-
chant in selb *A* weschait in selb *B*   1221 waz er ruecht *A*   1222 o.
waz e. *B*

1225 ob icht christen da weren.'
da wolt er sich gegen erbern
vnd wolt mit dienst pei in wesen
vnd mit in sterben oder genesen.
dem haiden daz vil zorn tet,
1230 gegen seinen dienern er do ret
'wie rat ir mir dar zue,
daz ich dem man tue,
daz ich in ab dem leben nem?
wann er mir leicht zu schadn chem.'
1235 nu was ez gegen der nacht,
daz der haiden nicht enmacht
so pald sich versinnen,
wie er sant Christoffen macht gewinnen.
sant Christoff des vil lutzel acht,
1240 wes der haiden im gedacht;
er legt sich vnter ein scheundach,
da wolt er haben sein gemach.
sant Christofforus entslief alda.
dem haiden wart gesagt sa,
1245 er wolt die nacht die stat nicht raumen;
der haiden der hiez gaumen,
als pald vnd er entsliefe,
daz man dan schüefe,
daz man grozze seil prechte
1250 vnd im die vmb legt rechte
vnd mit rossen zesamen zog,
da mit man sein vngefug
macht gebrechen mit gewalt.
do schuef er mit jung vnd alt.
1255 als pald der haiden daz erret,

1227 w. durch ihm̄ p. *B*   1228 vnd mit in *fehlt B* vnd g. *AB*
1230 seinen diemüttigen er *A*   1232 etwaz tue *A*   1233 gelauben *A*
vö dem l. *B*   1235 ez so gar auf die n. *B*   1236 nicht macht *B*
1240 was der haydn het g. *A*   1241 schawbdach *A*   1243 aldo *A*
zu d`zeit enzslief er da *B*   1244 also *A*   1246 do g. *B*
1249 starkche s. *B*   1250 *fehlt A*   1253 geprauchn *AB*   1255 tet *AB*

die statmenig daz allez tet
vnd prachten in einem augenplich
so vil sail vnd auch strich,
si macht ein wagen nicht haben getragen.

50 da mit der selig ward vberladen.
sant Christoffer der selig werd,
der het weder mezzer noch swert,
nur ein starche ruet
die lag bei dem rainen guet,

65 als sein stap pei dem wazzer.
nu hort die petruebten mer,
die die baiden mit im begiengen.
sant Christoffen si vmbviengen
mit starchen sailen von haupt ze tal,

70 des er nie ward gewar
von dem sterchen slaf, den er het,
den die müd an im tet.
do si in nu gar heten vmbgeben,
do gepot man den schergen pei dem leben.

75 daz si pald begunden
ros pringen die ziehen chunden.
die pant man an der sail ort
vnd zugen zesamen den suezzen hort,
daz er sich macht geprauchen nicht:

280 also wurden gevangen sein gelid.
aus dem slaf er do fuer,
do zeprest manich snuer;
daz tet er so mit grozzem grim,
daz maniger vor seiner stim

285 vnd vor seinem aufvarn ercham,
daz er des lebens nicht mer gewan.
der waren vierzig oder mer,
die da erstarben an alle wer.

1256 *fehlt B*   1257 augenplicht *A*   1261—6 *fehlen B*   1265 als
in *A*   1267 Nu hort waz si mit im pegiengen *B*   1270 geward
var *A*   1274 d. pônt m. *B*   1277 art *AB*   1278 zuchtn *B*
282 daz er zeprach manig snür *B*   von v. *AB*   1286 geban *B*
1287. 8 fehlen *B*

nu hetten si in so vast gepunden
1290 in der scheure, da er was vunden, ·
daz er weder her noch hin
nicht macht mit seinem sin.
do die haiden ersahen daz,
daz er also gepunden was,
1295 daz si auf in nicht hetten sorgen,
do stundens ob im vnz an den morgen
vnd triben gumpelspil ob im,
einer her der ander hin,
vnd stiezzen in mit den fuezzen
1300 vnd sprachen 'man wil dich gruezzen,
daz du deinem got wol macht chomen zu chlag,
daz du gelebt hast den tag.'
Sant Christoffer der lag still,
als ein lempel mit will
1305 an allez geschrei leidet not.
er gedacht 'vnd solt ich ligen tot,
so bringt mich doch niemant dar ab,
daz ich an Jesum Christum verzag.
dar nach des morgens frue
1310 cham der herr geritten zue
mit grozzem geprecht.
daz haidnische geslecht
rueft den herren alles an
'lat nicht hin den grozzen man,
1315 vnd chem er wider uns ze wer,
er totet vnser ein ganzcz her.'
nu was daz gedreng also grozz,
daz sein den haiden verdrozz;
er schueff, daz man in furt
1320 auf den platz, als man noch tuet
einem den man wil verderben.

1290 dem schewr *A*   in dē gadñ er was funden *B*   1292 seinen *AB*
1295 heltn *A*   1297 plund spil *B*   1301 d. d. deinen g. w. chlagen
macht *B*   1302 daz dein ie ward gedacht *B*   1303 Christoff lag stille *B*
1305 l. er die n. *B*   1308 χϱι *AB*   1313 alle *A*   rueefftn — allan *B*
1314 *fehlt B*   1315 wider *fehlt B*   1316 er slüg uns ein ganz her *B*

gar pald daz geschach von den schergen,
daz man in nu pracht auf den plan.
do hiez der haiden dar gan

1325 vnd ein helm erhitzen wol,
der aller wär feures vol
vnd hiez im den auf pinden.
'dar vnter sol im verswinden
sein gesicht' sprach der haiden,

1330 'ich wil im wol leiden,
daz er icht mer von Christo
sagt weder hie noch do.'
da mit trueg man den helm dar,
der was haiz vnd feurig gar,

1335 den sturzt man haizzen auf sein haupt.
der haiden sprach 'an wen gelaupt
nu dein muet vnd dein sin?
ich wen, ich her vber dich pin.'
sant Christoff aus dem helm sprach

1340 'ob ich hie leid vngemach,
do gewin ich pei im guet nu.
waz du wellest, daz tue du.
ich enphind noch soliches leiden nicht,
da von mir so we geschicht,

1345 daz ich dich wel zu herren haben
vnd an Jesu welle verzagen.'
do der helm daz feur verlie,
ein scherig do pald dar gie
vnd nam im den helm ab

1350 vnd wolt schaun, wie er gevar
worden wer von der hitz.
do schlueg dem scherign der helm glitz,
daz feur vnder die augen,

1322 v. ainem s. *B*   1324 dur *A*   1326 *fehlt A*   fewr *B*
1329 geschicht *A*   1331 nicht m. *B*   1332 weder mer h. *B*
1335 stiez *B*   1340 ich han noch nicht solich vngemach *B*   1341—4
fehlen B   1342 wellent *A*   1346 vnd well an Jesum Christ verzagen *B*
1348 do *fehlt B*   1350 gebar *A*   1351 vö dez helm hicz *B*
1353 vnd sein augen *B*

daz er ane laugen
1355   nimmer mer wort gesprach.
ob sant Christoff daz geschach,
vnd sant Christoff nicht gewar,
den daz er rosenvar
vnd lieplich wart anzesehen.
1360   von zorn wegunde dem haiden wehen
herz vnd muet vnd sein pein.
er sprach 'ich wil doch enein
werden, wie ich mit dir gevar,
daz du icht sagst von Jesum zwar.'
1365   also an der stunde
furn man in begunde
in einen grozzen charicher,
daz er durch in schult leiden swer.
do daz nu allez geschach
1370   vnd der haiden an sein gemach
was vnd auch solt,
got do nicht enwolt
Christofforum verlazzen da,
er cham selber zu im sa
1375   in aller maz als er im cham,
do er im den vngelauben nam
mit der tauf auf dem mer.
er cham mit so grozzem her,
daz der charicher sich erleucht,
1380   daz sant Christoffen des deucht
wie ez vmb in allez prunn
vnd zerbrosten wer die sunn
vnd auf in gevallen wer ir glast.
daz wænt der ellende gast.
1385   in dem lichte erschain im do
Jesus Christ vnd sprach also

1355 m. chain wort sprach *B*   1356 daz zaichen g. *B*   1357 ge-
ward *A* nichcz gewärr *B*   1359 wart *fehlt AB*   1361 sein *fehlt B*
    1364 nicht *B*   1365 an den stunden *A*   1366 wegunden *A*   1371
fehlt B   1374 zu im selb' sa *B*   1377 auf *fehlt B*   1378 so mit *A*
    1381 in *fehlt B*   1383 gliz *A* glast *WGrimm*   1384 des wart
der ellent ein gast *A* dez wonet d' ellenthaft gast *B*   1385 geschicht *A*

'Christoff, mein lieber diener,
nu la dir nicht wesen swer
die smach die man dir anleit,
1390 der wil ich dir lon in churzer zeit,
daz dir da fur wirt ze lon
die himelische chron.'
got in do selber speist
mit dem himelischen gaist
1395 vnd gab im seinen hailigen leichnam.
alspald er den zu im nam,
auch sein hailigez pluet,
do sprach sant Christoff der guet
'herr, zu deiner gotlichen speis
1400 durich dein guet mich churzlich weis,
daz ich die hab teglich
vnd mich pring zu deines vater rich.'
nu het in die gotes chraft
enzunt so gar mit ir macht,
1405 daz er chaines presten enphant,
des im hetten getan der haiden hant,
noch auf sein marter er nicht sorig hiet.
da mit Jesus von im schiet.
ze hant was ez aber tag.
1410 der haiden cham aber mit vrag,
wie er im tet einen smerzen,
der sant Christoffen gieng an sein herzen.
do rieten si im her vnd hin,
sprachen 'herre, nu habet den sin
1415 vnd geruecht in auf pinden
vnd lat im die pain abschinden
vnd durch stechen mit spiezzen.

1389 dich a. *B*   1392 himelischen *B*   1393 da mit er in selb speist *B*
1395 sein selber l. *B*   1397 vnd a. *B*   1402 pringt *AB* vaters *A*
vater *fehlt B*   1403 got mit seiner chr. *B*   1404 seiner m. *B*
für 1405. 6 *hat B* daz er chain vorcht het auf dew ma't' dew im d' haidn
tet   1406 den i. *A*   1407. 8 *fehlen B*   1409 do w. *B*   1410 aber
cham *B*   1411 es *A*   1412 daz s. *A* der Christoffo gieng zu herzen *B*
1413 im *fehlt B*   1414 vnd sp. *B* h. nur d. *A* nu *fehlt B*   1415 in
geruecht *A*   *für* 1415. 6 *hat B* lat in hoch auf pinden vnd lat in durch
schinden   1417 mit lanczn vnd mit sp. *B*

　　　　wann euch dan des well verdriezzen,
　　　　so nemt starch hornpogen,
1420　　die mit chreften sein angezogen,
　　　　vnd lat vns dan schiezzen zu im.
　　　　daz ist unser rat vnd sin.'
　　　　ze hant pracht man Christofforum.
　　　　da mit si triben ir rumor
1425　　vnde punden zue vast
　　　　Christofforum den ellenden gast.
　　　　wie pald si do sprungen
　　　　die alten vnd die jungen,
　　　　mit lanzen vnd mit spiezzen
1430　　hetten sie muet in durchschiezzen.
　　　　der herre der wolt der erst sein
　　　　vnd sprach 'ich wil dem abtgot mein
　　　　heute erzeigen mein gunst'
　　　　vnd schozz den spiezz mit seiner chunst
1435　　auf den seligen Christofforo.
　　　　da geschach ein zaichen do:
　　　　der spiez sich im in der hand verraid
　　　　vnd er sich selber durich ein pein versnait.
　　　　der haiden ward grimig gar:
1440　　'ir jung vnd alt, werft all dar'
　　　　schueff er an der selben stet.
　　　　die marter er geduldichlich let.
　　　　do man dem herrn die pein verpant,
　　　　dar nach schuef er ze hant
1445　　daz man pogen vnd armprust
　　　　pracht vnd ieglicher nach gelust
　　　　schozz in Christofforo.
　　　　des wurden die aber vro.

　　1418 dan *fehlt B*　　1419 armst vnd h. *B*　　1420 chraft — erc-
zogen *B*　　1422 vnd der s. *B*　　1424 rum *A* irn rüm *B*　　1425 v.
pinden in ze v. *B*　　1426 Christofforum *fehlt B* den ellenthaften gast *B*
　　1430 in mut *A* müet auf in ze s. *B*　　1431 herre wolt *B*
1432 wil *fehlt A* den gottn *B*　　1434 ain sp. *B*　　1437 vmbraib *B*
1438 vnd *fehlt B* die pain *B*　　1441 *vgl.* 1444. 1554　　1446 iam leich
n. *B*　　1447 in süd Chr. *B*　　1448 die des a. *A* si do all fro *B*

da mit der haiden aber sprach
1450 'nu wil ich mein vngemach
rechen an dem man.'
er hiez im ein armbrust span,
daz was starch genueg.
do schozz er mit vngefueg
1455 gegen sant Christofforo.
ein zaichen geschach aber do,
daz sich der pheil vmb dræte
vnd dem haiden durich sein augen wæte,
daz er im durich daz haup gie,
1460 daz er von dem stuel viel.
daz geschrei was grozz do.
si schuzzen mit all auf Christofforo.
dennoch der sældenbære
het chain wunden swære.
1465 den herren si aufhueben
und in zu gemach truegen,
da man in solt pinden.
si sprachen 'wie wir ervinden,
so mustu doch daz leben lazzen.'
1470 also wurden si in hazzen
vnd hiezzen aber den sældenbære
furn in den charichære.
ze hant cham aber zu Christofforo
die gotlich stim vnd sprach also
1475 'gehab dich wol vnd verzag nicht,
dir ist gemacht ein ewigez liecht
in meins vater rich,
dar in du ewichlich
wonne vnde vreude solt phlegen
1480 vnd wesitzen daz ewig leben.'

1450 ich *fehlt B*   1453 vnd lankch g. *B*   1454 auf m. *B*
1457 drot *A* drät *B*   1458 wet *AB*   1461 ward *B*   1462 mit
im all auf säd Chr. *B*   1463 selig wer *AB*   1468 sp. all wie *B*
1470 in an h. *B*   1471 seligen were *A* seldenbære? *WGrimm*
säligen enpär *B*   1473 für säd Chr. *B*   1478 dur *A*   1480 b. scholt
d. *B*

da mit ward er aber gespeist
mit dem himelischen gaist.
nu west der tiefel wol,
daz sant Christoff wer vol
1485   aller gnaden von Jesu Christ,
vnd ervant einen list
vnd macht sich zu einer vrauen,
daz nie mannes augen
so minnichlichez hetten gesehen.
1490   also wegund der tiefel gegen im prehen
vnd sprach zu Christofforum
'ach des grozzen weltlichen ruem,
den der haiden mit dir beget,
daz er dich beheftet het
1495   mit so grozzem chumer.
ein selig man junger
als du lieber Christoffer pist,
der solt noch haben sein genist,
daz er der vrauen phlege.
1500   ez ist mir ein swære,
sol dein junger leib entsliezzen sich,
daz er so minnichlich
solt an liebes arm
nicht vreuntlich erwarm.
1505   ich han mich des verwegen,
ich well mit dir leben,
wie dir lieb her zu mir ist.'
also het der tiefel sein list,
daz er im nem sein degentuem,
1510   dem reinen suezzen Christofforum.
do die red also geschach,
sant Christofforus zu dem tiefel sprach
'wol hin, du gar verwazen,

1492 grozzen *fehlt B*   1494 wehest *A*   weschaffn hat *B*   1496 solich
m. *B*   1501 ersliezzen *A*   fleizzen *B*   verslizen?   *für* 1502—4 *hat B*
daz du nicht minnichleiches scholt an weibes ordn macht freuntleich wordn
    1503 so an *A*   1509 daz degentuem *B*   1510 r. salign Chr. *B*
1511 r. von dem tieffel g. *B*   1512 Chr. ze hant spr. *B*   1513 du
fehlt AB

var zu dem tiefel dein strazzen,
1515 ich acht deiner lieb nicht,
dein red ist gegen mir enwicht.
ich han mir ein lieb genomen,
do wil ich churzlich zu chomen,
Maria die raine mait,
1520 die mag mir benemen mein lait.
der wil ich ze lieb vergezzen nicht,
wie halt mir dar vmb geschicht.’
der tiefel der ward traurig gar,
mit seinem chrempel viel er in daz har
1525 vnd ward reren als ein chalp,
daz ez in dem charicher erhall.
ze hant der tag her gie.
der haiden aber angevie
vnd hiez sant Christoffen bringen
1530 vnd hiez mit haizzen ringen
seinen leib vmblegen gar.
do daz nicht half, do liez er dar
bringen hacken, starch vnd lanch,
vnd hiez in pinden auf ein panch,
1535 daz man daz vlaisch solt zerren ab im:
also was des haiden sin.
do er denn noch nicht macht ersteribn,
do hiez er pringen gluet scheribn
vnd hiez die vnder in setzen
1540 vnd sprach ‘ich wil mich letzen
mit dir, daz du sagen chunst,
daz ich hab grozze gunst
zu deinem got Jesu.’
dennoch het sant Christoffer chein vnvro.
1545 wie vil er do marter lait,
daz duncht in ein chlain arbait.

1514 v. in die hell d. *B*   1517. 8 *fehlen B*   1519 mein lieb ist
māia dew r. m. *B*   1520 mir nemen alle meine l. *B*   1521—6 *fehlen B*
1527 t. do ergie *B*   1528 anvie *B*   1529 vnd sand Christoffen ge-
vingen *A*   1530 gluennden *B*   1534 vnd hiez im an seine dankch *B*
1535 allez fleisch ziechn ab im *B*   1536 haidns *B*   1538 nemen
g. *B*   1542 *fehlt B*   1544 vnro *A* unrue?   1545. 6 *fehlen B*

do daz allez nicht helfen mocht,
daz ez den heiden hiet recht gedocht,
do hiez er pringen starche sag
1550　vnd hiez im do mit ab
sein selig pain sagen
vnd ze stucken gar zerslachen.
do daz selb nu als geschach,
ze hant er aber schuef vnd sprach
1555　'pringt pald starche ros
vnd slaift in vber stock stain vnd mos
in der stat auf vnd nider,
vnz sich ze pozent seineu glider.'
do nu daz allez ward volpracht,
1560　der haiden im da gedacht
'ich wil im ein end geben,
daz er nicht mer von christen leben
seit weder hie noch da.'
daz haupt liez er im slachen ab.
1565　noch end sich daz vergie,
sant Christoff viel auf ein chnie
vnd sprach 'herre von himelrich,
tue dein gnad an mir veterlich
vnd erparm dich vber mich,
1570　des pitt ich vater von himel dich.
auch vater von himel peger ich,
daz du des gewerst mich:
wer dich in meinem namen ert,
daz der von dir des werd gewert,
1575　wes er pittend sei oder ist;
herre vom himel, dem gib sein genist,
daz er die hab mit ern.
vnd ruech im zu verchern
waz im prestens an lig,
1580　vnd seinen veinden angesig.

1548 gedaucht *A*　　　1552 *fehlt A*　　zer *B*　　　1556 vber *fehlt A*
durchsleift *B*　stain *fehlt B*　　　1558 zu possent *A*　　zerstossent *B*
1559 das nu *B*　　1561 ein *fehlt A*　　1562 icht *B*　　1565 e. do s. *B*
　1566 chniet auf die chnie *B*　　1571 hr͏᷑ vō h. *B*　　1573 mich — deinem
n. *AB*　　1577 *fehlt A*　　1578 auch i. *A*

auch, herre, verleich mir,
daz du den helfest schir,
die mich auf wazzer rueffent an,
daz ich den müg pei gestan,

585 daz in nicht leit geschech dar auf,
durch den hailigen, rainen tauf,
den du mir in dem mer gabst,
vnd auch die nicht verlast,
die ellent sint vnd arm,

590 daz du dich vber sie ruechst erparm.
vnd wer mich mit seinen almuzen ert,
daz den des tages chain swert
nimmer mag versneiden
vnd in chain leiden

595 noch in ellent chumen müg.
auch, herre, daz mir füg,
wer in grozzer gelt sei,
daz du denselben machest vrei,
daz er mit ern gewin daz guet,

600 da mit sein sel werd behuet.
auch, herre, wer mich in seinem haus hab,
mir zu ern, dem gib die gab,
daz im er vnd guet zerrinn nicht,
vnd er besitz daz ewige liecht.

605 des pitt ich, herre von himel, dich,
daz du des alles gewerst mich
durch dein heilige drivaltichait,
vnd daz ich heut werd gechlait
mit dem himelischen gewant.'

610 ze hant im got ein engel sant
vnd sprach 'Christoff, wes dein herze gert,
des pistu von got heut alles gewert.
got will dich gewern
vnd alle, die dich ern,

1582 heffest *B*   1583 rueffen *B*   1584 bestan *B*   1586 die h. r. *B*
1587 die du *B*   1590 darub'r *B*   last *A*   1591 seinen *fehlt B*
592 den *fehlt A*   1594 v. auch in *B*   1595 müg chomen *B*
604 *fehlt A*   besitzt *B*   1611 wegert *B*   1612 hevt *fehlt B*

1615　　vnd deinen namen in herzen tragen,
　　　　die will got nimmer lan verzagen.
　　　　er will si alle nemen gelich
　　　　zu im in daz vron himelrich.'
　　　　do die haiden erhorten die stim,
1620　　do hetten si erst grozz grim
　　　　auf den hailigen Christofforum
　　　　vnd sprachen 'wol her, zu dem rumor
　　　　sol wir in nu senden pald.'
　　　　do luegten zue jung vnd alt.
1625　　do man in enthaupt
　　　　vnd des lebens peraubt,
　　　　do cham manich engel schar
　　　　vnd namen der hailigen sel war
　　　　vnd furten si alle gelich
1630　　mit gesanch in daz vron himelrich.

　　1615 vnd die dich in irn herzen tragen *B*　　　1616 nicht lan *B*
1617 si mit dir all g. *B*　　　1618 nemen in d. *B*　vro *A*　　　1619 horten
dew *B*　　　1620 hettens *B*　　　1621 suessn Chr. *B*　　　1622 rum *AB*
1623. 4 *sind in A umgestellt*　　　1625 daz m. *B*　　　1626 l. gar p. *B*
1629 fuertens mit gesanch lobleich *B*　　　1630 vron *fehlt A*　zu got in d. *B*
　　nach 1630 *hat B* daz vns auch daz wid var dez helff vns dew Christum
gepar amen. — *A und B* Explicit passio seti Christoffri.

Der text des auf den vorhergehenden blättern zum ersten
male gedruckten gedichtes ist aus den zwei mir bekannten hand-
schriften hergestellt worden.　diese sind:
　A. *die papierhs.* xi 276 *aus dem* xiv *jh. in der bibliothek der Augu-*
　　　stiner chorherren zu SFlorian in Ober-Österreich, 35 blatter 4°.
　　　eine abschrift hatte Chmel schon 1827 angefertigt, von dieser
　　　schrieb Wilhelm Grimm 1832 das gedicht ab.　davon fertigte
　　　prof Müllenhoff 1849 eine copie an, welche, durch seine güte
　　　mir überlafsen, hier benutzt wurde.　Chmel schenkte seine ab-
　　　schrift später an Mone, vgl. Anzeiger 1839 s. 599 f.
　B. *die hs. 2953 der Wiener kk. hofbibliothek auf papier,* xv *jh.*
　　　273 blätter 4°.　*Christophorus füllt, von häfslichen federzeich-*
　　　nungen unterbrochen, bl. 82ᵃ — 123ᵇ.　Hoffmann hat diese
　　　hs. unter nummer ccclxvi *seines verzeichnisses angegeben und*
　　　beschrieben.

~~Ksgan den altdeutschen~~ *blättern* II 94, *wo Hoffmann A nennt, an-* ~~fang und ende des~~ *gedichtes angibt, führt er auch die hs.* XVI G 19 *der Prager universitätsbibliothek an als eine poetische Christo-phoruslegende enthaltend. dieses gedicht hat, wie ich mich überzeugt habe, mit dem vorliegenden gar nichts zu schaffen, ist vielmehr eine späte, romanhaft freie bearbeitung der vielverbreiteten legende.*

Wilhelm Grimm merkte auf dem ersten blatte seiner abschrift folgendes an: ich glaube, daſs das gedicht noch in das zwölfte jahr-hundert gehört. es ist spielmannspoesie, wie Oswalt, sehr wahr-scheinlich noch aus dem zwölften jahrhundert. es kommen reime leben : degen, tagen : iâren *etc.* vor.'

das ist nicht ganz richtig. wie das gedicht uns gegenwärtig vorliegt, muſs es ins XIV jh. *gesetzt werden. unter den ungenauen reimen nämlich, welche so ziemlich ein neuntel des gesammten reim-bestandes ausmachen, befinden sich einige nur in später zeit mögliche. abgesehen von den zahlreich vorkommenden* â : a, ê : e, ô : o, î : i, û : u *vor allen consonantenarten im stumpfen reim, weist das ge-dicht eine anzahl von klingenden reimen auf, deren erste silben verschiedene quantitäten haben. solche sind:* 165. 169. 183. 237. 295. 329. 439. 477. 579. 919. 965. 1039. 1077. 1613.

unmöglich wären ferner im XII *jh. reime mit so starken, ja fast unerhörten apokopen wie sie unser gedicht bietet.* e *wird ab-gestoſsen im nominativ und accusativ singularis der feminina* 123. 157. 235. 268. 511. 536. 994. 1034. 1410. 1619, *acc. sg. neutr.* 877, *im dativ singularis* 95. 127. 263. 318. 325. 454. (516). 564. 1190. 1301, *acc. plur.* 1266, *als endung des adverbiums* 41. 366. 581. 610. — en *fällt ab als endung des dativ plur.* 429 *(als endung des schwachen substantivums masc. acc. sing.* 117, *vgl. aber die anmerkung und* 149). *verbalendung* -e *fällt ab* 810, -est 602, -en *als infinitivendung* 94. 1134. 1590. *natürlich sind in dieser anführung alle stellen ausgeschloſsen worden, an welchen die apokope in beiden reimworten von dem schreiber her-rühren könnte.*

desgleichen entscheiden für späte abfaſsungszeit die in den reimen nachweisbaren groben eigenheiten der österreichisch-bairischen mundart. dazu gehören vor allem die zahlreichen reime a â : o ô 5. 285. 459. 565. 655. 777. 929. 961. 958. 1011. 1163. 1202. *vergl. auch den schreibfehler* 1277 art *für* ort, *den beide hss. ge-meinsam haben. ferner die reime* u : uo, û : uo, u : ou. *auch*

gehört hierher das instrumentale wiu, weu 601. 1009, *vgl. Wein-*
hold Bairische gramm. § 367. *dagegen ist unbestimmt, ob die*
häufig vorkommenden b *für* w *und* w *für* b, *so wie die* a *für* o
im inneren der verse dem dichter oder dem der gleichen mundart
angehörigen schreiber zugerechnet werden sollen.

    Zum teil aber hat Wilhelm Grimm recht. denn, wenn auch
das gedicht, wie es uns vorliegt, ins xiv *jh. gesetzt werden mufs,*
so sprechen doch eine anzahl von zeichen dafür, dafs ein gedicht
des xii *jahrhunderts, dessen spuren noch durchschimmern, dem*
unserigen zu grunde gelegen hat und darin überarbeitet worden ist.

    solche zeichen sind:

    1. *eine grofse menge der ungenauen reime, wie:* haben : ge-
laden 69. 845 getragen : vberladen 197. 1259 baben : verzagen
1345 phlegen : leben 1479 verwegen : leben 1505 bueben : ge-
vuegen 549 hueben : truegen 1465 gesehen : wegen 447 rahen :
getragen 899 sagen : zerslachen 1551 tougen : vrouwen 111
ougen : vrouwen 1487 verderben : schergen 1321 chumer : junger
1495 grüenet : erblüemet 57 stimme : minne 1035 cbennen :
wenden 3 genâden : wâren 159 phlæge : swære 1499.

    2. *eine fülle alter zum teil dem volksepos eigentümlicher*
ausdrücke:

    hornbogen 187. 1419 eines vinger ort 191 ze drumen 192
môraz 224 hauptswein 509 ger 510 degen 266. 547 degentuom
1509 âbunt 530 ascherzelten 735. 741. 874. 1153 phlûm 830.
879. 1002. 1071. 1163 vnden 891. 946 goum 950. 1072 lucerne
1015. 1079 offenung 1136 chemphe 1183 diet 1193 gumpelspil
1297 glitz 1352 glast 1383 chrempel 1524 stock stein und mos
1556. — der ellende gast 1384. 1426. — wellent 331. 336. 751.
878. sâ *oft im reime;* sân : vernam 1186 jehen 97 entlouchen
498 mich bevilt 658 verswillen 1163 goumen 1246 zerbrosten
wære 1382 verriden 1437 rêren als ein chalp 1525 zebôzen
1558 gelîchund 823.

    3. *das* metrum. *jeder versuch, die verse unseres gedichtes dem*
schema des xiii *jahrhunderts, ja dem freieren rythmus des* xiv *an-*
zupassen, erschien vergebens. allerdings werden nirgends unter drei
und über sechs hebungen geliefert, allein innerhalb dieser schranken
war keinerlei gesetzmöfsigkeit aufzufinden. weder in bezug auf
das aneinanderbinden gleichgestalteter, gleichviel hebungen zählender
verse, noch betreffs der zahl erlaubter senkungen herscht irgend eine

regel.· *ich möchte diese gesetzlosigkeit nur dem durchgreifenden
einflusse der vorlage zuschreiben, und es scheint eine solche an-
nahme durch die auffallende tatsache bestätigt zu werden, daſs die
verse 61—74, die mit der legende selbst nichts zu tun haben
und gewis von dem überarbeiter herrükren, ganz regelrecht ge-
baut sind. allerdings könnte man einwenden, diese verse fänden
sich nur in A und können also ganz wol von dem schreiber der
handschrift A herstammen; allein dieser einwand wäre nicht stich-
haltig, denn B streicht überhaupt sehr viele verse, die bloſse reflexion
enthalten und die handlung nicht vorwärtsbringen, dem schreiber
von A aber, der nach mehreren greulichen misverständnissen zu ur-
teilen, ein besonders beschränkter kopf muſs gewesen sein, ist eine
eigene poetische tätigkeit nicht zuzutrauen. selbst an den wenigen
stellen, wo A ausläſst, sind äufsere gründe sichtbar.*

*4. die ganze behandlungsweise des stoffes unterscheidet sich
lebhaft von der, welche im laufe des XIII jahrhunderts für legenden
üblich wird. alles, was das lebhafte fortschreiten der erzählung
hemmen könnte, wird vermieden, reflexionen, gebete sind auf das
unumgängliche eingeschränkt, das allegorische [moment] fehlt ganz
und es wird die alte legende, ohne irgendwie ihre derbheit zu
mildern, frischweg widergegeben. der ausdruck ist nichts weniger
als zierlich, wol aber kräftig, wie schon Wilhelm Grimm anmerkte.
in einzelnen partien erinnert die darstellungsart lebhaft an die
Kaiserchronik.*

*angeführt mögen werden: 53—57, wol das einzige gleichnis in
dem ganzen gedichte, 120—136 die eheliche scene, 183—197 die
schilderung des unterrichtes der sich auf ringen, springen, schieſsen,
werfen mit der steinscheibe erstreckt; ferner die erzählung von dem
aufenthalte des Offorus in der hütte des drechsler-waldmannes 391 ff,
der schluſs der jagd mit der kraftprobe 505 ff, die naive prahlerei
des Christophorus 1068 ff, endlich etwa noch folgende stellen: 49 f,
292. 725 f. 812 f. 866—8. 1003—7. 1180.*

*welcher heimat das alte gedicht zugeschrieben werden möchte
weiſs ich nicht. die reime ſt: cht, wie sie 91. 215. 379. 385.
605. 1181. 1403 vorkommen, können wol kaum allein auf den
Niederrhein deuten.*

*Die aufgabe bei der herstellung des textes konnte verschieden
aufgefaſst werden. man konnte das gedicht geben, wie es im XIV
jahrhundert als überarbeitung einer alten poetischen legende vor-*

durchschimmerte, überhaupt in alter form mit hilfe von conjecturen
widergeben: diese stellen würden einen ziemlich bedeutenden teil
des ganzen ausgemacht haben. ich habe das erste verfahren gewählt,
weil mir das zweite zu unsicher schien. wem es freude macht, der
mag sich aus der hülle der späten groben sprache das bild des
alten gedichtes herausschälen.

die beiden handschriften sind von einander unabhängige ab-
schriften derselben vorlage; von einander unabhängig — denn sie
ergänzen sich wechselseitig, derselben vorlage — die zahlreichen
stellen, an denen gemeinsame fehler sichtbar werden, beweisen es.
der schreiber von A arbeitete unfrei und mechanisch, der von B
mit überlegung und selbständigem urteil. es ist deshalb A zu
grunde gelegt worden, mancherlei beſserung und ergänzung lieſs
sich aus B entnehmen.

die schreibung der handschriften ist nur in folgenden fällen
geändert worden: für y, ay, ey, ye, w, aw, ew ist i, ai, ei, ie,
u. au, eu gesetzt worden, für ů wurde ue [1] gegeben, die endung
-lich bei adjectiven und adverbien ist statt des überlieferten -leich
hergestellt worden, weil die reime -lich : mich 585 : dich 609 :
sich 487. 1501 dazu zu zwingen schienen. zahlreiche dor wurden
in dar, do in da umgeschrieben. das in A häufig vorkommende iz
habe ich in ez geändert. der in so später zeit allerdings nicht
mehr gefühlte unterschied zwischen z und s wurde widerhergestellt,
da die willkür der handschriften buntscheckiges aussehen hervor-
bringt. cz ist in z, ll in l, ſſ in ſ, mpt in mt (mit ausnakme
von lemptig) vereinfacht worden. apokopen innerhalb der verse
sind, gestützt auf die oben erwähnten reime, stehen geblieben, wenn
sie durch A geschützt waren.

eine nähere zeitbestimmung als die bereits angegebene möchte
ich nicht für möglich halten.

Das vorliegende gedicht ist uns auch deshalb wertvoll, weil es
die Christophoruslegende in ihrer ältesten gestalt bietet und, wie die
naivetät des erzählers verbürgt, von willkürlichen zutaten frei ist.
bereits die legenda aurea hat die erzählung sehr stark geändert

[1] ue schrieb ich auch stets für mhd. ůo, weil es die in den hand-
schriften herschende gestalt des diphthongen ist. vielleicht wäre auch
der reim furt : tuet 1319 hier anzuziehen. ů = ůo wurde nur ge-
schrieben, wenn A und B es gaben.

und gekürzt.' eine deutsche prosaübersetzung derselben aus dem xv jahrhunderte, in zwei handschriften der Grazer universitäts-bibliothek 33/40 folio und 33/1 folio enthalten, weicht nur im er-zählen der versuchung des märtyrers im kerker — die legenda aurea setzt statt des teufels zwei frauen Niceam et Aquilinam[2] publico lupanari longo tempore meretricia sorte famulantes ein *— von ihrer vorlage ab. wie allenthalben so hat auch hier das große Passional nach der legenda aurea gearbeitet. die Bollandisten (AASS 25 juli* VI *p.* 125—149) *haben die erzählung des Jaco-bus de Voragine, indem sie dieselbe als 'imaginaria et fabulosa, ineptis eventibus et colloquiis infarta' (p.* 146) *verwarfen, ins un-kenntliche verwäfsert. die auf SChristophorus gedichteten hymnen enthalten keine erwähnung der legende und sind farblos.*

[1] älter als die angabe der legenda aurea, Christophorus habe vor der taufe Reprobus geheifsen, scheint mir die in unserem gedichte. sie wird wol nur auf mechanische wortteilung gegründet sein, wie die erklärung der namen Pilatus, Dorothea usw.

[2] in der Kaiserchronik werden Faustinus und Faustus, die söhne des kaisers Faustinian, während ihres aufenthaltes in Syrien Niceta und Aquila genannt. vielleicht geht die namenverbindung in der legenda aurea auf eine alte vage erinnerung an die Clementinischen recognitionen zurück.

Graz, pfingsten 1873.   ANTON SCHÖNBACH.

GEDICHTE VOM HOFE KARLS DES GROSSEN.

1

Carmina mitto Petro dulci doctoque magistro,
   Angelbertus ego carmina mitto Petro.
Petre magister haue, Christus te saluet ubique;
   Secula per longa Petre magister haue.
5 Rector ab axe tibi tribuat solatia semper,
   Augeat et uitam rector ab axe tibi.
Te regat omnipotens cunctum qui continet orbem,
   Tegmine perpetuo te regat omnipotens.
Fundito queso preces Carulo pro rege benignas,
10   Proque suis cunctis fundito queso preces.
Sis memor atque pii patris, precor, Angelramni,
   Necnon Rigulti sis memor atque pii.
Tu quoque, Petre, uale, nati memor esto tuique,

Semper in ęternum tu quoque Petre uale.
15 Quod tibi primus homo flagitatus murmure nati
Dixerit attende quod tibi primus homo.

Super cartam

Fer mea carta meo patri precincta salutem.

II ALIUS VERSUS.

Rex Carulus Petro dulci doctoque magistro
Cordis ab affectu carmina mitto libens.
Gaudia sunt nobis, si sunt tibi dona salutis,
Et tua prosperitas dulcis et apta mihi est.
5 Quamquam te Lacii teneant natalia rura,
Nosque fauente deo Gallia nostra gerat,
Est tamen almus amor, quem Christus tradidit orbi,
Qui te sępe affert cordis ad antra mei.
Crede, prius Renus cursum conuertet ad Alpes,
10 Et Liger et Rodanus ibit uterque simul;
Ante latex spumis aut tellus fruge carebit,
Quam mea discedat mens ab amore tuo.
Nam si cuncta tuam circumdent prospera uitam:
Sic uolo, sicque decet, sic mihi rite placet.
15 Si tamen aduersum quiddam contingat et atrum:
Displicet hoc nobis, inde paremus opem.
Pagina uestra meas prepes concurrat ad arces:
Quodque opus est uobis nuntiet illa mihi.
Sit tibi protector centri regnator et orbis,
20 Sis memor et nostri, Petre magister haue.
At tu sospis haue, tu sine fine uale.

III

Iam puto neruosis religata proplemata uinclis
Discussi digiti suspicione mei.
Dentes iam niuei mentis condantur in horto,
Doctrina est simplex, questio nulla quidem.
5 Mordaces mandas tegat ut patientia sensus:
'Desine' si dicam, dactilus unus erit.
Tange supercilium monitus non esse superbum,
Pestis in ospitio non manet ista meo.

I 14 paῑre *C*   16 adtente *C*   II 14 rete *C*   15 contigat *C*
17 mea *C*   III 3 mentes *C*   5 mandat *C*

Visere deiectam non uult elatio mentem,
10   Inclytus-atque potens quod mones ipse caue.
Ponatur tribrachis, hinc trocheus unus et alter,
Nec fugiat mentem quę sua tecta uehit.
Tange solum, fumescat ut hos sit limpha niualis:
Pandenti abstrusum cymbia munus erit.

IV VERSUS FIDUCIAE AD ANGELRAMNUM PRESULEM

Carmina ferte mea Anghelramo dicite patri
Verba salutifera, propriis quę misit ab aruis
Nomine non meritis Fiducia, cernite presul.
Qui in ripis fluuii morat at ubi multa salecta,
5   Nascitur et iuncus, pariter tegumenta corymbi,
Qui ranulas gignit squalidas carecta paludis.
Sat lentus redeo qui carmina nulla Camęnę,
Non sceptrum regis fero nec mantilia lini;
Non manibus laticem mitto nec libamina sancta,
10   Nec regum cerno proles nec pocula Bacchi:
Sola mihi tales casus Cassandra canebat.
Tu pius alme pater clarescis in ordine uatum,
Tu florem meriti sequeris uos ardua regna:
Me uestrum foueas dictis factisque misellum.
15   Portio sit tibi cum iusto Simeone beato.
Teudulfus rutilat mire de arte Iuuenci
Atque Angelpertus diuini ambo poetę,
Quos Flaccus Varro Lucanus Nasoque honorant.
At genua flectant regi perstringere plantas,
20   Vt memor ipse mei qui sancta fasce nitescit.
Me tetigit Carulus dominus decus pede pinnę:
Errore confectus scriptio nostra fuit.

V ALIUS VERSUS

Credere si uelles, cecini de fauce libellos
Psalmorum numeros inpar nouiesque decenos
Quorum uirtus erat nocturna fauce canebam.
Noctibus ac diebus pro te pulsare tonantem
5   Carmine Dauitico fuerunt mea lumina somno
Flectere colla deo palmas utrasque leuare,

9 desactam *verb. in* deiectam *C*   13 hos *für* os?   IV 3 cernito?
4 fluuiis *C*   6 padulis *C*   18 flacco *verb. in* flaccus *C*   20 nitiscet *C*
21 pidepinnę   V 1 uellis *C*

Ut huius pie gratia uos non ~~deserat umquam~~.
~~Vos regat omnipotens solus · qui imperat orbem~~
Prosperitas laus sinceritas tibi sancte perennem:
10 Aduentus uester depellat tristia corda.

*Die aus der bibliothek von Laurentius Santen stammende Ber-
liner handschrift ms. Diezian. B 66 in quarto ist in neuerer zeit
zu widerhollen malen gegenstand der beachtung gewesen und über
ihren manigfaltigen inhalt haben uns namentlich LBethmann (Archiv
für ältere deutsche geschichtskunde 8, 854) und HKeil (Grammatici
Latini 4 p. xxxii) genaueren aufschluſs gegeben. neben den gram-
matikern, welche den grösten teil derselben füllen, finden sich zu-
mal auf einzelnen leer gebliebenen seiten eine reihe kleinerer lehr-
stücke und namentlich gedichte die für die kenntnis der studien zur
zeit Karls des groſsen durchaus nicht ohne interesse sind: sämtlich
scheinen sie noch vor dem ausgange des 8 jhs. aufgezeichnet zu
sein. so beginnen p. 124* 'Conlectioues uocum inconditarum qui-
bus exprimitur animi affectus', 125—126 nr 186—188 der la-
teinischen anthologie ed. Riese über welche schon LMüller berichtet
hat (Rheinisches museum 25, 455), dann p. 126 2 meines wiſsens
ungedruckte gedichte* [1] 'Nemo diu gaudet quod iniquo iudice uincit'
und 'Cum sacra donatus celebrans diuina sacerdos', woran sich
p. 127—128 von andrer hand das zuerst von Pertz (Einhardi vita
Karoli M. p. 35) herausgegebene gedicht über Pippins Avarensieg
im j. 796 schliefst 'Omnes gentes quas fecisti tu christe dei
sobules'. in einem späteren teile des codex begegnet uns p. 217
die albanische königstafel 'Picus regnauit primus in italia — at-
que ab eius acca uxore fuissent nutriti', p. 218—219 ein neuer-
dings von Haupt (Hermes 3, 221) mitgeteilter bücherkatalog, p.
220—222 die vorstehend abgedruckten gedichte, p. 223 'Incipit
centimetrum seruii'. weiterhin endlich p. 277—278 folgt das öfter
(ua. bei Canisius Antiquae lectionis 5, 777—779) gedruckte ge-
dicht 'Columbanus fidolio fratri suo. Accipe queso — regnat in
çuum', danach p. 279 die nachstehenden seltsamen verse:*

'Heia uiri nostrum reboans echo sonet heia
arbiter effisi (*l.* effusi) late maris ore sermo
placatum strauit pelagus posuitque procellam

---

[1] *·Vorher geht noch folgendes verderbte distichon:*
'qui nobus ęthera muneris hanc peregrinus ad aulam
disce loci meritum, ne peregrinus eas'.

edomitique uago sederunt pondere fluctus.
5 Heia uiri nostrum reboans echo sonet heia
annisu parili tremat ictibus acta carina
nunc dabitur ridens pelago concordia cęli
uentorum motu pregnanti concurrere uelo.
Heia uiri nostrum reboans echo sonet heia
10 aequora prora secet delfines ęmula saltu
etque gemet largum promat seseque lacertis
pone trahens canum deducat orbita sulcum
Heia uiri nostrum reboans ęcho sonet heia
echo resultet portus nos tamen heia
15 conuulsum remis spumet mare nos tamen heia
Uocibus assiduis litus resonet heia
Heia naheia heleia naheia heiana heia eleia';
dahinter grammatische fragen 'quot sunt accentus' *und* 'quibus
modis producuntur syllabę'.

*Trotz der ihrer entstehung fast gleichzeitigen aufzeichnung
unserer gedichte sind sie doch keineswegs ohne fehler, sprache und
versbildung aber ist in den beiden letzten an sich so unvollkommen
dafs der sinn sich nur zum teil erraten läfst und eine sichere
verbefserung des textes unmöglich scheint. gerade deshalb sind sie
merkwürdige denkmäler der ersten vor Alcuin liegenden periode der
unbildung, aus der man sich erst mühsam hervorarbeitete. wir
werden sie etwa in den anfang der 80er jahre setzen dürfen (nach
Karls Römerzuge 781) in die zeit des Petrus von Pisa und Paulus
Diaconus, und dazu stimmt gut die widerholte erwähnung des mit
letzterem befreundeten, ganz dem hofe angehörigen* [1] *erzbischofs
Angilram von Metz, der am 26 october 791 auf Karls zuge
gegen die Avaren starb. I sind verse der begrüfsung von Angilbert,
dem späteren abte von S Ricquier (790—814) und eidam Karls, an
den grammatiker Petrus* [2]: *als genofsen nennt er Angilram und
Riculf, nachmals (787—813) erzbischof von Mainz und freund
Alcuins. das letzte dieser reciproken distichen bleibt unklar: sollte*

[1] *Karl hatte vom pabste Adrian die besondere erlaubnis* 'ut Angil-
ramnum archiepiscopum in suo palatio assidue haberet propter utilitates ec-
clesiasticas' (*Capit. Francofurt. c.* 55, *Legg.* 1, 75; *Hincmar. de ord. pal. c.* 15).
[2] *Dafs Petrus auch der lehrer Angilberts war, geht aus den worten
Alcuins hervor* (*ep.* 112, *Jaffé Biblioth. rer. German.* 6, 458): 'Forsan Omerus
uester aliquid exinde audiuit a magistro praedicto' (*sc. Petro*).

unter dem 'primus homo' der in v. 9 erwähnte könig Karl, unter
dem 'natus' Angilbert gemeint sein? der hinzugefügte hexameter
bildete die aufschrift des poetischen briefes. in II gibt Karl der
große selbst dem alten lehrer Petrus, der aus dem Frankenreiche
nach Italien zurückgekehrt war, ein zeugnis seiner fortdauernden
liebe und anhänglichkeit. zweifelhaft ist die bestimmung des ver-
einzelt nachhinkenden pentameters: fast möchte man vermuten daß
er sich hieher nur verirrt habe und als zweite hälfte des distichons
zu dem als aufschrift von I dienenden hexameter gehöre.¹ III habe
ich früher schon einmal (in dieser zs. 12, 455) aus einer
jüngeren SGaller handschrift herausgegeben, in der es den titel
führt 'Versus Pauli Diaconi contra Petrum Diaconum'. zu seinem
inhalte steht das dort vorangehende gedicht des Petrus an Paulus
in näherer beziehung, ohne uns jedoch alle rätsel desselben zu lösen.
die abweichende lesart unserer hs. in v. 14 zeigt daß die früher
vorgeschlagene änderung zu kühn, gibt aber dennoch selbst keinen
befriedigenden sinn. der verfaßer von V nennt sich selbst Fiducia,
vielleicht übersetzung eines deutschen namens, und sendet aus einer
als sumpfig geschilderten gegend fern vom hofe seine grüße an den
erzbischof Angilram in ziemlich roher sprache. als befreundete
dichter hebt er Teudulf, den bekannten bischof von Orléans und
Angilbert hervor² von denen jener hiedurch etwas höher hinauf-
gerückt wird, als wir ihn bisher verfolgen konnten. wenn wir den
letzten hexameter mit dem darauf folgenden pentameter verbinden
und als ein anhängsel auffaßen, so bleiben für das gedicht selbst
gerade 20 hexameter übrig. mehreres darin ist sicher verderbt wie
v. 3 'cernite', wo man einen vocativ vermuten würde, v. 4 'morat
at', v. 13 'uos' usw. das letzte gleichfalls nur teilweise verständ-
liche gedicht enthält gar keinen namen.

¹ Ähnlich sind die verse Alcuins (p. 231 ed. Frobenius):
  'Fer festina patri Paulino carta salutem,
    Dic: Pauline pater, dulcis amice uale',
welche mir von den herausgebern fälschlich mit dem folgenden gedichte auf
Einhard (nr 242) verbunden zu sein scheinen, da sie vielmehr die aufschrift
des vorangehenden (nr 241) an den patriarchen Paulinus bilden sollten.
  ² Zu v. 16 bemerke ich daß Theodulf selbst (p. 202 ed. Sirmond)
unter seinen lieblingsautoren nennt 'Et Fortunatus, tuque Iuuence tonans'.
das früheste seiner zeitlich zu bestimmenden gedichte ist das auf den tod
der königin Fastrada 794, 10 august.

Halle im april 1873.   E. DÜMMLER.

NIEDERDEUTSCHE PILATUSLEGENDE.

f. 39 Nu wil ik zegghen van Pilatus bort. Ein konig de
het Cyrus unde was here to Lyon unde to Viannen. De quam
to Dudeschen landen in dat biscodum to Mense, dar benachtede
hee in der jacht *f.* 39' in ener unbebuweden jegene. Desse konig
5 was en wolgeleret man in astronomien unde in andere papescop,
des do de heren plegen, unde sach an de sterne, dat de vrouwe,
de he hadde, de scolde des nachtes en kint telen, dat here
scholde werden in mennegen landen. Unde he verne was van
siner vrouwen unde ok node enberen wolde der vrucht, de van
10 eme boren scolde werden, do sande he sine knapen to deme
dorpe, dat em negest was, unde leit eme bringen en wif dar he
bi slepe. Unde dat schach. Se brachten em enes mollers
dochter, en schone wif, de het Pila. De wart des nachtes mid
eneme kinde van eme. he sprak to eer, wan se dat kint wunne,
15 dat se id em sande to sinem lande, efte id worde en knecht,
efte en juncvrouwe. Do de tid quam, Pila de wan enen sone,
unde se wuste nicht, wo de vader het. Do makede se eme enen
namen, de het Atus, unde hete dat kint Pilatus. Do dat kint
was olt dre jar, do sande se id sime vadere, deme konige, dat
20 kint, unde de bevoel id to holdende unde let id upteen mid
sinem echten sone, de vil na lik olt was eme. Desse twe kindere
wossen tosamende up unde weren even grot. Unde do se to
eren jaren quemen, se plegen tosamende to spelende, to wran-
gende unde mid slengen unde menneger hande spil, also junge
25 lude plegen. Unde also des koniges ard van der bort eddeler
was, also was he ok beter van daden unde van hovescheit unde
van allen spelen, des se plegen. Dit hatede *f.* 40 Pilatus dor
sine groten surheit unde dor sine schalkheit unde sloch sinen
eddelen broder dot hemeliken. Do dit de vader vornam, he
30 wart ummate sere bedrovet unde he beswor id also id recht
was. He vragede sime rade unde sinen wisesten, wat se mid

6 dat de vrouwe de he *rot am rande ergänzt*   8 werne
21 sinē echtē sones

deme manslachten Pilatum mochten dun. Sin rad sprak al mid
eneme munde, me scholde den morder Pilatum doden. De konig
dachte an em sulven, dat twe schaden weren swarer wenne en,
unde wolde de bosheit nicht meren mid bosheit, noch se twe-
5 voldich maken; he wolde ok unschuldich bliven an sime dode
unde segede: Ik bin tins schuldich den Romeren unde dar wil
ik ene henne senden to gisele unde darmede leddich wesen van
en, van deme tinse. Do Pilatus to Rome quam, do vant he dar
des koniges sone van Vrankrike, de ok en gisel was. To deme
10 sellede he sik, unde do Pilatus sach, dat sin geselle, des koniges
sone van Vrankrike, beter unde wiser unde hovescher was to
allen dingen den hee, dat hatede eme so sere, dat he ene dot
sloch, also he hadde dan sinem broder. Des worden de Romere
sere beswaret unde bereden sik, wat se mid Pylatum doen scolden,
15 wer se ene scholden doden, edder laten. Se spreken: Schal
desse leven, de sloch sinen broder, unde des koniges sone heft
he nu geslagen; he wert een unnutte man der menen samme-
linge van Rome unde eislik den vigenden. He schal mid siner
surheit unde mid siner *f.* 40′ schalkheit alle weddersathegen be-
20 dwingen, unde na deme dat he den dot heft vordenet unde van
schulden sterven scholde, also sende me ene to vogede unde to
richtere in insula to Pontus to den luden, dede nene richtere
laten leven; unde kan he mid siner surheit ere bosheit be-
dwingen, so dat he levendich bleve, dat si; unde wert he dar
25 geslagen, also he eer heft vorschuldet, dat si also. Do wart
Pilatus sand to dem wreden weddersategen volke, de alle de
vogede plegen dot to slande. Pylatus merkede dat harde wol,
dat he to bosen schalkes wart gesant, dar sin levent an twivele
unde in varen scolde wesen. Do dachte he vil swinde, wo he
30 dat lif behelde unde wo he de bosen schalke bedwunge unde se
underbrachte. Do quam de sure Pylatus to den bosen scalken
unde bedwank ere bosheit mid siner groten surheit, beide mid
gifte unde mid lovende unde mid drogene unde mit slande unde
mid dodende unde mid aller hande surheit, de he bedenken kunde.
35 Des worden se eme so underdaen also ereme rechten heren.

1 manslachtem   19 wedde sathegen   22 *corrigiert aus* putus
26 den

Darumme dat he dat bose volk to Pontus bedwank, daraf hete
he Pontius Pilatus, alse me leset in deme creden.

In den tiden was Herodes Antipas konig in Judea unde in
Jerusalem. Do he van Pilatus klukheit horde unde van siner
5 surheit, wo he dat umbedwungene volk bedwungen hadde to
sineme denste, *f.* 41 do wart he vro, wente en iewelk lik vrouwet
sik van sin gelik. Also dede desse bose Herodes van deme
schalke Pilatum unde sande eme sine gave bi sinen boden unde
lod ene to sik to Jerusalem unde bevol eme de to richtende unde
10 to plegende den landen Judeam unde Jerusalem. Dar was Pi-
latus richter unde sammelde ummate groten schat. Do vor he
mid deme schatte ane Herodes witschop over mer to Rome unde
gaf Tiberio deme keisere groten schat unde entfenk van deme
rike de herscop unde dat richte over Judeam unde Jerusalem,
15 dat he tovoren hadde van konig Herodes. Hiirumme wart Hero-
des sin viant wente an unses heren martere, unde worden do
vrunde mid deme dat Pilatus unsen heren Jhesum Christum to
Herodese sende. Des wende Herodes, dat he em dat to eren
hadde daen. Pilatus de wiste dat wol, dat de Joden Christum to
20 unschulden vorreden unde eme unrechte deden. Darumme
vruchtede he sik, gift de mere to Rome quemen na der warheit,
dat he dat lif vorlore, unde sande enen boden to Tiberio deme
keisere unde entschuldegede sik aldus: Here, dor dine ere unde
dor dines rikes recht to beholdende unde to sterkende, hebbe
25 ik laten doden enen toverere, de heit Jhesus. He het sik konig
unde entsede deme keisere. Dessen brachten de Joden vor *f.* 41'
mi vangen unde bunden unde mit rechten ordele vorwunnen,
unde beden mi darover to richtende, alse ik dede. De desse
bodescop werven scholde to Tiberio, de het Adranus. Do he
30 vor ute der havene over mer unde scholde varen to Rome, do
dref ene en jegenwedder to Galicien in dat lant, dar nu sunte
Jacob rostet. Do was dar en recht in deme lande, wor dar en
schep vordreven quam, also dat dar dede, gud unde lude de
weren des heren unde des landes egen. Dat wuste Adranus wol.
35 Des wart he sere beswaret. In den tiden was en here to
Galicien, Vespasianus; vor den wart he bracht. To eme sprak

---

2 pontus   16 unde do vrunde worden mid   26 vor *sweimal*
29 scholden   31 eme en   32 *corrigiert aus* rostot

Adranus: Here, ik wet dat wol van rechte, dat ik unde alle mine have din sin. Noch bidde ik alle dine eddelcheit, dat du mi varen latest sund, unde behalt alle min gut. Vespasianus de sprak: We bistu unde van wenden bistu komen unde wor wultu?

5 — Ik hete Adranus unde bin van Jerusalem unde kome van dar unde wolde to Rome, hadde mi dat weder nicht here slagen. Vespasianus to eme sprak: Du kumpst van eneme wisen lande, du bist en arste, du schult mi helpen, dat ik genese. He hadde van kinde wesen also dat in siner nese weren worme, de heten

10 wespen, darvan hete he Vespasianus. Do sprak Adranus: Ik kome van eneme wisen lande, dat is war, noch so enkan ik nicht van arstedien unde kan di nicht helpen, wente ik nen meister bin. Id was doch en erlik man an unseme lande, haddestu to deme *f.* 42 komen, ane twivel he hadde di generet.

15 Do sprak Vespasianus: Du enhelpest mi, ik late di doden. Adranus de sprak: De de blinden seen let unde de seken sunt makede unde den duvel ute den luden dref unde de doden let upstan unde den armen wisheit unde kunst gaf unde de sunde vorgaf, de wet dat ik nene arstedie kan. Darumme bidde ik

20 ene, dat he mi van desser nöt helpe, dar ik begrepen mede bin. Do sprak Vespasianus: We is dat, dar du aldus vele gudes af sprekest? He antwardede: Dat was Jhesus, en mechtich pro- phete vor gode unde vor der werlt. Den vordomeden de Joden dorch had. Doch konden se nene schult an eme vinden, dar se

25 umme ene doden mochten. Do sprak Vespasianus: Efte de man levede, lovestu des dat he mi helpen mochte? — Ja here, ik hope noch, wultu an em loven, dat he dik helpe, dat du werdest sund. Vespasianus de sprak: Ik love dat de jene, de de doden let upstan, dat he mi helpen moge, gift he wil, tohand. Do he

30 dit sprak, altohant vellen eme de wespen ute der nese, unde wart sund, dat neman an sin angesichte seen mochte, ofte he syk hadde gewesen. Do sprak he mid groten vrouden: Ik wet dat wol unde bin des seker, dat he godes sone is, de mi heft sunt gemaket. Ik wil nemen des keisers orlof unde wil en her

35 gesammelen unde wil varen also ik erst mach mid mennigen ridderen over mer unde wil de untruwen vorredere unde de bosen manslachten, beide se unde ere land, al vorderven. *f.* 42'.

27 hape

Ere muren de wil ik breken bette an den grund. Unde du
Adranus, vare sunt wor di lustet mid alle diner have, de du
hir brachtest.

Binnen den tiden dat Adranus to Galicia was, do was
5 Tiberio komen over mer van Jerusalem, dat dar en meister were,
dede van aller hande suke de lude konde sunt maken. Do hopede
Tiberius, wente he was gichtaftich, dat he ene sunt maken solde.
He enwuste des nicht, dat ene Pilatus hadde doden laten. Tiberius
de sprak to sime hemeliken vrunde, de het Albanus: Vare hen
10 snelliken over mer unde grote Pilatum unde segge eme, dat he
mi sende snelliken den meister, de Jesus gebeten is unde aller
hande suke benemen kan, dat he mi helpe van miner groten
krankheit. Albanus de vor over mer in sines heren bodeschop
ane bref unde grotede Pilatum unde sede eme: Dat enbut di
15 Tiberius, dat du eme scolest senden Jhesum den wunderliken
kunstegen meister, de aller hande suke boten kan. Desser bode-
schop wart Pilatus sere beswaret unde sere mismodich unde bat
dach vertein dage, denne wolde he antwarden eme. Wente he
sik schuldich wuste, darumme dorste he des keisers bodeschop
20 nicht antwarden ane der wisesten rad, dede bi eme weren. Do
Albanus eme det hadde segt, he vor alse en truwe bode unde
vraghede in der stad al hemeliken to guten luden van Jhesum,
wor he were. Eme dorste nen man de warheit seggen, wente
de scrivere unde pharisei, dede der lude plegen unde vor de
25 stad f. 43 reden, hadden alle deme volke vorboden uppe ere lif,
dat nement scholde en wort seggen, wo mid Jhesus varen were,
uppe dat ere bosheit unde untrowe vorholen bleve. Albanus de
let nicht af, he vragede stilleken, wer neman wuste, wor he
Jhesum mochte vinden. To lesten do he vele hadde vraget,
30 wente nen dink kan wesen so vorborgen, id kome wol ut, so
was dar en vrouwe, dede Jhesum truwe hadde wesen unde harde
hemelik, unde was en erlik wif unde godelik unde hete Veronica.
Der vrouwen vragede he, Albanus, wat mannes dat Jhesus were
unde wor he ene mochte vinden. Do de vrouwe horde nomen
35 eren heren Jhesum, se suchtede unde sprak: He was min here
unde min god, dar du na vragest, unde bekende ene wol, do
he levede uppe der erden. He was dicke hir an mineme hus

4 galilea   10. 11 sneliken   21 vor voer   *22 corrigiert aus* vreghede

unde was alle min trost unde alle min tovorlad. Den ~~k~~
Pilatus schentliken laten doden mid unschult umme der Joden
bosheit unde unrechticheit, dede ene vorreden unde vor eme
bunden brachten; doch wuste Pilatus wol, dat se eme unrecht
5 deden. Do Jhesus Christus dot was unde begraven, he stunt up
des dorden dages van dode unde at unde drank mid sinen
jungeren, de he uterkoren hadde unde was na des uppe deme
ertrike mid en vertich dage. In deme vertigesten dage na der
upstandinge vor he up to hemmele to sime vadere, dat segen
10 hundert unde negen unde twintich minschen unde sine leven
vrunde mid drovegeme herten. Do *f.* 43' antwardede Albanus
der vrouwen unde sprak: Wat is dat du segest, dat Jhesus dot
si unde to hemele varen, wente Pilatus heft gelovet, dat he
binnen vertein dagen Jhesum wille senden to Tiberio deme
15 keisere. Veronica sprak: Pilatus wet wol dat van siner sake
unde van sinen schulden Jhesus mest wart gedodet, darumme
dar he di nicht antwarden ane alle de wisesten unde alle ere
rad, de do mid eme weren; darumme bat he vrist to antwardende.
Ach, sprak Albanus, schal ik nu wedder varen leider ane trost
20 unde ane hopene, also dat mineme heren nen hulpe scholde
scheen van der groten suke, dar he lange heft mede beswaret
wesen. Veronica de sprak: We an unsen heren lovet, de schal
nicht ungetrostet blyven noch ane hulpe, wente dat spreket dat
ewangelium, dat den biddenden schal werden gegeven, unde dede
25 cloppet, deme schal me de doren upsluten. Do wart Albanus
swarliken bedrovet unde sprak: Schal mines heren bodeschop
aldus vorderven, det kan ik nicht vorwinnen. Do sprak Veronica:
Min here unde min schepper, do he vor sineme dode predekede
sin godeswort verne unde breet an den landen unde ik alle tid
30 was bi eme unde mi was lede, wan ik sines scholde enberen,
wente id sineme dode na was, so nam ik en linnen laken unde
wolde na eme en bilde laten maken, darbi ik sine likenisse alle
dage sege, also he dot were. Do ik in desseme willen gink, do
quam jegen mik min here unde vragede, wor ik ginge, dat he
35 *f.* 44 doch wol wuste unde nam dat lakene van mi unde druckede
mi darin sin godlike angesichte unde gaf mi dat. Is id dat din
here dat werde antlad mid innicheit unde mit ganzen truwen

12 du *fehlt*   23 blyue   29 an den *zweimal*

berten wil schouwen, he wert tohant sunt. Do sprak Albanus: Is dat bilde veile umme penninge golt efte sulvere, dat kope ik gerne. Do sprak Veronica: Nen. Do sprak Albanus: Wat schal ik arme man denne angan? Veronica sprak: Wultu, ik vare 5 mid di to deme keisere mid deme bilde unde kome wedder. Do dankede eer Albanus sere unde vor mid eer over mer. Do se quam to Rome, do vor se des avendes an ere herberge, dar se bi nachte quemen unde schopen ere mak. Des morgens gink Albanus to deme keisere unde scholde eme seggen sin werf, dat 10 he hadde worven. Do ene de keiser sach, do wande he dat Jhesus mid em queme, dede ene scholde sunt maken. He het ene willekomen wesen harde vroliken. Do sede Albanus sime heren Tiberio, wo Pilatus unde de Joden hadden Jhesum den groten mester ane schult laten doden mid valschen ordelen unde 15 mid unrechten tugen, de se jegen eme schopen unde uppe eme spreken, he were en toverere unde en valsch man, dat doch nicht war was, wente he was en rechtverdich man unde gode unde der werlt lef. Do sprak Tiberius mid swareme herten: Schal ik aldus unsunt iummer bliven? — Nein, sprak Albanus, 20 ik hebbe mede over mer gebracht f. 44' eyne reine tuchtege vrouwen, wis unde gud, se was Jhesus werdinne, de di to troste unde to heile komen is, wente se heft an eneme linnenen duke Jhesus bilde unde sine liknisse mesterliken maket unde here bracht, dat scholt du seen unde innichliken loven an Jhesum 25 unde du scholt werden sunt. Do bat Tiberius dat bilde halen unde de vrouwen unde let de straten mid pellen unde mit schonen wande bespreden, dar de vrouwe gan scholde. Do Tiberius dat bilde sach, he wart tohant sunt unde sine hut clar also eneme kinde. Do lovede Veronica unde dankede gode 30 ereme heren; also dede ok Tiberius, dede vrouwen erliken entfenk unde wertliken wedder sande to lande.

Do wart Pilatus gevanghen unde to Rome gebracht unde gebunden unde besmedet in der vengnisse also lange, dat me bedachte wat dodes he sterven scholde. Under des bereden sik 35 de heren unde de keiser, wo me den mort van Jhesum over de Joden unde over de van Jerusalem wreken mochte. Do quam

10 wunde   11 dat Jhesus *zweimal*   13 hadde   24 louet
32 gevanghet

Vespasianus to deme rade unde wolde orlof nemen. Unde
wolde varen to Jerusalem unde wolde do dat vorstoren, wente
he hadde ok vornemen van Jhesus dode. He sprak: Pilatus de
schol sterven enes quaden dodes, den en man denken mach. Do
5 dit Pilatus vornam, hee grep sin egene mest unde snet sik sulven
den hals entweig unde starf. Do sprak de keiser: He sterf wer-
liken schentlikes dodes, de sik sulven dodet. Do bant me Pilatus
enen sten in den hals unde warp ene an de Tybere. Dar nemen
f. 45 ene de duvele unde worpen ene hir unde dar unde spelden
10 mit em up in de lucht unde wedder in dat water unde makeden
van sime live grot unwedder van hagele unde van blixende, van
donre unde van storme unde van alleme unwedere, also dat de
Romere sere beswaret weren, unde bereden sik mid deme keisere
unde nemen dat unreine unsalige vat unde worpen dat in de
15 Rone to Vienna, wente he was van deme rike boren. Do he dar
was gekomen, do wart dar also grot unweddere in der Rone,
alse id vore was an der Tybere. Do de van Vienna der duvele
unsture van unwedere nicht mer mochten dogen, se bereden
sik unde schopen, dat de unsalige Pilatus to Losannen wart be-
20 graven. Dar lach he mengen dach, dat id neman wuste, unde
alle de tid dat he dar lach, so was id alle tid unweder van storme
unde van hagele unde van donre, also dat dar luttik vrucht wûs.
Over lank wart id eneme hilgen bischope van der stad van gode
to wetende, wo dar Pilatus graven lege. De let ene upgraven
25 unde let ene uppe den berg voren, unde worpen ene an ene zee
twischen soven groten berge, dar licht he noch, unde is dar alle
tid unweder van regen unde van menniger unsalicheit.

Dit late ik nu bliven unde zegge vort van Vespasianum,
worumme dat he Jerusalem vorstorde, dar he sik vertich jar to
30 beredde. An den tiden dat Tiberius keiser was, do was Tytus
van des keisers f. 45' wegene to Portigale in ener stad, de het
Livia, richter unde here. De Tytus de hadde ene suke in der
nese, de het kancer, dar was eme dat antlad al van vordorven.
Do quam en van Judea over mer unde het Nathan Nandes sone,
35 de plach to vorende van lande to lande unde was wol bekant,
wente he was gesant van Judea to deme keisere; de scholde
wesen varen to Rome unde wart vorsettet van deme winde unde
quam in Portigal in de stad Livia. Do Tytus dat schip sach
komen van Judea, he enbot dat Nathan to eme queme unde

vragede eme, we he were. Nathan de antwarde: Ik bin Nathan
Nandes sone unde wone in Judea under Pontium Pilatum. Ik
bin to deme keisere gesand mid deme schatte, dat det lant deme
keisere schal geven; nu heft mi de wint here bracht. Do sprak
5 Tytus: Wustes du en krut, dar ik van genesen mochte van miner
suke, ik wolde di geven grot gud. Here, sprak Nathan, hiraf
enwet ik nicht, men du west dat wol, haddestu hir vore wesen
in Judea, dar haddestu vunden enen propheten, de het Emanuel,
de hadde di sunt gemaket van der suke, unde de het ok Jhesus
10 unde dede in Cana Galilee en grot teken. He makede dar van
water roden win, dat was sin erste teken. He makede de blinden
seende, he makede to reke de gichtaftegen minschen, hee dref
den duvel ute den luden, he makede enen de blint geboren was
seende, he led ver doden upstan. Desser tekene unde der gelik
15 dede he *f.* 46 mennich vor sineme dode; unde na sineme dode
sach ene mennich man an deme vlesche dar he vore inne dot
was. Do sprak Tytus: Wo stunt he up unde wo wart he ge-
dodet? Do sprak Nathan: He wart an en cruce gehenget unde
an deme cruce dodet unde afgenomen unde begraven, des dorden
20 dages stunt he up van dode unde vor to der helle unde nam dar-
ut de patriarchen unde de propheten unde alle de sinen willen
hadden dan. Darna openbarede he sik sinen jungeren unde at
mid en unde darna des vertegesten dages vor he to hemmele.
· Do dit Tytus horde, he wart lovich mid alle sime ingesinne unde
25 sprak: We werde dik, weke keiser, dat det schentlike jamer an
dineme lande schen is! gedodet in deme lande, dar he boren
wart! Hadde ik dar gewesen, ik hadde se geslagen unde dodet,
dede minen heren mid vorrednisse mordeden, de en hoder unde
en beschermer was der werlde. We mi, here Jhesu Christe, dat
30 ik des nicht werdich was, dat mine ogen di nicht scolden seen,
dat clage ik nu unde iummer mer. Do he aldus sprak mid
gudeme loven, do wart he wol gesund unde alle de darumme
stunden unde sek weren. Do sprak Tytus unde alle de mid eme
nesen weren: Juda rex meus, deus meus, gelovet sistu, min here
35 Jhesus, dat du mi unde uns heft gemaket sunt, unde we di ne
ensegen. Nu help mi, here, dat ik mit schepen moge komen in
dat land, dar du *f.* 46' wordest geboren, unde help mi wreken

14 under 23 em 24 de wart 37 dar du *zweimal*

dinen unschuldigen dot unde gif dine viande aa mine·hant.
Darna let he sik dopen unde wart cristen unde lovede dat·Jhesus
Christus were ware god, de eme hadde geven de sunt, unde
anders neen god. Darna do sande he sinen boden to Vespasi-
5 anum, dat he mit weraftigen luden queme.

Vespasianus do he orlof van deme keisere hadde nomen ok
umme de sulven sake, he beredde sik unde quam to Tyto sime
sone mid vif dusent mannen uterkoren unde vragede, worumme
he em enbode. Titus sprak: Christus is gekomen in de werlt
10 unde is geboren in Judea in ener stad de het Betleem unde dodet
in der stede to Calvarie. Dar wille wi hen unde werden sine
jungere. Nu vare wi darhen unde vordelgen sine viende, uppe
dat me seen moge, dat dar nen god is uppe der erden men unse
god Christus. Do beredden se sik mennich jar unde voren over
15 mer mid groten heren unde quemen to Jerusalem unde wunnen
de land overal unde vorstoreden de unde slogen doet alle dat
volk. Do dit de konig van Judea Archilaus vornam, he wart
sere bedrovet unde vortzaghet uppe den dot. Do sprak de konig
Archilaus mid drovegem mode to sime sone Herodem: Sone min,
20 vorlad din rike unde nim rad mid anderen konigen, wo du dinen
f. 47 vianden untkomest; wente we hebben Christum gedodet,
darumme willen se uns unde unse lant vorderven. Do he dit
sprak, do toch he ut sin swert unde settede id up de erden
mid deme klote unde vel darin mid sime büke unde blef dot.
25 Dat sulve dede mennich man dar. Herodes sin sone de nam
rad mid anderen konigen unde mid heren, unde voren hen to
Jerusalem unde bleven dar soven jar. De soven jar hadden be-
lecht de stad Titus unde Vespasianus. Darna wart so grot hunger
in der stad, dat se erden eten vor brot, unde de modere de eten
30 ere kindere. Do spreken de riddere dede mid der koninginnen
dar inne weren: Nu mote we sterven, god de helpt uns nicht,
wat schal us dat lif, uns is lever dat we uns sulven doden, den
de Romere sik vor romen, se hebben us dodet. Mid deme togen
se de swerde unde houwen sik underlank; dar bleven 12 dusent
35 man dot. Van den doden wart also grot en stank, dat dar kume
leven mochte en man. Do worden de koninge de dar leveden
sere bedrovet, wente ere man de weren doet, unde den stank

2 da Jhesus

mochten se nicht lenger liden unde dorsten de doden ok nicht
ute der stad werpen unde spreken underlank: We vorreden unde
dodeden Christum, darmede hebbe we den doet vorschuldet. Nu
late we uns othmodigen unde geven unse hovet unde de slotele
5 van der stad in ere walt, wente we mogen mit en *f.* 47' nicht
striden. Do gingen se uppe de muren stan unde repen mid
luder stempne: Tite unde Vespasiane, komet here unde entfanget
de slotele van der stad to Jerusalem, de iu god geven heft, de
dar hetet Christus Jhesus. Do geven se Jerusalem unde dat land
10 to Judea in ere walt unde spreken: Richtet over uns, wo we
sterven scholen, wente we richteden over Christum unde geven
ene to deme dode. Do dit gesproken was, do nemen se unde
hengeden semmelke bi den voten up, semmelke bi den hoveden,
semmelke kloveden see, semmelke soden se, semmelke houwen se
15 an ver stucken, also se Christus cleidere delden an veren. Unde
also se Christum vorkoften vor 30 sulvere penninge, also vorkoften
se 30 Joden umme enen pennig. Do dit gedan was, do weren
se in Jerusalem unde in Judea unde vragheden mid vlite, wor dat
bilde were, dat Christus geliknisse mochte wesen. Dat wart to-
20 hand ghevunden bi ener vrouwen, de het Veronica. Do tobreken
se de stad unde de muren unde leten nicht enen sten uppe deme
anderen, also darvan gescreven was.

---

f. 53' Do dit Tytus sin sone vornam[1], de noch in der reise
was varende, he wart so vro, dat eme de gicht van vrouden dat
25 ene ben benam, also dat he nicht gan mochte. Do Josephus, de noch
in deme here was, dit vornam, worof dat he sik was geworden,
do vragede he in deme here, gift dar iement were, de Tytus
viende were. Do wart en knecht gevunden, des Tytus sin viant
was, dat he ene nicht mochte anseen efte nemen boren. Do dit
30 Josephus hadde vornomen, do sprak he to Tytum: Heere, wultu
sunt werden van diner suke, so schaltu nummende bedroven, de
mit mi to dime hove kumpt. Dat lovede Tytus Josephum. Darna
do dit vorgeten was, segede Josephus Tyto, he wolde vor eme
eten, unde het dat etent bereden unde het sine taflen maken
35 rechte over jegen Tytus taflen, unde nam mede sinen gesellen,

5 em   8 iw   20 ghewunden   24 warende   28 gewunden
[1] *nämlich daſs sein vater Vespasian zum kaiser gekoren sei.*

~~dene Tytus viant was, unde settede ene to ainer rechterentinge~~
~~jegen Tytum over. Do Tytus ainen viand dar sitten sach, do wart~~
he so tornich unde also bedrovet, dat id ummate was, unde van
deme groten torne, den he over der taflen leit, dat he sinen viand
5 dar sitten sacb, wart he sunt van der groten suke, de eme wart
van vrouden. Do eme Josephus berichtede worumme dat he dat
ghedaen hadde, do wart Josephus van der vengnisse *f.* 54 vorlaten
unde de knape van des vorsten unhulde Tyti.

Vorstehende erzählungen finden sich in der handschrift der kgl.
bibliothek zu Kopenhagen A. K. S. 1978 4°. dieselbe ist auf papier
im j. 1434 geschrieben und enthält aufser Aesops fabeln, deren
jede eine deutsche nutzanwendung hat, die grofse Sachsenchronik (sg.
Repgauische chronik) in einem besonders in der alten geschichte
mittels der chronik Martins von Troppau, der historia scholastica,
und fabel- und legendenartiger erzählungen stark interpolierten texte.
am ende der chronik fol. 156 findet sich folgende rubrik:
Et sic est finis huius coronice romanorum sub anno
domini 1434. quarta die pentecostes de mane, in Ruue per
Johannem Vicken ibidem cappellanum. *die hs. ist also im Ruh-*
kloster (monasterium Ryense) *im herzogtum Schleswig, an der*
äufsersten nördlichen gränze deutschen sprachgebietes geschrieben, und
das vorstehende stück daher von besonderem sprachlichem interesse.
Wir haben drei bestandteile in der erzählung zu unterscheiden,
von denen die zwei ersten hier äufserlich ungetrennt auftreten.
Erstens die sage von Pilatus, dessen lebenslauf von der wiege
bis zum grabe, welche in prosa und dichtung vielfach im mittelalter
besonders in Deutschland behandelt wurde. s. Mone, Anzeiger 4, 421.
7, 526 und das sammelsurium bei Mafsmann, Kaiserchronik 3, 594.
den grundstock für diese sage scheint eine unter dem titel Mors
Pilati *von Tischendorf, Evangelia apocrypha 432 veröffentlichte la-*
teinische erzählung abgegeben zu haben. am meisten verwandtschaft
zeigt unser stück mit der von Mone 7, 526 fragmentarisch aus
einer Münchener hs. des 12 jhs. mitgeteilten prosaischen lateinischen
erzählung, mit der es teilweise wörtlich, und durchgängig im ge-
dankengange übereinstimmt. abweichend ist nur dafs bei Mone
Tyrus oder Cyrus könig von Mainz, in unserem stücke von
Lyon und Vienne genannt wird und im bistum Mainz den
Pilatus zeugt. die lateinische prosa gibt als stätte dieses aktes

oppidum Berleich in partibus Babenbergensium. *und diese
angabe scheint die ältere. Mone denkt hier an Berneck bei
Baireuth; es liefse sich auch denken, dafs der von der gelehrten
erst gehagte Perleich in Augsburg confuser weise hereingezogen
wäre; doch ist Berleich vielleicht nur eine verdorbene lesart
für Forchheim. denn hieher, an den durch drei königwahlen (Karls
des dicken, Arnolfs und Rudolfs von Schwaben) ausgezeichneten ort
Ostfrankens verlegt die volkssage des 11 jhs. in der mir bekannten
ältesten erwähnung die geburtsstätte des jüdischen landpflegers.
Casus mon. Petrishus. (Mon. Germ. SS 20, 646 als randglosse des
c. 1156 schreibenden und 1134 schon schriftstellerisch tätigen
verfasers):* Forcheim. ex hoc loco Pilatus domini cru-
cifixor ortus dicitur patre Ato, matre vero Pila, unde Pilatus
est compositum. et terra, ubi natus est nullum unquam germen
gignit. unde tunc vulgus de Ruodolfo (*von Rheinfelden*) con-
cinebat, quod alter Pilatus surrexisset.

*die unabhängigkeit unserer erzählung von der lateinischen zeigt
aufserdem noch die erwähnung des beinamen des Herodes, Antipas,
sowie der vision des bischofs von Lausanne.*

*in ähnlicher verwandtschaft steht die erzählung in der legenda
aurea des Jacobus de Voragine († 1298) cap. 53 ed. Gräfse 231ff,
die sich auf eine* historia licet apocrypha, *wol die oben er-
wähnte* Mors Pilati *bezieht. übereinstimmend mit dieser heifst hier
der bote des Tiberius nicht* Albanus, *sondern* Volusianus; *auch ist
hier die episode von dem schützenden rocke Christi, den Pilatus an-
hat, erhalten, welche unser stück ausliefs. auch das grofse Passional
steht in engster verwandtschaft mit diesem.*

*Der zweite bestandteil unserer erzählung, die heilung des Titus
und die zerstörung Jerusalems befindet sich in fast wörtlicher überes-
einstimmung mit einem selbständig erscheinenden lateinischen aufsatze,
der* Vindicta Salvatoris *bei Tischendorf aao. 448. die hier befind-
liche schlufserzählung von der heilung des Tiberius blieb im nd.
weg, da sie der schreiber mit benutzung einer anderen quelle, der*
Mors Pilati, *schon vorweggenommen hatte.*

*Die dritte erzählung von der heilung des Titus von der gicht
durch Josephus wird in der handschrift eingeleitet durch eine lange
darstellung der belagerung von Jotapata, der gefangennahme des
*Josephus, dessen prophezeiung, dafs Vespasian kaiser werden würde.
alles dies geht in letzter linie auf Josephus* De bello Judaico *zurück*

und findet sich ganz ähnlich in der legenda aurea c. 67 und im großen Passional. letzteres gibt denn auch die erzählung von der gicht, welche Titus bei der nachricht von der wahl seines vaters zum kaiser befallen, und der wunderbaren heilung. angedeutet findet sich dies wenigstens in der legenda aurea c. 67, s. 301: ut in eadem hystoria apocrypha legitur. bekannt war die fabel auch dem verfaßer des Sächsischen landrechts 3, 7, 3: Dissen vrede ‚erwarf en (den Joden) Josephus weder den koning Vaspasianum, do᾿ he sinen sone Titus gesunt makede van der jecht.

Über die orthographie der handschrift bemerke ich, daß längen in der regel nicht bezeichnet sind. mehrfach aber ist dies geschehen und zwar: 1. durch gemination des vocals zb. in zee, seen, scheen, seende, eer, een neben en und ein, upteen, neen; dann auch in hee — er, see — sie n. pl. m., eer — ihr d. s. f, heer — herr, welche also der schreiber lang aussprach; hiir. — 2. durch nachfolgendes e in gedaen, doen, doet, bevoel, noet. — 3. durch übergeschriebenes e, o oder ῎ in nôt, ût, wûs (wo sicher kein diphthong angedeutet werden soll), mûren, bük. — 4. einmal sogar durch das œ und ö graphisch gleichwerthige dänische ø in nømen.

für s im anlaute ist einige mal z gebraucht: zee, zeggen; für z im anlaut einmal tz: vortzaghet. gh für g erscheint selten. die verdoppelung der consonanz nach kurzer offener silbe hat noch nicht ganz durchgegriffen: weder neben wedder, hemel neben hemmel.

ganz schwankend ist der gebrauch der consonanten im auslaute. ist einfluß des dänischen anzunehmen bei der hier meistenteils auftretenden dentalmedia, die unorganisch auch in id, lêd, vorlâd, tovorlâd, antlâd, had steht?

In sprachlicher hinsicht bemerke ich nur noch den adulterinen plural schalkes neben schalke, sones (als unrichtige lesart), die beiden einzigen wörter, bei denen ich diesen plural in der hs. überhaupt gefunden habe.

Berlin, august 1873.   L. WEILAND.

MITTELDEUTSCHES SCHACHBUCH.

Alliz daz geschribin stat,
daz Pauli schrift gesprochin hat
in einir epistiln zcu den Romer,
geschribin ist zcu unsir ler,
5 daz wir mit der schrifte trost
und mit gedult, wem si genozt,
mogin hofenunge habin
ane zcwivillichiz snabin.
des hebit sich an der prologus;
10 den machte meistir Jacobus
von Tessolis ein kunstiger,
des ordins munch der prediger,
ein meistir in der heilgin schrift.
der lert in disis buchis stift
15 der lute hobischeit und site
und der edlin ampt da mite
in dem schachzcabilspil.
sus ich daz anhebin wil.
Von Tessolis ich Jacobus,
20 ein meistirlich theologus
und bruder munch zcun pre-
digern,
bin vil gebetin von schulern
und von brudirn unsir klus
daz ich wolde legin uz
25 schachzcabil, der kurzcewil ein
spil;
daz ich virsagit habe vil,

rote überschrift Hi hebit sich
diz buch an daz do heist der livte
ayte der edilen ampt. In deme
schachzcabilspil dy vorrede sich be-
gynnet '15 lute

und nu doch di selbe gobe
beginne in gotis lobe;
daz ist, wi sich regiren,
mit gutin siten zciren
(2ᵇ) di lute sullen und disen 5
strit
haldin als dise rede quit.
betalle do ich den lutin
di rede wart bedutin
und iz vil hern behaite,
als man mir daz saite: 10
durch ir wirdekeit und er
hab ich geschribin dise ler,
und mane si in der norme
daz si des spilis forme
slizin in ir gedankin,   15
so daz si sundir wankin
den strit dis spilis und sin
tugint
beide daz aldir und di jugint
mogin baz behaldin
in iris herzcin valdin.   20
Nu hab ich des alsulchen
ruch
daz ich nennin wil dis buch
der lute site, der edlin ampt;
daz behait uns allentsampt.
und um daz ich di stricke   25
baz ordinlich geschicke
dis buchis, und als mich duchte
di rede baz irluchte,
des wil ich ez titelin
mit parten und capitelin,   30

daz ir wizt daz ich partire
dis buchelin in vire.
    Daz erste teil wil kundin
durch waz dis spil si vundin.
5 daz erste capitil hat gelart
under wem dis spil vundin wart.
daz andir capitil mant,
wer erste schachzcabil vant.
daz dritte kunt wil machin
10 (2ᶜ) drirleie sachin
dorumme dis spil vundin was,
als ich iz zcu dem latine las.
    Daz andir teil wil dutin
von dem gesteine und edlin
     lutin.
15 daz erste capitil mit sinen tritin
formt den kunig und sine sitin.
daz andir capitil lert den sin
der forme der kunigin.
daz dritte lert der aldin
20 form ampt und sitin haldin.
von rittirn lert daz virde
ampt sitin und ir zcirde.
ampt sitin volgit noch
da mit geformt sint di roch.
25   Daz dritte teil wil wenden
an form, an ampt der venden.
daz erste capitil hebit sich an
zcu sagin von dem ackirman.
zcu des andirs capitilis lidin
30 lert dis buch von den smidin.
des drittin capitilis lern
spricht von den statschribern
und von den hantwerkin gar
di zcu der wolle gehorn und
     har.

daz virde capitil wil gewern
von kouflutin und wechselern.
des vunftin wel wir nicht en-
    pern
von ercztin und aptekern.
daz sechste wil sich hebin   5
von kreczschemern und gast- 3ₗ9.
    gebin.
daz sibinde gesagit hat
von beweren der stat,
und wil ouch von scheffern uz-
    lein
und von amptlutin der gemein. 10
(2ᵈ) so legit uz daz achte
von der spilere slachte,
und wil ouch rede haldin
von luderer, loufern, ribaldin.
    Daz virde teil wil rangin   15
von der gesteine gangin.
daz erste capitil in der gemein
sagin wil von dem gestein.
daz andir capitil sundir wanc
sagit von des kungis ganc.   20
daz dritte lert noch me
wi di kunginne ge.
daz virde capitil wil rurin
wi ir genge di aldin vurin.
di vunfte rede ich wittere   25
von dem gen der rittere.
daz sechste heldit sproche
von dem gange der roche.
daz sebinde wil endin
von dem gange der vendin.   30
des achtin capitils schancz
besluzt di rede gancz.

1 yn wist   26 formt
30 smedin

6 kreczchemern   8 bewerern?
9 v́zleyn   23 ŕ́ryn   24
vûryn   32 beslûst

Dis ist dis buchis erste
teil. Daz erste capitil.

Undir allin bosin zceichin
di an den menschin streichin
zcu vordirst ist ein missetot,
swen der mensche nicht vurch-
lit got
5 mit snodim zcuschundin
sinir eigenin sundin
und ist kein lutin strebin
mit unordinlichim lebin,
so daz he nicht virsmet allein
10 daz strofin, sunder ouch stellit
mein
kein des strofins done,
(3ᵃ) als wir lesin von Nerone,
der sinen meistir Senecam
totte und den lip benam
15 durch daz he wolde midin
sin strofin und nicht lidin.
Dorumme iz in der zcit ge-
schach
des kungis Evilmerodach,
der babylonisch kunig was
20 als ich ez in dem buche las,
ein mensche grim unde geil:
der teilete in drihundirt teil
sinis vatir lip Nabuchodonosor,
daz sage ich uch vorwor,
25 und gap en den giren zcu
ezzin:
so hatte he sich vormezzin.
do wart schachzcabil vundin
daz ich wolde kundin
in der rede vor ʼannamt
30 ʼder lute site, der ediln amt.ʼ

Der kung under ander missetat
phlac einir, di was alzcu vrat,
daz he nicht wolde doldin
der di in strofin woldin,
wend he si totte vaste   5
und ir strofunge hazte,
daz doch alzcu torlich ist
als man in der schrift list.
Dem glichte sich wol bi eime
hor
sin vatir Nabuchodonosor.   10
do der noch troume entwachte
und sinis troumis nicht ge-
dachte,
do wolde he al di klugin
totin mit unvugin
di in Babylone warin   15
durch sinis troumis irvarin,
(3ᵇ) daz si des hatten vele,
als man list in Daniele
in dem andirn capitulo,
als ich bin berichtit so.   20
Etliche lute brunkin
mit zcwivil in den gedunkin,
dis spil si vundin in der zcit
do vormols was der Troien strit.
daz ist nicht war, sundir un- 25
gewis.
iz quam von den Caldeis
zcu den Krichin in di lant,
als Diomedes virnant.
do undir den philosophin
erst wart virmert sin begin,   30
und dar nach wart iz witin
bi Allexandri zcitin,
der so virmert wart irkant
daz he Egypt und Ostirlant

7 kein den lutin?   30 ampt   1 kunig

hindirte zcu stunde
mit sinem lumunde;
und worumme wurde so nam-
     haft
in der werlde sine kraft,
5 her nach ich daz sagin wil
in dem drittin capitil.

Daz an dir capitel. Wer
erste schachzcabil vant.

Dis spilis hat begunnin
von lande kein der sunnin
Yerses ein groz philosophus,
10 den di Caldei nantin sus.
di Krichin und ir meistirtum
in nantin Philomeum,
daz sich in duczschim uzleit
'lipheber moze und gerechtikeit.'
15 des namen lop in Krichin
(3ᵃ) wart wite richin.
di Athenienses hizen,
daz si sin woldin genizen,
ersamir meistir vil darnach
20 kunstliber, und geschach
daz si nach den kunnin
der elderin nam gewunnin.
     Den meister den ich hab be-
          zecht
der was also gar gerecht
25 daz he libir kisen
wolde lip vorlisen,
wen in kuniclichir wollust
sin lebin endin und virlust
habin der gerechtikeit
30 volginde der snodekeit.

wen do gesach der meistir her
des kunigis lebin in uner,
und in nimant turste schuldin
durch sin ungeduldin
daz he tet mit grimmikeit   5
den wisin mit des todis vreit:
durch vle des volkis gemein
achte he sin lebin klein,
he saczte iz uf todis woge
und wolde libir habin phloge   10
durch recht sin lebin endin
wen kurzciz lebin wendin
zcu snodir site jochin,
daz iz were virsprochin.
     Disir meistir tet alsus   15
als da sprach Valerius.
der groze Theodosius,
sin zcunam was Cyreneus,
wart an ein cruce darum
geneilt daz he Lysymacum   20
(3ᵈ) den kung turste um sin
          unvlat
strofin unde missetat.
do he an dem cruzce hinc,
he sulche wort anvinc
'dime rate in schonem ge-   25
          wande
si disc pin ein ande
di si vurchtin in der schicht.
mir ist darumme nichtis nicht
ab ich rule in der luft
adir in ertrichis gruft.'   30
sine rede dute so
daz he nicht achte todis dro,
wen he unschuldic sturbe,
durch recht den tot irwurbe.

13 duczchim v́zleyt   23 *rote*
überschrift sterbin aṅ schulde

15 *überschrift* wi theodosius
wart gecruzcit   29 vůle

Wir lesin ouch Demetrium
einin houbtphilosophum
daz he selbir em uzbrach
sin ougin durch daz ungemach
5 daz he nicht sege mit ougin
  schin·
vil unrechter dinge sin.
 Wir lesin ouch von Socrate,
do der ilte zcu tedis we
und em sin wip mit weinin
  nach-
10 volginde sulche rede sprach,
wi daz von unschuldin
den tot he muste duldin,
he sprach zcu sinir quenin
'swic, du salt mich wenin
15 unschuldiclichin sterbin baz,
wen daz ich mit der sundin haz
beslize minen lestin tac
als ein suntlichir sac.'
 Sus dis spilis tirme
20 dem rechte zcu beschirme
der meister sich zcu dem tode
  wuc
(4ª) und dis lebin virsluc.

Daz dritte capitel. Wor-
umme dis spil vundin ist.

Worum dis spil vundin si,
der sache sin gewesin dri.
25 di erste, durch strofunge
des kungis zcu bezzirunge.
dar nach di andir sache ranc
zcu midene den muzganc.
di dritte sache hat gelart

daz dis spil vundin wart
durch der rede manchirlei
di vundin wirt in disim rei.
 Bi der ersten sachin
merkt in disin schachin 5
daz kung Evilmerodach,
von dem ich do vorne sprach,
do der gesach schachzcabilspil
rittere und andir herrin vil
mit dem meistere vor genant 10
spiln mit stritlichir hant,
in wundirte ser und was gemeit
dis spilis lustsamikeit
und der nuwen ungewontin
  lust.
he wolde sin bi desim zcust: 15
he wart vlizlich begern
disir kurzcewile lern,
und wart des zcu rate
daz he wolde drate
spilinde stritin also 20
mit deme houptphilosopho.
do widir hen der meistir sprach,
wolde der kung lerin schach,
he solde zcuchtlich sundir won
eins jungirn form an sich ent- 25
  phon.
(4ᵇ) der kung da widir rugete
daz sich daz wol vugete,
swer do lernin wolde,
ein jungir he wesin solde;
und durch des lernins beger 30
wart he ein discipuler
und tet kein dem meistir schin
daz he sin jungir wolde sin.
do beschreip der meistir balt

7 *überschrift* wi socrates starp
14 mich] nicht
16 *überschrift* wi der kung diz
spiliz gerte 26 rugete

der gesteine form, des bretis
    gestalt,
des kungis site und sin er,
der edlin ampt und ir ler
und von gemeinin lutin,
5 daz di vendin dutin,
als wir hernach wellin lern.
da mit der meister disin hern
zcoch zcu tugint und zcu ern
und von snodin sitin kern.
10 do der kung emphinc
daz dis strofin uf in ginc,
durch daz he manchin wisin
    man
do vor hatte totin lan,
he vragite disin meistir ho
15 mit irschreclichir dro,
worumme he vundin hette
dis spil. do wedir rette
der meistir sulchir worte schin
'o kung, libir herre min,
20 din zcirlich lebin ich beger,
daz nu ist so gar ummer
daz ich des nicht mag gesen,
iz enwelle denne an dir geschen
daz iz mit bescheidenheit,
25 mit sitin und gerechtikeit
in der werlde werde virmert
(4^c) und du den lutin werdist
    wert.
dorum beger ich, herre trut,
wirf dich in ein andir hut,
30 daz du dich andirs zcirest
und dich also regirest
daz du sist zcum erstin din her,
der andirn lutin berschist ser
vrevilichen mit gewalt,

nicht mit rechtis einvalt.
zcwar iz ist nicht rechtir slacht,
sint du dir nicht gebitin macht,
daz du wilt anderin ditin
mit gewalt gebitin;   5
und, kung her, du wizzin salt,
daz vrevelich gewalt
di lenge nicht gewerin mac
noch wil habin virtrac.
dorumme di sache dirschein   10
durch diner strofunge mein;
wen di kunge mit gedult
sullin lidin um ir schult
strofunge von den wisin
und ir strofin prisin,   15
als Valerius der meistir ho
seite von Allexandro.
    Ein rittir Allexandri,
der was. edil unde vri
und von grozim wistum,   20
der wolde Allexandrum
schuldigin an sinir zcirde,
daz he zcu groze girde
hette nach werltlichin ern
he sprach willich zcu disim hern 25
'und hette der naturen loz
dinen lip der nicht ist groz
(4^d) geglichit dinis mutis ger,
du werst so groz und so mer
daz an disir werlde strich   30
muchte nicht gehaldin dich,
wen du mit dinir rechtin hant
rurtist der morginsunne rant
und mit dinir linkin
der obintsunnen blinkin.   35
und sint daz dine menscheit
und mut nicht ubir eine treit:

30 zciryst   34 virewilichen   7 virewelich

bist du got, so saltu zcwar
im volgin, daz du sinir schar
bewisest guttete,
nicht roubist ir gerete;
5 adir bistu menschlich creatur,
so bedenke din natur,
waz du sist und bist gewest,
daz du din selbir nicht virgest.
wen nicht ist also starke
10 uf disir werlde marke
iz enmuge wankin
bewiln vor dem krankin.
den kung der tire, den leun
bewilin kleine voglin döun.
15 Di andir sache ich ouch bezcil
worumme vundin wart dis spil,
als ich saite vor nicht lanc,
zcu midene den muzganc.
dorumme spricht Seneca also
20 di rede zcu Lucillo
'muzganc an der lere schrift
ist der tod und todis stift.
und ist als ich hab entsabin
eins lebindin menschin be-
grabin,'
25 Ouch Varro in sentenciis
(5ᵃ) sulche rede macht gewis
'nicht enget der wegeman
durch genis willin uf der ban,
sundir daz he an di stat
30 kome da hin he willin hat.
als ist iz mit des lebins zciln:
nicht lebe wir durch des lebins
wiln,
sundir daz wir in dem lebin
nach gutin dingin strebin.
35 dorum der meistir vor genant

14 doun   35 ganant

nicht allein schachzcabil vant
zcu strofine des kungis vreit,
sundir muzganc und betrubtiz
leit
(daz muzganc machit lidin)
wolde lerin midin.   5
wen manche sint der tucke
daz si durch groz gelucke
sich al zcu sere mengin
zcu den muzgengin:
dorumme Quintilianus   10
spricht in sinir lere sus
'kein allir dinge warheit
zcu geilin phlit di muzekeit
wen daz gelucke zcu vluzt,
daz man des gutis genuzt.   15
darumme daz muzgengin
phlit vil dicke brengin
den menschin in unvlat
und in suntliche tat.
ouch sulche muzekeit daz tut   20
daz so bittir wirt din mut
daz geistliche wunne virlischt
und sich zcwivil in dich mischt,
also (daz) di gedankin
in in selbin wankin.   25
(5ᵇ) und sint der kurzcewile
strit
muzganc und leide tribit besit,
darumme wolde der meistir
machin
dis spil durch sulche sachin.
Di dritte sache di ist daz   30
darum daz spil vundin was:
wen ein iclichir man
gert von nature kunste han,
und wer zcu kunnin nicht
engert,
todem glich he sich bewert.   35

darum wirt dis spil uzgeleit
durch mancher rede nuwekeit.
des lese wir ein vorbilde sus
von den Atteniensibus.
5 allein si werin also kluc
daz si kundin schrift genuc,
si doch studirtin gerne
durch horin nuwe lerne.
und sintemol daz ouggesicht
10 vil spehir gedankin virnicht,
darum lese wir Demetrium
den wisin philosophum,
an dem alsulche schicht ge-
        schach
daz he sin ougin uzbrach,
15 di he darumme virwarf
daz sine gedankin wurdin scharf.
wir lesin ouch von blindin
daz si an nuwem vindin
scherfir sinne sin gewesin,
20 als wir von Dydymo lesin;
der was ein grozir bischof.
mit erin hilt he sinen hof
zcu Allexandrina in der stat.
der was blint und hat gehat
25 durch sinen virnumftigin sin
(5ᶜ) gar uzirwelte jungerin,
Gregorium Nataneum,
Nazareum Jeronimum,
(der ein romisch pristir was,
30 als ich iz in dem buche las,
und was in der zcwelvir zcal,
des pabistis hoe cardinal)
di undir andirn meistirn worn
groze lerer uzirkorn.
35 di begundin sich gesindin
zcu Dydymo dem blindin

2 manche

und wurdin sin discipuler
durch sinir grozen kunste ger.
Ouch lese wir von Anthonio
dem grozin einsedil so:
do der eins molis quam zcu 5
        hove
zcu Didymo dem bischove
und in mit rede troste,
dar under he also koste,
ab em nicht leit were
daz he der ougin empere: 10
der bischof rette dar undir
'mich nimt michil wundir
ap du nicht wilt geloubin
we tun min ougin roubin.'
Anthonius der alde   15
do widir sprach vil balde
'jo bischof, heiligir vatir her,
mich   wundirt   des   ummazin
        ser
daz du dich leidist umme daz
daz dir an dem libe was   20
gemein mit unvirnumftim vie,
wen du wol bedenkist wie
virnumft in din berzce schein,
di mit den engiln ist gemein.'
(5ᵈ) darum dis spilis stifter,   25
da der lac an todis swer
und in di krancheit hatte ge-
        druct,
der geist vom libe im wart
        enzcuct
also daz he gar virgaz
des dingis daz geistlichin was   30
und sich von dem krankin
warf in di gedankin:
dis spil bevant he do vil wol
scharfir liste wesin vol
durch gutir glichnisse vil   35

und manchir rede an disim spil,
und wi man mag besinnen
kein vindin strit gewinnen.
und do von wart der meistir
    wert
5 durch sin virnumft gar wit
    virmert.

Daz erste capitel. Dis
buchis andir teil. Von
des kungis forme und
    sitin.

Der kung als ich hab gelesin
also von erst nam sin wesin:
wen he in purpirkleidin saz
in kunglichim pallas
10 (daz der kunge wirde hat
daz si tragin sulche wat),
ouch trug he ein krone
uf sime houpte schone
und wart tragende irkant
15 ein sceptir in der rechtin hant
und in der linkin einen bal.
daz he ubir alle habin sal
di wirdikeit und si geprist,
daz di krone bewist.
20 wen kungliche wirde her
ist allis volkis ein er,
(6ª) unde allis volkis ougin
sullin den kung tougin
gar undirteniclich ansen
25 und sine gebot nicht virsmen.
Der kung ubir al den sinen
sal togintrich dirschinen
an genadin und gutikeit:
daz bedut sin purpirkleit.

    14 tragene   27 toginrich

wen als di kleit den menschin
    zcirn,
also di sele ordinirn
und di gedankin di tugint,
beide daz aldir und di jugint.
He treit in sinir linkin hant   5
einen bal, daz he sin lant
allenthalbin sal bewarn
und vor sin den sinen scharn.
ouch hab he sulche capillan
an di he mug sin volc lan.   10
und sintemol der kung muz
twingin di di nicht der gruz
noch di libe twingin mac,
ein sceptir he uf den bejac
in sinir zceswen hende treit,   15
der libe getwangis gerechtikeit.
und sint di warheit und barmunge
den kung bewarn nach wisir
    zcunge
und von gerechtikeit sin tron
wirt bevestit im zcu lon,   20
so sal he an barmherzcikeit
irluchtin und an warheit.
    Darum Seneca sprach schone
zcu dem keiser Nerone
daz in allem lande   25
zcemit baz nimande
barmunge wen kunglichin ern,
(6ᵇ) den vurstin und den grozin
    hern.
wen swo ein herre des begert
daz he si lip unde wert,   30
darzcu he sich virphlichte
daz he semfte richte.
darum so sprach Valerius
der groze meistir alsus,
daz menschliche suzikeit   35
des grimmin volkis herzce beweit

and irwechit tougin
der vinde zcornis ougin.

Darum lese wir also
von hern Phisicrato,
5 der was ein herzcoge vrum
der Atheniensium
und hatte ein tochtir subirlich.
ein jungelinc der senete sich
nach ir: em was vil bange;
10 he logite ir so lange
daz si begeinte im zcu phlege
mit der mutir uf dem wege.
he was in irre libe enzcunt:
he kust si an iren munt.
15 des betrubte sich di mutir hart
um daz di tochtir uf der vart
und uf dem wege was gekust
nach des jungilingis lust.
do daz kussin was gephlogin,
20 di vrouwe von dem herzcogin
gar vliziclich begerte
daz man mit dem swerte
den jungilinc enthoubite,
daz he ir daz irloubite.
25 der herzcog Phisicratus
antworte so uf disin kus
(6ᶜ) 'wel wir di virschibin
mit tode di uns libin,
waz wel wir denne tun kein den
30 di uns hazzin und virsmen?'
di stimme ginc uz dem munde
des vurstin in der stunde
von inris herzcin menscheit
und von der barmherzcikeit.
35 da mite der herre in sulchir wis
behilt sin er und lobis pris

3 *role überschrift* wi dy mait
wart gekust   4 Phizicrato

und einir tochtir-schune
behilt der erin krone.

Der selbe herre hatte einin vrunt,
der wart kein im in zcorne
enzcunt,
Arispus was sin nam genant.   5
sin zcorn der was so groz en-
prant
daz he mit zornis wortin
schrei;
dem herren he undir sin ougin
spei.
der vurste was so togintlich
daz he deme tete glich   10
als ap he hette ni gehort
di smaheit ader di snodin wort,
sundir he nam iz in sulchir ker
als ab iz were lop und er;
und sine sune woldin   15
slan an den unholdin
der irim vatir schatte:
der rache he nicht gestatte.
iz vugete sich in einir zcit
daz Arispus sinen nit   20
bedachte und sinen vreidin.
he begunde sich sere leidin
und betrubin um di schult
di kein dem herren was irvult.
he wolde im selbir ab nemen 25
(6ᵈ) sinen bruch und sin un-
zcemen.
do daz der vurste virnam,
zcu sinem vinde daz he quam
und gelobte im daz bi truwin,
im solde nimme gruwin,   30
he wolde in in sine vruntschaft
als e enphan bi eidis kraft.
also irquicte he disin man,
der sich getotit wolde han.

Iz quam in einir wile alsus
daz ein groz philosophus
zcwu vrouwin hatte in eime
    hus,
 als uns di schrift legit uz,
5 den he allin beidin
gap kost mit gutin kleidin.
idoch si nicht gedaitin,
sundir si stete klaitin.
si kundin nicht geduldin,
10 wen si vil stete schuldin.
der meistir vragete mere,
wes in bruch were
daz si also seldin
woldin lan ir scheldin.
15 iz vugite sich in eime zcil
daz si hattin juchin vil
gesamnet zcit etwaz lanc,
di was unrein unde stanc.
von eime sulre si guzzin daz
20 uf den meistir als he las.
doch quam he nicht in ungedult
von der unzcemlichin schult,
sundir kein dem ungemach
senfticlichin daz he sprach
25 'ich wuste wol, iz wurde phlein
nach sulchem donre sulch ein
    rein.'
(7ª) Dem glich tet ein kung gut,
der hatte ouch so senften mut;
do der virnam di mere
30 daz sine grimmigere
zcu wirtscheftin sozin,
do si woldin quozin:

in den selbin stundin
mit snodin lumundin
si den herren stochin
mit snodir aftirsprochin.
der herre si besante.   5
he si der rede irmante,
ap si hettin den grim
der rede getribin von im.
do sprach zcu im der eine
vor di andirn al gemeine   10
'nein herre, der gelimp
ist gewesen gar ein schimp
wedir deme daz wir noch
geret woldin habin doch,
were uns nicht gebrochin   15
des wines in der wochin.
do wir nimme hattin win,
do lize wir daz klaffin sin.'
der antwurte hobischeit
und bekentnis der warheit   20
wart den kung machin
daz he begunde lachin,
und wart vor den rottin
sin zcorn gewant in spottin.
darum disir herre groz   25
der senftikeit also genoz
daz si im wurdin dankin
nuchtirn und in trankin.
    Dem kunge dem sal wonin
    bi
(7ᵇ) daz her worhaftic si,   30
und sal nicht virlazzin
valsche munde hazzin,
nach der wisen rede spruch,
di da sprichit sundir bruch
'alle zcit sal mine kel   35
warheit gedenkin ane vel;

    11 *rote überschrift* noch deme
donre reynit iz gerne   27 *rote*
überschrift wy der kung wart ge-
aftirkoist

    33 wise

so sal min munt nicht lazin
den ungerechtin waxin,'
und sintemol ein kung rich
etwaz si gote gelich   .
5 an sinem ampte daz he treit,
als got ist di warheit,
so sal he allinthalbin gar
swaz he gelobit haldin war.
darum sprach in sulchim loze
10 Valerius der groze,
do Allexander der her
sulde zcin mit sinem her
vor Lapsacum di stat,
di he wolde machin mat,
15 wen he trug kein ir zcorn;
he wolde habin si virlorn:
do was ein burgir undir des,
der hiez Anaximanes,
ein philosophus von grozem
lesin,
20 des herren meistir gewesin.
do der di merc virnam
daz her Allexander quam,
he ginc kein im mit sitin
und wolde vor di stat bitin.
25 do des der kung hatte entsabin,
e di bete wurde irhabin
und e daz he di rede irvur,
ture he bi den gotin swur
(7ᶜ) daz he nicht entete
30 swes in der meistir bete.
der meistir mercte dis swern.
dorum so bat he disen hern,
he sprach 'kung here,
so bit ich dich vil sere

daz du Lapsac virterbis,
di stat unsis erbis.' ·
der kung mercte drete
des meistirs wise bete
und liz di stat bi genadin,   5
der he wolde sere schadin.
he wolde libir lazin
sin zcornin und sin grazin
kein der stat und sinen vreit,
wen daz he breche sinen eit; 10
und also wart der selbin stat
von dem herrin genat
durch des eidis willin,
und wart sinen zcorn stillin.
Quintilianus der spricht   15
'den grozin herrin vugit nicht
swern wen in notin
di si woldin photin.
einvelde rede an herschaft
di sal habin grozir kraft   20
wen an den kouflutin
ir swern und ir butin.
Ouch sal eim herrin leidin
grimme und grimmiz vreidin,
wen iz wer unmogelich,   25
als ich recht vorsinne mich
daz ein gutir man
von snodim tode solde virgan.
wir lesin vil der vreidin
(7ᵈ) mit grimmin tode vir- 30
scheidin.
Uns beschribit Orosius
von eime der hiz Perillus,
der kunde alsulchir kunste ler
daz he phlac zu gizen er.
den duchte he wolde wesin mer 35

11 rote überschrift wi dy stat
bleip by genadin   28 türe   swr
34 jo? ·

2 ebiz   15 rote überschrift
kungiz worte habin sully craft

Phalirido dem grimmiger,
der do hatte virhert
Agregentinos und virsert,
und waz he lute gewan,
5 di leite he groze martir an.
Perillus einen varren groz
mit siner kunst von ere goz.
zcu der sitin was ein venstirlin,
do man solde stozin in
10 di man wolde notin,
quelin unde totin.
dorundir solde man machin vur,
und wen von sulchir ewintur
di gevangin in dem varrin
15 mit schrien wurdin karrin,
daz icht der kung grimme
di menschliche stimme
vorneme von den lutin hi,
sundir luttin als ein vi,
20 und wurde do von icht beweit
der herre zcu barmherzcikeit.
do he dis werc gemachte,
dem herrin he iz brachte.
der herre loptiz vaste,
25 doch he den meistir hazte.
daz tet he im vil balde schin.
he sprach 'du must der erste
                    sin
der von dinis selbis kunst
lidin must di erste brunst.
30 (8ᵃ) du bist mit vreidis brimmin
vil ergir minem grimmin.'
also der herre begunde
mit sinem grimmen vunde
zcu pinigen den kunstiger.
35 Nicht ist so snode noch so swer

als vindin nuwe tode.
darum spricht alsulch gekode
Ovidius der meistir kluc
'ir ist virgangin genuc
hi vor in manchin vristin
von iren snodin listin.'
   Ein riche an dem rechte toup
nicht ist andirz wen ein roup.
darum sint etliche riche
vintlichim roube gliche. 10
des Augustin gesprochin hat
rede von der gotis stat:
ein man hiz Dyomedes,
der hatte sich angenumin des
daz he phlac roubin uf dem 15
            . mer
di lute sundir wedirwer.
mit einir galeidin
treip he sulchin vreidin
daz he vinc di lute
und nam si im zcu bute. 20
da he des roubis manchin tac
uf dem mere gephlac,
geklagit wurdin dise mer
dem grozin Allexander.
do he daz hatte begriffin, 25
he liz mit manchin schiffin
suchin disin rouber
und gevangin brengin her.
do man brochte disin man,
(8ᵇ) der kung vragin began, 30
worumme he dem mere
wer also gevere.
he sprach 'durch sulchin andin
den tu tust den landin
roube ich uf dem mere, 35
daz ich mich irnere.

3 virzert   12 vûr   13 ewin-
tûr   14 warrin

uf wazzir und in windin
phleg ich di lute schindin,
idoch also bescheidin,
og mit einir galeidin.
5 bin ich ein rouber genant,
so stiftstu roub unde brant
und hast di lant begriffin
mit manchirhande schiffin.
do von bistu geheizin
10 herre in der werlde creizin.
und wurd gelucke mir gegebin,
ich wolde bezzirn min lebin:
abir du bist sulchir tucke,
i grozir din gelucke,
15 i ergir du uf erdin
wirst an den geberdin.'
do sprach der Allexander
zcu dem rouber wedir her
'din gelucke wil ich wandiln
20 und wil iz mit dir handiln,
daz icht dine bosheit
si dem gelucke uf geleit,
sundir der arnunge.'
in sulchir warnunge
25 wart dem rouber alzcuhant
sin ungelucke alda gewant:
der vor ein rouber was gewesin,
der wart ein herre uzirlesin.
(8ᶜ) Der kung sal vor alle
dinc
30 haldin vleischis getwinc;
des in di kunginne virmant
di da siczcit zcu der linkin hant.
wen iz ist gelouplich,
da der kung zcirit sich
35 an tugintlichin sitin,

daz di kint volgin den tritin.
der sun sal nicht virwildin
von des vatir gutin bildin,
sundir he nach im dure
von dem he nam di nature   5
mit gutin sitin unde tugint
in tugintlichir jugint.
wen kung adir wer iz tut
tut wedir naturlichiz blut,
der sinen gatin virsmat   10
und ein andire lip hat.
jo se 'wir an den tiren,
di sich also zciren
daz si vutin beide
di kindir mit der weide.   15
darum helt sich daz vi
zcusamne he unde si.
des hab wir offinbarin schin
an tubin und andirn vogilin,
di alle beide vutin   20
ire kint mit gutin.
und swo der man sich nicht
enkert
daz he sine kint genert,
der phlit mit manchin wibin
unkuscheit zcu tribin;   25
als wir sen an dem han:
der get vil der hennin an
und let di kuchil rennin
(8ᵈ) alleine mit der hennin.
Und sint der menschliche grat 30
vor sine kindir sorge hat
me wen unvirnunftic vie,
wi he si zcu erin zcie,
daz si werdin bederbe,

16 vi   17 sy̆   18 daz
27 *rote überschrift* wye der hane
dy kwchil let

4 ot?   13 adir   23 armunge
31 daz   34 da] daz

und wi he si beerbe,
darum ist iz kein der nature
swer wer so ungehure,
der do wold virvratin
5 sinen betgegatin.
   Von sulchir kuschmezikeit
Valerius der groze seit
daz Affricanus Cypio,
(der geheizen was also
10 wen he Affricam daz lant
mit sinir macht ubirwant.
he was ein Romer von art,
von vier und zcwenzcic jarn
      bejart.)
di, groze stat Karthaginem
15 gewan he und machte si im
      bequem.
vil gisil vurt he dannen
von wibin und von mannen.
undir den was eine mait
20 junc und schone betait,
di woldin si im lien
zcu einir amien.
und do der vurste hochgelobt
irvur daz si was virlobt
25 eime der hiz Indybilis,
ein Karthaginiensis,
der was rich unde mer
des ediln volkis von Celtiber,
di vrunt der meide liz be holn
30 und gap si in wedir unbewoln.
(9ᵃ) mit sulchir kuschmezikeit
der meide vridil was beweit
daz he di herrin der heidinschaft
sinis gezcungis und ire kraft
35 vugete zcu den Romern,

6 *rote überschrift* wye cypio
dy mait wedir gap

daz si zcu iu wurdin gern.
Genuc hat ir also der wort
von dem kunge gehort.

Daz andir capitel. Von
      der kuneginne.

   Nu nam di kunginne
von erst also beginne.
in zcirlicher schouwe
saz eine schone vrouwe
uf kunglichem trone.
eine guldine krone
schon uf irme houbte stunt,   10
und ir kleidir warin bunt.
si sal mit gutin wiczin
zcu der linkin sitin siczin
darum daz si iren man
muge liplich ummevan.   15
des list man in dem sinne
in dem buche der minne
'mime libe dem ist irloubt
sine linke undir min houbt,
und mit der rechtin sal he mich 20
ummehelsin vil liplich.'
und von genadin hat si daz
daz si zcu der linkin sitin saz;
daz dem kunge zcu stur
ist gegebin von natur.   25
iz ist vil bezzir kunge han
den iz ist geborin an,
wen daz ein kung werde irkorn
(9ᵇ) dem iz nicht wer angeborn.
jo vugit [iz] sich vil dicke   30
daz durch manch geschicke,
daz zcwischin vursten wirt ge-
      sacht
undir in han zcwitracht,
durch di si sumin und veln,

daz si den kung nicht enweln.
biwilen si ouch ruchin
scherren uf iren kuchin,
daz si nicht nach wirdin
5 einen kung virdin,
sundir in zcu schucze
nach iris selbis nucze.
    Und welche kunge von art
zcu dem kungriche sin gekart,
10 den ist iz not unde gut
daz daz kungliche blut
zcu gutin sitin werde irzcogin
und zcu rechtir dinge phlogin.
als der kung ist gehert
15 sin vatir, den man also lert.
Ouch ist not daz di vurstin
sich vurchtin, di nicht turstin
in dem riche hebin strit
bi des kungis gezcit
20 wen si daz bedenkin
wi sich iz muge lenkin,
der sun nach dem aldin
des kungrichis waldin.
Ouch sal ein kunginne
25 sin wise in irme sinne.
darzcu sal ir wonen mit
daz si si kusch und wol gesit
und daz si si irzcogin
von erlichin mogin.
30 (9ᶜ) sorgveldic sal ouch wesin
        si
wi si di kindir gezci.
di wisheit sal man schouwin
an disir grozin vrouwin,
an irme geberde nicht allein,
35 sundir an irre wort uzlein,
wen si phligit nicht gesagin
waz man sal hemelich gedagin.
wen wip han di nature

daz si dem nakebure　,
vil gerne phlegin wizzis lan
des si hele soldin han.
Do von so sprichit Macrobius
in sinir buchir eime sus　ᴵ
ein rede sulchis donis
von dem slofe Cypionis.
ein romisch kint Papinus hiz,
daz sin vatir mit im liz
loufin zcu dem rate:　10
wen he was an dem senate,
do si hemelichin rat
soldin han, der hoe trat.
des selbin ratis uzlein
solde der ratherrin kein　15
bi sime halse meldin;
sin lebin iz muste geldin
swer disin rat so harte
undir in offinbarte.
do daz kint hin heim quam　20
und iz di mutir virnam,
si begunde vragin mere
wo iz gewesin were.
daz kint do sprach vil drate
'ich was bi dem senate.'　25
di mutir vragete do zcu nest
(9ᵈ) waz der rat were gewest.
daz kint sprach 'nimant tar
den rat machin offinbar.'
di mutir sprach 'du solt mir 30
      sagin.
jo kan ichz wol virdagin.'
daz kint nicht wolde meldin
den rat: des mustiz entgeldin.
do si nicht half mit gutin sitin
kein dem kinde ir bitin,　35
do sluc si iz in den hindir,

       2 wil　　5 eine

als man phlit di kindir,
mit einir scharfin rutin,
daz em der lip wart blutin.
dem kinde tet di rute we.
5 lute iz zcu der mutir schre
'beit, libe mutir, halt,
den rat wil ich dir sagin balt.
gelobe mir uf dinen eit
zcu helin di heimelichkeit.'
10 di mutir sprach 'bis ane var,
ich wil wol swigin virwar.'
daz kluge kint hin wedir sprach
'umme daz du min ungemach
der slege wellist lisen,
15 muz ich den rat dir wisen
und meldin sundir wanc
durch der rutin getwanc.
libe mutir, melde in nicht:
iris ratis geschicht
20 ist gewest in sulchir maz,
wi iz muge vugin baz,
ap jo di vrouwe zcwene man
zcu der e sulle han
adir ap der man zcwei wibe
25 hab zcu sinem libe,
(10ᵃ) welchiz muge bezzir wesin.
um den rat han si gelesin.'
di mutir sprach zcu dem jungin
'hettis du mir mit der zcungin
30 lange di rede hutin
so rechte wolt bedutin,
ich hette dich mit der zcesmen
nicht geslagin mit den besmen.'
Der vrouwin wart vil bange.
35 si beite nicht gar lange,
zcu andirn vrouwin daz si lif
und las vor in disin brif,

wi si hatte gehort
rede von irme kinde dort,
und bat daz si virdaiten,
di rede nimande saiten;
si were also verborgin,   5
sin hals der muste worgin
wer si turste enpleckin,
den hals he muste dar streckin.
Di vrouwin sprochin alle ge-
meine
iz were jo bezzir daz eine   10
vrouwe hette zcwene man
den si were undirtan.
di rede in kurzciu zcitin
begunde in Rome witin,
so daz di vrouwin alle   15
wustin dise kalle,
di vor heimelichin was,
als daz kint der mutir las.
do dis di vrouwin westin,
di hoestin und di bestin,   20
si machtin sich vil drate
vor di kemenate
do di ratherrin worn
(10ᵇ) zcu dem senate irkorn.
si santin zcu den richtman,   25
ap si muchtin vor si gan;
si woldin vor den herrin
notliche sache entwerrin.
do daz gewarb der bote
vor romischim rote,   30
der rat herwidir empot,
woldin di vrouwin klain ir not,
si muchtin vor di herrin komin
und do werbin irin vromin.
do di vrouwin quomin in,   35
si totin ire rede schin,

---

26 welschiz   33 den *aus* dem   23 warn

in gemelichin merin
vor den burgerin.
si botin durch den grozin got
daz si volbrechtin daz gebot
5 daz solde vil gerne emphan
eine vrouwe zcwene man:
woldin si abir schribin
einen man zcwen wibin,
der rat entochte nichtisnicht:
10 'ein wip vil baz mag habin
pblicht
mit zcwen jungelingin
zcu so getanen dingin.'
Do di herrin hortin
di vrouwin also wortin,
15 iz wart si wundirlichin han.
einir sach den andirn an,
und wurrin sich in der vir-
numft,
iz dute etlich zcukumft
daz der vrouwin tucke
20 di schande warf zcu rucke,
und rettin do alsulche wort
di si ni hattin gehort.
(10ᵉ) der burgirmeistir undir in
sprach zcu den vrouwin wedir
hin
25 'ir vrouwin, um den gebrechin
wel wir uns besprechin.
ein wenic tret besitin,
daz wir di rede quitin.'
do di vrouwin entwichin,
30 di herrin worn virblichin.
si vrogitin einander um di mer
'von wannin kumpt di rede her,
daz di wip so sere
vergezzin han der ere.'
35 und do si sich mutbrestin,
di rede nicht enwestin,

Papynus abir bi en was
do der hoeste rat saz,
wi si den vrouwin wolden ebin
antwort uf dise rede gebin.
Papynus sprach zcu den herin, 5
der rede begin weld he si lerin
'wi si sich irhabin hat.
do ir hat den grozin rat
der do was so stillin
daz ir virbotit illin,   10
en solde nimant uzgebin
bi dem libe unde lebin:
do ich zcu der mutir quam
zcu hus,
zcu hant wart si mich holin uz,
daz ich ir solde sagin wie   15
die rede was getrebin hie.
darum si mich vil sere sluc.
noch so was ich also kluc
daz ir uwir heimelichkeit
von mir nicht wart uz geleit, 20
sundir durch alsulchin trost
(10ᵈ) hab ich sulche rede gekost
daz mich nimme sluge
min mutir mit unvuge.
da. mite ich ir geloste   25
daz ich di rede koste
und irdachte sulch getelte
daz ich uch nicht enmelte.'
di ratherrin wurdin vro
daz di rede was also   30
und lobtin disin jungin
an sinir wisin zcungin.
di vrouwin ludin si vor sich
daz si hortin ir gesprich.
alsulche rede in man las   35

5 herrin   35 man in?

deme daz bevolin was
'hort, ir vrouwin erin wert,
antwort uf daz ir hat gegert.
nu ir nicht welt gestatin
5 deme manne zcwene gegatin,
durch den willen blibe
ein man bi einem wibe,
ein wip bi eime gegatin:
des hab wir uns beratin.
10 tut kein den mannen deste baz
und lat uch nimmir vindin laz.'
di vrouwin schidin dannin
und danktin ser den mannin
daz si lizin sich irbetin
15 blibin bi dem aldin setin.
Papynus daz kluge kint
bleip bi dem rate sint,
und wart dar nach nicht me
gestat
kindir vuren in den rat.
20   Der kunginne ouch wol an-
zcam
ein kuschiz lebin und ersam,
(11ᵃ) als si vor andirn ist be-
ladin
mit me erin und genadin,
also sal si ubiral
25 sin kusch und train der erin
gral.
darum spricht Jeronimus also
zcu herrin Roduano
'Duelius ein Romer,
der was edil unde mer,
30 der den erstin strit gewan
zcu schiffe und macht im un-
dertan
zcu Rome sine vinde,

der nam im zcu gesinde
Vliam eine juncvrou zcart.
di was so schemelichir art
daz si was dem kuschin lebin
ein vorbilde gegebin.
Duelius do der virnam
als he in daz aldir quam
daz einir von im rette daz
der sin vrunt nicht gut enwas,
wi daz im stunke der munt,   10
daz tet he sinem wibe kunt,
worum si hette daz virswegin
und in hette nicht gezcegin:.
he bette licht nach irme sain
reine sinen munt getwain.   15
do widir sprach di reine
'ich wante daz di gemeine
suldin alle richin also
beide hi und andirswo.
darum hab ich virswigin daz   20
sint ich nicht wuste wi im was.'
zcwu tugint mac man schouwin
an der edlin vrouwin:
kuscheit und einvaldikeit,
(11ᵇ) mit den si beidin was 25
bekleit;
und ap si wol wuste
des mannis unluste,
doch so hatte si gedult
um iris mannis schult,
so daz si daz bewarte,   30
di schult nicht offinbarte,
sundir quam in kunde
erst von vindis munde,
e daz iz wurde gebreit
von wibis virwizcikeit.   35

20 kungin

6 *rote überschrift* wie duelius
wart besait   22 zcw

12*

Ein witwe di hiz Anne,
der wart zcu einim manne
von irin nestin mogin
geratin, daz si wogin
5 solde und schire werdin an
zcu nemin einen andir man:
si were schone und wol gestalt,
junc, subirlich und nicht alt.
di vrouwe kein der geschichte
10 sprach 'des tu ich mit nichte.
wen hat mir got den man be-
schert
der mir gutlich mite vert,
als ich einen hatte vor,
so muz ich alliz habin vor
15 daz ich in virlise.
ist abir daz ich kise
mir zcu gesellin einen wirt
der mir leidis vil gebirt,
als vil dicke geschach,
20 dem gutin volgit bosiz nach.
des wil ich in einvaldin
mit kuschim lebin aldin.'
    Augustin gesprochin hat
in dem buche von der gotis stat
25 (11c) 'zcu Rome was ein wibis-
nam,
di nante man Lucretiam.
di was vil edil von den mogin,
von gutin sitin wol irzcogin.
Colatinus hiz ir man,
30 als ich rechte mich virsan;
der eine reise solde tun
mit Sexto des keiseris sun
des hochvertin Tarquini,
do he beschouwin wolde wi

bestunde einir berge schicht.
he gap der vrouwin ein gesicht,
di do saz bi edlin vrouwin.
und do he was beschouwin
Lucretien geberde,
ir schonde und ir werde,
des keiseris sun der wart zcu-
hant
in irre libe ser emprant.
Sextus im ramete der zcit
do der kung in den strit   10
und Colatinus mit im dan
zcoch, Lucretien man.
he quam vil schire in daz ge-
mach
do he vor di vrouwe sach
mit andirn vrouwin siczin,   15
di in mit gutin wiczin
emphingin als in wol gezcam.
do iz in di nacht quam,
im wart bereit sin bette
als daz wol vuge hette.   20
Sextus disir bose gast
mit vil snodir ubirlast
gemerkt hatte den tac
wo di vrouwe des nachtis lac;
und do di lute login,   25
(11d) iris slafis phlogin,
Sextus heimelichin trat
in der vrouwin kemenat.
he quam do hin alzcuhant
do he di vrou slafin vant.   30
he druete mit der lerzcin
di vrouwe kein dem herzcin.
ein swert he in der rechtin
trug als ap he wolde vechtin.
he sprach 'Lucretia, nu swic. 35

1 *rote überschrift* von der wit-
win annen

21 boze dysir boze   30 vrouw

~~ich habe~~ getretin disin stic
zcu dir her vil stillen:
ou tu minen willen,
irvulle waz min herzce gert.
5 ich trage hi ein scharfiz swert:
beginnestu do widir strebin,
ich ~~beneme~~ dir din lebin.'
di vrouwe uf dem bette lac.
uz dem slofe si ser irschrac,
10 also daz si vor vurchtin sweic.
Sextus der sich zcu ir neic
und wart ir groze dinc gelobin,
ap he si brechte in sinen klobin.
und do he si nicht mochte
ubirgen
15 mit drouwen noch mit vlen,
do sprach he 'vrouwe, daz ist
slecht:
ich wil irwurgin dinen knecht
und wil in legin in dinen schoz
beide nackit unde bloz,
20 volgistu du nicht minir ger,
um daz irschelle dis mer
in dem lande ubir al.'
di vrouwe vurchte den val,
daz man wurde denkin,
25 der knecht si wolde krenkin
(12ᵃ) und were also irworgit.
da mite was si besorgit.
si volgete im an iren danc:
also he si aldo betwanc.
30 do Sextus was von dannin
komin,
der vrouwin hatte ir er beno-
min,
an dem andirn tage dar nach
was der vrouwin vil gach.
si liz schribin einen brief
35 da mite man endelichin rief

vatir brudir und iren man
und di si zcu ir wolde han.
ouch liz si rufin als ich las
Brutum, der burgermeistir was,
des hochvertin Tarquini vrunt 5
als uns di scrift hat gekunt.
und do si worin komen gar
di si wolde habin dar,
si begunde redin sus
'Tarquini sun Sextus 10
gestir quam in min gemach,
do he mir tet ungemach.
der min gast solde sin,
der tet mir vintliche pin.
doch was min wille nicht da bi: 15
des bin ich der schulde vri.
der pin wil ich nicht midin
di darumme gebort zcu lidin.
und der dis lastir hat getan,
sit ir andirs vrome man, 20
hat he mich da mite geschant,
schande im selbir werde bekant.
und darumme daz kein wibis-
nam
durch mine schulde lebe in
scham,
also daz di unmilde 25
(12ᵇ) mich secze zcu vorbilde;
und welche bilde wolde nemin
minir schult, der sal gezcemin
daz si nicht enmuze
daz bilde tragin der buze.' 30
darumme dise vrouwe wert
undir irme kleide trug ein
swert,
da mite si selbir sich irstach.
und do dis dinc also geschach,
der burgermeistir Brutus 35
und ir man Colatynus,

vatir brudir und ire vrunt
in grozem zcorne worin en-
    zcunt.
zcuhant si swurin uf daz swert
da mite si todis ward gewert,
5 si enwoldin nimmir ru gehan,
daz geslechte muste virgan.
.Tarquini vrunt und sine moge
sulden nimme habin phloge
zcu Rome, sundir wichin,
10 noch keiner me do richin.
daz albetalle geschach
vil schire in Rome darnach.
do hin di liche wart getragin
mit manchim jamirklagin,
15 do wart Tarquinius getwungin
zcu den wustenungin
bi Gadis in Arduam;
Sextus, von dem di leide quam,
von deme swerte virginc:
20 den tot he von en do enphinc.
    Der kunginne ouch wone mit
daz si wol si gesit.
ein wip daz nicht schemde hat
vil schir virlust ir kusche wat.
25 (12ᶜ) darumme Symmachus zcu
    wizzin tut
'ein iclichir ersamir mut
kumpt von dem beginne
da schemde wonet inne.'
Ambrosius hat ouch geseit
30 daz an des libis zcirheit
di schemde luchtit allirmeist.
ubir alle dinc zcu vrun(t)schaft
    reizt
daz wip und machit werde
ir schemelich geberde:

allein man lobit an mannen
    daz,
doch lucht iz an den vrouwin
    baz.
darumme sprichit Seneca
'ein wip hiz Archechilla,
di so grozir schemde phlac,   5
einen vrunt si hatte, der do lac
in sichbettin und was arm:
des si in herzce hette barm.
doch tet der arme deme glich
recht als ap he were rich.   10
von em bleibiz ungemelt.
des nam di gute vrouwe gelt
vil hemelich in einen sac
und legite iz do der siche lac,
ir vrunt, under sine vedirwat   15
als ein wip di schemde hat,
wen si durch ir schemin
daz gut en nicht hiz nemin.
si begerte iu den gedankin
me von desim krankin   20
daz he in welchin stundin
dis gut hette vundin
wen von ir hette enphangin
in armutis getwangin.
Bewilen sich daz vugit wol   25
(12ᵈ) daz man vrundin helfin
    sol
und doch nicht wizze vil ebin
wer en daz gut habe gegebin;
wen got irkennit alle dinc
di geschen in disir werlde rinc. 30
    Ein man wislichen dar nach
    ste
em nemin ein wip zcu der e

22 sie   25 symachus

24 sin   27 wizzen?   31
rote überschrift wart wi dv vryist

di do si irzcogin
von ersamin mogin.
darumme list man in den
    schriftin,
einir wold ein e stiftin
5 und vrogite einen meistir groz
welche im vugite zcu genoz.
der meistir wedir sprach zcu im
'ein wip zcu der e nim
di von gutir mutir si.
10 ouch so merke do bi,
also ich dich hi mane,
daz ersam si ir ane.'
Nu hat Elymandus
rede gesagit, di lut alsus
15 'den vursten durft ist di virnunst
daz si han der schrifte kunst,
da mete si sullin unsis bern
gebot tegelichin lern.'
darumme list man in der zcedele
20 di der kung edele
von Rome sante zcu Vrancrich
dem kunge mechtic unde rich,
dar inne he em zcu wizzin tet
sinir manunge bet,
25 daz he sine kindir
lize an alle hindir
zcu der schule kerin,
do si suldin lerin.
(13ᵃ) und bi der rede di do lief
30 schreb he ouch in disin brief
'ein kung an schriftin ungelart
der ist recht so wol bewart
noch der wisen done
sam ein esil mit der krone.'

Octavianus als ich las
zcu Rome ein grozir keisir
    was;
der liz lerin sine kint
daz si behende wurdin sint
an manchirleie dingin,   5
schreckin, swimmen, springin;
dar zcu liz he si lern
wi si suldin vurin spern.
ouch liz he sine tochtir spehn
wi si mochten lerin nehn,   10
wirkin und schrotin wat
und daz heftin mit der nat,
und waz man genizis mac holn
von dem vlachse, von der woln,
daz lartin si genende   15
und worn dar an behende.
und do der romische vogit
von lutin wart gevrogit
durch welchin sin he tete daz,
antworte he do wedir maz   20
'ist daz ich hute heize
in disir werlde creize
ein here in allin zcungin,
ich weiz nicht ap di jungin
mochtin komin in armut.   25
darumme dunkit mich daz gut
daz si kunste lerin.
so mogin si mit erin
ir ersam lebin wendin
(13ᵇ) zcu lobilichin endin.'   30
Paulus historiacus
Longobardorum spricht alsus,
daz uf dem plane Julii
ein herzcoginne wonte, di

---

9 sye   10 bye   24 *rote*
überschrift Laz dyne kindir kunste
lerin

1 *rote überschrift* Laz dyne
kind hantwerc lerin   31 *rote über-*
schrift von d' vnkuschin herzcogynne

was genant Rosimula.
si hatte vier sune da
und zcwu tochtir lobesam.
der kung von Ungirn da hin
    quam,
5 Cathanus was he genant.
di burg he hatte ummerant
der selbin herzcoginnen;
di wolde he gewinnen.
do sach di ungehure
10 den bern durch daz gemure,
daz he was ein schone man.
in sinir libe si enpran.
si sante zcu em stillin,
und tet he iren willin
15 daz he si neme zcu der e
(ir were nach sinem libe we),
si wolde sinir venjen
ir burc ein (em?) undirtenjen.
do der kung daz irvur,
20 bi sinem eide he swur
he wolde si zcu wibe
machen sinem libe.
daz wip di burc uf slizen hiz,
daz her dorin ritin liz.
25 do lifin in mit hungir
di Valwin und di Ungir
und Ungirn wip unde man.
der vrouwin sune vlogin dan.
dem kleinsten wart di rente
30 daz he zcu Bonevente
(13ᶜ) wart ein herzcoge groz.
dar nach gevil em sulchiz loz
daz he durch sin edle art
Longobardorum kung wart,
35 do man en erte, junc und alt.
he was geheizin Griomalt.
und do der vrouwin tochtir
    zcwu

irvurn daz man en wolde zcu
mit snodir unluste,
si bundin vleisch undir ire
    bruste.
do daz vleisch von hicze stanc
und daz volc zcu en dranc   5
di si woldin krenkin,
do rouch von en ein stenkin
daz si sie von in stizen:
des wurdin si genizen,
daz si von der gemeine   10
blibin juncvrouwin reine.
si sprochin in iren dunkin,
Lancbardin lute stunkin.
des nam di eine sulch gewin,
zcu Vrancrich wart si kunigin; 15
di andir in Almania
kungìnne wart dar na.
Der kung wolde der aldin
sin gelubde baldin.
eine nacht he bi ir lac;   20
und do dirschein der andir
    tac,
he gap si den Ungerin,
di si schantin undir in.
des drittin tages leit si quol:
einen hulzcinen phol   25
man durch di unreine sluc
um iren snodin unvuc.
sulch unrein wip sal sulche
    not
(13ᵈ) lidin um ire snode tot,
di durch ir unkuschiz lebin 30
burc und lute hat gegebin.
   Also hat ir den rechtin sin
virnumen von der kunigin.

18 *rote überschrift* wi sy wart
gephelit

Daz dritte capitil. Von
den aldin.

Nu wel wir rede haldin
wi geformt worn di aldin.
ein aldir uf dem stule saz
als ein richter in der maz
5 mit uf getanem buche
durch des rechtis gesuche.
und sint etliche sache went
di man endelichin ent,
etliche sache bigin
10 daz man muz darumme krigin,
als um erbe unde gut,
dorumme sint zcwene richtere
gut,
di recht dem riche haldin:
einen swarzcin aldin,
15 der di erste sache vlize,
di andire der wize.
di sullen han daz amecht
daz si den kung lerin recht.
und nach des vursten heize
20 in des richis kreize
si sullin recht vestin
und sullin mit den bestin
setin lerin daz lant.
swaz sache zcu eu wirt gewant,
25 di sullen si sundir vreidin
virnumfticlich entscheidin.
si sullen gebin glichin rat
eim iclichin der vor en stat,
nicht sen an di persone,
30 (14ᵃ) daz man en darumme lone.
si sullin han gedankin,
war an di anderin wankin,
daz si mit wisim tichtin
daz nach rechte richtin.
35 Ein richter habe vestin mut,

daz he durch liebe noch (durch)
gut
noch durch zcorn adir haz
si an deme gerichte laz.
Seneca der sagit virwor
von deme daz ich sagite vor, 5
der selbin rede gesuche
in des amptis buche:
Dyogenes, als ich iz las,
daz der vil mechtigir was
wen her Allexander, 10
der do mit Elymander
al di werlt ubirwant,
beide burge unde lant;
wen jenir me was begern
wen disir mochte gewern. 15
He sprichit auch daz Marcus
einis edlin Romeris Curtius,
do der in aldin zcitin
Boneventin adir Samnitin
mit heris kreftin ummelac, 20
und si virnumen den bejac
wi daz he were in armut,
si brochtin em goldis groziz gut.
und do si quomin als he saz
uf sinir burge do he az, 25
und si an deme geseze
sahen sin geveze
daz iz was von holzce,
si dachtin daz der stolzce
(14ᵇ) were arm und wolde 30
habin solt.
si gobin im daz groze golt
und sprochin wi em daz sentin
Samnites adir Boneventin,

17 cursius   19 samytyn
24 *rote überschrift* laz dich myt gobin
nicht obirgebin   33 samnes

und lizen betin disin hern
daz he liźe sin hern.
Marcus antworte wedir maz;
he sprach 'ir sullit wizzin daz
5 daz ich den richen dietin
vil libir wil gebietin
wen daz ich selbir riche wer.
noch mit gute noch mit her
mogit ir mich betwingin
10 zcu unrechtin dingin.'
iz nimpt nicht gutin uzganc
wen man mit gute machit wanc
daz durch tugint sal geschen
und durch rechtis virjen.
15 Elymandus sagite
do Damascenus vragite
waz Aristodemus hette
daz he sache rette
enphangin do zcu lone;
20 he sprach hin weder schone
'man gap mir goldis ein phunt.'
Damascenus tet widir kunt
'so ist mir lonis me gelegin
darumme daz ich hab geswegin.'
25 Der sachin vurer zcunge
hat sulche handelunge
und manchir richtere,
di sint also swere
daz man si muz heilen
30 mit silberinen seilen.
si sint also geile,
(14ᶜ) daz swigin hant si veile.
Valerius der hat gesagit
wi der senatus wart gevragit
35 zcu Rome von zcwen glichin,
eim armen und eim richin,

welchir bezzir were
Hispanien zcu richtere.
dor uf antworte Scipio
daz ir keinir tuchte do,
'wen der eine der hat nicht,   5
dem andirn allis gebricht.'
also he si vornichte
beide zcu gerichte.
idoch willigiz armut
daz ist zcu gerichte gut.   10
Dorumme lese wir di mere,
do vormols di Romere
hatten lip armute,
von alsulchir gute
gewunnen si mit vollir kraft   15
allen endin herschaft.
wir han ouch Romer vil gelesin
der gemeine nucz virwesin
daz si in armute
quomen durch ir gute;   20
do si virwant des todis kraft,
daz man zcu der bigraft
von der gemeine muste zcern.
und ire tochtir zcu genern
gap man (si) zcu gegate   25
von gebote der senate.
und do si gewunnen holde
zcu silbir und zcu golde,
do hub sich von der selbin zcit
kric und manchir hande strit.   30
(14ᵈ) darumme spricht Augustini
    spruch
'nu ist keinir schande bruch,
sint daz romische armut
virgangin ist, daz ture blut.'

15 *rote überschrift* virkoufe
nicht dyne zcunge

3 *überschr.* wer zcu richtere toge
11 *desgl.* der romere ermute
26 vñ   27 *überschr.* võ dˊ girykeit

Di richter sullen merkin
daz si unrecht icht sterkin
durch libe wille adir haz.
di libe ist blint, als ich iz las.
5 der lipheber gerichte ist blint
als Theoplasti lere vint.
und sint der menschliche grat
sich selbir allir libiste hat,
(daz he do mete machit schin:
10 he dunkit sich jo der beste sin),
darumme der libe getwanc
enphet geringir irreganc.
durch daz so rette virwor
ein groz versificator
15 'di libe ist blint und machit
    schir
vil schone ein ungestaltiz tir.'
darumme Quintus Curtius sprach
in sinis erstin buchis vach
daz Godares der meistir ho
20 sprach zcu Allexandro
'jo der man uf sinen kerp
vil baz berichtit sin gewerp
wen daz he dem vremdin
hulfe in sinen gremdin.'
25   An gerichte sal man midin
zcornen unde nidin.
Tullius spricht daz gutir rat
den zcornigin dunkit ein misse-
    tat.
Socrates der sprach ouch sidir
30 'zcwei dinc di sint dem rate
    widir:
gaheit und vrebilichir zcorn
(15ᵃ) vil sere gutem rate vorn.'
und Galtherus sprach also
zcu dem grozin Allexandro

'gebort sich keinirleie strit,
und bistu richter in der zcit,
so trag also gerichtis woge
daz dich di libe icht betroge.
noch laz dir nicht zcu libe wesin 5
zcu der gobe vedirlesin,
noch von des mannis vornemi-
    scheit
din stetir mut icht werde be-
    weit.'
Elymandus sprichit so
wi Cambyses der kung ho   10
ein ungerechtin richter
liz schindin noch sinir ger
lebindinc als ein rint,
und twanc des richteris kint
daz he uf dem stule saz,   15
daz sines vatir licham was
bedeckit mit sines selbis hut:
dar uffe saz sin sun trut
uf des gerichtis stule
zcu lerin rechtis schule,   20
also daz he gedechte
wi he ein recht volbrechte
durch des vatir pine
der undir em lac zcu schine.
Di richtir sullin richtin   25
so daz si sich vorphlichtin
zcu lidin di selbe vor
di si andirn sagin vor.
Katho spricht 'din selbis recht
libe, daz du hast bezcecht.'   30
Valerius hat kunt getan
von Clangio dem ratman,

17 cursius   31 virebilichir

9 *rote überschrift* wi der richter
wort geschint   31 *rote überschrift*
wy der vatir ym liz eyn ouge vz-
brechin vnd syme sone daz andir

(15ᵇ) do des sun sin e gebrach,
und sulch orteil darumme ge-
schach
daz man daz wolde rechin,
sin ougin beide uzbrechin
5 (daz recht he selbir hatte gesat),
do vor so bat di ganzce stat
daz nicht volginge dis leit.
durch disir lute ersamikeit
und do si ubirwundin
10 den hern in langin stundin
mit manchirleie bete
daz he ir bete tete:
um daz daz recht icht blichte
daz quomin was von sime ge-
tichte,
15 tet he em uzbrechin tun
ein ouge, daz andir sime sun,
so daz der vatir und sin kint
mit einem ougin wurdin blint
um daz daz recht wurde vol-
bracht
20 daz von em selbir was irdacht.
    Wir lesin ouch di mere
von einem Romere
der ein sulchiz recht began,
wen he was ein ratman,
25 swer bi em truge ein isin
und ginge zcu den wisin
wen si in dem senate
werin an irme rate,
der tod en sulde richtin.
30 do vuget iz sich von schichtin
daz der ratman vorgesagit
von dem dorfe quam gejagit
und wart gerufin drate

zcu romischem senete.
dorzcu wold he nicht wesin laz.
(15ᶜ) des swertes he bi em
virgaz
und quam zcu den kumpanen.
der eine wart in manen   5
daz he daz swert besiten
legite von der siten.
des he irschrac und wugiz hoch.
sin swert he uz der scheidin
zcoch
und stach in sich daz he belac. 10
der senat des vil sere irschrac,
und zcu Rome di klugin
daz recht vil hoe wugin.
Abir leidir nu in disen tagin
tun di richter noch dem sagin 15
noch Anacharii gesprich.
der spricht 'di recht glichin
sich
mit rechte wol den spinnewebin,
als wir han vil dicke entsebin,
daz iz vet den kleinen wurm: 20
der groze brichit uz mit sturm.
di vligin blibin binnen,
di grozin wurme entrinnen.
als ist iz mit den rechtin.
di armen und di slechtin   25
muzin mit einvaldin
di gebot des rechtis haldin,
den mit gewalt di richin
vrebilich entwichin.
wen abir ein recht volbrengit 30
daz man di grozen twengit,
di kleinen richtin sich do bi
als ab iz ein vorbilde si.'

21 *rote überschrift* wy ein romer
sich dirstach

14 Adir   17 *überschr.* vō den
spȳnewebin   29 virebilich   30 wer?

Di richter sullen stete wesin
an gedenkin und an lesin.
von irre stete bescheidinheit
Augustinus hat geseit
5 (15⁴) in dem buche Noctium
von Socrate zcu Cytarum,
wi der bewilen was gewon
daz he stunt in der don
von dem erstin morgin
10 in der gedankin sorgin
biz daz der andir tac anvinc
und di sunne ufginc.
do stunt he so mit muze
uf einis sporis vuze
15 als he dar zcum erstin trat
und sach og an di selbe stat,
als em der geist were enzcogin.
und do man wart dorumme
        vrogin
woran he sine vlizekeit
20 hette so steteclich geleit,
he sprach 'min vliz muz ringin
mit werltlichin dingin.'
    Valerius hat wizzin lan
wi daz ein aldir wisir man,
25 Carnaydes was he genant,
uf wisheit was so gar gewant
daz he vil dicke virgaz
wen he zcu deme tische saz
daz he mit den hendin
30 zcu der spise solde wendin.
der hatte ein wibisnam
di em zcu der e gezcam,
me durch des lebins kumpanie
wen durch des libis ribaldie;
35 Melika was ir name genant;
di nam en dicke bi der hant

3 ire   16 s. su 187, 4

und wiste disen wisin man
waz he solde grifin an,
da mete si irtrachte
(16ᵃ) daz he icht virsmachte.
Also ist gesait genuc
von der aldin gevuc.

Daz vierde capitil. Von dem rittere.

Ein rittir uf dem pferde
saz nach grozem werde,
mit allem wopin wol gezcirt,
in sulchir wis geformirt: 10
einen helm he trug zcu vechtin,
ein sper in sinir rechtin,
und was uf dem gevilde
wol bewart mit schilde,
der trat em uf di schinkin. 15
he trug ouch in der linkin
in so getanir lune
eine kule und eine falzcune
und in der rechtin hant ein
        swert
als ein vormezzin rittir wert. 20
ein panzcir trug sin lip zcu
        zchust.
eine plate trug he vor der
        brust.
geschuede he um di beine
        spien,
daz was von isen vor den
        knien.
ein phert he phlac zcu riten, 25
daz was gelart zcu striten,
gewopint hindin und vorn.
an sinen vuren trug he sporn
und an beidin hendin sin
trug he hanzckin iserin. 30

Durch recht der rittirschaft gebort,
wen he zcu rittir wirt begort,
.daz man en vure vil gerade
do he sich vil reine bade.
5 da mete em zceichin wirt gegebin
daz he sal train ein nuwe lebin.
he sal betin unsin herin
(16ᵇ) daz von genadin em zcu merin
daz he nicht mag zcu sture
10 gehabin von nature.
Von kungis und der vurstin kraft
enphahen si di rittirschaft
um daz der ritter den bewar
der em gap er und ouch di nar.
15 Ein edil rittir merke,
wisheit truwe sterke
mildikeit barmherzcikeit,
daz he darzcu si gereit
und daz recht libe gar,
20 darzcu di lute bewar.
wen als he von der wopinwat
vor andirn lutin zcirde hat,
so sal he ouch an allin tritin
luchtin an guten sitin,
25 sint di gute ist andirs nicht
wen der bewisunge schicht
der tugint zcu bewere,
daz man der tugint gere.
Ein rittir der sal wesin kluc,

edil und virsucht genac,
und e he kume an di geburt
daz he zcu rittir wirt gegurt,
he sal di hende tirmen
daz he kunne schirmen,
daz he von langin zcitin
gelernit si zcu stritin.
und sintemol der groste strit
an ritterin daz meiste lit,
darumme daz en ist bevoln   10
daz si sulche sorge doln,
des ist en not in allirwegin
daz si wisheite phlegin;
(16ᶜ) wen klugir rat und wise list
in manchin striten bezzir ist   15
wen kunheit und starke wer
in unvirnumftigim her.
jo ist iz dicke irgangin
daz lute sin gevangin
wen sich di heren lazin   20
allein uf kuniz grazin
und nicht di sterke an vindin
mit wisheit ubirwindin.
Philosophus der spricht darum
in dem drittin Topicorum   25
'nimant sal uf erdin wogin
daz he junge herzcogin
kise durch alsulch gevuc
wen si sint vil seldin kluc.'
Allexander ubirwant   30
kein der sunnen di lant
Egipt, Judeam, Indiam,
Caldeam und Assyriam
und quam zcu den grenizcin
mit aldir rittir wizcin   35
des volkis Bragmanorum lant,
di da worn also genant.
mit wisheit wart he dempin
di starkin und di kempin.

---

1 *rote überschrift* vō dem bade
7 herrin   15 *rote überschrift*
von der rittir wisheit   23 trittin

Ein rittir mit unholdin
hatte sin wip gescholdin
uf der gazzin offinbar;
des wurdin rittire gewar.
5 ein Romer disir rittir was,
und do he bi den herin saz,
he wart gestrofit sere
worumme he di unere
hette der vrouwin bewisit:
10 (16ᵈ) si were eine vrouwe ge-
    prisit   .
an edilkeit und an gebort,
darzcu si hette richin hort;
si were schone unde klar,
wol gesit und wise gar.
15 durch daz si wundir hette
worumme he si berette.
der rittir rette do enkein
'ich habe umme mine bein
nu gezcogin nuwe schu.
20 des sult ir mich berichtin nu
ab mir di schu sint wol gesnitin
um den vuz zcu hubschin tritin.'
di herrin wedir rugetin
daz sich gar wol vugetin
25 den vuzin di stevilen
so daz si en gevilen.
der rittir wart hen wedir sagin
'allein uch mine schu behagin,
doch so wizt ir alle nicht
30 wo mir min schu den vuz
    bricht.'
des rittirs lop was grande,
daz he der vrouwin schande
wislich nicht wolde meldin.
di wisheit vint man seldin.

Wir lesin ouch alsulchin sin
in romischin historjin
wi daz ein rittir lobesam,
Maltea was genant sin nam,
mit wisheit sulchis geloubin 5
    phlac.
do der keisir tod gelac,
Theodosius genant,
kegin Gildoni zcubant
sinem brudir saczte he sich
durch daz daz he vrebilich   10
(17ᵃ) wedir des senatis sun
em Affricam wold undirtun.
und daz tet he zcu schucze
der gemeine nucze.
Gildo tet ein ungevuc: 15
des rittirs sune he zcwene ir-
    sluc.
darzcu was he ouch gewon
daz he den heiligin tet gedon
di bi den selbin jorin
gotis diner worin.   20
der here in wisir rittirschaft
irkante des gebetis kraft,
waz iz tugint hete
daz man in Cristo bete.
he. wandirte in ein einlant,   25
Captarea was daz genant.
he brachte mit em danne
vil heiligir manne
di do worin in di lant
durch virterbnis gesant.   30
mit den he an gebete vacht
dri tage und dri nacht.
und e daz selbe geschach,
der rittir lac an sime gemach,
he sach in dem gesichte   35

nicht allein kein dem hern,
sundir undir rittiren
sal groze truwe wittiren. 354.
jo sullin di rittirlichin hern
5 mit sulchir libe enandir ern,
swaz man dem einen ere tut,
(18ᵇ) daz dunke ouch den andirn
       gut.
si sullin in etlichin phlogin
ir lebin vor enandir wogin.
10 des lese wir alsulchin don
wi Physias und Amon
zcwene edele rittir worin
und kundin wol geborin.
di phlogin enandir sulchir tru,
15 do einen mit des todes gru
der kung von Siciljen
Dyonisius wolde tiljen,
disir bat mit listin
daz he en wolde vristin
20 biz daz he sich entschichte,
sin dinc zcu hus berichte.
des wart ein tac aldo genomin
daz he wedir sulde quomin
und sinen hals gestellin.
25 des liz he den gesellin
dem kunge do zcu burgin
vor sinis halsis wurgin.
des sin kumpan nicht irschrac.
und do da nahete der tac
30 noch disir rittir nicht enquam
(daz si alle wundir nam,
wi disir here so kune was
daz he sich gap in todis haz
durch sinis gesellin willin),
35 he sprach 'welt ir uch stillin,
do hab ich keinen zcwivil an

mir enkume jo min kumpan.'
und do irschein di selbe stunt,
als gelobde tet sin munt,
do quam der rittir edele
zcu des kungis gesedele   5
(18ᶜ) und loste do mit truwen,
den rittir uz dem gruwen,
wen he sich aldo irbot
vor dem kunge in den dot.
und do dem kunge irschein   10
so groze truwe an disen zcwein,
he liz si beide genesin:
der dritte kumpan wold he
      wesin.
des he von en begerte.
he swur zcu irme swerte,   15
he wolde werdin ir genoz
durch der wundir truwe groz.
   Nu seht wi rechte groze kraft
hat getruwe rittirschaft.
daz der nicht achte den tot   20
durch sinis kumpanis not,
do wart di zcornliche brunst
gewant in minnecliche gunst,
do wart des todis buze
gewant zcu vrundis gruze.   25
   Affricanus Scypio
spricht in siner lere so
'nicht ist so swer zcu tribin
so stete vruntschaft blibin
biz an des libis endezcil,   30
wer si rechte haldin wil.'
vruntschaft sich bewilin scheit
durch vrouwin und unkuscheit
und durch manchir hande sache
zcu gemach und ungemache.   35
iz wirt in seldin stundin

    1 dē   14 truwe   15 gruwe   17 vrunde?   29 in vruntschaft?

worhafte vruntschaft vundin
an den di zcu offinborn
wirdikeitin werdin irkorn.
wo vint man (si) in der werlde ker?
5 (18ᵈ) jo der man hat libir er
wen daz he sinem vrunde
der wirdikeite gunde.

Ein rittir der si milde
kein den di sinem schilde
10 sich werlich undirtenjen:
und wil he sich nicht enjen
des gutis daz he gebin sal,
he kumt vil dicke in grozen val.
swelch rittir ist zcu veste,
15 der let vil bose geste.
wen daz irvarn di soldener
daz der here ist so swer
daz he des gutis mere
seczcit vor sin ere
20 mit der snodin girikeit,
des machin si em dicke leit.
wen als si sullen kein dem her
sich menlich stellen zcu der wer,
si wisen sulche tucke,
25 si kerin en di rucke
unde gebin di vlucht;
so blibit der herre in unzcucht
und komit in groze virlust:
he mag gewinnen keinen zcust.
30 Ein here sal vor alle dinc
nicht ansehn an gutis rinc,
betalle in den zcitin
so man welle stritin.
wen iz geschit vil dicke
35 daz des gutis blicke

di naturen ubirwint
wo man des gutis gobe vint.
di man enandir zcogin,
den lip enandir wogin,
(19ᵃ) di sullin mit rechtis or- 5
loup
glich teilen ouch den roup.
darumme list man in der kunge
buch
alsulchir rede gesuch
di da sprichit her Davit
'welche ritin in den strit 10
und welche stritis wartin,
di sullin gliche partin.'
daz wart Davit zcugeschrebin
von den di do worin blebin,
daz he ein here nicht allein 15
ubir di rittirschaft irschein,
sundir ouch nam zcu lone
des ganzcin richis krone.

Allexander Macedo
quam zcu dem kunge Poro, 20
der kung was in India.
Allexander tet alda
ap he ein rittir were.
he wold irvorschin mere
wi groz were sine macht 25
unde sinis hovis acht.
Porus entphinc mit grozen ern
disen rittirlichin hern
und wente iz were Antigonus
genumet ein rittir alsus. 30
he wart en vragin drate
nach Allexandri state, ⟨annotation⟩
nach sines hoves geleginheit,
nach kreftin und noch vrumekeit.

8 de   22 alzi   29 zchust
  30 *rote überschrift* di gobe
lachit

14 blibin   19 *rote überschrift*
von deme silbyrynem gevese

do daz geschach, vil rische
si sich saczten zcu tische
unde soldin ezzin.
do trugin di truchzcezzin
5 kost an daz geseze
(19ᵇ) in silberim geveze
und ein teil von golde
als ein kung solde.
do was der rittir also kluc,
10 swaz man kost vor en truc,
he behilt daz ture vaz
wen he von der spise gaz
als ap iz sin were.
des kungis dinere
15 besagin wurdin disen gast
von alsulchir ubirlast,
wi he daz geveze
behilde wen he geze.
do des ezzins was gephlogin,
20 der kung wart den herrin vrogin
worumme he sulch geleze
tribe mit sime geveze.
do bat den kung diser gast,
he sprach 'libir herre, lazt
25 uwir rittir alle
horin mine kalle.
ich wil vor uch und vor in
sagin minir worte sin.'
daz tet der kung alzcuhant;
30 di rittir wurdin besant,
und do si quomen alle dar,
der gast wart redin offinbar
'ir hern, ich wil uch alle bitin,
virnemt hern Allexandirs sitin
35 di he uf sinem hove hat.
sin hof an sulchir schichte stat
daz man nicht so lise
getragin mac di spise
vor einen rittirlichin helt,

daz ture vaz he em behelt,
(19ᶜ) iz si silbir adir golt;
darzcu gebit he en richin solt.
o herre min, do ich virnam
dinir erin rum so lobesam   5
in allin landin dirschalt
an rittirschaft und an gewalt
ubir hern Allexanderin,
do wold ich zcu dir wanderin
uf dinen hof durch sulche list, 10
wen du ein grozir here bist.
wen der den ich durch dich
                virkos,
Allexandrum den herin groz,
der phlit uf sinem hove daz,
swaz do silberiner vaz   15
vor sine rittir wirt getragin,
do darf man nimme nach vragin,
swi ture ein vaz hat gekost,
daz helt ein rittir mit der kost.
des hab ich in einvaldin   20
ouch dise vaz behaldin.
sint du grozir bist virmert
Allexandro dem herin wert,
darumme was ich so gemeit
zcu haldene sine gewonheit.'   25
do di rittir daz entscheit
hortin sulchir mildekeit
von hern Allexandro,
si woren disir rede vro
und tratin irem herin ap,   30
wen si disir ubirgap.
des was en zcu der reise gach.
si volgeten em albetalle nach
biz hin zcu sinen burgin.
des muste Porus wurgin;   35
wen iz vil schire geschach
(19ᵈ) in kurczin zcitin darnach
daz si mit Allexandro

zcugin hen kein Poro,
do si en mit unvugin
zcu grimmem tode irslugin
und Indos undirtotin
5 Allexandri gebotin.
O du rittirlichir man,
du salt gedenkin daran,
wen du din gut lezist legin,
daz machit vil seldin dich ge-
segin.
10 ein rittir si nicht alzcu karc;
he darf ouch daz he wese starc,
nicht allein au kopperi,
sundir hab ouch mut da bi.
manche di habin starkin lip
15 und kranc gemute sam di wip.
doch vint man dicke groze man
di genuc der sterke han.
so ist der geloube min
daz si vil seldin mutic sin.
20 di in den mittilmozin
di wel wir do bi lozin
daz si habin mutis me,
daz en daz stritin wol an ste,
und sich in stritis getwangin
25 nicht snelle gebin gevangin.
Darumme lese wir also
von herzcogin Codro,
der do was ein vurste vrum
der Atheniensium;
30 der hatte sich vireinet des
daz he di Poliponenses
wold in einen zcitin
mit heris kraft bestritin.

(20ᵃ) und ein geseczce was getan,
welchis heris houbitman
vile von des stritis slan,
des volc gesegit solde han.
Codrus der here wise,   5
nicht in rittirs wise,
sundir als ein pilgerim
sich gap zcu des stritis stim
daz he dirslagin wurde
von des stritis burde.   10
he wolde libir tod gelegin
durch sines volkis gesegin
wen daz he selbir wolde lebin
und sin volc dem tode gebin.
jo ist iz gut und wol bewant   15
sterbin vor des vatir lant.
Ein rittir an der barmherzcikeit
sal luchtin und sin beweit.
nicht baz den edlin rittirn vrumt,
wen als her zcu segunge kumt   20
daz he den helfe zcu dem lebin
di sich in genade gebin,
di he wol mochte totin
und mit getwange notin.
iz zcimt nicht rittirlichir gir,   25
sundir baz dem grimmen tir
der lute blut virgizen,
nicht segenumft genizen.
darumme lese wir do van,
do Silla romisch houbtman   30
vil manchin grozin strit gewan,
also daz sibinzcic tusint man
erst sturbin in Apulea,
sebinzcic tusint in Campania,
dri tusint binnen der stat   35
(20ᵇ) zcu Rome blozer wurdin
mat,
do sprach zcu Silla sulchin gelf
Catulus der vumfte welf

2 unwugin   14 *role über-*
schrift von d' rittire sterke
16 ouch?   26 *role überschrift* wy
codrus starp in stryete

'hor uf, hor uf, iz ist genûc.
nu bis barmherzcic, bistu klue,
kein den di bi uns sullin sten
zcu lebin und scu todis wen.
5 hab wir in stritis unvirzcagin
vil gewopintir irslagin,
wir muchtin ouch in vredin
di blozin wol zcu ledin.' —
Iz ist di hoste roche
10 nach der schrifte sproche
und ist ein[e] geistliche tugint
wer·do mac habin di mugint
daz he mac zcu tode slan
und schonet doch und let dovan.
15 darumme Joab ein rittir was
der Davidis volc virwas.
do der virwant vil schone
daz her mit Absalone,
do blis he mit dem horne
20 und hilt daz volc von zcorne,
daz si icht slugin mit unzcucht
di Israbelin uf der vlucht.
he wolde schonen mit bescheit
des volkis manicvaldikeit.
25 doch blebin ir in der selbin not
bi na zcwenzcic tusint tot.
do ouch Joab mit sime her
gar menlich ubirstreit Abner,
der kung Sauli vurste was,
30 mit sinen mannen, als ich las,
und uf der vlucht em volgete
nach,
zcu em der geist vil snelle sprach
(20ᶜ) in so getaner stimme
'din swert nicht lengir grimme.'
35 do der rittir lobesam

dise rede virnam,
Joab der wart den lutin
mit dem horne tutin.
di hildin uf alzcuhant,
nicht me wart en nach gerant. 5
Di rittir di gemeinen scharn
sullin rittirlich bewarn.
wen volkis manicvaldikeit
sich in di vestin hat geleit,
des sol di rittirliche kraft 10
en vechtin vor mit rittirschaft.
und darumme wurdin rittir vil
zcu Rome geladin ane zcil
daz di hantwerke gar
mochtin werkin ane var 15
und ir hantwerc ubin
an stritis betrubin;
wen ein hantwerkis man
stritis nicht gewartin kan
unt sin hantwerk do bi 20
tribin daz sin vrume si.
darumme sal di rittirschaft
daz volc beschirmen mit kraft,
und di hantwerc vlizziclich
erbeitin sullin vor sich, 25
di zcu rittirn nicht entugin
noch rittirschaft gephlein mugin.
Wi mac ein ackirman so kluc
sichir vurin sinen phluc
in der orloigis zcit 30
so man orloigin phlit,
wen der rittir gute
(20ᵈ) nicht wacht mit siner hute?
wen als di rittir here
sin des kungis ere, 35
so sullin di hantwerke gar
den rittirn irwerbin ir nar.

15 *role überschrift* wye dauid
daz horn blyez   21 vnzchucht

15 an

wen also nimant ubir al
im selbir rittirscheftin sal,
also mag nimant durch den schim
sin hantwerc selbir werkin im.
5 des sullin di rittir ane var
bevridin der gemeine schar,
daz di gemeine vridelich
des vridis mugin vrowin sich.
Wir lesin in einis buchis vach
10 wi Achus ein kung sprach
und di rede wart geret
zu Davidis rittir, der hiz Geth
'ich sezce dich durch vindis nit
mins houbtis huter alle zcit.'
15   Ouch sullin di rittirlichin hern
di recht vlizziclichin lern,
wen die kungliche kraft
alleine nicht mit rittirschaft
sal an wopin sin gezcirit,
20 sundir ouch geordinirit
mit des rechtis wisheit,
als en zcirt daz wopinkleit.
di rittir sullin twingin
mit erbeit recht volbringin,
25 als beschribit Turgius,
sin zcunam hiz Pompeius,
von einem edlin rittir sus
der was genant Ligurius.
der hatte mit wislichir tot
30 gemachit etliche gebot
(21ᵃ) so daz di nuwin mere
di lute duchtin swere;
und doch di selbigin gebot
gerecht woren sundir mot,
35 doch warf he durch den grim
der lute dise rede von im
und sprach, si hette geton

her Delphicus Appilon.
und' do daz volc di hertikeit
der recht wold han apgeleit,
mit eidin he di stat betwanc
daz si hildin sundir wanc   5
di recht und nicht breche
biz daz he gespreche
Delphicum, wen he wedir queme
und antwort von em virneme.
in Cretam disir herre vlo   10
di wustenung geheizen so.
do he an sin ende bleip
um daz di recht di he beschreip
suldin blibin stete
an alle missetete.   15
und do im nahete der tot,
sinen knechtin he gebot
daz si an alle wedirwer
sin gebein wurfin in daz mer,
daz sin gebein nicht queme wedir 20
in di gesworne veste sedir,
und also ledic wurdin
von des eidis burdin.
Und sintemol di selbin recht
rechtvertic worin unde slecht, 25
des wel wir si beschribin,
nicht hindin lazin blibin.
Daz erste recht: der lute schar
(21ᵇ) den vursten sullen dinen
gar,   ‘
und die vursten ire scharn   30
suln bevredin und bewarn.
Daz andir recht wart uzgeleit,
si soldin haldin mezikeit;
wen man dicke me virtut
zcu unnuzce der gemeine gut. 35
Des drittin rechtis getwinc

gebot daz man alle dinc
nicht nach gute solde wein,
sundir nach armunge phlein.
Darnach was sin vierdir sacz,
5 des silbirs und des goldis schaez
zcu ubin in den landin
als ein begin der schandin.
Daz vumfte recht begunde lesin
von den di daz volc virwesin
10 an alle sachin. mit begin
he teilte den kungin
an den stritin di gewalt.
der rittirschaft wart zcu gezcalt
daz sie an den gerichtin
15 di lute soldin schichtin;
so soldin die senatin
haldin mit wisen ratin
daz di recht unvirschart
von en wurdin bewart.
20 dem volke gap he (sulche) kraft
daz sie suldin meistirschaft
ubir sich irwelin
zcu nuczce sundir velin.
Zcu dem sechstin gesecze
25 teilte he alle vlecze
der hovereitin gliche,
daz nimant were so riche
(21ᶜ) der sich irhube in ubirmut
vor andir durch sinis erbis gut.
30 Daz sibinde trat witen,
wen he gebot hochzciten
al den sinen offinbar,
daz man der (e) wurde gewar.
Der achte sacz was uz geleit:
35 di jungin nicht me wen ein kleit
soldin tragin ubir jar
in al der jungelinge schar.
Daz nunde recht vil hoe trat:
man solde nicht in der stat

erzcien di armen kindir,
sundir an allen hindir
sold man si bederbin
uf des ackirs erbin.
Daz zcende recht hat sulchin 5
klobin,
die juncvroun nicht zcu mor-
gingobin.
Daz elfte hat sulchin mut,
man sal die vrouwen nicht durch
gut
zcu egesellin vrien:
so mocht ein e gedien. 10
(dem rechte wirt nu wedirsait:
man vriet daz gut, nicht di mait).
Daz zcewelfte wolde lern
durch richtum nicht den richin
ern,
sundir daz di aldin 15
der erin soldin waldin.
Nu was der geseczce kein
dar an selbir nicht irschein
disir here milde
mit gutem vorbilde. 20
Und also ist geret genug
von der rittire gevug.

Daz vunfte capitil. Von
den anewaldin.

(21ᵈ) Nu wel wir rede haldin
von den anewaldin
des kungis, als uns ist bekant, 25
di do rochir sint genant.
der form in disis buchis blat
in sulchir wis geschrebin stat:

6 iuncvrouwen   9 zcire. ge-
sellin   11 nu *fehlt*

ein rittir uf dem pherde reit,
mit buntir veilen ummeleit.
ein kogil he uf dem houbte trug,
di was gezciret genug.
5 in siner rechten hant gestact
ein rute was, di was gestract.
Ein kung in sinem riche
nicht allin endin gliche
bi sinen lutin mag gewesin.
10 darumme muz he dar zcu lesin
den he der erin gunne,
von den als uz dem brunne
vlize kunclich gewalt:
di sullin han di anewalt.
15 laz si wanderin schone
in eigenir persone
in allen sinen landin gar.
do sullin si machin offinbar
sine kuncliche mugint,
20 daz si der dinen mit tugint.
und sint der kuncliche grat
ir lant wit zcuteilit hat,
so daz man kuncliche wort
nicht mag virnemin hi und dort,
25 so daz der kunge gebot
vil dicke kumt in irretot,
durch daz sint nuczce zcwei roch,
di do tragin des kungis joch
und di besiczen den rant
30 (22ᵃ) zcu der rechtin und zcu
        der linkin hant.
di sullin habin gute,
gedult, willic ermute,
demutikeit, gerechtikeit,
di sullin an si sin geleit.
35   Ein kung bewilen genuzt
daz he sines landis virlust,
wen ein recht wirt virhart
durch snodir diner hochvart

in des kungrichis kreiz,
do von ein kung nicht enweiz.
ein ungerechtir diner
sinen hern macht ummer,
so daz di ungerechtikeit
dem hern wirt zcu gereit:
wen als ein kung ist gesit,
sin diner ouch des selbin git.
swen ein snodir diner ist,
daz selbe man dem kunge list. 10
und wen ein diner dar an merkit
wi he ein recht sins hern sterkit
und daz vlizlich bewart
als ein diner wol gelart,
und ap ein kung wol da bi   15
an unrechtin dingin si,
man went en recht unde mer
von eim getruwen diner.
    Des woldin di Romere slecht.
habin di gerechtin recht,   20
darumme wen si sentin
von romischir rentin
zcu des richis houbtman,
di daz soldin virstan,
daz si mit keinen dingin   25
muchtin volc betwingin
(22ᵇ) wen mit rechtis gesuche
genumen uz dem buche,
und daz recht behaldin
vil stete sundir schaldin.   30
wen bi den aldin sundir bruch
was daz ein gemeine spruch
daz alle dinc entochtin nicht
ane rechtis zcuvirsicht.
    Darumme Valerius hat des 35
berichtit, do Themystides

35 *rote überschrift* von themy-
stidis rate

wi daz he einen gutin rat
wuste der vil hoe trat,
5 und des nicht wolde kundin,
wi daz man sold enzcundin
mit vures handelunge
der schiffe samenunge
Macedoniorum:
10 sundir he bat dorum
daz man einen klugin
im schicte zcu mit vugin.
dem wold he sagin stillen
den rat mit gutem willen.
15 im wart gegebin undir des
einir der hiz Aristides.
do he den rat gehorte,
he sprach mit wisem worte
in sulchir handelunge
20 zcu der samenunge
'der wise rat Themistidis
der ist nuzce und gewis.
idoch ist he mit nichte recht.
darum bedenkit daz vil slecht
25 wes ir wellit volgin gar.'
(22ᶜ) do widir rette di schar
'waz nicht mit rechte wirt en-
schicht,
daz envugit sich ouch nicht.'
Jo ist iz gesaczcet an den ban
30 daz des kungis cappelan
dem he bevilit sine lant,
daz he doran si gewant
wi he an gerechtikeit
luchte und daran si gereit,
35 so daz he ste zcu schuczce
der gemeine nuzce,
des he so vliziclichin phlege,
daz he en vor sin lebin wege.

. . . .
. . . .
do der von getwangin
wart gevurt gevangin
mit den von Karthagine
zcu Rome durch alsulche vle
daz he solde di Romer
bitin mit vlelichir ger   10
daz si wechsiltin mit in
mit beidirsit gevangenin,
der di Romer wildin
und di Karthaginenses hildin:
des hatte he ein eit gesworn,   15
he wolde sich wedir zcu den vorn
gevangin wis gestellin
zcu andirn sinen gesellin;
und do he quam drate
zcu romischem senate,   20
he warp vil snelle den vrum
der Karthaginensium.
do wedir rette der senat,
waz dar zcu were sin rat.
(22ᵈ) do sprach Marchus daz 25
kungelin
'der rat mag nicht nuzce sin
daz ervullin di Romer
der Karthaginensin ger,
und wil uch sagin wo van.
jene di habin junge man   30
und zcu strite ungelart
bi en dort gevangin hart
und alte di do nicht enmugin
noch nicht me zcu strite tugin.
der selbin bin ich eine,   35
als ich di rede irscheine.

3 hier müſsen mehrere verse fehlen 33 alle

so habt ir in den ẏisen
di starken und di wisen
und herczogin von Karthagine
in uwerim gevencnissis we.'
5 und do he wedir wart gezcogin
von vrundin unde mogin,
daz he blibe uf gewin,
do wold he libir wedir hin
wen daz he wolde ligin,
10 den vindin truwe trigin,
und vurchte nicht di grimmikeit
der vinde noch der pine vreit
di he solde lidin
von vintlichin nidin;
15 he wolde libir lidin leit
wen daz he breche sinen eit.
    Wir lesin oueh alsulche vur
von eime Romer der da swur,
der was in gevencnis
20 einis der hiz Anibalis,
wi daz he wolde wedir komen,
mocht im sin gelt nicht vromen
daz he sich mocht enpindin
(23ᵃ) vri von sinen vindin.
25 und do he do zcu huse quam,
he warf zcu rucke di scham
und sprach, he hette sinen eit
dort getan mit truginheit
um daz he ledic wurde
30 gevencnissis burde.
he wold hen wedir truwin nicht.
im schatte sere di geschicht,
wen man en sere virdachte
und nimant sin icht achte.
35 daz quam von hoem rate
der hern an dem senate.
do di di dinc irkantin,
gevangin si en santin
widir hen zcu Anibale

do her was gevangin e.
    Valerius mit ruche
spricht in dem sechstin buche
von herzcogin Canulo
der Romer genant also.   5
do der hatte an allen wegin
die Phalistos ummelegin.
ein meistir mit unarte
di edlin kindir larte;
der do schein ein meistir hog, 10
di kint mit snodir liste trog,
wen disir meistir also vrat
die kindir larte von der stat:
do si soldin in dem zcil
ubin ir lernunge spil,   15
des leite si der snode man
almelich von der stat hin dan
mit senftir rede schurgin
biz zcu der Romer burgin,
(23ᵇ) und mit truginlistin so   20
brocht he si scu Canulo
und brachte mit unhubischeit
snodikeit zcu snodikeit,
und sprach, he hette gewant
di Valwen in der Romer hant 25
an allirleie hindir:
dis werin ire kindir,
daz he di solde haldin:
em volgitin ouch di aldin.
do Canulus gehorte daz,   30
wi daz volc betrogin was
von deme uncristin
mit sulchin argin listin,
he sprach zcu em in sulchir
        schicht
'nein, du trugist mich nicht 35
als du die lute hast getan
als ein ungetruwir man.
wir habin nicht di wopinkleit

durch di kindir an geleit,
di wir uns irbarmen lan
wen wir di gewunnin han

. . . .

5 kein gewopintin man
und nu kein den Phalistin,
di du in disin vristin
hast mit nuwin vundin
vil erclich ubirwundin.
10 so wil ich ein Romer
mit list und tuguntlichir ger
striten kein den vindin,
mit wopin ubirwindin.'
und disir here nicht allein
15 virsmehete der untruwe mein,
sundir he liz bindin
(23ᶜ) di leiter mit den kindin
durch ire snode tucke,
di hende zcu dem rucke,
20 und hiz si balde vuren hen
die kint zcu eren elderen.
do daz gehorte der senat
der do was in disir stat,
si ludin sich an einen rat.
25 do wart in des aldo gestat
daz sich ir mut wart wandilin
nach alsulchim handilin,
daz si begunden vride gern
suneclich kein den Romern,
30 und totin uf di phortin
vrolich an allen ortin
und irgobin sich romischim her
an allirleie wedirwer.
　　Florus sprichit sulchin sin
35 in romischin historiin,

---

4 *wahrscheinlich fehlt mehr als
eine zeile*　6 p :: listin, hi *aus-
radiert*　28 wride

wie kung Pirrus einen arcz
hatte, der' treip sulchin scharcz
daz he quam in snodir acht
zcu Fabricio bi nacht
und gelobte daz bi sinen ern,　5
he welde Pirrum sinen hern
totin mit virgiftin,
mort an em so stiftin
und em benemin sin lebin,
weld he em darum icht gebin. 10
do di rede volginc,
Fabricius vil snelle vinc
den arczt und hiz en vurin so
gevangin hin zcu Pirro
und liz em alliz sagin daz,　15
wi der arczt mit snodim haz
(23ᵈ) mit gift en wolde trenkin,
het he em gelt wold schenkin.
und do der kung dis ungemach
irvur, en wundirte und sprach 20
'ach leidir nu in disir zcit
ist nicht wen werre unde strit,
virretnis und truginbeit,
ligin und arclistikeit'.
　　Vort mine rede virnemt.　25
gute den herin wol zcemt.
di ist zcu allen dingin gut
als uns di schrift zcu wizzin tut.
nu wirt gute geleist
swer sich zcu mitelidin reizt　30
und virgibit in gedult
sim ebincristin sine schult.
Valerius gesprochin hat
in sines vumftin buchis blat,
wi Sanguis ein edil man　35
ein wibisnam hiz vurin dan
und legin in den kerker,
di da hatte ein richter,
virtumet zcu des todis val

vor sines gerichtis tribunal,
daz man si solde totin
in des kerkeris notin.
und der des kerkers warte
5 der wart beweit so harte
daz hé darzcu icht schurgite
daz si zcuhant icht wurgite,
sundir he gestatte
daz ire tochtir hatte
10 zcu der mutir zcuganc.
doch he di tochtir betwanc
daz si nicht turste durch di var
(24ª) der mutir brengin di nar,
wen he dar uf gedachte
15 wi daz daz wip virsmachte.
und do der zcit vil hen sleif,
in sine sinne daz he greif
und gedachte wi dem were
daz daz wip empere
20 des libis nar so lange.
di mait he uf dem gange
den si zcu der mutir ginc
in sulchim willin ummevinc
daz he ir di bruste
25 zcoch uz in sulchir luste
um daz si em bekente
welchirleie rente
ir mutir do hette gezcert,
di si so lange hette irnert.
30 di tochtir wart geboigit;
si sprach 'ich hab gesoigit
min mutir uf der verte
um daz ich si ernerte.'
di wundirlichin mere
35 sait he dem richtere,
und irwarp dem wibe daz
daz si des todis genas.
waz irdenkit gute nicht
wen si not anevicht,

adir waz was i so ungehort
als daz der mutir gehort
in notin ir di bruste bot,
di do were hungirs tot?
5 imant mochte wenen sedir
iz were der naturin wedir.
he bedechte denne slecht
der erstin naturin recht,
(24ᵇ) daz man sal von allim sin
10 lip han di gebererin.
   Seneca sprichit in der schrift
'der benen kung hat keinen
        stift,
daz di nature wil von im,
daz he nicht trage zcornis grim.'
15 des ist benomen em der stift
daz sin zcorn si sundir gift,
und daz ist ein vorbilde bloz
geschribin zcu den kungen groz,
daz si sich des nicht schemen,
20 sundir sitin nemen
von den kleinen wurmelin,
di wol ein vorbilde sin.
   Valerius ouch larte
in des rumftin buches parte
25 von Marcello Marcho
(des gevangin warin do
di von Syracusano),
do der was zcu kunstin ho
durch meistirliche lere gesat
30 in einir ubirrichin stat,
und sach wi sich ubiten
di geschicht der betrubiten,
he mochte nicht volbrengin,
durch den mut so strengin,
35 buchir etlichir kunst

5 sydir   11 *rote überschrift*
vō dʼbenyn kunge

di he hatte begunst.
Der selbe lerer ouch sprach:
do Pompejum gesach
der groze keisir Julius,
5 sin zcunam was Augustus,
wi he was ubirwundin
von strite in einen stundin,
he begunde gutlich weinen,
(24ᶜ) sine gute erscheinon.
10 Ouch hat der selbe uzgeleit
von Pompei gutikeit
di he schire tet dar na
dem kunge von Germania.
do der vor disem herrin groz
15 lag ubirwundin sigelos,
he wolde nicht gestatin
den kung so virvratin,
sundir he mit em koste,
mit gutin worten troste,
20 und liz em sundir hone
uf seczcin sine krone
vor en albetallin,
di em was emphallin,
und saczte en weder ane leit
25 an sine erste wirdikeit,
und wart redin vorwor
he were so gut also vor,
und tete als ein here tut.
he sprach iz were gliche gut
30 kunge ubirwindin
in strite von den vindin
und kronen mit der kronen,
darzcu der kunge schonen.
    Deme glich in sulchim mer
35 schribit der selbe lerer
von eime ratmanne bekant,

34 *rote überschrift* wi paulus
genade tet

der was Paulus genant.
der hatte in sinen getwangin
einen man gevangin;
den hiz he vor en brengin,
und an den selbin gengin   5
Paulus em enkegin gie.
jenir vil uf sine knie
(24ᵈ) und bat en vil gerade
daz he em tete genade.
Paulus nam en bi der huf   10
und hub en von der erdin uf
und sprach 'he ist der eren
    wert
beide hure unde vert.
he sal habin ane leit
lop und alle selikeit.'   15
    Ouch spricht der selbe lerer:
do der keisir horte mer,
di worin sulchis donis,
von dem tode Kathonis,
der sin vint gewesin was,   20
wen he gesprochin hatte daz
daz he em al zcu sere
virgunde sinir ere:
der herre darzcu sich neigite,
daz he daz bezceigite   25
daz he mit keinir ubirlast
Kathonem hatte gehazt:
wen he den kindirn wedir gap
gut daz en was gebrochin ap.
    Virgilius der ist ein tolc   30
wi di vurstin ir volc
leiten sullin mit ruche,
in sinem sechstin buche,
als Augustin gesprochin hat
im nundin buche der gotis stat: 35

16 *rote überschrift* wi der keisir
beweynte kathonyz tot

‘du·Romer salt gedenkin
wi du mogist lenkin
zcu undirtun di diete
romischim gebiete.
5 daz ist dir di beste kunst:
halt sitin und des vredis gunst.’
Ouch list man andirswo
(25ª) eine rede, di lutit so
‘nicht macht den herrin lobesam
10 und di da tragin iren nam
also daz si haldin sich
kein den lutin minneclich.’
Valerius der sprichit so
von hern Allexandro,
15 do der in ungewittir
sach einen aldin rittir
mit em vuren ein her,
und do he zcu em quam hin
ner,
he sach disin aldin
20 sich schrimpin von dem kaldin,
do he uf hoem stule saz.
in irbarmete daz;
von dem stule he steic zcuhant
und nam den aldin bi der hant,
25 der was vrostic und kranc,
und saczte en nidir uf sine
hanc.
he sprach ‘dis ist der erste
wigant
der di Persin ubirwant;
des wil ich en nu eren
30 und sine wirde meren.’
Ein rittir sal demutic sin
allen lutin zcu schin,

10 : ireꝗ, e *ausradiert;* èren
nam?   13 *rote überschrift* von
deme aldin rittir

wen i grozir ist ein here,
he sal sich nidirn i mere.
darumme spricht Valerius
in sinem, sechstin buche sus,
wi daz ein romisch ratman   5
sulchin namen gewan
daz man em in der stat alda
zcunamen gap Publicula,
und he genumet was alsus
Publius Valerius.   10
(25ᵇ) der zcunam dutit sich vir-
war
‘mit den lutin offinbar’,
wen he di gemeine schar
hatte lip an alle var.
der selbe mitten in der stat   15
hatte ein hus daz hoe trat.
daz was also hoch
daz iz ubir alle husir czoch.
daz liz he nidir genuc
machin durch sulchin vuc   20
wen he di hochvart hatte leit
und volgite der demutikeit.
und i nidir he sin hus
an gebude legit uz,
i grozir he in al der stat   25
was in allir eren grat.
sine demutikeit irwarp
daz he also arm starp
daz man von der gemeinen
habe
en muste brengin zcu grabe.   30
Ouch sullen di herrin habin
mut
an einvaldigir demut,
daz si von ampte kerin
und gunnen ouch der erin
andirn und wichin
wen si wol mochtin richin.   35

des spricht he mit ruche
in dem drittin buche:
do Fabius der groze
bedachte in welchim loze
5 he hatte den rat gehaldin
und vor em sine aldin,
des was em vil bange
daz he also lange
zcu dem senate was gekorn
10 (25ᶜ) von sinen elderin angeborn.
dorumme so warp he stete
mit vlelichir bete
daz man di ere ouch brechte
zcu andirm geslechte,
15 und wolde nicht daz sine kint
an di ere quemen sint,
um daz daz icht di wirdikeit
an ein geslechte wurde geleit,
und daz groze gebiete
20 blebe bi einir diete.
waz mochte disir wise man
grozirs dingis han getan
wen daz he wolde sin gescheit
von angebornir wirdikeit?
25 do man den selbin herrin groz
zcu grozin herscheftin kos,
he entschuldigite sich vil balt;
he sprach 'darzcu bin ich zcu
alt,
und touc zcu der wirde nicht,
30 wen ich nicht habe min gesicht.
sucht uch zcu den erin
ein andirn herin:
wen seczcit ir mich zcu der
geschicht,
ich lide uwir sitin nicht.

ouch wold ich lichte midin
min gebot zcu lidin.'
Ein kung in gewinne
was so behendir sinne
und an gerichte so kluc, 5
do man die krone vor en
truc,
he nam si zcu den hendin
und schouwite si allin endin.
und do he lange si gesach,
he mercte si wol unde sprach 10
(25ᵈ) wort in sulchim hone
'o du edle krone,
du hast vil mer der adilheit
an dir wen der selikeit,
der dich recht erkente, 15
din sorg und dine rente.
und legistu uf der erdin,
man solde dich virunwerdin
noch von der erdin hebin uf,
sundir tretin dar uf.' 20
wen grozin erin volgit daz
daz si han nit unde haz,
und i me du erin hast,
i me du treist der sorgin last.
Josephus hat daz gekunt, 25
do Tiberii des keiseris vrunt
zcu em hattin gere
daz he di richtere
der lande und anewaldin
nicht lengir solde haldin, 30
sundir entseczcin allentsampt
jo den man von sime ampt,
der keiser wisheite vol

---

1 *rote überschrift* güne andirn
ouch der herschaft

3 *rote überschrift* von dez kun-
giz crone   22 hat.   25 *rote
überschrift* von den satyn vliegin
26 *über* do *ist* dy *nachgetragen*

hin widir sprach 'daz tet ich
  wol,
wer iz og alleine
nuczce der gemeine.
ich gedenke bi den merin
5 einis menschin, daz was vol
  swerin;
des mich begund irbarmin,
also daz ich dem armin
wolde sundir triegin
werin der vliegin.
10 da widir der siche sprach
'du merist mir min ungemach
daz du den satin wurmen
(26ᵃ) werist nu ir sturmen
di sich vol blutis han gesogin:
15 di hungiregin weder quomen
  gevlogin,
di mir gewirkin zcwir so we
als di satin totin e.'
nu spricht der wisin lere schrift
'der hungiregin vliegin stift
20 ist scherfir wen der satin.'
also tun ouch di vratin,
und tun nicht nach der dute
als ap si werin lute.
des sprach der keisir sulche wort
25 'si sullen behaldin ir ampt vort,
wen si sint albetalle glich
von dem ampte wurdin rich;
und ap wir si virstizen
und andir dar zcu lizen
30 di des gutis werin ler,
di hettin zcu der gobe ger,
und machtin so zcu nichte
ein recht und min gerichte
und weldin rich werdin

mit sulchin ungeberdin.
darum wil ich den satin
des amptis baz gestatin,
di sich vol gesogin han,
wen hungerige zcu lan.'
  Vespasianus was gemeit
an sulchir demutikeit:
do keisir Nero gestarp
und Vitellius irwarp
vil snodiclich daz keisirtum   10
von der Romere rum,
do schrei di gemeine
daz wirdic were alleine
(26ᵇ) der ere Vespasianus.
in strofte Mucianus,   15
der en kume des betwanc
daz he en brochte an den ganc
daz he an der selbin vart
der romische keisir wart,
und sprach mit wisir zcungin   20
'vil bezzir ist betwungin
dich redelichin kerin
zcu keisirlichin erin,
wen daz du quemist mit koufe
zcu des amptis loufe.'   25
  Di herrin sullen han gedult
an lidunge mit unschult
und an der lute bruche.
des redin dise spruche
von Allexandri gedult,   30
do Antygonus irvult
hatte sulchir rede gliche,
daz em nicht vugite daz riche,
wen he were in sulchir jugint
di sich zcirte mit untugint,   35
daz he sich mit dem libe

6 *ryte überschrift* vō vespasiani
demvt   28 bruchche : spruchche

sere vlizze an wibe:
durch daz sprach he di mere
daz he unwirdic were
daz riche zcu besiczcin
5 mit sulchin unwiczcin.
daz strofin leit he in gedult
von dem rittir um di schult
und sprach do widir nichtis nicht,
wen daz he welde di geschicht
10 bezzirn vil gerne
mit gutir sitin lerne.
    Valerius ouch sprichit hi
(26ᶜ) von der gedult hern Julii,
der was ein keisir ubir al;
15 doch was he uf dem houbte kal.
des was be unvirdrozzin gar,
he nam do hindene di har
und streich si kein der sternen
      dar
do he des haris empar.
20 des wart ein rittir gewar
und wart redin offinbar,
daz iz dem keisir dirschal
'vil ringir ist daz du bist kal
wen daz ich vurchtsam were
25 in romischim here.'
swaz man tet und geschach,
do kein he nichtis nicht en-
      sprach.
einir wart en redin an,
he were nicht ein edil man
30 von geburt und von dem stam;
dar zcu so were he vurchtsam.
daz honende gelimpe
nam he in eime schimpe.
ein andir sprach in sulchim mer

'o du kunir turstiger!'
he sprach in geduldir schicht
'were ich so, du sprechist sin
      nicht.'
    Von Cypion Affricano
hat man ouch gesprochin so, 5
he were ein orloigis man;
und einir wart en sprechin an,
he were ein rittir snode
und in dem wopin blode.
do widir sprach he ane zcorn 10
'von mutir libe bin ich geborn
zcu eime grozin herin,
nicht zcu stritis kerin.'
    (26ᵈ) Seneca der sprichit so
von dem kunge Antigono 15
in dem drittin buche vorne
do he sait von dem zcorne:
do der hatte gehort
von em afterrede wort
kosin etliche dict 20
di eine want von tuche schiet,
do em die rede wart bekant
durch di tuchinne want,
he sprach in sulchir gere
als ap (he) ez nicht were, 25
durch di tuchine want,
di he regite mit der hant
'ir herrin, wicht und get besit,
daz uch icht hore in disir zcit
der kung und uwir rede ganc: 30
uch hat gemelt der vorhanc.'
    Ouch sullin di hern geduldin
do man si wolde schuldin.
dorumme lese wir also
von hern Anazato, 35

20 *rote überschrift* von deme
calen keisere   32 honede

14 *rote überschrift* von der
tuchyne want   29 ich   32 *rote
überschrift* von anazati zcunge

do den hiz ein grimmiger
pinegin noch sinir ger
und drouwit em ap zcu snidin
die zcunge durch sin nidin
5 . . . .

. . . .
'minir zcungin gelit
sal vor dir sin bevrit'
und kuwete si zcumal anzcwei,
10 dem herrin he si zcu den ougin
spei.
   Di grozin herrin virmezzin
sullen nichtis virgezzin,
wen mit rechtin dingin
ire lute twingin.
15 ouch sullen si habin gedult
(27ᵃ) daz volc zcu pinen um
sine schult.
darum so spricht Valerius
daz Archita Tharentinus,
der Platonis meistir was,
20 do der gesach, als ich iz las,
wi daz sin ackir was virhert
von eime rittir und virzcert,
en duchte bezzir der geniz
daz he iz ungerochin liz,
25 wen he durch sinis zcornis
haz
en wurde pinen ubir maz.
   Der selbe von Platone
hat gesprochin schone.
do der in grimmem zcorne brast
30 durch sinis knechtis ubirlast,
sinem neven Sponsispo
empot he mit der swestir so,

daz he maze solde remen
den bruch dem knechte apzcu-
nemen.
da mite he sulche lere gap,
suld he iz dem knechte nemen
ap,
iz were em nicht ein ere.   5
und quelte he en zcu sere,
do von he wurde um di schult
gestrofit um di ungedult.
   Von dem selbin ist ouch
kunt,
do he in zcorne wart enzcunt 10
durch sines knechtis unbescheit,
he hiz en legin ap di kleit;
den knecht he legite vor sich
und gap em do der rutin strich.
und do he mit geberden   15
begunde zcornic werden,
di ruten hilt he stille
durch sines zcornis wille.
(27ᵇ) secht, einir sinir vrunde
vrogite waz he begunde   20
der dor zcu quam gegan.
dar uf antworte disir man
'ich solde zcuchtigin minen
knecht:
nu bin ich zcornic unde vrecht,
daz ich dar ap wil lazin   25
und mich der slege mazin.
nim du di rute zcu dir
und slach den knecht na dinir
gir,
wen ich bin zcornis also vol
daz ich en nicht slahen sol;   30
wen der zcornige man
tut daz em nicht zcemet an.'
also Plato virgaz
gein dem knechte sinen haz.

18 archira thareut.   27 *rote
überschrift* wy plato synen knecht
slug

14*

Darumme Seneca der meistir
list
'wen du in grimmen zcorne
bist,
so sal dir zcemin nichtis nicht.
daz saltu tun durch di geschicht,
5 wen als du bist in zcornis grim,
(dise rede virnim),
so wiltu daz in dinir gir
daz alle dinc gezcemen dir:
also din zcorn dich bindit
10 daz he dich ubirwindit.'
Der aldin vurstin gute
was willigiz armute,
so daz si gutis namen wort
begertin me wen richin hort.
15 darumme spricht Valerius
in dem drittin buche sus:
do Scypio besaget wart
vor dem senate vil hart,
uud di selbe melde
20 (27ᶜ) gesagit wart von gelde,
do wedir sprach he alzcuhant
'do ich Affricam daz lant
machte uch undirtan,
do brocht ich nichtis nicht von
dan,
25 wen daz ich do den namen
irwarp mit den ersamen.'
dis was der Scypio genant
der Affricam ubirwant.
dorum so wart he redin bi
30 'mich han di Affricani
nicht di girikeit gelart,
noch minen brudir uf der vart.
wen wir sin beide so gemut,
wir han di ere vor daz gut.'

11 gûte

Ouch so sagit man dar na
von kunge Archageloga;
der sprach wi daz dem richin
man
sin gut sal wesin undirtan
in sogetanen werdin
als di vaz von erdin.
wen iz vil erlichir stat,
swer do gute sitin hat,
wen daz he hette richin hort
und do bi ein bose wort. 10
der herre phlag an allen haz
zcu nuczcin erdine vaz;
und do he des gevrogit wart
worum he phlege sulchir art,
he sprach 'ich tu iz in gutir 15
ger:
min vatir was ein topper
des kungis von Siciljen.
durch daz wil ich nicht tiljen
mines vatir ordin
do von ich rich bin wordin.' 20
(27ᵈ) der herre mercte sin ge-
bort
allen endin uf den ort:
des wold he ubin umme daz
zcu nuczce erdine vaz
in einveldigir demut 25
als ein wisir here tut.
daz tet he em nicht zcu
schuczce,
sundir der gemeine nuczce.
Iz sprichit sente Augustin
gar einen warin sin, 30
daz willigiz ermute
machit gancz gemute,

6 rote überschrift von erdynen
gevese

und ubirigiz richtum
maobit daz gemute krum.
   Nu sullin di anewaldin
der mildikeite waldin,
5 wen gute mit der mildikeit
dem volke ringit ir erbeit.
daz volc di erbeit ringir treit
wen der hern keinwurtikeit
en wonet bi mit troste
10 in irre burden roste.
dorumme lese wir do von
daz Tytus Vespasiani son,
der was so milde und so quap
daz he gelopte adir gap.
15 do disir romische voit
von vrundin wart gevroit
durch welchen sin he tete daz
daz he gelobte ubirmaz
me wen he virmochte
20 adir zcu gebin tochte,
he sprach 'ir sult virnemen,
nimande sal gezcemen
daz he von (eime) vurstin ge
(28ᵃ) betrubit mit keinirleige
      we.'
25 einis tagis wart gebrochin ap
daz he gelobte noch engap
sinen knechten also vor.
do wart he sprechin virwor
rede in sulchir kunde
30 'o ir libin vrunde,
disen tag hab ich virlorn,
daz ist mir leide unde zcorn,
daz ich minen dinstman
nicht gutis hute hab getan.'

Ouch so lese wir also
von dem keisir Julio
dem do noch ni geschach
daz he zcu sinen rittirn sprach
'get wec' wedir vor noch sedir, 5
sundir alliz 'kerit wedir.'
von em list man dorum
de nugis philosóphorum, *16, 29.*
wi daz eim aldin geschach
vor dem gerichte ungemach. 10
des lut he den keisir dar
daz he hulfe em offinbar;
der em durch gerichtis ger
saczte einen richter.
da widir disir alde sprach 15
'o keisir herre, do ich dich
     sach
in stritis not virterbin gar,
do sante ich nimande dar,
sundir ich selbir vor dich
     streit,
daz ich beneme dir din leit.' 20
des wiste he in den stundin
di narwin siner wundin.
des sich der keisir schemete
     hart.
he hub sich snelle uf di vart
(28ᵇ) und wart des aldin rittirs 25
     voit
der nach em was gezcoit,
wen he vurchte daz iz em vir-
     kart
wurde in arge hochvart.
Und also went der rede joch,
wi geformt sint di roch. 30

---

5 gote   11 *rote überschrift*
wye mylde tytus waz   16 sinen
einzuschalten?·

3 ni noch ni   5 sydir
13 *rote überschrift* wye iulius selbir
richte deme aldin rittir

Dis buchis dritte teil.
Von deme ackirmanne.
Daz erste capitil.

Dise rede ich tolke
von dem gemeinen volke,
ir ampt und ir forme
in disir schrifte norme.
5 dorumme so wel wir hebin an
sagin von deme gemeinen man
der do stet an dem ende
zcu des kungis rechtin hende.
den seczce wir vor daz rechte
roch
10 durch siner erbeite joch.
wen des kungis anewalt
sal mit em werbin unvirschalt
di notdurft allem riche
mit ackirn daz ertriche.
15 den heize wir in gutim wan
in disir schrift den ackirman.
der was uf disim gevilde
geformt in menschin bilde.
in so getaner schouwe
20 trug he eine houwe
in sinir rechtin bande,
zcu grabin uf dem lande.
so trug he in der linkin
ein rute, dem vie zcu winkin,
25 und trug an siner gurtil snur
ein wofin scharf durch sulche
vur
daz he di ubirvluzzikeit
(28ᶜ) in den wingartin besneit
und behip di boume
30 durch irre vruchte goume,
wen dem ackirmanne bi
wesin sullin dese dri.
Nu lese wir alsulchin sin:

der erste buman was Kayn,
und was Adames erste sun,
als uns di schrift zcu wizzin
tun.
Nu hat iz gute vuge
daz man mit dem phluge
und mit andirre habe
daz ertriche ummegrabe,
wen allir menschliche grat
von erdin erst beginne hat
und sal an den endin   10
zcu der erdin wedirwendin.
des sal uns daz ertriche gar
mit unsir erbeit gebin nar.
Den wir den buman nennen
der sal got irkennen   15
und sal mit allir vlizikeit
werbin mit der erbeit.
he sal zcu rechte irkennen got,
von deme he alle gnade hot
da mite he lip unde lebin   20
mag uf haldin vil ebin.
des sal he gote dankin
an allirleie wankin,
dorum so sal he brengin
den zcendin sundir mengin   25
und sal daz beste uzwelin
und geben sundir velin.
daz sal he tun uf den gewin
daz he icht werde mit Kayn
(28ᵈ) virwurfin in gotlichin haz. 30
ouch sal he gebin umme daz
daz en got bevrede
vor wetir und vor vede,
und daz he em ouch mere
sin gut und sin ere.   35
Bewilen daz gote zcempt
daz he sin gut dem sunder
nempt,

daz en der nicht irkennen wil
wen he hat geluckis vil,
daz he em denne wirt bekant
wen em daz gut ist entwant.
5 des lese wir von Daviten,
do he in sinen zciten
hatte gut gelucke,
he bewiste sine tucke
also daz von em wart vol-
     bracht
10 ebrechin und manslacht.
und do gelucke von em zcoch
daz he den kung Saul vloch,
in grozin tugindin he bekleip
und in gotis libe bleip.
15   Ouch der heiligin schrifte
     tolk
sait, do daz judische volk
léit hungir unde not,
si wurdin rufin an got
in der wustenunge
20 mit anbetindir zcunge.
und do en got hatte genat,
daz si alle wurdin sat,
do begunden si ringin
mit unzcitlichim springin
25 und schreckin allenthalbin
unzcitlich vor der kalbin.
     Ouch sal sin der ackirman
(29ᵃ) der hern gebotin undirtan,
und der grozin berin nar
30 lit an den ackirlutin gar.
der buman dicke sich bewist
daz he sinen herin spist
mit der bestin gobe
und selbir izt di grobe.

Valerius sait mit ruche
in sinem achtin buche,
do Anthonius vil hart
mit unkuscheit besagit wart
und di segere   5
soldin ir gewere
gestellin mit gezcuge recht,
si zcugin sich an sinen knecht,
der do was ein ackirman.
daz toten si uf sulchin wan,   10
wen disir ackirman der trug
daz licht zcu sulchir unvug.
do dis lastir wart volant
do von der here wurde ge-
     schant,
Pompejus der knecht vrum   15
gap sich vor Anthonium
in truwelichin begerin
zcu pinen den richterin,
daz he di sache mochte irwern
und sinen hern irnern.   20
des wart der knecht.mit gewalt
an einen remin gestalt
und wart vil jemirlich
geslain mit manchir rutin strich
und mit glundin blechin   25
gebrant um den gebrechin.
idoch he ni bekante,
waz man en gebrante.
     Peuaperus geheizin recht
(29ᵇ) der hatte Texum einen 30
     knecht,
der was an alle schuwe
in wundirlichir truwe.

     1 *rote überschrift* wie sich der
knecht lyez pynygin vor dē herin
     29 *rote überschrift* wie man den
knecht tote vor den hᵉrin

wen do di rittir disen man
woldin getotit han,
daz was dem knechte vil leit;
he zeoch an sines herrin kleit.
5 do he getan daz hette,
he leite sich in daz bette
als ab iz der herre were.
do slugin di mordere
den knecht iu jemirlichir not
10 aldo vor den herin tot.
    Ouch sal stete sin gereit
der buman an der erbeit,
daz en der erbeit getwanc
lere midin muzganc.
15 doch he sin erbeit also tu
daz he jo den suntag ru.
des rette Tullius virwar:
den suntag sal des phlugis
    schar,
der buman ruen und di erde
20 durch des suntagis werde.
der ochse und sin gesippin
sullin sten zcu der krippin,
wen Venus in disir nacht
hat die hutige wirde bracht.
25   Ouch sal der buman vuten
daz vie, di noz mit guten;
durch daz wir em zcuschribin
di rute, iz vie zcu tribin.
Abel der erste hirte was,
30 den Kayn sluc durch sinen haz.
he was gerecht mit sinir tot,
mit sinem oppir erte he got;
(29ᶜ) dor zcu he jo daz beste
    kos:

der buman sal ein sin genen.
    Der ist euch ein ackirman
der obizboume proppin kan
und di wingarten
besnidin und ir warten.
also tet Noe hi vor.
daz spricht Josephus virwor
in eines buchis vachin
von naturlichin sachin,
wi daz Noe der alde   10
zcun ersten in dem walde
den win und veltwinbere vant,
di labrusce sint genant.
di woren bittir und nicht gut.
des nam he virleie blut,   15
von dem lamme und swine
zcu hulfe disem wine,
von dem leun unde affin.
dor zcu wart he raffin
erde und legit iz an di wurcz 20
des winstockis bisnetin kurcz,
dorumme daz di winrebin
suze vrucht soldin gebin.
und do he dar nach nicht lanc
des selbin wines getranc,   25
he wart trunkin und lac so
emplost in dem tabernaculo.
des wart he von sulchim tun
virspottit do von sinem sun;
und do he nuchtir wart,   30
he legite uz des wines art
sinen sonen durch gut,
di he alle vor sich lut.
he sprach 'ich hab durch sulchin
    mut
(29ᵈ) dar zcu getan der tire blut 35

    11 *rote überschrift* der gebwir
sal nymmyr ledic sicsein   17 *rote
überschrift* des suntagiz vyere halde

    6 *rote überschrift* wie noe den
wyn vant

daz man merke da bi,
wer von wine trunkin si,
der wirt mit zcornigim dreun
an vreidin glich dem leun,
5 und wirt bewilen ein lam
an gedankin mit der scham,
und tribit von dem wine
unkuscheit sam di swine.
der win kan ouch schaffin
10 den menschin zcu eim affin.'
   Valerius spricht sulch ge-
       schrip:
etwen die romischin wip
den win virsmehetin sere,
daz si icht quemin in unere.
15 Ovidius zcu wizzin tut:
der win machit hoen mut
und macht an dem antliczce
rotir varwin smiczce.
der win macht lachin unde zcorn,
20 der win dem armen machit horn.
der man sorge unde leit
virgizzit in der trunkinheit.
der win virtribit der dirnen
di runzcen an der stirnen.
25   Nu wel wir di rede lan,
zcu sagin von dem ackirman.

**Daz andir capitil. Von
deme smede der vor dem
rechtin rittir stet.**

  Der smit sulche forme hat
der do vor dem rittir stat
zcu der rechtin sitin
30 des kungis besitin:
der smit dem rittir stet bevorn,
wen he darf isen unde sporn,

(30ᵃ) daz alliz machin kan der
      smit.
der was geformt in menschin
      snit.
einen hamer man en vant
tragin in der rechtin hant,
und in der linkin harte
trug he eine barte.
an deme gurtil der geselle
trug eine muwirkelle.
Zcu dem smide vorgenant
sint alle smide gewant,   10
munzcer und di zcu dem isin
gehorn in sulchin wisin;
schifmanne, zcimmirlute
gehorn in dise bute;
murer die do muwirn   15
sin ir nakebuwirn.
Di erstin di ich habe gebut
sint bi dem hamire bedut;
di barte di andirn bericht
da mete man daz holcz slicht; 20
di drittin, bi der kellen
damit man phlit zcu wellen
den kalc zcwischin di steine
bedutit sint di gemeine.
di sullen alle sin gereit   25
an truwe an sterke an wisheit.
dem smide dem wirt hi bevoln
ercz isin unde koln.
murer und der zcimmirman
di sullen stete ruche han   30
mit irre kunste sachin
wi si daz volc bedachin
vor wetir und vor windin.
so sal der schifman vindin
daz he lip unde sel   35
(30ᵇ) beware in disir werlde
      zcel,

durch daz ir truwe si unbezcilt
den man so groze dinc bevilt.
  Darum Seneca di rede ent-
        sluzt
'wer sine truwe virlust,
5 der mag nicht wol virlisin me,
daz en also groz ange;
wen he hat alsulche phlicht
daz man em geloubit nicht.'
darum spricht Valerius:
10 do genomen hatte Fabius
der Romere gevangin
von Anibales getwangin,
idoch in dem gedinge,
he solde em gebin phenninge
15 di he von dem senate
em lien hat zcu bate:
daz virsaite der senat
do Fabius si umme bat.
he sante wec sinen sun
20 sich in der werlde umme tun
und virkoufte sin gebuwe
durch sine rechte truwe.
daz gelt wart Anibale vil balt
vor di gevangin gezcalt.
25 jo wolde der geselle
von sinem angevelle
do vil libir werdin bloz
wen daz he wurde truwelos.
  Iz ist ein groze torheit
30 daz man truwe zcu den treit
di sich mit den untruwin
so manche stunt virnuwin.
  Der mensche ist durch di gere
geschaffin daz he gebere
35 (30ᶜ) daz einer dem andirn vrome
unde zcu hulfe kome,

12 anibale

und nimant sal mit schadin
den andirn ubirladin.
ouch sal man der gemeine nucz
werbin sundir widirstucz,
wen also burnt die neheste want, 5
daz trid dich an alzcuhant.
hilfistu nicht leschin den brant,
daz vuir nimt ubirhant.
  Di wisin sullin midin
sich undir euandir nidin. 10
nimant sal virdenkin
den andirn noch en krenkin.
iz gehort dem wisin manne zcu
daz he nichtis nicht entu
daz en ruwe in keinir zcit. 15
ouch sal he tragin keinen nit,
sundir he si geneme,
ersam und bequeme.
wen wer do nidis nicht enhat
der stigit uf an hoen grat, 20
und wer des nidis begert
der wirt genidirt und unwert.
daz ist nit unde haz,
wer sich leidit umme daz
in unartigir tucke 25
daz ein andir hat gelucke.
nimande mag in hazze han
swer do ist ein gutir man,
und wem der nit wonet bi
der spricht daz vruchtigir si 30
uf vremdim ackir di sat
und vremde vie me vruchte hat.
  Dyonisius ein grimmiger
(30ᵈ) von Sicilien dort her,
der was so vol melancoli 35
daz em was missetruwe bi.
der wuste wol das he was

15 en] he

in nide und allir lute haz.
sine vrunt he von em warf
und nam di barbaros vil scharf,
di em vor mancbirleie varn
5 sin lebin soldin bewarn.
sine tochtir larte he schern,
und getruwite nicht den scherern,
und dennoch durch sin schuwin
turste he nicht getruwin
10 den tochtirn ap zcu schern sin
har
mit wofin durch der vurchte var,
sundir den selbin wibin
gestatte he ap zcu tribin
den bart und ap zcu queichilin
15 mit nuzzin und mit eichilin,
und daz in sulchim sinne:
do si wuchsin inne
daz brantin si zcu aschin
den bart em ap zcu waschin.
20 he tet ouch kein den meidin
nicht in den geleidin
noch in sulchir gere
als ap he ir vatir were.
der selbe hatte ein bette
25 von deme ich vor rette,
als ir di rede hot entsabin,
daz hatte he lazin ummegrabin;
dar zcu so ginc ein lucke
mit einir zcogebrucke;
30 und wen he zcu dem bette quam,
di zcogebrucke he noch em nam.
(31ᵃ) dennoch was he nicht ane
vor.
he liz behutin sine tor
durch sine missetruwekeit
35 und der naturen vuchtekeit.

35 vurchtekeit?

Plato vor dem kunge sprach
von Sicilien, do he sach
und virwore wart gewar
daz Dyonisius so gar
bewart was mit hutlutin,
he wart di rede dutin
'se, waz hastu vil armir man
so gar vil bosis getan
daz man dich so muz bewarn
mit sulchir hute ummevarn?' 10
Ouch sullin si habin sterke,
und sundirlich daz merke
an den di sich begriffin
han zcu varin mit schiffin,
und werin si an der vere 15
vurchtsam uf dem mere,
si machtin ouch di andirin
di uf dem mere wandirin
vurchtsam di do segilin phlein,
und also blibe undirwein 20
der nucz der von dem mere
kumt
und lutin in der werlde vrumt.
der sturmwint und di undin
daz schif vil schire virslindin
swen des schifmannes mut 25
in vurchtin zcegelichin tut
und wen in blodikeit sin rat
virzcwivelichin abegat.
Noch so sal ein schifman
in gote stete vurchte han 30
und sal doch trostin do bi,
(31ᵇ) ap he wol in vurchtin si.
Hi habe di rede ein ende
von des smidis vende.

11 *rote überschrift* dᵉ schifmā
sal nicht vurchtsam syn 23 *f vgl.*
286, 5 *f*

Daz dritte capitil. Von den statschriberen.

Nu wel wir rede wendin
zcu dem drittin vendin
den wir vor dem aldin
zcu der rechtin sitin haldin.
5 wen bi den vil dicke lit
beide werrin unde strit,
und wen di selbin aldin
des gerichtis waldin,
des ist en nuczce unde mer
10 daz si habin den schriber,
waz do sache wirt getrebin,
daz di werde bischrebin.
um daz he vor dem aldin
stat
durch sin ampt daz he hat.
15 sin forme wirt also bekant:
ein schere he treit in rechtir
hant,
ein swert in der linkin bloz,
scharf breit unde groz.
gehangin an sinen gurtil was
20 ein tofel und ein kelinvaz.
an sines rechtin oren zcil
trug he einen schribekil.
Di schriber sullin tribin
ir amt mit rechtim schribin
25 vor den richterin
durch rechtis gewerin,
ladebrive und ouch den ban
und daz dem rechte ist undir-
tan.
daz bedutit dewedir
30 tofel unde schribevedir.

Etliche doran sin gewint
(31ª) daz si snidin gewant,
nehin wirkin verbin schern:
daz dutit swert und di schern;
pelzcer gerwer vleischbouwer, 5
di heizen alle wollener,
wen si gehoren alle gar
zcu der wollen und zcu dem har,
wen sie phlegin butin
mit wollen und mit hutin. 10
di sullin ir hantwerc ubin
getruwilich sundir trubin.
si sullin zcusampne sin gehaft
mit gesellichir vruntschaft
und sullin han ersamikeit, 15
dar zcu der worte worheit.
Nu sullin di statschribere
schribin in der gere
daz si merkin do bi
daz den lutin nuczce si. 20
und sten si wol zcu schuczce
der gemeine nuczce
an unrecht ubirlestin,
so sint si mit den bestin;
und sin si bose und unrein 25
mit irre schrift kein der gemein,
so sint si snode gereit
mit alzcu snodir snodikeit.
wen als man vor gerichtin
sache sal entschichtin, 30
so sullin si so schribin,
di worheit jo zcu blibin.
wen von der schrifte worheit
kumt manche nuczberikeit.
samwiczce sullin si habin tif, 35
daz si unrechtin keinen brif,
(31ᵇ) wen die do trugiliche stift

5 wil   11 getribin   22 eine
schribekel   11 hantverg

han zcu keinirleie schrift,
di han di buze virwurcht:
di sal man nemen ane vurcht.
ouch sullin si vlizic ubirlesin
5 waz der stat geseczce wesin,
ap si werin widir got
adir widir sin gebot
adir werin widir recht,
darumme sullin si vil slecht
10 di herrin mit rede handelin
unrechtikeit zcu wandelin.
wen di recht habin keinen
bunt
di widir des geloubin grunt
und gutir sitin vromikeit
15 unrecht werdin uzgeleit.
　　Nu leidir ist iz so gewant,
den me rechtis ist bekant
gut zcu tun bi der gemein,
di achtin gotes vurchte klein,
20 wen si di ungelartin
virleitin und virschartin,
und phlegin zcu en zcien
da bi
gar unbequeme kumpani,
und also lebin si inein
25 und machin werrin in der ge-
mein.
jo wirt in einer ganzcin stat
von keinen gesellin me ge-
schat
wen als di schriber wellin
sin ungetru gesellin.
30 　Unde wil ein stat in vride
lebin,
vruntschaft sal si baldin ebin.
von der hat Tullius bericht,
der do dise rede spricht
'vruntschaft ist ein wille gut

(32ᵃ) den einir kein dem an-
dirn tut.'
di libe in disir werlde rinc
di wigit man vor alle dinc.
waz mac nuczce sin daz lebin
daz nicht mit vruntschaft phlit 5
zcu strebin?
waz ist bezzir uf erdin
wen habin einin vrunt werdin,
mit dem du mogist rede han
als mit em selbir ein man?
　Doch wirt di vruntschaft ge- 10
weit
bewilen uf listsamikeit,
also nach wisir zcungin
di vruntschaft ist der jungin,
an den di hiczce hat den zchust,
di ein begin ist der lust.　　15
bewilen wirt si ouch geweit
uf gut der ersamikeit:
di vruntschaft di ist tugintsam.
darum Tullio di rede gezcam
'virsagin den vrundin den bejac 20
den man wol gegebin mac
und gebin daz nicht recht ist,
daz ist ein ungetruwe list.'
idoch so tut ein gutir man
durch vruntschaft alliz daz he 25
kan,
und sulde man alliz daz gewern
daz bewilen vrunde gern,
daz were keine vruntschaft,
sundir eine gesworne haft.
　Darumme spricht Valerius　30
wi einir hiz Basilius
virsagit sinem vrunde hat
der en unrechte bat.

1 tut] treit; *oder* willekeit di?

der vrunt der sprach in zcornis
haſt
'waz sal mir dine vruntschaft,
(32ᵇ) nu du bist so gar virzcagit
daz mir din bete wirt virsagit.'
5 da widir sin antworte schal
'ich enweiz waz mir dine sal,
sal ich daz tribin durch dich
daz mir ist unerlich.'
Bewilen wirt di vruntschaft
10 uf gobe des nuczeis gehaſt:
di werit also langin tac
als der nucz gewerin mac.
darumme Varro macht gewis,
der sprichit in sentenciis
15 'der -richin vruntschaft ist so
     mer
als die spru bi der er.'
wiltu den vrunt virsúchin wol,
so mustu wesin liste vol.
von den so sprichit Seneca
20 di Neroni zcogin na
'dem honige zcut die vlige noch,
dem wolve ist zcu dem oze goch;
so phlegin sich die omeizin
noch dem getreide reizin:
25 so volgit mit orloube
dise schar dem roube.'
wer vruntschaft durch genizis
     gert,
di vruntschaft also lange wert
also des genizis nucz:
30 so nimt di vruntschaft wedir-
     stucz.
darumme ist der ein vrunt gut
der do vruntlichin tut.
Ovidius der rede tolk

spricht daz daz gemeine volk.
di vruntlichkeit besluzt
also vil als si genuzt.
daz mag man merkin da bi:
(32ᶜ) komen zcwene adir dri   5
adir vrunt enwening me,
man schriet ach unde we
daz der vrunde sint zcu vil
komen ubir rechtiz zcil,
'und tar wol sprechin offinbar, 10
si gehorin nicht an mine schar:
si sint von geschicke
komen her zcu blicke.'
     Wer rich ist an der werlde gut
der hat vrunde eine groze stut, 15
und wenne daz wirt abelan,
so blibit he alleine stan.
     Der lute libe di ich meine
di ist lutir unde reine,
also daz man ir genuzt,   20
daz man in notin vrunde kust.
vruntschaft in gelucke
bewilen ist ein tucke
di sich zcut zcu hosir ger,
nicht vruntlich, sundir zcubleser. 25
     Petrus Alphunsus rede gap
von einem meistir von Arap,
der hatte einen einigin sun.
den wart he vrogin in sulchim
     tun,
daz he em rede solde sagin,   30
wi vil he vrunt in sinen tagin
zcu vrunde irwurbin hette.
der sun hen wedir rette
'ich habe vrunde ane zcal.'
des vatir rede widir schal   35
'ich was junc und bin alt:

6 ich *fehlt*   1 gemein   24 zchwt

jo mocht ich werdin ni so balt
daz mir wurde me entgrunt
wen ein einigir vrunt.
(32ᵈ) und laz dich daz nicht
       wunderin
5 daz ich habe besunderin
mir den einen vrunt irkorn,
den ich seczce bevorn
uz al der werlde gemeine:
daz dunke dich nicht kleine,
10 noch laz dich dunkin ubir zcil
daz du hast der vrunde vil.
jo ist iz billich wol getan
bewerte vrunde lip zcu han
und ouch di vrunt irkennen
15 di sich vrunde nennen.'
dem sune gebot der vatir sin,
he solde totin ein swin
und daz stozin in einen sac:
daz solde he tun uf den bejac
20 als ab he einen irslagin
hette, den he solde tragin
zcu vrundin durch di mere,
wer sin vrunt were,
daz he daz em mochte entsabin
25 daz he em hulfe di liche begrabin.
und do he umme getrug
di liche (lange und) genug
von vrunde zcu vrundin,
si wurdin alle kundin
30 iz were ein torliche vart
daz he hette geoffinbart ·
also schedeliche schicht
di em zcu tune tochte nicht,
noch woldin sich mete bewerrin;
35 wold he den man bescherrin,
daz he en truge besit
di wile he hette di zcit,
daz man en icht erspete

(33ª) unde sin recht tete.
des quam he widir heim zcu hus
und wart dem vatir legin uz
daz he nicht envunde
tru an keinem vrunde
der em were bestanden
bi in sinen anden.
der vatir sprach zcu dem kinde
'nu ge zcu minem vrunde
und bite en des von minir wein 10
daz he der liche welle phlein
und helfe mir uz dem gruwe
als ich em getruwe.'
do daz der vrunt irkante
als in der junge irmaute,   15
zcuhant do mustin wichin
durch willen disir lichin
di in dem huse warin.
si soldin nicht irvarin
dise heimeliche dinc   20
di do warp der jungelinc.
und do daz volk gemeine entslif,.
he grup eine grube tif.
dor in he wolde snelle habin
disin totin begrabin.   25
und do der tote enteckit wart,
zcuhant wart em geoffinbart,
daz eine liche solde sin,
daz was ein todiz swin,
und bleip aldo dem vrunde   30
zcu nuczcin, zcu orkunde.
also irvur der alde
sinen vrunt balde,
und ouch irvur der junge
nach sines vatir zcunge   35
(33ᵇ) daz di vruntschaft gut was
di wile he mete en trank und az,

8 / *vgl.* 278, 23 /

und do iz ginc an di not,
do was di vruntschaft allir tot.
    Der selbe Petrus ouch sprach
wi zcwen koufmannen geschach,
5 der eine Baldacherius,
der andir ein Egypcius:
di woren sulche vrunde,
als ich uch bi kunde,
do Baldach in Egiptum quam,
10 deme Egipcio gezcam
daz em eine juncvrouwe zcart
zcu der e gelobit wart;
und do der selbe Baldach
di juncvrouwe gesach
15 daz he si irkante,
in libe he enprante
so sere daz he durch di mait
in sichtum vil na was virzcait.
daz machte he den ercztin
    kunt,
20 wi he von libe were wunt.
do daz dem kumpan was gesait,
he gap zcu wibe em dise mait;
und do di hochzcit wart volant,
he zcoch widir in sin lant
25 mit disir jungin vrouwin.
em begunde wol gezcouwin
daz he gutis gewan genuk.
den kumpan armut ubirwuk
daz he durch armutis not
30 muste betelin daz brot.
und do he durch den andin
von lande ginc zcu landin,
von geschichte em geschach
(33ᶜ) daz he quam zcu Baldach;
35 do ginc he durch sin woßn
in di kirche sloßn.

    2 do] di

und do di lute slofins phlagin,
do wart einir dirslagin
an der kirchin da voru
durch haz und durch nidis
    zcorn.
und do iz vru morgin wart,   5
der beteler quam uf di vart
vor di tor gegangin.
zcuhant wart he gevangin,
und wurdin alle sagin,
den man he hette irslagin.   10
daz he vil snelle bekante,
sin rede nicht enwante,
wen he wolde libir sterbin
wen also virterbin.
und do man um en dingin   15
solde mit tedingin,
do quam von geschichte dar
Baldacherius und wart gewar
daz man sinem kumpan
wolde den hals abe slan.   20
durch daz ensumete he nicht
    lanc,
vor den richter daz he spranc
und wart offinbare sagin
'ich habe den menschin irslagin,
und der do stet in gedult   25
der ist unschuldic der schult',
und gap sich do gevangin
zcu des todis getwangin.
der dritte wuste daz bevorn
daz di zcewene unschuldic worn 30
und wuste wol daz di schult
von em nulich was irvult.
(33ᵈ) ouch vurchte he in der
    schichte
daz groze gotis gerichte.
des brochte·en disir vurchte 35
    twanc

daz he vor den richter spranc
und saite wore mere
daz he schuldic were
an des todin leide:
5 di wern unschuldic beide.
und do der richter irkos
der zweir truwe so groz
und des drittin do bi,
he liz si ledic alle dri.
10 den kumpan nam he heim zcu-
    hant,
do he en von gerichte empant,
und gap zcu sinem libe
sin swestir em zcu wibe.
dor zcu machte he en rich,
15 sin gut he teilte mit em glich.
    Di vor genantin kunstiger
di sullin wert unde mer
sin an der ersamikeit
und an der reinen kuscheit,
20 wen si vil dicke tribin
gewerp mit den wibin.
darum en daz vil wol gezcam
daz si sin kusch und ersam,
daz si di wip icht irrin.
25 si sullin von en virrin
ir ougin durch ir effin,
daz si mit Josephin
den mantil lazin en zcu phant
der unvlat in des wibis hant.
30   Tertulianus der sprach
daz sin ougin uzbrach
der meistir groz Demetrius,
(34ᵃ) der was ein philosophus,
daz he nicht mochte schouwin
35 ane beger di vrouwin.
    Valerius sait ouch ein dinc,
wi daz ein schone jungelinc,
der was Sprurima genant,

allein he kusch were dirkant,
he was schone zcu schouwin,
daz en alle vrouwin
durch sin schonde sogin an.
umme daz mutin sich di man   5
und etliche vrunde.
do em daz wart zcu kunde
daz si em daz virgundin,
he wart vil sere virwundin
sin schoniz antliczce   10
mit stichiligir spiczce.
he wolde libir sin gemeit
mit kuschlichir reinekeit
wen daz he schone were
und reinikeit empere.   15
    Di schrift ouch macht bekant
wi Duelia genant,
eine selige klostirnunne,
in juncvroulichir wunne
trug ougin in dem houbte clar. 20
der ein kung wart gewar
und quam in gedankin
von den ougin blankin.
do di nunne des entsub,
ir ougin selbir si uzgrub   25
und sante si zcu gobe
dem kunge zcu lobe,
daz he sich icht dorfte tougin
werrin mit iren ougin.
(34ᵇ) Demostenes ein schone 30
    wip
nach Elymandi geschrip

    5 *mŭtin   rote überschrift* wy
spruryma syn antliczce vorwunte
    13 kuschlichin   17 *nach* wi *ist
daz ausradiert*   21 *rote über-
schrift* wy duelia ir ougin vz brach
    30 *überschrift* von deme daz
nicht zcu nennen ist

ummegreif vil vaste,
in schimpe si betaste
und sprach, wi si gebe daz
daz do nicht zcu nennen was.
5 si sprach, ir gedinge
wer tusint phenninge.
he sprach widir di rede sin
'suld ich koufen groze pin
um so manchin phenning,
10 und mich doch bulfe kleine
ding?'
  Kuscheit haldin tegelich
ist tugint und behegelich.
darumme sagit virwor
in dialogo Gregor
15 'di wollust und ir stricke
virgen in ouginblicke,
und daz man darumme liden
sal
daz ist ewic ane zcal.'
  Sente Augustin gesprochin hat
20 im erstin buche der gotis stat:
e Marchus Marcellus gewan
di schone stat Syracusan,
der uzirwelte Romer
begunde weinen heize zcer
25 durch manchirleie jamirkeit
di do kumt von stritis leit.
und do di stat was wurdin sin,
e he zcogin liz dar in,
he gebot allin endin
30 daz nimant solde schendin
keinirleie vrouwin lip,
si were mait adir wip.
  Ouch sullin si habin warheit
(34ᵃ) von den ich vor habe
geseit.

di warheit di ist sulchir art
daz si sich nicht zcu winkil
schart.
si ist ein tugint so getan,
di tugint wil nicht vurchte han,
sundir si hat allir meist   5
war zcu saine vrien geist.
  Des sait Valerius di mer,
do Sicilien grimmiger
wunschten Dyonisio
von Syracusano   10
daz he leit entphinge
also daz he virginge,
si wunschtin albetalle
gemein noch sinem valle.
do was ein alde vrouwe,   15
di vru vor dem touwe
vor tage zcu der mettin trat,
do si vlizlichin bat
vor den herin in der stunt
daz he lange blibe gesunt.   20
do Dyonisius irvur
disir aldin vrouwin vur,
en wundirte und vragite
daz em di vrouwe sagite
worumme si ir gebete   25
so vlizec vor en tete.
do di vrage geschach,
dise vrouwe widir sprach
'do ich was ein junge dern,
do hatte ich einen swerin hern. 30
dem wunschte ich also lange zcit
daz ich wart des herin quit.
nach dem ein ergir herre quam,
dem ich was von herzcin gram.

4 nicht] noch   7 *überschrift*
wy daz alde wip bat vor den bozen
herrin   9 wunschte   10 dem?
11 entphige : virgige

21 *überschr.* wi marcell' weynte

(34ᵈ) der dritte der ist komen nu,
der allir snodiste, daz bistu.
darumme vurcht ich den un-
        vromin,
einen ergirn noch dir komin.
5 durch daz so bit ich also ser,
daz icht kome so snodir her
als du lange bist gewesin;
wir mochtin andirs nicht ge-
        nesin.'
darumme daz der aldin munt
10 dem herin di warheit machte
        kunt
und ouch durch andirs willin
scheinte he sich zcu villin
und zcu pinegin daz wip.
Und also hat ir daz geschrip
15 von dem schribere gar
und von der wolle und von
        deme har.

Daz vierde capitil. Von
    kouflutin unde wech-
    selern.

    Vor dem kunge ein vende stat
der alsulche forme hat
uf disem schachgevilde:
20 he trug in menschin bilde
ein gewichte mit der woge
in sinir rechtin hant zcu phloge.
so trug he sundir vele
in linkir hant ein ele
25 und bi em einen phenningsac
an dem gurtil uf den bejac
daz he den phenning ebin
zcu rechte mocht uz gebin.
    Nu sal man bi der elin
30 gewantsnidere zcelin,

und ouch di kouflute
und manchir dinge bute.
so merkt man wechselere
(35ᵉ) bi der woge swere,
bi dem phenningsacke sin   5
bedut daz si gelt nemin in.
di sullin alle sin gereit
zcu vliene di girikeit
und sullin sich hutin vor schult,
daz ist ein tugint ubirgult,   10
und ir gelobde haldin
an deme des si waldin,
und waz en wirt bevolin dar
daz suln si wedirkerin gar.
    Von recht habin si daz len   15
daz si vor dem kunge sten,
wen si habin den sacz
an deme kunclichin schacz,
daz si den soldenerin
sullin sold gewerin.   20
di sullin sich mit wisheit
bewarn vor der girekeit.
do von sait Tullius ein mer
'di girekeit ist ein beger
den phenning zcu gewinnen   25
und den behaldin innen.'
keine sunde ist ir genoz,
und meistlich bi den vurstin
        groz
und di do werdin dirkorn
daz si den lutin sin bevorn.   30
di girekeit di ist so vrat,
si zcut zcu allir missetat
und si phlit der aldin
allir meist zcu waldin.
wen waz ist me so ungebort,   35
wen si gelebin an den ort
daz si (ir) lebin wendin
sullin zcu den endin,

(35ᵇ) und denne wellin kerin
ir snodin werc zcu merin?
   Nu spricht der wisen lere
      spruch
von des girigen bruch:
5 der girige nicht wirkit me
wen daz he bose dinc bege;
og daran wirbit he ebin
um sin langiz lebin,
daz daz nicht virterbe.
10 daz ist sin beste gewerbe.
der girige in welchim lande
der ist gut kein nimande.
em selbir ist he snode
durch sin unreine brode,
15 und ist an irbarmen
der snodiste dem armen.
dem girigin nimmir gebricht
sache daz he loukint nicht,
adir daz he gebin sol
20 daz kan he virsagin wol.
   Seneca der machit kunt
wi daz einir bat ein phunt
von dem kunge Antygono,
der em daz virsaite so:
25 he sprach 'du bist nicht in dem
      lobe
daz du bitist so groze gobe.'
dar nach he bat ein kleine dinc,
daz was um einen phenninc.
he virsaite em andirweit
30 und sprach 'minir wirdikeit
noch minem kunglichin nam
so kleine gobe nicht enzcam.'
also wart he virneinen
daz groze mit dem kleinen

21 *überschrift* wy d kung'vir-
sayte eynen phennyng

durch sine snode girikeit,
(35ᶜ) di teil hat mit der un-
      kuscheit.
   Josephus schribit den gesuch
in sinem achzcendin buch,
darinne he hat behaldin
di schrift von den aldin,
wi daz ein romisch wibisnam
schone junc und lobisam
rich wirdic unde phin,
di was geheizin Paulyn, 10
di ir zcu egesellin nam
Saturnium, dem daz gezcam.
dar nach geschach in kurzcir
      stunt
daz ein rittir wart enzcunt
in irre libe so hart 15
daz he nach ir sich wart.
Mundus disir rittir hiz,
der do grozen geniz
gelobte der Paulynen
von groschin und goldinen 20
und ouch andir gerete
daz si sinen willen tete.
daz si alliz virsluc,
di gobe gar geringe wuc.
des wart der rittir virzcagin 25
von krancheit unde sichtagin
von der seneclichin not
durch daz wip biz in den tot.
do was bi em ein dirne
an bosheit gar gevirne, 30
von Idea irkant,
di was Liberta genant.
den herrin si an rette
daz he sich uz dem bette
gesunt solde irhebin: 35
he muste des entsebin
(35ᵈ) daz di vrouwe Paulin

muste tun den willen sin;
daz wolde si machin
mit behendin sachin.
der rittir was der. rede vro.
5 he machte sich uf also
und gap zcu gedinge
von golde vunf phenninge,
der he vor Saturni wip
zcwenzcic bot um iren lip.
10 des ginc di ungeschaffin
zcu dem houbtphaffin
des grozen gotis Ysidis,
dem si machte gewis
zcu gebin allinthalbin
15 goldiner drittehalbin,
daz he solde schickin
Paulynen zcu den strickin
daz si dem rittir Mundin
zcu liebe wurde gebundin.
20 des wart der phaffe gereit
durch sine girekeit.
do he di rede irkaute,
Paulynen he besante
und sprach, he were ein bote
25 von dem grozen gote
Egipti, von Danubio,
der geheizin was also,
gesant do her uf libin won
zcu irme gote Etyron.
30 der daz. gebotin hette
daz man si an rette:
he wolde habin irin lip,
wen si were ein schone wip.
man solde machin ir bekant,
35 (36ª) he were in irre libe em-
prant;
des wolde he sundir strofin
bi der vrouwin slofin
in dem tempil Ysidis:

do wolde he volbrengin dis.
si sold ir bette reitin
und solt sin do beitin;
he wolde komen zcu ir
und irvullen sine gir.
Paulyne wart der rede vro
und wolde wen si were also.
si wart di rede kundin
vremdin und den vrundin,
und duchte sich ummozen wert 10
daz ir hatte gegert
der groze got Danubius
in sinen vruntlichin kus.
ir man des gerne virhinc
daz si zcu dem gote ginc, 15
wen he di selbe Paulyn
wuste schemelichin sin,
daz si in envaldikeit
engerte nicht der unkuscheit.
des machte sich di vrouwe zcart 20
in den tempil uf di vart
in rechtin envaldin.
dar inne was behaldin
Mundus der rittir heimelich.
Paulyna di berichte sich 25
als si beste mochte do
kein deme gote Danubio.
man sloz di kirche alumme zcu.
Paulina leit sich an di ru;
und do iz quam an sulche zcit, 30
Mundus, der do hilt besit
(36ᵇ) zcu winkil und was ge-
wichin,
quam zcu ir geslichin
in iren vruntlichin kus
als ap iz were Danubius. 35
di nacht he al do bi ir lac,
do he grozir libe phlac,
daz si wante mere

daz iz der got were.
vor tage machte he sich von dan.
des sich die vrouwe nicht virsan
daz si der rittir hette
5 betrogin uf dem bette.
si duchte des in iren phlegin,
ir got hette bi ir gelegin.
des morgins schit si danne
und saite iz irem manne
10 und andirn iren mogin,
daz si hatte gephlogin
vruntschaft mit dem gote
noch siner libe gebote,
und duchte in irre gere
15 daz si di beste were,
und waz si hatte gutir wort
von Danubio gehort
daz saite si mit schallen
den nakeburen allen.
20 ein teil geloubitin der schicht,
ein teil geloubitin ir ouch nicht.
ein teil wurdin virjen,
do were ein wundir geschen:
di vrou di were so schemelich,
25 si tete nicht unzcemelich.
des drittin tagis dar nach
also dise schicht geschach
ginc Paulina uf der strozen.
(36ᶜ) Mundus quam zcu mozen
30 also daz he ir undirwein
quam uf der gazzin in begein.
do sprach he 'o Pauline,
du hast zcwenzcic goldine
di ich hatte dir gedacht
35 mich nu richir gemacht.
nu must du habin als du bist.
ich habe dich doch ubirlist:
jo was iz nicht Danubius
der dir gap so manchin kus.

jo was ich daz der bi dir lac.'
daz wip der rede sere irschrac.
Mundus der ginc sine vart.
di vrouwe sich irkennen wart,
und do si rechte sich virsan 5
daz do ubil was getan,
ir was di schult ummazen leit.
des zcureiz si ere kleit
und ginc endelichin dan
do si vant iren man 10
und bat in ire sproche
den man umme roche.
der man des nicht virdaite,
dem keiser he iz saite.
der wart von der vrouwin spen 15
wi daz dinc was geschen.
Tyberius was he genant;
do der hatte dirkant
des snodin phaffin girikeit
und Libertin truginheit, 20
da di bosheit erst uz ginc,
he beide an einen galgin hinc.
den tempil in der stunde
warf he umme von grunde
(36ᵈ) und liz den abgot Ysidis 25
werfin in di Tyberis
und hiz Mundum sendin
zcu ewigin ellendin,
wen he nicht grozir pinen
solde durch Paulynen 30
liden do von rechte,
wen der keisir zcechte
der grozin libe ungevuc
di he zcu Paulynen truc.
Ouch sait uns dis geschribe 35
von einem snodin wibe,

di sich zcoch von der gemeine
und vurt ir lebin alleine.
di was an girikeit so geil,
si hatte golt ein michil teil
5 begrabin undir di erde
in ir hus mit werde.
und do si daz also gewarp,
dar noch nicht lange si starp.
dem bischove wart gesagit daz
10 wi daz golt begrabin was.
do he hatte des entsabin,
daz golt hiz he uzgrabin
und liz iz tragin hin ap,
der vrouwin werfin in ir grap.
15 und do daz golt begrabin lac
biz an den drittin tac,
di vrouwe schrei in grimme
mit jemerlicher stimme
und klagite ir ungesture
20 von hellischem vure,
wi sere si daz brente
von des goldis rente.
und do si des geschreis phlac
(37ª) gar jemerlich vil manchin
tac
25 also daz di nakebur
von ir ledin manchin schur,
der bischof hiz und gebot
daz man uzgrube den tot.
und do daz grap wart ufge-
grabin,
30 man vant in dem munde habin
si gesmelzt golt mit swebele
in vurigim nebele;
darum daz daz wor ist
daz man in der schrifte list

'dich hat gedurst noch golde,
nu trink golt in unholde.'
    Seneca di schrift virlei
von der wibe geschrei
'di girikeit ist alle stunt
allir lastir vullemunt.'
darum der tuvelische haz
Septennulium besaz,
der durch groze girikeit
Gracko sin houbt abe sneit   10
und stacte daz an einen spiz
dorumme daz em Spomotesis
grozir gobe sulde phlein,
wen he solde widirwein
daz houpt mit turem solde,   15
daz was mit rotim golde.
des vullete he daz houpt vol
wo iz was enbinnen hol
mit gesmelztem blie.
daz tet he uf di die   20
daz des houbtis burde
deste swerir wurde,
umme daz daz em do von
goldis wurde me zcu lon.
    (37ᵇ) Ptolomeus hat geseit 25
von der snodin girikeit
Septennuli di he do treip
do he von dem lachin schreip
des kungis Styptorum,
und wil uch sagin worum.   30
wen der keisir offinbar
Anthonius des wart gewar
daz he solche richeit
hatte von der girikeit,
he saczt en mit des gutis hort 35
in ein schif, daz was durchbort,
und liz seczcin ane wer

3 *überschrift* von deme gyrigin
wibe   16 tag

30 vorum

daz schif uf daz hoe mer.
daz gut leite man em in den schoz,
daz he der girïkeit genoz,
und liz en ane hute
5 swimmen mit dem gute.
des muste he als ein snoder man
mit deme gute virgan.
waz solde em do daz golt so rot
do he was in sulchir not?
10   Der wisin lere ritin:
man sal dem gute gebitin
und nicht sin des gutis knecht.
wiltu tun dem gute recht,
kanstu iz nuczcin unvirzcait,
15 so ist daz gut dine mait.
daz gut den girigen setit nicht.
darumme Salustinus spricht
'daz snode girige gut
tru und ere undirtut
20 und alle tugint virkert,
di hochfart und den vreidin lert.'
und wen iz hat besezzin,
(37ᶜ) iz macht en gotis virgezzin.
darum hut uch in gedult
25 daz ir icht komit in groze schult.
  Ambrosius der sprichit dort
von Thobia dise wort,
daz armut in dem lande
hat keinirleie schande.
30 sin schuldic in unzcemde
machit dicke schemde.
und wer ouch phlit seldin
sine schult zcu geldin,
daz ist noch schemelichir
35 und mag nicht wesin sichir.
  Du sist arm adir rich,

17 *überschrift* laz den phen-
nyng nicht dynen herrin syn

vor wuchirs snodikeite wich.
bistu arm, bedenke dis,
wi swer iz dir zcu geldin is.
di wisen sundir lugene
sagin daz si ein trugene
daz do borgit ein man
daz he nicht virgeldin kan.
  Seneca spricht di erne
'swer gerne nimt der lerne
di wile daz he lebe   10
daz he widir gebe.
und weme man gut liet
daz he do van gediet,
des sal he sundir wankin
gar vruntlichin dankin.'   15
jo vint man vrunde genug,
di wile si werbin iren vug
so kunnen si gelobin vil,
und wenne iz komt an daz zcil
daz si sullin geldin,   20
so got iz an ein scheldin.
  (37ᵈ) Darum so sprichit Denius
ein meistirlich philosophus
'min vrunt, min vleisch und min
      blut,
bat daz ich em lege gut;   25
und do he min also genoz,
gut und vrunt ich do virlos.'
Is daz dir wirt bevolin gut,
als man manchim manne tut,
wenne man daz heischit in sinir 30
      stunt,
so gip iz widir unvirwunt.
  Ein groze stat hiz Yenua;
ein richir koufman wonte da;
sin nam der was genant alsus
Albertus Cautherinus.   35
Abstensis was he von geburt,
mit sulchim rechte begurt,

wen einir wart en redin an,
he hette zcu haldin em getan
in di gewalt sine
vinf tusint goldine,
5 und di rede was nicht war,
sundir ein lugin offinbar;
und do der selbe burger
des dingis hette kein gewer,
also daz he ichtis icht
10 mochte wizzin von der schicht,
he sprach zcu disem manne
'wo.adir wanne
hastu miner hute
begert mit dinem gute?
15 jo gesach ich dines gutis ni:
daz mag ich dir sagin hi.'
jenir der wart schrien,
he wold sich nicht virzcien
des gutis mit der trogene
20 (38ᵃ) noch mit sulchir logene.
der koufman horte disin grim.
he rief en balde zcu im
und zcalte em snelle daz gelt,
daz he icht·wurde vermelt
25 von em in disir stunde
zcu snodim lumunde,
wen he vil ringir zcechte
virlisin zcu unrechte
sines goldis richin hort
30 wen he virlor sin gutiz wort.
jenir mit unerin
daz gut nam in den gerin
und schit von dem koufman.
mit grozim wuchir he gewan
35 dar nach nicht in langir stunt
goldis me wen vinfzcen phunt
mit deme selbin golde.

und do be sterbin solde,
he gedochte an Albertum sint,
wen he hatte keine kint,
und macht en also linde
zcu einem erbekinde, |golt, 5
und sprach 'von em hab ich daz
daz gut und den richin solt,
daz ich em habe apgetrogin
und mit trugin apgezcogin.
darum wil ich bi minem lebin 10
em alle min gut gebin.' |wein
Do widir viul man manchir-
di do untruwe phlein,
daz si virloukinen daz gut
daz man en zcu haldin tut.   15
do von lese wir ein gelich
von einem koufmanne rich,
(38ᵇ) der was witen virmert,
he were worhaft und wert,
und machte sich den lutin lip. 20
doch was he hemelich ein dip.
ein uzlender quam aldar
und wart des wirtis gewar.
sin gelt he em zcu haldin gap
und zcoch in andir lant hin ap. 25
dar nach ubir dri jar
quam disir gast widir dar
und begerte sere
sines geldis wedirkere.
der wirt der bedachte daz   30
daz do nimant bi en was
do die sache wart getrebin
noch daz gut wart bischrebin.
des wold he sich nicht meldin
em sin gut zcu geldin, [schicht, 35
sundir he sprach in sulchir

26 *überschrift* wie der wirt den
gast betrog   32 getribin

22 em   36 winfzcen

he wuste do van nichtis nicht.
des was der gast betrubit gar,
daz he sines gutis empar,
und quelte sere sinen lip.
5 do begeinte em ein aldiz wip
uf der gazzin inkegin,
di wart en zcuhant vregin
daz he ir saite mere
wi he so truric were.
10 do sprach der gast 'min handelin
kanstu mir nicht· wandelin.
min leit muz ich alleine tragin.'
daz wip em wart hin widir sagin
'saga mir als ich dich bat.
15 ich gebe dir lichte gutin rat.'
di vrou en do beweite
(38ᵉ) daz he ir uzleite
des koufmannes tucke
und sin ungelucke,
20 und wi daz dinc was geschen
wart he der vrouwin virjen.
daz wip da widir rette,
ap he imandis hette
in der stat zcu vrundin,
25 den so sold he kundin
daz si solden schrine
lazen molen fine
und leite(n) steine dor in
als ap iz golt solde sin
30 und edele gesteine.
daz soldin si zcu scheine
tragin deme koufmanne hin
und soldin des betin in
daz he iz in sinen gewaldin
35 en wolde do behaldin.
und wen si zcu em quemin dar
und wurdin redin offinbar,
so solde he komin zcu gegan
vor den selbin koufman

und solde bitin sere
sines gutis wedirkere.
doch sold he do nicht nennen
sine vrunt noch bekennen,
und also wurde troffin
sin gut durch sulchiz hoffin,
wen als der wirt wurde tastin
di swerde an dem kastin
'und du heischist din gelt,
so hat he var he werd gemelt, 10
und wirt habin sinne,
zcu grozerem gewinne,
(38ᵈ) und also sundir lengin
heizt he din gut brengin.
also gewinnestu din gut.   15
darum habe gutin mut.'
der gast von disir vrouwin schit
und tet also als si em rit,
wen he sin gelt also gewan,
und schit vrolichin dan.   20
mit alsulchir liste phlogin
wart der koufman [also] betrogin,
und bleip do bi ein snodir wicht.
doch wart em des gutis nicht.
Also blibt daz dutin   25
von den kouflutin.

Daz vumfte capitil. Von
  ercztin und aptekern.

  Nu lazt di rede wendin
von den vier vendin:
wir wellin mit virnumftin
sagin von dem vumftin,   30
der vor der kuniginne stat
unde sulche forme hat.
ein arczt uf meistirstule

18 riet   30 der

aus von der schule.
der was wise unde kluc.
ein buch he in der zcesmen truc,
und in der linkin hende sin
5 trug he ein salbineimirlin,
und an deme gurtilbande
truc he manchirhande
isen in den stundin
zcu swerin und zcu wundin.
10 bi dem so han figure
di erczte der nature:
daz bedutit der gesuch
(39ᵃ) daz he treit bi em daz buch,
bi deme ouch sin uz geleit
15 der sibin kunste wisheit.
ein gutir arczt irschine
an kunst zcu dem latine,
daz he reine unde phin
kunne sprechin sin latin,
20 und waz der kunst volgit na,
di kunst di heizt gramatica.
dar nach sal he sich zcirin
zcu deme disputirin,
vrage vor kunne legin,
25 rede enphan moge enkegin,
der kunst kunne genizen
di rede recht beslizen.
dar zcu sal em wesin ga
di kunst di heizit loyca.
30 ouch wil ich em benumen
wi he sin rede blumen
sal, daz si werde lobisam:
di kunst man heizt rhetoricam.
he sal ouch nicht virgezzin
35 der kunst von deme mezzin,
di heizt geometrien:
so mag ein arczt gedien.

3 trug

dem gutin arczte wol gezcam
zcu kunnen arismeticam:
daz ist di kunst von der zcal,
di he zcu rechte wizzin sal.
5 ouch si dem arczte bange
nach der kunst von dem gesange,
wen he begrifit menschin hut,
daz he dirkenne den lut
welchirleie und wi getan
10 em die pulsadir slan.
(39ᵇ) ouch sal he sin gevirne
zcu sehn an dem gestirne
wen he moge di arczeti
den lutin gebin zcu gedi.
15 Apoteker bedutit sin
bi dem salbineimirlin,
di von manchin sachin
arczetie machin.
bi dem isen sin irkant
20 erczte di mit der hant
den siechin kunnen ratin
und den komin zcu statin.
di erczte der naturen stift
sich vlizen sullin an di schrift;
25 di anderin sullin wendin
zcu werbin mit den hendin.
Ein arczt gut der sal von art
wise sin und wol gelart:
wen als daz lebin wirt gewant
30 daz ez stet an sinir hant,
also sal he sich zcirin,
deste baz studirin,
daz he di menschliche stift
moge irkennen von der schrift,
35 daz he den icht tote
dem he solde uz note
helfin mit der meistirschaft
und mit der arcztie kraft.
Den erczten sal wonen mite

hubsche, wort und gutin site.
darzcu ich en ouch schribe
di kuscheit an dem libe,
und sullin dicke suchin
5 den siechin und wol beruchin
und en vil dicke vrogin
(39ᶠ) um sinir schichte login,
und sullin lebin ratis
Galieni und Ypocratis,
10 dar zcu der aldin nennin,
Rasis und Avicennin.
der schrift si sullin lesin
um der sucht genesin.
und wen der erczte kumt vil
15 zcu dem siechin uf ein zcil,
si sullin sich nicht zcirin
zcu dem disputirin,
daz si sich icht bewisin
disir werld zcu prisin
20 me wen si gedankin
hetten zcu dem krankin.
jo wundirt mich so swinde
durch waz man rede vinde
mit ubiregin wortin
25 sundir endis ortin,
und der sieche lit beladin
mit siecheit und ungenadin,
der vil billichir hette
daz man do von rette
30 wi he gesunt wurde
von siner siechin burde.
des sullin di erczte wandelin
ires gemutis strandelin,
nicht daz ein arczt sulle sin
35 me den lutin zcu schin,
wen daz he arcztie
den siechin zcu gedie.

35 dem

Vor der kunginne,
stet der arczt mit sinne
darum daz an en geleit
sal sin des libis kuscheit.
(39ᵈ) wen, als si sullin schouwin 5
bewilen nacte, vrouwin,
darum ist iz gut
daz si habin kuschin mut.
Valerius der schribit daz
wi kusche was her Ypocras. 10
Attenis was ein edil wip,
zcart ubir al iren lip,
der die jungelinge
gelobtin ein gedinge
ap si sich mochte gatin 15
mit meistir Ypocratin,
daz si sin gemute
brechte in snode glute.
di zcu em quam in sulchir acht
daz si bi em slife di nacht: 20
doch mochte si mit keinem schalle
disen meistir brengin zcu valle.
und do di jungin rottin
mit der vrouwin spottin,
daz si nicht mochte disen man 25
brengin in unkuschin wan,
und hieschin ouch den batin
den si gewunnen hatin
als do vor was geret,
wi si hattin gewet: 30
di vrouwe sprach alzcuhant
'ich saczte uch darum nicht ein
phant,
daz rede ich sundir strofin,
daz ich wolde slofin
bi einem menschin vule 35

7 iz en gut? 11 *überschrift*
von ypocratiz kuscheit

adir bi einir sule.
noch bin ich eine vrouwe stolcz:
bi mir hat gelegin ein holcz.'
di vrouwe ein glichnisse vant
5 (40ᵃ) bi einir sulen undirstant
durch des meistirs stetikeit
di he hilt an kuscheit.
  Noch hat he geschribin me
von meistir Senocrate.
10 do den ein wip in der nacht
vil bertielichin anevacht
so daz he ni sine gir
wolde wendin zcu ir,
des weich daz wip mit schandin,
15 do si nicht wart bestandin.
  Cornelius Scypio genant
in Hispaniam gesant,
do der di burge gewan,
zcuhant do liz he tribin dan
20 daz der wollust zcu gehort,
di vil gutir dinge stort.
des so zcogin uz dem her
zcwei tusint wip der erin ler,
wen der herre wol wuste
25 daz di wolluste
gar kreftielichin undirtut
beide sin unde mut.
  Di erczte sullin sorge han
vliziclichin bi dem man
30 der do lit in unkreftin
an sinir wundin beftin.
ist he ein arczt also dirkant
daz he arcztiet mit der hant,
so sal he sine wikin
35 machin nach der smikin.
ist di wunde schibelecht,
he mache ir ire wike recht.

ist der stich adir hou
lanc, he mache ir sin gezcou.
  (40ᵇ) Ouch sal man arcztie
    uzlegin,
widir mit widir enkegin,
als uns daz figuren
di meistir der naturen,
wi man sal virhaldin
di hiczce mit dem kaldin,
daz kalde mit der hiczce
nach meistirlichir wiczce.   10
ouch so sal man wizzin,
vroude mit trubnissin,
betrubnis mit der vrolichkeit
zcu arcztien sin gereit;
wen manche sint irsturbin   15
von vroudin und virturbin,
manche sin ouch in unvrum
durch groze vroude wurdin krum.
  Nu wel wir redin hi bi
zcu dem erstin, waz die vroude si; 20
dar nach wel wir wizzin lan
wi vroude totit den man.
di vroude so ist uzgeleit:
des mutis ein dirgozzinheit
der do entphet lustsamikeit,   25
dar zcu der mensche libe treit,
und alle lute vroude gern,
di doch nicht stete mac gewern,
wen di lute daz joch
nicht wizzin daz do volgit 30
    noch.
  Marcialis sprichit doch
in arcztien ein koch
'die vroude vluchticlichin vlut,
zcu stetikeit sich nimmir zcut.'
Valerius gesprochin hat   35
in sines elftin buchis blat
rede seldin gehort,

(40ᶜ) daz vroude und libe den mort
stiftin zcu des todis schricke,
als wir horin dicke
von den Romern sagin wi
5 zcu Julach fusineti
geschach einem wibisnam,
di man nante Liviam.
di wante nach der lute sagin
ir man were dirslagin.
10 des trug si leit und ungemach.
dar nach nicht lange geschach
daz si iren gesellin
an der torswellin
des huses kegingende vant.
15 si vil nidir alzcuhant
vor grozin vreudin und starp.
dem gliche ein andir vrouwe warp
der ein lugenere
saite valsche mere
20 wi daz ir sun were tot.
des leit daz wip betrubte not.
ir wart vil sere dirlangin.
des quam ir sun gegangin:
der was schone und gesunt.
25 des wart der vrouwin jomer kunt,
wen do si en ansichtic wart,
si viel nidir uf der vart
und starp vor vroudin so balt
und wart endilichin kalt.
30 also di vroude sterbite
di vrouwin und virterbite,
di nicht von grozin leidin
mochtin vor virscheidin.
und daz was nicht besundir
35 von wibin groziz wundir,
(40ᵈ) sundir daz noch grozir was
wi man vor eime brieve las

7 luiam; Juliam?

der Stabulosus was genant.
in den brieven was bekant
wi daz Theodosius
ein edil man genant alsus
hette daz werdir Corsicam   5
undirtan sinem nam.
des wart der man also vro
daz he von der vroudin ho,
nidir viel unde starp,
und sin lebin so virtarp.   10
Ouch so lese wir also
von hern Phylomeo,
der sulche vroude an sich
enphinc
daz he darumme virginc.
Der vroudin hat gelernit bi   15
her Ypocras ein arczti:
wen do der selbe Ypocras
lange in vremdin landin was
durch alsulchiz ernen
daz he solde lernen,   20
und do di vrunt virnomin daz
daz he ein klugir meistir was,
des woren si ummazen vro.
dar nach vugit iz sich also
daz he zcu lande gahete.   25
do he den vrundin nahete,
he sante sinen botin her
der en sagite di mer
wi daz he were wurdin sint
an sinen beidin ougin blint;   30
und daz tet he umme daz
daz si an vroudin wurdin laz,
(41ᵃ) daz si·icht dorftin goudin
mit ummezigin vroudin,
sundir soldin giren   35
ir vroude tempriren
mit den betrupnissin
durch sinir ougin missin,

daz si icht dorftin sterbin
von vroudin und virterbin.
　Wir lesin ouch sulchiz tun
von Tyto Vespasiani sun,
5 wi der virnam di mere
wi daz sin vatir were
gekorn an romisch keisirtúm:
he wart vor grozir vroude krum.
und do Josephus gesach
10 disis krummen ungemach
(wen he was ein arczt kluc
und kunde meistirschaft genuc),
des wart he endilichin vragen
ap imant were bi den tagen
15 den Tytus hette swinde
zcu einem grozen vinde.
der wart em snelle genant.
he liz en brengin zcubant,
dem Tytus was so ·rechte gram
20 daz man nicht turste sinen nam
nennen keine wis vor im
durch sinen zcornigin grim;
und liz bereitin also risch
gar wol berotenen tisch;
25 dar zcu so wart he lenkin
truchzcezzin unde schenkin,
di vlizlichen larten
wi si des soldin warten.
(41ᵇ) den he virbot bi holdin
30 daz· si mit nichte soldin
keinirleie geheize tun
daz si hieze des keisirs sun.
und do der tisch bereitit was,
Tytus zcu dem tische saz
35 des herin Vespasiani kint.
　kegin em wart gesaczt sin vint,

daz der helt virmezzin
mit em solde ezzin.
do Tytus den irkante,
in zcorne he emprante
und den sinen gebot
si soldin em tun den tot:
do si sich nicht an kartin,
sundir zcuclčliche wartin
als eines grozen herin.
mit vil grozin erin　10
wart sin gephlogin deste baz.
des quam he in so grozen haz
daz man dem vinde irbot di
　　　gunst,
daz he in zcornigir brunst
brante in zcorne als ein vuir, 15
daz he von sulchir ebintuir
do wart in der selbin stunt
beide vrisch und gesunt.
und do he di geschicht virnam
daz daz von sinem vinde quam, 20
der quam in groze holde sint
der vor gewesin was sin vint.
　Jo sullin di aptekere
mit vlize habin gere
wi si sich gereizen　25
zcu der erczte heizen,
(41ᶜ) daz si sich icht virgezzin
adir werin besezzin
mit manchin hindirnissin,
daz si icht virmissin　30
an den arcztien
den sichin zcu undîen.
ouch sullin si machin
ir salbe in suzen sachin,
nicht daz ir gemenge　35
den siechin si zcu strenge.
di salbe sal habin den bunt
daz si mache gesunt.

3 *überschrift* wie tytus crum
wart vor vroudin　21 em

Wer imant euch alsulchir stift
daz he wolde virgift
von den apotekerin
durch snodikeit begerin,
5 den sal durch kein gedingin
dor an kein en gelingin.

Di erczte der wundin
sich sullin also kundin,
wen si di wundin snidin
10 daz si mite lidin.
si sullin dor an nicht wesin grop,
daz si virlisen icht ir lop.

Und sind di erczte betal
sorgin vor der lute val,
15 vor sich si sullin sorgin zcuvor
daz si volgin gutim spor,
wi si di sele dirnerin
und sich an gute sitin kerin.

Di rede loze wir wendin
20 von der vimftin vendin.

Daz sechste capitil. Von
gastgebin und krezche-
merin. 355.

Nu wel wir lere gewerin
(41ᵈ) von den krezchemerin
und von den gastgebin
sal sich rede bebin.
25 daz der sechste vende dut,
den man vor dem andirn aldin
zcut;
der hat alsulche norme
in dises spelis forme:
he helt der rechtin hant gelit
30 als einir der di geste bit,
und in der linkin hende sin
treit he brot unde win,
und treit an sinir gurtilsnur

sluzzile durch sulche wir,
daz he da mite bewere
gastgebin, krezchemere,
und an dem selbin ringe,
bewerer der dinge.
di sten vor dem richtere
durch alsulche mere,
wen iz vil dicke geschit
bi der selbigin dit,
kriec betrubnis und haz,   10
daz di richtere daz
bewilen muzin slichtin
und nach rechte richtin.
di sullin han di wise
daz si gute spise   15
berichtin iren gestin
sundir ubirlestin.
swaz man en gebit zcu haldin
in ires huses waldin,
daz sullin si bewarin   20
an allirleie varin.
daz erste dut die linke hant,
dar inne man win mit brote vant.
(42ᵃ) daz andire di rechte hat,
di zcu geste betin stat.   25
daz dritte beschriten
di sluzzele bi der siten.
di sullin vlien ubiraz
und an trinkin ubirmaz,
darumme daz di geste   30
von en lern daz beste.

Vil dicke kumt von trunkinheit
beide kriec und andir leit
und daz unrecht wirt volbracht
me wen sin was gedacht.   35
Der mensche sal sich vutin
daz he lebe in gutin.

26 beschrieten : syeten

nicht sal sin lebin blinkin
durch ezzin noch durch trinkin.
daz rint sich phlit begrasen
nicht an grozem rasen.
5 ouch han der elephantin vil
genug an einis waldes zcil:
aber adir der menschliche grat
der kan nimmir werdin sat.
he jait iz alliz durch den buch
10 durch sinen gizcigen sluch.
     Darumme sprichit do van
der lerer Quintilian
'daz vugit sich vil dicke
an menschlichem geschicke
15 daz wir werdin rechte sat.
doch so sin wir also vrat
daz manchirlei in manchir vrist
uns liebit daz doch snode ist.'
     Uns manet ouch das manen
20 des lereris Lucanen
'o du virzcernde unreinekeit
und du unkusche snodikeit,
(42ᵇ) o du gizcigir slunt
und du hungerigir munt!
25 lernit ir unreinen,
nu moget ir doch mit kleinen
dingin sundir wutin
uwir lebin vutin.'
     Ouch so sprichit Katho,
30 der uns lerit also:
du salt keine stunde
volgin dinem slunde.
der slunt der ist dem buche
ein vunt zcu sinem sluche.
35 der buch und genitalia
di sint bi enandir na.
des ist des vrozis slunt
der unkuscheite vunt.
und waz ist stinkindir unvlat

wen der unkuscheite wat,
und waz mag brengin grozir schadin
wen ir snodiz ubirladin?
di alle tugint dempit,
di kunen ubirkempit,
entseczit von den erin,
schande phlit zcu merin,
di krefte phlit gewinnen
des libes und der sinnen.
     Darum hat gesprochin bloz 10
Basilius der herre groz
'wen wir dem buche sundir vel
dinen wellin und der kel,
so werd wir glich vil schire
dem unvirnumften tire, 15
di daz von nature han
dem buche wesin undirtan.'
     Boecius spricht schone
de consolacione
(42ᶜ) 'swer in wislichir tugint 20
lezt von menschlichir mugint,
mit wisheit sich nicht wil zciren,
der wirt glich den tiren.'
     O waz wiser lute
werin gewest biz hute, 25
wern si nicht virwozin
von trinkin und von vrozin.
Ovidius zcu wizzin tut
'der win enzcundet den mut
mit unkuschin glutin, 30
der sich phlit vil zcu vutin.'
do Noe win gesmacte,
der sun sin schemde entacte.
und do der selige Loth
an der unkuscheite mot, 35
do der von wine emprante,

15 dem *corrigiert in* den

sine tochtir he dirkante,
daz si sinem libe
wurdin do zcu wibe.
Holoferne daz geschach
5 daz en Judith irstach:
do he was trunkin wordin,
do geschach dis mordin.
  Wir lesin ouch di dute
daz di trunkin lute
10 bewilen komin in zcornis vreit
durch di snode trunkinheit,
daz si von zcornis hordin
sich bewilen mordin
di vor worin gute vrunt
15 e si der tranc hatte enzcunt,
also daz einir sich in notin
vor den andirn wolde lazin totin.
  Jo hette Herodes Antypas
(42^d) Johanne ni bewisit daz
20 daz em sin houbt wart abe-
    geslan,
hettiz trunkinheit (nicht) getan.
Balthasar ouch nicht genas,.
der babylonisch kung was;
were he trunkin nicht gewesin
25 di nacht, he were wol genesin,
den Darius und Syro
di zcwene kunge tottin do.
des muste he di stunde
von uberigim slunde
30 lant und lute begebin
und aldo lazin sin lebin.
  Gastgebin sullin tragin den
    nam
daz si wesin mitesam,
und senfte rede sullin si han
35 kein gestin di si entphan.

ein vrolich antlicsce
und senfte wort mit wiczce
und daz inladin minneclich
den wirt machit lobelich.
und wen he uf der strozen 5
weiz werrin unde grozen, *grâzu*
so sal he sine geste
warnen durch daz beste
und sal en mit gesinde
helfin durch di vinde. 10
  Do Loth hi vor uf erdin ginc,
zcwen engele he zcu gaste
    enphinc
gar minneclich sundir stim.
he wente iz werin pilgerim.
und do di Sodomitin 15
woldin in den zcitin
mit den gestin haben zchust
durch ir unkusche lust,
(43^a) he bot en sinir tochtir
    zcwu
um daz di geste hettin ru. 20
  Der wirt sal wol behuten
vor allirleie struten
waz em wirt zcu haldin
gegebin in sin waldin.
wen bewilen ein vromdir gast 25
kumt von des wegis ubirlast,
der suchit in dem huse din
gemach als ab iz were sin.
des sal deste baz ein wirt
bewarn waz em bevolin wirt. 30
und ist iz an dem werde
daz geste habin pherde,
den man noch dem geleide
sal gebin vor getreide,
so sal der wirt von rechte 35

habin sulche knechte
di icht mit ungenadin
dem pherde an vutir schadin,
und wen sich di geste irhebin,
5 daz si icht ubirdrebin
di vinde an irem ritin,
daz si mogin besitin
den vindin wichin uz der ban
wen di pherd wol gezzin han.
10 und were daz icht entstunde
den gestin durch die phrunde
der daz pherd empere,
welchir schult daz were,
di hettin schult an dem man
15 als ap si iz hettin getan.
    In Lambardyen geschach
in einir stat sulch ungemach
di man naute mit dem nam
(43ʰ) daz man si biz Parinam.
20 do quam geretin ein edil man
in di herberge als em gezcam;
und do di nacht komen was
daz man den pherdin vutir maz,
als von aldir ist ein recht,
25 vil schire quam des wirtis knecht
und sleich in den stal;
daz vutir he den pherdin stal.
des was he unvirdrozzin.
und do he quam zcu den rossin
30 vor des edilin herrin phert,
daz he hatte vil wert,
und wolde sin vutir stelin,
daz ros sundir velin
irwischte en bi den armen
35 und dructe en mit harmen
zcwischen sinen zcenin,

25 *überschrift* wy der knecht
deme rosse syn vutir stal

daz he begunde stenin.
und do daz ros sin nicht virzcei,
der knecht lutir stimme schrei,
daz der wirt geloufin quam
do he dis schrien virnam   b
mit den juncherrin al
zcu dem knechte in den stal,
und mochtin disen bosen
knecht nicht gelosen
von dem pherde uz der schur 10
so lange biz di nakebur
quomen zcu der schichte
und vurten en vor gerichte,
do daz orteil volginc
daz man en an den galgin binc. 15
    Ein vatir mit dem sone
suldin wandirn schone
(43ᶜ) in unsis herrin lobe
zcu sente Jocobe.
do quomin si als en gezcam   20
in di stat Tholosam
zcu einem gastwaldin.
dem gobin si zcu haldin
jo der man sinen sac
ubir nacht biz an den tac.   25
und do si woldin sich her ap
machin, der wirt stiz sinen nap
dem einen in sin seckelin
(der nap der was silberin),
daz si wustin nicht do van.   30
und do si quomen von dan,
der wirt begunde jagin nach:
mit zcorne he si ansprach,
si hettin em gestolin.
em were daz bevolin,   35
bi welchim in den stundin
sin bechir wurde vundin,
den sulde he sundir lengen
an einen galgin hengen.

di gotis· pilgerime
~~dirschrokin vor dem stime~~
und vor des wirtis ungedult.
iewedir bot sin unschult.
5 si woldin sich enpleckin,
daz he in iren seckin
und dar zcu si besuchte gar:
bi weme he wurde sin gewar,
den solde he an einen stranc
10 hengin nach der dibe ganc.
der wirt der rede nicht irschrac:
he greif dem einen in den sac;
den bechir he vil snelle vant,
(43ᵈ) wen em was vil wol be-
kant
15 daz he en hatte dor in geleit
durch sine snode girikeit.
des hub sich do ein nuwir stim.
he sprach 'ir snodin pilgerim,
wer hette uch des getruwit zcu?
20 in welchin erin stat ir nu?'
di pilgerime wurdin blaz
do bi en vundin wart dis vaz.
der wirt si treip zcu rucke
durch sine snode tucke
25 und bracht si vor gerichte,
do man si vornichte
mit orteil daz man uz gap:
bi weme vundin were der nap,
den sold man mit den klickin
30 an einen galgin strickin.
der vatir sundir hone
sprach zcu sime sone
'libir sun, nu ge vor dich.
ich wil lazin hengin mich.
35 ich bin jarlanc ein aldir man.
des mache dich uf di ban
und wandere hin zcu lobe
dem herrin sente Jocobe

und bite ver uns beidia
in unsin grozin leidin.'
der sun sprach 'libir vatir min,
des ensal mit nichte sin.
ich wil mich lazin hengin.   5
du salt di vart volbrengin.
daz hengin baz vugit mir
wen iz solde vugin dir.'
des krigin si so lange
daz man mit dem strange   10
(44ᵃ) den sun wart hengin
alzcuhant;
des he den vatir ubirwant.
der machte sich vil snelle
biz hen zcu Compostelle,
da he di vart volbrachte   15
als he do vor gedachte.
und do di reise volginc,
he dachte an jenen der do hinc
in betrubtin smerzcin
von vetirlichim herzcin.   20
des ginc he hin an undirlaz
do der sun gehangin was.
do wart sin klage nuwe
von vetirlichir truwe
do he den sun an gesach,   25
der von dem galgin zcu em
sprach
'libir vatir, laz din quol.
jo ist mir hi von herzcin wol.
ich lebe noch, got habe lop.
min herre sente Jocop   30
hat mich nicht virterbin lan,
dem wir so vil gedinet han,
do ich gewesin bin bi dir
nach alle mines herzcin gir.
des ge zcu deme richtere   35
und sag em dise mere
und brenge her di lute

di wundir schouwin bute.'
des ginc der. vatir in di stat
und tet daz en der sun bat.
si liefin uz besundir
5 und sogin gotis wundir,
daz der schone lebite
der an dem galgin strebite;
den nam man balde al dar van
(44ᵇ) und binc den wirt selbir
dar an.

Das sebinde capitil. Von bewerern der stat.

10 Zcu der linkin hende
nicht verre von dem ende
ein vende vor dem rittir stat
der alsulche forme hat,
und dut in disir were
15 der stat bewerere:
jo stunt uf dem gevilde
ein schach in menschin bilde.
der trug in siner zcesmen bloz
sluzzele di worin groz,
20 und trug sundir vele
in linkir hant ein ele.
ein butil, der was offin,
wart an dem gurtil troffin.
di sluzzile habin dute
25 der gemein amtlute.
di ele dut di schichte
der moze und der gewichte.
di phenninctregere
und di wechselere
30 albi werdin troffin
bi dem butil offin;
wen si sullin nemin in
di phenninge di der lute sin
und ouch wedir sullin ebin

daz gelt vor di gemeine gebin.
di habin daz von rechtim len
daz si vor dem rittir sten,
wen si sundir schelin
di bewerer sullin welin.   5
ouch sullin di rittere bewarn
al di stat mit iren scharn.
(44ᶜ) Di hutlute vor geseit
sullin habin sorcveldikeit,
daz si sich alumme sen,   10
gut und bose dinge spen
und libin ane wedirstucz
gemeinlich allir lute nucz.
iz si vride adir nicht,
so sullin si wartin alle schicht 15
wi si di stat bewaren
vor allirleie varen,
und doch nimande in keinir zcit
bewisen haz adir nit.
jo ist vil manch rasekop   20
der do wil bejagin lop,
daz he sin ammacht tribe
und lange dar an blibe,
der besait mit trogene
vil manchin und mit logene   25
durch daz daz he in werde
baz gehaldin werde.
daz ist daz groste gelit
der bosheit, der ist so gesit
daz he ere wil bejagin   30
von sinem trogilichin sagin.
  Bistu bewerer der stat,
bewise dich an sulchir tat
daz icht der unschuldige se
daz em unrecht gesche   35
vor richter und burgere
durch dine snode gere.
habe got vil dicke
vor diner ougin blicke,

der allir herzce vollemunt
irkennit biz an iren grunt.
den sal man ouch in vurchte han
(44ᵃ) an des hute nimant kan
5 keine stat behutin
vor unvridis strutin;
und di do vurchtin gotis zcorn
den ist di selikeit gesworn.

Jo hatte keisir Vredirich,
10 als ich liz berichtin mich
lazin buwin sundirlich
eine phorte wundirlich.
di was gewirkit reine
von klarem marmilsteine,
15 do he uf der bruckin saz
zcu Capua, als ich di rede las,
do was durch beschouwin
der keisir an gehouwin,
der uf sinem stule saz.
20 vor sinen munt geschribin was
'swer do herschaft entphet
und sich zcu ser dar uf virlet,
der ist ein rechtir tore.
daz hore he in sin ore.'
25 und zcwene richtir worn irkant
zcu der rechtin und zcu der
            linkin hant.
dem einen was geschribin op
in halbin kreiz ubir sinen kop
'di mogin sichir gen her in
30 di einis reinen lebins sin.'
ubir dem andirn richter
woren geschribin dise mer
'jo sullin di untruwin
vurchtin disen gruwin,
35 daz man si lezit da vor
als ein unreinez hor.'
jo stundin sulche worte
geschribin um di phorte

(45ᵃ) in dem halbin kreize
nach des keiseris geheize
'alhi volkumt min tirme
dem riche zcu beschirme
und des richis diete
von keiseris gebiete.'
und umme den swebogin
wart sulchir wort gephlogin
der ubir des keiseris houbt gie
'ei wi durftic mach ich di   10
di ich weiz roubere,
des landis herere.'

Jo zcimt den richterin ubir al
daz man si billich vurchtin sal,
und des kungis pinen   15
den snodin sal dirschinen.
vurchte sal ein kung han,
wil he sin ein selic man.
des selbin Tullius bericht
in dem erstin buche, do he spricht 20
von den Tusculanen,
ir wert zcu virmanen.
do Diogenes daz lop
sprach Dionisio so grop,
wi daz he were beladin   25
mit alle den genadin
di ein kung solde han;
he were gar ein selic man,
he were gewaldic unde rich;
nirne lebte sin gelich: 30
daz sprach disir umme daz
wen he sin libir vrunt was.
der kung Dyonisius
wart bewisin sich alsus:
einen brudir hatte her,   35
(45ᵇ) der was em lip unde mer,
und wo hen quam der kung ho,
so wart he jo nimmir vro.
dar nach geschach nicht lange

daz em an dem gange
do he ginc der vrouden ler
begeintin zcwene betteler.
den stunt ir antliczce so
5 als ap si werin von rechte vro.
idoch was ir gewete
als der di man virsmete.
der kung vil snelle zcu en ginc;
gar liplich he si entphinc
10 und bot en groze ere.
daz wundirte vil sere
vurstin und herzcogin
daz sulche dinc geschogin,
di vor worn ungeubit.
15 des worin si betrubit
und turstin ouch nicht vrogin
um sulchirleie phlogin.
den brudir si do batin
vor di sache ratin,
20 daz der brudir solde spen
durch waz di schicht were ge-
schen.
der brudir sprach den brudir an,
he were ein seligir man,
he were ein herre ummazin groz;
25 nimant were sin genoz;
und bat em sagin mere
durch waz di betelere
he hette entphangin so ho,
und worum he wurde nimmir
vro.
30 der kung sprach zcu dem brudir
'wiltu dirvarn min ludir?'
(45ᶜ) der brudir sprach 'vil gerne;
daz ist kein dir min erne.'
do wart der kung manen
35 di sinen undirtanen

daz si bi kunglichim ban
dem brudir werin undirtan.
und do iz quam zcu ezzins zcit,
als man bi herrin ezzins phlit,
der tisch wart wol bereit   5
mit allirleie selikeit.
den brudir saczte man dar
und nam sin kunglichin war.
do was allir wunne vil
und allirleie seitenspil.   10
do sprach he in sulchim schin,
'solde ich nu nicht selic sin?
jo hab ich vroudin ane zcil
und alliz daz min herzce wil.'
do hiz 'der kung heimilich   15
ein swert brengin vor sich.
do he daz swert entphinc,
ubir den brudir man daz hinc
an ein vil kleiniz har.
do daz der brudir wart gewar, 20
he saz in grozir vurchte,
di em daz swert wurchte.
der kung wart den brudir vragin
do he en sach also virzcagin,
wi he sich nu stelte so   25
daz he nimme were vro.
der brudir sprach 'ich siczce
in vurchtlichir hiczce.
mir stet al mine wiczce
kein dem swerte spiczce,   30
wen iz nidir prellit
(45ᵈ) daz mich daz durchvellit.
wi mocht ich denne wesin vro
durch di erschrecliche dro?'
der kung do dem brudir las   35
worum he stete trubic was.
'o brudir' sprach der kung wert

'jo weiz ich daz grimmege swert
gotis hengin ubir mir,
daz stete sit mins herzcin gir.
wi mocht ich uf der erdin
5 immir vro gewerdin?
di armin ert ich durch di schicht
und gap en liplich angesicht
daz ich si sach mit wiczcin
in reinen samwjczcin.'
10 der kung bewisit hat hi bi
daz der nicht gar selic si
der daz also virwurchte
das he muz tragin vurchte.

Quintilianus gesprochin hat
15 'der trit ubir alle missetat
swer do nacht unde tac
nicht ane vurchte lebin mac.'
swer sich vil lute vurchtin wil,
der muz ouch lute vurchtin vil.
20 swen herre vurchtit den diner,
so ist he minnir wenne her.
iz ist ein groze sichirheit
nicht vurchtin wen di gotheit.
zcu sichir und zcu vurchtsam,
25 daz hat beidirsite scham.

Di amtlute der gemein
zcu bescheidinheit sich sullin
wein,
daz si icht me begerin
von den koufelerin
30 (46ᵃ) wen so vil als en gebort
und von rechte zcu gehort.

Mit gedult din herzce twinc,
gedult ubirwint alle dinc.
wen an des koufis schaffin
35 phlit man vil zcu klaffin.
durch daz so muz man lidin

3 siet

vil manchirhande nidin
und me von ubirlestin
der bosen wen der bestin.
virsmet dich ein tummir man,
du salt nicht achtin sin virsman: 5
der dich zcu unrechte schent,
di schande widir uf en went.

Ein kleffer Socratem ansach,
der alsulche rede sprach,
he were der schule ein hindir 10
und virsumete do di kindir;
daz woldin di jungerin rechin.
Socrates wart sprechin
'lat iz sin. enslat en nicht.
jo bin ich leidir als he spricht. 15
des wil ich mich demutin
und lidin daz mit gutin.'

Der selbe solde siczcin
und lesin wol mit wiczcin
in einis buchis vache 20
allein in sim gemache.
sin wip daz was virhouwin.
di saz mit andrin vrouwin
uf einem sullir ubir im.
di em bewiste sulchin grim: 25
do si geklaftin aue zcil
unnuczcir rede vil,
mit den vrouwin si antrug
(46ᵇ) daz si uf den meistir klug
guzzen kamirlouge 30
uf houpt und uf sin ouge.
der meistir der do begozzen was
trugete sin antliczce naz
und sprach 'ich wuste daz vil
bloz,

8 *überschrift* vō socratis gedult
18 *überschrift* wy socrates wart
begossyn

do der donner was so groz,
daz iz nicht blebe undirwein,
iz queme jo dar nach ein rein.'
daz sprach der meistir in gedult
5 di an semftin lutin hult.

Darum so lerin dise wort
di vil dicke sin gehort
'wich von deme besitin
der mit dir wolde stritin,
10 und wen du daz hast getan
so hastu em gesigit an.'
ouch Katho daz gesprochin hat
'swen din lebin rechte stat,
so achte nicht uf klaffin
15 daz di snodin schaffin.
jo mag man nicht den dietin
iren munt virbietin.'
ein lerer heizit Prosper,
der hat gesait alsulche mer
20 'di gutin keinir gute empern,
di snodin schande gebern.'

Und den bevolin ist der sacz
daz si bebin den schacz
als man phlit zcu schozzin,
25 des manche sin virdrozzin,
di sullin nicht me schaczcin
wen nach rechtin saczcin,
daz si sich icht bewerin
glich den rouberin.
30 (46ᶜ) als man phlit zcu wegin
gebin und zcu stegin
und zcu bevredin strozen
adir in sulchin mozen,
daz sullin si beischin in bescheit
35 gutlich an der lute leit;
wen wer do gerne di lute zcert,
daz selbe em dicke widirvert.

der stete tresilere
di sullin sin so mere,
so daz di stete in bevelin
ich(t) do van duplich stelin;
wen keinirleie diberi
di lenge werit in gedi.

Daz achte capitil. Von luderern, louferin, ribaldin.

Nu wel wir haldin sproche
wi vor dem linkin roche,
des kungis anewalde,
stet loufer und ribalde.   10
wen des kungis anewalt
muz habin loufere balt
und ouch lute so getan
di stetin mogin gewinnen an,
di sich woldin kerin   15
von erme rechtin herin,
daz des di loufere
snelle tragin mere.

Nu was geformet disir schach,
als disir meistir sprach,   20
in menschlichim bilde
uf disem schachgevilde,
der do hat di dute
also getaner lute
di sulche sache tribin   25
(46ᵈ) nach disis buchis schribin:
der schach der trug offinbar
lanc krusp gewundin har.
sin recht·hant di was gemelt
daz si trug kleine gelt,   30
und in der linkin da bi
trug he scharfir wurfil dri,
und trug an siner gurtilstol
eine buchse brive vol.

virtunde luderere,
daz andir die spilere,
daz dritte brieftregere.
5 di virtundin luderer
sulliu han berucher,
ap si an gute velin,
daz si icht durfin stelin.
wen wer sin tage wol gevert
10 und virtunde sich virzcert
der muz biten adir stelin,
daz mag seldin virvelin.
wen en betwingit armut,
daz em sin kummir we tut,
15 als di do zcart sin erzcogin
daz si nicht erbeitin mogin,
adir sin von edilem stam,
daz si zcu bitin habin scham.
iz ist ein bose missekleit
20 unnuczce zcernde mildikeit.
des mant si Cassiodori
lere selikeit alhi,
daz si daz ire haldin,
ap not wurde waldin,
25 daz si ich durfin dieberi
phlegin adir beteli.
(47ª) Claudiannus sprichit me
in dem grozin volumine
'behaldin ist ein bezzir rot
30 daz man vor gewunnen hot
wen daz man noch gewinnen sal.'
darum spricht man ubir al
'wer me virtut wen he virmac
der muz tragin den betilsac.'
35   Von Ganaza Johan
der was gar ein richir man
und hatte zcwu tochtere zcart,

di gap he stolzcin ritterin zcwein,
jo dem manne der meid ein.
und do di hochzcit volquam,
jo der man sin wip nam   ⌐
und vurte si heim in sin ge-
         mach.
nicht lang dar na als dis ge-
         schach,
Johan den eidemen was holt,
he gap en silbir unde golt
und ouch andir gobe vil.   10
daz treip he vil manchiz zcil
daz he gap von tag zcu tage.
di kindir hatte he in gutir
         phlage.
des hattin si vil lip den swer
di wile daz he gap di zcer,   15
und do he nimme hatte
und em daz gebin schatte,
daz he virlos den gewin,
do karte sich nimant an in.
des wart erdenkin einir list   20
Johan von dem gesagit ist,
wen he was ein wisir man.
des so wart he redin an
einen koufman em bekant.
(47ᵇ) der em gezcwidite alzcu- 25
         hant;
he bat en in der selbin stunt
daz he em zcen tusint phunt
silbirs lege uf einen tac.
di he em wuc in einen sac,
wen he gelobte sundir veln,   30
he wolde si em wedir zceln
uf einen tag gewisse
sundir hindirnisse.

37 zcw   25 gezcwigite

und do he em daz gelt gewug,
vil snelle he daz zcu huse trug
und leitiz zcu behaldin in
in einen nu gemachtin schrin,
5 der vil vaste was besmit
mit driir slozze gelit.
dar na Johan zcu huse hat
sine kindir in der stat
uf einen heiligin tac,
10 und ir vil tugintlichin phlac.
und do si unvirdrozzin
sozen wol beslozzin
vor der kemenatin
wol nach iren statin
15 in dem vorgemache
durch alsulche sache
daz si muchtin lugin
wol hin in mit vugin,
Johan der tet alsulche tat:
20 he ginc in di kemenat
und sloz uf sinen kastin
und wart daz gelt an tastin
daz he dar inne hette
und schut iz uf daz bette.
25 und do di groschin klungin,
daz irsogin di jungin
(47ᶜ) und wugin iren vatir ho,
wen si des geldis worin vro.
dar nach si vragiten mere
30 wi vil des geldis were.
daz machit en der vatir kunt:
vinf und zcwenzcic tusint phunt
werin in dem kastin;
di soldin aldo rastin
35 und legin unvirzcert
wem si werin beschert.
si mochtin nuczce werdin

nach sime tode uf erdin,
daz man sin selegerete
mit dem gelde tete.
dar nach nicht lange sidir
trug Johan daz gelt hin widir 5
zcu jeme koufmanne
als he iz trug von danne.
und do di dinc also geschogin,
des vatir wart wol gephlogin.
di kindir vragiten dicken 10
ap si icht soldin schicken
daz em not were
zcu siner krankin swere.
und dar nach nicht gar lange
nach gemeinem gange 15
begunde der vatir krankin
und an dem lebin wankin.
he bat di kindir einir bete,
daz si sin selgerete
gebin uz dem kastin 20
wen he wurde rastin.
man solde den predigerin
hundirt phunt gewerin
und den barvuzin grisen
(47ᵈ) hundirt phunt bewisen, 25
und den einsediln machin kunt
des selbin geldis vunfzcic phunt.
und wen si hettin brudirschaft
bigangin bi der bigraft
so soldin si mit sitin 30
dise munche bitin
daz si en di sluzzil tetin
di si behaldin hetin,
als en Ganaza Johan
zcu haldin hette getan: 35
si vundin dar an offinbar
daz selgerete geschribin gar.

4 nuw   34 gauaza

gelobiten bi dem banne
daz si des vatir erne
volbrengin woltin gerne.
5 do der alde daz gewarp,
he leite sich nidir unde starp.
siner bigraft man phlac;
und do da quam der sibinde tac,
der wart ouch begangin
10 mit lesen und gesangin,
di sluzzil von dem ordin
zcuhant gegebin wordin.
do wart gar gerade
geslozzin uf di lade.
15 do vant man in dem schrine
ein kul erine,
di hatte sundir wankin
gar grusame zcankin,
und was geschribin an den stil
20 worte der nicht worin vil
in krieschischir zcunge
in sulchir handelunge:
(48ᵃ) questo testamento de Johan
Ganaza,
que qui clisesia per altri, sia
amazato da questa
massa,
25 daz in duzschim also spricht,
als ich der rede bin bericht:
'ich van Ganaza Johan
dis selgerete hab getan:
swer sin gut also rumt
30 daz he sich selbir virsumt,
den so sal man vulin
mit disir grimmen kulin.'
nicht mocht man me betastin
in dem beslainen kastin.

31 vuelin : kuelin

der sich virtunde virzeert
und sich denne wende
zcu sehn in vromde hende.
iz si tochtir adir sun,   5
so hastu jo vil bezzir tun
mit deme daz du selbir hast
wen daz du bist eins andirn
gast.
Jo ist daz nicht ein burger gut
der weninc hat und vil virtut,   10
sundir der in gutin sinnen
mit rechte kan gut gewinnen
und vlizeclichin ringin
nach gutlichin dingin.
ein virtundir luderer   15
ist nicht ein gut burger.
den sal man billich virvratin
in einir stat zcu ratin.
Nu volgin di spilere,
di snodin unkuschere.   20
di volgin allir snodikeit;
dar zcu ir spilen si treit.
(48ᵇ) wen si virspilen ir gut
daz si twingit armut,
so mag iz nicht gevelin   25
si muzin roubin, stelin,
und dar na al untruwe
di wirt mit en nuwe.
si werdin dicke trunkin,
virretnis si ouch brunkin.   30
si phlegin volgin dem her
daz en werde di zcer;
und wen man sal stritin,
so vlien si besitin,
und wen man sal gewinnen,   35
so phlein si entrinnen.

19 *überschrift* luderer speler

Bernhardus der vil werde
saz uf eiuem pherde.
ein spiler ginc em enkegin,
der sulche rede wart uzlegin
5 'woldistu mit mir, gotis man,
spiln ein spil also getan,
ich wolde dir mine sele wert
alhi seczcen an din phert.'
do sprach sente Bernhart
10 'wiltu mir daz gelobin hart,
ab ich gewinne daz spel,
daz du mir gebist di sel,
und gewinnestu daz phert,
da saltu mite sin gewert.'
15 der spiler sprach gar redelich
'wirfistu mer ougin wen ich,
so hastu jo gewunnen;
des muz ich dir gunnen.'
do sprach sente Bernhart
20 'nu wirf uz den hesehart.
(48ᶜ) swer nu gespilit baz
der sal han gewunnen daz.'
der spiler warf uz uf den
     gewin
achzcen punct uf wurfil drin.
25 des was he ummazen vro
daz he gewurfin hatte so,
und begunde daz phert haldin
     hart.
do sprach sente Bernhart
30 'nu beit, geselle, tougin:
jo sint me noch ougin
uf den wurfiln so scharf.'
sente Bernhart ouch warf:
gewinnes he sich nicht vir-
     zcei:

ein wurfil spilt sich enzcwei;
ir wart ein halbir unde dri:
der halbe saczte ein ouge bi,
also daz nunzceu ougelin
stunden an der schanzce sin.   5
des der spiler erschrac be-
     sundir.
he wug den wurf vor ein
     wundir
und wart dem wurfilspile gram.
he gap sich in gehorsam
und wart ein geistlichir man,   10
sente Bernhart undirtan,
und wart sin lebin wendin
zcu lobilichin endin.

    Loufer, brieftregere
di sullin habin gere   15
daz si ir vart volbrengin
vil snelle sundir lengin,
wen sumen brengit dicke
vil schedeliche stricke.
si sullin sich ringe haldin,   20
wen si di anewaldin
in di lant sendin,
daz si daz mogin endin
(48ᵈ) iz si in welchirleie stat
waz man en bevolin hat.   25
der ist ein torecht wegeman
der sich nicht baz berichtin kan
wen daz he phlit zcu besin
ubir schone wesin
und ouch phlit beschouwen   30
di blumen in den ouwen,
und damit also virgizt
worumme he gesant ist.

---

    1 *überschrift* wye sente bern-
hart spille   11 spil   23 varf   14 *überschrift* von den brief-
treger   17 lengen

Dis buchis vierde teil.
Daz erste capitil. Von
deme schachzcabilbrete.

Wir han gesait von dem ge-
    stein
beide groz unde klein
und von irme gerete.
nu sage wir von dem brete.
5 daz bedutit sundir won
di groze stat zcu Babylon,
do dis spil vundin wart,
als da vor ist gelart
in dem ersten capitulo
10 do wir des gewugin so.
    Nu merkit an disin schachin
virleie sachin:
di erste rede wirt gemelt
worumme vier und sechzcic velt
15 uf dem brete bleckin,
di do han vier eckin.
di andir rede machit schin
durch waz di spangin boer sin.
di dritte rede ist ein tolk
20 worumme daz gemeine volk
vor den edelingin stat
wen iz gancz wirt gesat;
und merke den di vierde schancz,
wen do stet schachzcabil gancz,
25 (49ª) worum der velt ist so vil
ler sam steine uf dem spil. [bi
    Zcu dem erstin saltu merkin
nach der rede Jeronimi
daz di stat zcu Babylon
30 was groz und also geton
daz si was gevierit
und ordinlich gezcierit,
daz jo daz vierteil in der stat
sechzcen mile hat gehat,

geteilit glich in vier pas
nach der zcal und noch der maz.
di secbzcen milen vierstunt
recht gezcalt uns machit kunt
vier und sechzcic mile.   5
so groz was in der wile
die schone stat zcu Babilon
do ich habe gesait von.
di milen worin genge
nach lampartischir lenge.   10
    Der meistir der dis spil vant
nach der moze vor benant,
als ich iz uch zcu wizzin tet,
machte daz schachzcabilbret.
daz hat vier und sechzcic velt 15
di viereckecht sin gemelt.
daz halbe zcwei und drizec hat,
daz dar an nicht abegat.
daz ist gemachit ane wanc
durch der gesteine gank,   20
als iz her nach wirt gesen
wen man di rede wirt virjen.
und dar nach di sitspangin
di iz bret han ummehangin
bedutin und figuren   25
(49ᵇ) der selbin stat muren,
di sich kein den wolkin zcoch
und was ummozen hoch.
daz sprichit Jeronimus dort
uf daz Ysaie wort   30
'si tribin al ir erge
uf dem vinsterin berge',
daz ist gesprochin al da
von der Babylonia,
di in Caldea ist irkant,   35
nicht di in Egiptinlant.
allein di stat zcu phlege

23 syet-   27 dem

uf glichim laude lege,
di muwir doch so hoe reckit
daz si der nebil stete deckit
und daz menschlich gesichte
5 si ubirsach mit nichte,
und dorum her Ysaias
von dem nebilberge las.

    Jeronimus der spricht also:
di muwir was dri passo ho,
10 daz was in den wilen
driir welschir milen.
in einem winkil der stat
ein hoer turm was gesat
sibin welschir milen ho,
15 als ich biu berichtit so;
Babel der selbe turm hiz.
di murin da bi machin liz
ein wip Samyrana genant,
als Virgilius virmant.

20   Nu merkit di dritte dute,
daz di gemeinen lute
vor den edilingin stan
und vor en velde di sint wan.
(49ᶜ) virnemt daz in dem done,
25 si sint der edlin krone.
waz tochte des kungis anewalt
und were nicht vor em gestalt
zcu buwen korn der ackirman,
do von di lant ir spise han?
30 waz tochte ein rittir da mit
und were vor em nicht der smit
der em sporn unde zcoum
besmitte und den satilboum?
wen ein rittir ane phert
35 und ane zcirde ist nichts wert.
waz lebins hette di edilkeit,
wer nimant der do machte kleit

adir virkoufte daz warf
daz der edil man zcu kleidin darf?
waz tochte kung und kungin,
wern erczte nicht bi in?
davon ist der edilinge lebin   5
des volkis erbeitlichiz strebin.
durch daz saltu edil man
gemeine lute nicht virsman.
und daz man seczcit di gemein,)
e daz man strite zcut enkein   10
vor daz lere quadir vri,
do so saltu merkin bi,
daz tut man durch di erne
daz jo der man do lerne
zcu striten ubin sine list   15
dar zcu he geschickit ist,
adir gebin gutin rat
und ratin vor eine stat.
bewerrin mit grozen dingin
gebort den edilingin.   20
wi mochtin rat gegebin di
(49ᵈ) di do rat gelartin ni?
wi kan geratin ein gebur
der nicht erkennet di natur
alsulchirleie sachin   25
dar zcu man rat sal machin?
darum so sullin si sich kern
wi si gedinen den hern
und sullin den hern gestatin
daz si selbir ratin.   30
   Plato daz zcu wizzin tut
'der gemeine gewerp ist denne gut
wen di wisen haldin spor
daz si ratin da vor
adir daz bevelin den   35
di vlizlich nach wisheit spen.'
ein gemeine man sal zcechin

     2 mwir dach   9 mwir   10 zcwit

wi he gelere sprechin
vor e he beginne
zcu reden sine sinne.
wen iz vugit sich in manchir
    vrist,
5 wer me wil sin wen he ist,
der wirt minnir wen he si.
also hat ir der sachen dri.

    Di vierde sache kumt her
worum der velt so vil ist ler
10 als der besacztin veldin.
di rede wil ich meldin.
swelch kung volc gewinnen wil
der muz habin landis vil,
daz he daz volc belene gar,
15 daz si irwerbin di nar.
ein kung ane kungrich
der hat den namen itelich.
edil arm und ane site
da ist itel torheit mite.
20 (50ª) ein kungrich an gute toup
wirkit dube unde roup,
und edilkeit ane macht
zcu eren seldin wirt gedacht.
swi edil man der arme si,
25 hat he der macht nicht da bi,
von so getaner edilkeit
iclichir hat virdrozzinheit.
ein iclich here wol geborn
der sal nicht ubin sinen
    zcorn
30 kein eim gemeinen armen man,
der sich nicht gewerin kan.

    Allein bezceichene daz bret
di stat, als ich zcu wizzin tet,
so mag iz ouch geliche
35 bedutin al daz riche,
und joch, als ich sprechin sal,
di ganzce werlt ubir al.

daz machstu merkin an dem
    zcil,
als ich dir uz richtin wil:
leg uf daz erste velt bevorn
ein vil kleiniz hersenkorn,
zcwei uf daz andir dar nach. 5
also belege daz ganczce schach
mit hersenkornern bepart
daz du zcelist uf riczchart,
so machstu merkin an dem loz
daz bret wit unde groz, 10
und wirt grozir von der zcal
wen di werlt ubir al.

Das andir capitil. Von
    des kungis gange.

    Der selbin werlt an wisem
    spor
der kung mit herschaft ist bevor,
und hat sin kunglichir ganc 15
mit rechte sulchin anevanc.
(50ᵇ) wen he siczt mit heile
an einem vierteile
uf velde swarcz adir wiz,
der rittir hat alsulchin pris 20
daz he stet dem kunge rich
uf velde kungis velde glich.
so stet der alde und daz roch
uf andirleie velt dar noch.
so hat di kunginne 25
daz andir vierteil inne,
so daz ir rittirlichir grat
mit ir uf glichim velde stat.
ir richter und ir anewalt
uf sulchim velde sin gestalt 30
als der kung mit wiczcin

    1 den

uf velde phlit zcu siczcin.
so phlit des kungis richter
und anewaldis phlichter
daz iewedir velt beschrit
5 als di kunginne phlit.
    Sint daz di rittir here
sin des kungis ere,
so sullin si von rechte stan
glich uf kunglichim plan
10 kungis und ouch kunginne
in so getanem sinne.
swen di vor genanten dri,
richter rittir roch da bi,
als di do sint vil schone
15 gebundin zcu der krone,
daz riche vlizlich virsten,
so mag iz nimmir missegen.
durch daz so sint si bezcelt
uf kungis und kunginnen velt,
20 daz si sullin glich in ein
(50ᶜ) nuczcen rat uzlein
der den landen nuczce si
und dem riche zcu gedi.
weln si abir ruchin
25 daz si uf iren kuchin
den nucz wellin strichin
und abesten den richin,
mit alsulchim werbin
muz das lant virterbin
30 und wirt daz rich geteilit
und vremdin ufgeseilit.
also virlust iz mit scham
kunglichir wirde nam.
    Und sintemol der kung treit
35 ubir alle lute wirdikeit,
des sal he durch sin ere
nicht nemin wite kere
von kunglichim pallas.
wen man beginnit umme · daz

den kung regin von der stat
uf wizem velde gesat,
so mag der kuncliche schoch
zcu dem erstin uzgen als ein
      roch
zcu sinen beidin sitin
in der erstin litin.
ouch hat he rittirlichin ganc
wen he zcum erstin uzspranc.
daz nimt he zcu gewinne
von der kunginne,   10
wen der kunginne velt
ist als sin selbis gezcelt.
daz kumt zcu von der e
daz sich sulche sache irge,
wen der kung und sin wip   15
daz ist ein vleisch und ein lip.
(50ᵈ) daz he zcum erstin uztrat
an di rittirliche stat,
daz kumt em zcu gute
von der stete hute,   20
do he siczcit vil gar
in der rittire bewar.
he mag wandirn als ein roch
so verre em keinirleie joch
gesaczt wirt zcu der sitin   25
von der anderin litin.
und daz in disen dingin
der kung moge springin
durch rochs genge uf rittirs
      velt,
di rede di ist also gemelt   30
daz der kung volgit noch
der nature der roch.
so mag he ouch wol vor sich
      gan
zcu siczcin vor den koufman. ₃₆ᵛ,₂
    Der kung mag ouch witterin 35
sin uzgen mit den ritterin

voū heīnīe uf vierleie plan
als ein kunglichir man.
jo machit he sinen üztrit,
he sēczcit sich do vor saz der
　　　　smit.
5 ouch mag he sich wol seczcin
　　　　her
do vor saz der schriber.
he seczt sich ouch, und ist iz
　　　　ler,
vor arczt und vor kreczchemer.
dar nach he siczt in sulchir
　　　　wis
10 uf velde swarcz adir wiz.
　　Ouch phlit der kung zcu
　　　　haldin
genge sam di aldin.
der genge der sint zcwene
nach der aldin gene.
15 di genge he alle gewint
(51ᵃ) e man en regin begint.
und wen man eb geregit hat,
so get he og uf eine stat.
und wen der kung sal uzgen
20 von velde do he phlit zcu sten,
so seczt he sine tritte
nicht vort wen uf daz dritte,
und alle di gesteine
da vorne der gemeine
25 nicht vordir sullin zceldin
wen zcu den drittin veldin
an erstim uzsprunge,
durch alsulche zcunge,
wen dri sint teil sundir val
30 der erstin volkomenih zcal.
als man zcelit uf dri
und andirre dri da bi,

die mögn sechse machin.
mit alsulchin sachin
volkumt di erste zcal.
da bi man sechse merkin sal
namhaftir personen:
den kung mit der kronen,
di kunginne mere,
rittir und richtere,
gemeine und anewaldin,
di die lant haldin.　　　　　　10
nu ist des kungis begin
daz he sich wegit zcu drin,
daz he sal dirschinen
an em und an den sinen
in der vollinkomenheit　　　　15
an sines lebins selikeit.
　　Der kung ouch vurt von
　　　　hinne
mit em di kunginne
(51ᵇ) in beidir wein zcu der
　　　　sitin,
als ich her nach wil quitin,　20
an erstim ansprunge,
durch sulche handelunge
daz di vrouwin nicht enmogin
gelobin keinen wec zcu zcogin
an iris mannes willin　　　　25
beid offin unde stillin.
und ap si icht gelobit hat,
di wil der man des nicht
　　　　gestat,
so mag si iz nicht gewerin.
wil abir ir man gerin　　　　30
daz he in verre wege zcie,
he mag wol zcogin ane sie.
und wolde verre mit em dan
daz wip vuren der man,
si muz em volgin ane wanc　35
di reise kurcz adir lanc,

wen em ist irloubit
daz he ist ein houbit
des wibes, und si sal dem
　　　　man
stetis wesin undirtan.

5　Noch mogit ir virnemin me:
sint daz si glichit di e
an beidirlei gebrechin,
sal ich mit loube sprechin,
daz do heizt des libis schult
10 sal beidirsit werdin irvult.
so muz ir iclich wanderin
einez zcu dem anderin,
so daz der man dem wibe
ir unkuscheit vortribe
15 und daz wip zcu sture
ste menlichir nature.
durch daz wen man den kung
　　　　rurt,
(51ᶜ) di kunginne he mit em
　　　　vurt.
ouch mag die kunginne gen
20 ân den kung in ir len.
und sint daz di vier reigin
dem kunge sten zcu eigin
binnen sinem lande,
daz em stet in bande,
25 so mag he erst schritin
uf di dri litin.
und wil he denne tretin vort,
so get he og uf einen ort
vor sich, zcu der sitin, hindir
　　　　sich,
30 og uf einen quadirstrich..
wen binnen sinen richin
zcut he sichirlichin,
des mag he so witen
in sinem lande riten.
35 und wen he uz der litin

zcogin wil zcu stritin,
so hat zcu gen der kung klug
uf ein quadirvelt genug.
wen man den kung an der
　　　　zcal
vor tusint manne zcelin sal,　　5
darum so sal he sichir wesin
an sinem gange durch ge-
　　　　nesin.
und wen in stritis getwangin
der kung wurde gevangin
adir wurde do irslagin,　　10
sin volc muste gar virzcagin.
dorum di rede ist gebrunct
daz he get og uf ein punct.
idoch ist he also gesit
daz he alum und umme trit　　15
zcu der sitin, hindin und vort
ufz neste velt und uf den ort.
und ouch mag nicht wanderin
(51ᵈ) ein kung zeu dem anderin
wen uf den drittin veldin.　　20
wen iz geschit vil seldin
daz di kunge in striten
na zcusamne riten.
darum ist den kungin virlegin
daz si mogin nicht gesegin　　25
swen ir volc gevangin
wirt in stritis rangin.
wi muchte ein kung ere han,
und hette he nicht sin undirtan?
he wurde gar zcu spotte　　30
an undirtane rotte.

Der kung hat ouch ungemach
daz em di vinde bitin schach
wen en sine scharin
mit hute nicht bewarin,　　35
di edilinge und di gemein.
daz dut sulchir worte uzlein,

als ich si uzlege slecht:
kung, tu uns unse recht.
daz kumt in sulchir verte
daz herrin sin zcu herte
5 kein iren undirtanen.
daz phlit man si zcu manen.
wen man sal zcien zcu stritin,
so vlien si besitin.
so kumt der kung in den stric
10 und virlust herschaft und sig.
wen di soldinere
gedenkin an di swere
di en getan der kung hat;
und mogin si nicht in der
　　stat
15 sich gerechin an im,
si bewisen iren grim
an im in den zcitin
(52ᵃ) so man solde stritin.
do wirt ir roche gemelt
20 daz si gebin versingelt,
wen si der vinde werdin gewar,
so blibt der herre alleine gar.
also wirt her in schandin
von vindin do bestandin
25 durch den unrechtin pranc
da mite he di lute twanc.
und wen he kumpt in sulchiz
　　joch
daz man em butit scharroch,
so virlust he mit gewalt
30 sines landis anewalt.
　　Der kung ist nicht ein kluger
　　　man
der sines landis cappellan
virlust so jemirlichin
von sinen kungrichin.
35 wi mag man lant gehaldin
an di anewaldin?

wen der anewalt virget,
daz kungriche in irre stet,
wen he des landis scheffer
　　was;
des durft man sin deste baz.

Das dritte capitil. Von der kuniginne ganc.

Nu hat di kunginne swarcz 5
zcweierleie uzscharcz
der aldin richtere,
als ich uch gewere.
wen si mit den herren gat
uz von der erstin stat, 10
zcu der rechtin hant get si
　　stan
vor den schriber uf den plan.
so phlit si zcu der linkin
vor di stathuter winkin,
(52ᵇ) so phlit si zcu drin 15
　　endin
der rochir ganc zcu wendin.
zcu dem erstin macht si iren
　　scharcz 17.
uf ledic velt vor den arcz,
und phlit zcu beidin sitin
als di rochir schritin; 20
wen di selbige gewalt
di do hat der anewalt,
da mit ist si beladin.
daz hat si von genadin.
wisheit von richterin 25
der sal si nicht emperin.
sint daz di rittir nach dem
　　sagin
sin kempin und wopin tragin,
so hat die kunginne nicht
nach irme gange keine plicht, 30

wen krankheit an den wibin
mag stritis nicht getribin.
und wen ir so gelingit
daz si uzspringit,
5 so mag si vorbaz nicht gegen
wen bi ir uf daz neheste len
ubir ort uf daz gezcelt ꝛ7],ꝛᵛ.
daz ir ist daz neheste velt.
　Worumme di kunginne
10 zcu dem strite rinne
sint daz der vrouwen krancheit
nicht zcu stritin ist gereit,
di rede wir so macbin quit:
wen sich di man in den strit
15 menlich wellin schurgin,
so vurin si zcu den burgin
vil endelichin di wip
zcu bewarin iren lip,
doch phlegin di Tattary
20 (52ᶜ) daz si di wip vuren bi,
und phlegin si nicht swinde
zcu stritin uf di vinde,
so hindirn si di vinde doch.
daz ist en gar ein sweriz joch.
25 　Dem kunge volgit die kungin
zcu troste in strit, uf sulch ge-
　　win
daz he icht zcu eime dibe
werde an vremdir libe.
und sint man sorgit ubir al
30 wen man den kung kisin sal,
des vurt he billich mit em sin
　　wip
uf burc, in stat, durch sulch
　　getrip
daz kindir werdin sundir hone
di nach em tragin di krone,
35 daz man icht unbederbe
daz kungriche beerbe,

sundir daz iz blibe
der vrucht von sinem wibe.
und uf welchirleie placz
di kunginne hat iren sacz,
wen si bi dem kunge stat,　　5
uf sulchim velde si gat,
iz·si swarcz adir wiz.
daz dutit irre erin pris.
daz swarczce dut ir zcemde
und vrouliche sohemde.　　10
so bedut daz quadir wiz
irre kuscheit blunde ris.
Di vrouwin nicht sullin sterzcin
noch verre wege scherzcin.
des sullin si nicht ilen　　15
jensid der drittin zcilen,
sundir og mogin gan
vort uf ein quadir· stan.
(52ᵈ) allein ein vrouwe sichir si
in irme lande und sorgin vri　20
wen si mit den vrundin zcut,
daz ir nimant missebut,
idoch in vremdim lande
sal si vurchtin schande.
　Der patriarche Jacob　　25
ein tochtir hatte, der lop
was in grozim werde
di wil si gut geberde
hatte sundir prusen
in irre brudir busen;　　30
di was Dyna genant.
do si quam in vremde lant
durch der lande schouwe,
do wart di juncvrouwe
gemacht zcu einir plarzcin　35
durch ir geiliz scharzcin.

10 vrouwliche　　25 *überschrift*
von hern iacobiz tochtir　patriache

Seneca spricht mit wiczoe
'der wibe snod antliczce
di do schelclichin sen,
an den wibin mag man spen
5 daz in nicht ab ist der mut
zcu phlegin unkuschir glut,
sundir ab ist der gegat
der do volbrechte di tat.'
Plinius spricht in sulchir gir
10 daz nicht vil ist der tragindin
tir
di da gern unkusch getrip,
wen daz unkusche wip.
Ovidius di rede spricht
'ein wip virsage adir nicht,
15 so ist si dach also gesit,
si   vrouwit   sich   wen   man
si bit.
ir herze vrouwit sich enkein:
(53ª) di nimant bat di blibit
rein.'
Ouch machit Juvenalis
20 dise rede gewis
'daz wip irvert alle dinc
di do geschen in der werlde
rinc.'
di eine irvreischit nuwe mer,
di andir hat di selbe ger.
25 so legit di dritte dar zcu.
der vierdin zcunge hat keine
ru.
des sullin di wip nicht wegin
sich zcu verrin wegin
durch ir virwiczin,
30 sundir do heime siczcin,

wen si sich kuschlichin rein,
der man ouch snode wip sal
vlin.

**Daz vierde capitil.   Von
der aldin gengen.**

Di aldin uf dem gespenge 344,2.
han alsulche genge:
der eine ist wiz geverbit,
der andir swarcz gegerbit.
iclichir heldit sinen rant
zcu der rechtin und linkin
hant.
der   rechte   der   hat genge
zcwen:
wen he trit uz sime len, 357,39.10
he get vor den geburesman
ubir ort uf den drittin plan,
um daz der richter alde
em sin recht behalde.
ouch so trit der alde her   15
vor den apoteker
durch die sundirliche gunst
daz si bede habin kunst.
wen als der arczt zcu stundin
den menschin mag gesundin,   20
also mag der richtere macht
(53ᵇ) richtin uf ein eintracht.
ouch hat der andir richter
genge in zweirleie wer:
he get von sinir erstin ban   25
und seczt sich vor den kouf-
man, 377,39.
wen di kouflute
mit richterin bute
bewilen durfin gutis racz.
durch daz so habin si den   30
sacz

---

1 überschrift von geilen wibin
13 überschrift vō 'wibiz mvte
19 überschrift von wibiz syten

daz si ir sache wendin
zcu redelichin hendin.
zcu der linkin hant di aldin
sezcit man vor di ribaldin
5 und vor di spelere,
durch alsulche were,
wen di selbin dicke queln
daz si krigin und steln.
des sal ein richter richtin
10 den man nach sinen phlichtin.
dach so sult ir me virsten
daz di richtere gen
uf di dritte vlecke
zcu siten ubir ecke.
15 swarcz adir wiz gevar,
uf sulchem velde blibt he gar
an sinem winkilrechte.
daz bedutit slechte,
daz ein richter si gemeit
20 an gerichte habin sichirkeit.
dri velt bedutin dri
di den richterin sullin wonen bi,
di rechtin sachin hegin
und gutin rat dar legin,
25 kegin ungerechtin sachin
ein scharfiz orteil machin
und nimmir komen in irretum,
(53ᶜ) di rechtin wege machin
krum.
durch daz sin form ist sulchir wis
30 daz he ist swarcz adir wiz
und blibt uf allem brete gar
in der einirleie var.
Du salt ouch daz behaldin
von dem gen der aldin,
35 daz iclichir uzschrit
und get alum des bretis wit
nach des cirkils swange,
und irvullit an dem gauge

sechse siner genge
und kumt uf daz gespenge
do he vor was gesat,
do he zcum erstin uztrat.
di sechs schrete di he schreit 5
bedutin vollinkomenheit.
allein uf erdin nimant
vollinkomenheit si irkant,
sundir in dem hemele,
do si wir sundir schemele, 10
doch sal di vollinkomenheit
an di sin geleit
di mit gutin ratin
dem riche sten zcu statin.
Ein kung sal nicht schachin 15
keinerleie sachin
an di richtere.
darum ist en nuczcehere
daz si vollinkomenheit
habin an der wisheit, 20
an kunst und an gutin sitin.
daz bewist man mit den schritin
di si gen, von drin uf dri
bi sechsen. merke do bi,
(53ᵈ) di gen allum und umme 25
nach des cirkils krumme,
do daz begin daz ende rurt,
als he sine genge vurt.
daz vollinkomenheit bedut,
di man den richterin zcu zcut, 30
di si sullin habin
an allirleie snabin.

Daz vunfte capitil. Von der rittir gange.

Nu sag wir von den ritterin
wi si ir genge witterin:
wen si sten zcu beidir sit, 35

als da vor ist gequit,
si sin swarcz adir wiz,
ir genge habin sulchin pris:
ein rittir der uf swarzcim stat,
5 uf ein wiz velt he gat.
so phlit der andir scharzcin
von wizem zcu dem swarzcin.
und welchirleie he nu si,
so hot he erstir genge dri.
10 der rechte rittir der mag gan
zcum erstin vor den ackirman,
wen ein buman wackir
erbeitin muz den ackir
in des ritteris bewar,
15 daz he irwerbe di nar,
und daz dem rittir werde
vutir sinem pherde.
dar nach so tut he einen
schrit
vor den he billich ouch bevrit,
20 der em bereitit daz warf
daz he zcu sinen kleidin darf;
daz ist der wullenweber;
vor den so trit ein rittir mer.
(54ᵃ) den drittin ganc wol an-
gerant
25 tut he zcu der linkin hant
vor den kung uf den plan
do vor stunt der koufman;
und daz ist wol mit rechte,
daz ein rittir vechte
30 vor den kung sichirlich
als he wolde vor sich.
und wen ein rittir junge
an sinem uzsprunge
gespringit zcu der rechtin hant,
35 do dirwirbit he zcuhant
daz he mag von dannen gan
uf vierleie velt stan,

und mittin uf dem brete
hat he ummetrete
in rittirlichir slachte
uf rumer quadir achte.
des selbin ouch der rittir phlit 5
der do stet zcu der linkin sit.
der stet uf swarzcem plane
und get uf wize bane.
he phlit sin velt zcu merin
in rittirlichin erin. 10
der eine vor den herrin gat,
der andir vor der vrouwin stat.
da mite si sich thronen
zcu kungrichis kronen.
und wen si umme zcogin wit 15
uf dem velde in den strit,
so geschit iz undirwein
daz si komen in begein,
so bewisit sich di jugint
wol an rittirlichir tugint; 20
wen man nicht erkennen kan
(54ᵇ) einen rittirlichin man
e daz he sich gemelde
mit strite uf einem velde.
Etlichin starkin ritterin 25
wonet bi ein zcitterin
also daz si virbleichin
wen man en wopin reichin
sal, daz si sich gerwin.
so phlein si sich zcu verwin 30
von des stritis andin.
etliche han zcu handin
daz si zcum erstin vurchte han
und in striten baz bestan
wen jene di sich dunkin vrum 35
und do bi doch sin kune tum.
si bewisen nicht di tucke

30 verbin   36 kûne tvm

daz si keren di rucke,
sundir striten in den tot
wen iz get in stritis not.
von naturen han si daz
5 daz si zcum erstin werdin laz.
    Jo ist daz ein starkir mut,
swen'do sit ein rittir gut
daz iz em vil herte lit
und doch nicht wichit besit,
10 sundir strit gar swinde
mit manheit kein dem vinde.
daz dutit drierleie ganc,
als he zcum erstin uzspranc
und was binnen lande
15 in des kungis bande,
und wen he buzin landis zcelt,
so springit he uf daz achte velt
glich rittirlichim kempin
di vinde zcu dempin.

(54ᶜ) Das sechste capitil.
Von der rochir gen.

20   Di rochir gen in sulchir wis,
der eine swarcz, der andir wiz:
wen alle stein sin gesat●
jo der schach an sine stat,
di edilinge und di gemein,
25 di mag man albetalle rein
von eigenir tugint an den ganc
an eren erstin uzspranc,
an di rochir allein;
di mag man nirne bewein
30 o di schachkumpane
gerumen en di bane.
daz kumt von sulchin dingin
daz si nicht uz entspringin,
wen ir gewalt enhat nicht kraft
35 e man si ubit daz si schaft.

wen binnen kungis pallas
sint si an gewaldin laz;
und wen der kung zcogit uz,
daz he kumt uz dem hus,
so mogin si ubin ir gewalt   5
di en der kung hat gezcalt.
wen ir gewalt ist rechte groz
da si sin kungis genoz.
des mogin si uf, wanen
velde wite banen,   10
als ap si wandirn ane val
daz kungriche ubir al.
he si swarcz adir wiz,
so hat he jo den selben pris.
zcu der rechtin adir linkin hant 15
daz bret betalle wirt berant
so verre ap vor em di ban
an der zcile blibit wan.
(54ᵈ) und wen einir langin
beginnet zcu der spangin,   20
so mag her nicht me ilen
wen uf zcwen zcilen:
wo di zcilen endin,
so verre si mogin wendin.
und kumpt he mittin uf den plan, 25
vier zcilen mag he han.
    Di roch mogin allumme zcien,
idoch daz si den winkil vlien,
daz si mit ummetrotin
icht werdin do virrotin.   30
si gen rechte alle zcit
und treten nirne besit,
durch daz di anewaldin
sullin recht haldin,
daz ir recht irluchte klar   35
allen endin offinbar,

17 werre   18 zciele
30 ich

den bonin und den gutin
di do rechtis mutin.

　Jo mogin si sulche tugint han
daz si in den striten van
5 den kung der en wil widirstrebin
und nemin em riche unde lebin.
also dem nevin geschach
des kungis Evilmerodach,
durch den dis spil vundin wart
10 als do vor ist gelart,
der zcu Babylone
trug des richis krone,
und was geheizin Balthazar.
zcwene kunge quomen dar,
15 Persarum kung Syrus
und Medorum kung Darius;
die nomin em an widirstrebin
(55ª) beide riche unde lebin.

Daz sebinde capitil. Von
der gemeine gen.

　Di gemeine sundir wanc
20 han albetalle einen ganc:
si gen von der stat
vor sich uf den drittin grat
wen si sint binnen landin
undir des kungis handin.
25 dort haben si nicht witir maz
wen zcu tretin uf ein pas.
si gen vor sich gerichte
und wedirkerin mit nichte.
mit dem gange so recht
30 si mogin irwerbin daz amecht
daz der edil an em treit
von edilichir wirdikeit;
als ap em trit der rittir bi
und andir hulfe mite si,
35 si komen in einir wile

biz an di leczte zcile,
do di edilin stundin vor
di kein en trugin vindis vor.

　Ist der vende wiz getan,
arczt, webir, ackirman
adir huter der stat,
he nimt der kunginnen grat,
daz he kurcz adir lanc
hat der kunginnen ganc
10 widir heim zcu huse wert
adir wo he hin gert.
der swarzce vende ist ouch gesit,
kreczchemer, koufman adir smit
und ouch der ribalde,
15 komen si mit gewalde
an daz hoe gespenge,
(55ᵇ) so habin si di genge
der swarzoin kunginne.
so mogin si von hinne
20 widir wandirn zcu hus
adir daz schachzcabil uz.
und wen der vende sinen strich
an rechtim gange get vor sich,
kumt em imant inbegein
25 zcu sinen sitin beidirwein,
he si rittir adir knecht,
he mag en van und tun sin recht,
als ap he en wolde photin
adir lichte totin.

　Durch daz daz den gemeinen 30
man
nimant sal zcu snode han
der di rechtin wege tut,
daz man em neme sin gut
(wen ein recht daz gebut:
35 der an rechtim wege zcut,
swer an en wolde heftin,
he virtribit kraft mit kreftin;
idoch so ist daz ungeleit

mit moze geschuldigir sichirheit),
sinen vint he billich bestrit
winkilrecht zcu der rechtin sit
als sinen widirsachin
5 der en wolde swachin
an eiginer personen
und wolde sin nicht schonen.
und der em kumt zcu der linkin
den mag he gar wol vlinkin
10 mit rechtin dingin adir van
adir do zcu tode slan,
als der em wolde nemin
daz sine mit unzcemin.
   (55ᶜ) Uf wiz, uf swarcz der
       vende gert
15 vor sich, und nicht hindirwert.
nimant di smehe in irem wesin,
wen wir habin vil gelesin
daz etlichir wart so vrum
daz he quam in keisirtum,
20 und irwelt sin zcu den gebistin,
zcu bischovin und zcu pebistin.
   Darum wil ich sagin wi
sprach Gyges zcu Appollini,
der do hatte gutis genuc
25 und in Libya di krone truc.
der vragit en mit listin spe
ap nimant were seligir wen he.
ein stimme von der hoe quam,
di alsulche rede nam,
30 wi daz ein armir gebur
dem sin nar was wurdin sur,
Aglausophidus der hiz;
gar ermelich was sin geniz;
doch was he an dem mate
35 richir wen an gute
und was eldir an den jarn;
den ackir he hatte ummevarn
daz he buzen siner vurch

ni gebrach den rein durch:
den bewert Appollo
daz he seligir were do
wen Gyges der kung ho,
der so seldin wurde vro.
vil grozir ist gelucke
gemachis brot ein stucke
wen Libya daz volle lant
mit vindis vurchtin ummerant.
   Virgilius demutic was,   40
(55ᵈ) wi groze ere man em maz.
sine wisheit ubir al
in der werlde irschal.
den wart einir redin an
mit snodikeit ein bosir man; 15
und do di rede geschach,
Virgilius hin widir sprach
'jo muz der sin ein starkir man
der kulen sal uz hendin slan.'
   Also hat ir der rede uzlein 20
von dem gange der gemein.

Daz achte capitil besluzt di rede.

   Nu wel wir kurzclich ubirslon
di rede di vor ist geton.
dis spil vant meistir Yerses
in Babylon do undir des 25
was kung Evilmerodach,
als ich ouch da vorne sprach.
di sache und ouch di mere
worum iz vundin were,
daz was des kungis strofin 30
di sin untugint trofin.
der selbin drir hat ir zcil
in dem erstin capitil.
wen do der kung snode was
und nicht wolde lidin daz 35

daz innent darumme rette
der en gestrofit hette,
durch daz manchin wisin man
he da vor hatte totin lan:
5 daz volc sich betrubite ser
durch den kungis uner,
den vor genantin meistir hat
zcu strofene den kung vrat.
der meistir sprach zcum volke
10 (56ᵃ) 'wen ich em daz tolke,
so let he mich virterbin
und ane zcwivil sterbin.'
daz volk em rede widir bot
'du salt e kisin den tot
15 e daz du lidist di var
daz man spreche offinbar
al des kungis vrate
kome von dime rate,
darumme daz du virlazzist
20 den kung nicht envazzist,
vor dich mit strofin um unart,
sint daz du bist so wol gelart.'
do meistir Yerses horte dis,
he gelobte dem volke gewis,
25 he wolde strofin sinen hern,
und wart in den gedankin lern
wi he daz anevinge
daz he dem tode entginge
und doch den lutin hilde daz
30 daz von em gelobit was.
des so wart he trachtin
wi he mit achtstunt achtin
quadrin daz bret vunde,
als ir vor hat kunde
35 in des brettis capitulo,
als he do von schribit so.
di form an disen schachin

liz der meistir machin
nach menschlichin bilde
uf daz schachgevilde
von silbir und von golde
als sine wisheit wolde.
daz ir vor hat gehat
in der schache tractat,
(56ᵇ) dem drittin und dem
          anderin.
dar nach von erim wanderin
beschreip he in dem vierdin   10
mit volleclichin zcierdin.
und do der meistir uf sin zcil
geschickt hatte dis spil
und vor manchim spilte daz
uf kunglichim pallas,   15
also daz albetallin
daz spil wart wol gevallin:
der kung der quam gegangin dar.
do he des spilis wart gewar,
des spilis he begerte.   20
der meistir en gewerte,
wen he in der stunde
em sagin do begunde
der schache genge und ir wesin.
da mite so wart he em vorlesin 25
daz ein kung sal sin gereit
zcu kuscheit, barmung, gerechti-
          keit,
als vor hat di norme
von des kungis forme.
ouch larte he en mit sinne   30
di form der kunginne
an iren gengin und tritin,
ire zcirde und ire sitin.
ouch larte he in den merin
von den richterin   35

7 genatin   32 achten   32 trittin

und von den ratgebin
di dem riche komen ebin.
he sait em ouch so nuwe
von der rittir truwe,
5 von irre klugin wisheit,
dar zcu von irre mildikeit.
he wart ouch rede haldin
(56ᶜ) von den anewaldin,
von iren sitin unde wesin,
10 als do vor ist gelesin
nach ir rechtin state
iu dem andirn tractate
von den edilingin,
wi di sullin ringin.
15 ouch wart be em do tolkin
von den gemeinen volkin,
wi si ir hantwerc hartin,
der edilen mite wartin,
und worumme si vor den edilen
stan,
20 als man vor hat wizzin lan
in dem vierdin tractat
do daz bret beschribin stat.
    Und do der meistir so ebin
gestrofte des kungis lebin
25 in sulchim vorbilde
uf dem schachgevilde
der kung den meistir vrogite hart
bi sines halsis henivart,
he suld em sagin uf ein zcil
30 worum he hette irdacht dis spil.
Yerses mit vurchte betwungin
sprach mit wiser zcungin,
wi daz he hette sundir haz
der lute bete gelobit daz
35 den undirtanen schofin,
he wolde den kung strofin
nf rechte bezzerunge
mit meistirlichir zcunge.

idoch so hette he vurchte
daz he en icht entwurchte
mit des todis isen,
als he manchin wisen
(56ᵈ) hatte bracht in todis vreit 5
durch ir kune turstikeit,
daz si turstin sprechin
dem kung um den gebrechin.
ouch nam he do zcu handin
wi he waz in andin 10
so daz he vindin mochte
ein hubscheit di do tochte,
daz si des strofins wilde,
sin lebin ouch behilde.
durch daz so must he wankin 15
in manchirlei gedankin,
wi daz he daz irdechte
daz he den kung brechte
mit hubschir handelunge
zcu siner bezzerunge, 20
als ap he solde schone
in drittir persone
den kung also redin an
uf dem schachzcabilplan,
des der kung gerne 25
wolde habin lerne;
da mit he em dirscheinte
daz he den kung meinte,
daz daz der kung entphinge
als ap iz uf en ginge, 30
und nach sulchim handelin
sin lebin wolde wandelin.
der meistir wart ouch kundin,
dis spil he hette vundin
durch der edilinge vug, 35
di do hettin gutis genug
und ouch werin wol bevrit,
daz si mochtin da mit
midin snode muzikeit

(57ᵃ) und der betrubnisse leit,
und ouch daz si gedankin vil
mochtin nemen uz deme spil
und manchir rede hubischeit
5 di dar inne ist uz geleit;
und lern ouch dinne lozin
an swigin und an kosin
und dar uf zcu schribin
vil manche list zcu tribin.
10 Do der kung di sache
virnam uf disem schache,
als he hatte do gehort
von dem meistir di wort,
he dachte in sines herzcin grunt,
15 iz were ein uzirweltir vunt
den der meistir hette irdacht
durch den kung ungeslacht.
dem meistir dancte he sere
und gap sich in sin lere.
20 der do vor was in unart,
ein tugintlichir herre he wart,
und wart dar nach me ringir
in allin gutin dingin,
und dancte dem meistir alle stunt
25 daz he i gevant den vunt.
Ane tugint uf erdin
lebin in ungeberdin
ist nicht ein menschlichiz lebin,
sundir billichir vie gegebin.
30 dorum so loufe wir an Crist,
der der selikeit tugint ist,
von dem di tugint vluzet
und alle genade entspruzet.
der mir virlegin hat den ruch
35 daz ich voltichtit hab daz buch
(57ᵇ) den lutin wol zcu erin
und zcu gutin lerin,
der virli uns sine genade
in disir werlde stade,

daz wir ewiclichin
dort mit em richin.
Von Thessolis ich munch Jacop
gewurbin habe der herren lop
in disis buchis zcile   5
durch kurzcewile,
besundir di iz kunnen,
daz si mir gunnen:
ein munch der predigere stift,
ein meistir in der heiligin schrift, 10
und hab iz bracht anz endeblat;
daz mir der virlegin hat
der uns gebit van bobin
di vollinkomenen gobin.
der habe lop und ere   15
nu und immir mere. amen.
Dis buchis wandelunge
hat in duzsche zcunge
getichtit gar rechte [Hechte,
der pherrer zcu dem 20
von gotis geburt
gar kusch begurt
tusint jar
daz di reine mait gebar;
dar zcu dribundirt   25
sin gesundirt;
vumfzcic dar zcu
merkit nu,
und in dem vumftin:
do mit virnumftin   30
wart getichtit,
(57ᶜ) gar glich gerichtit
nach dem latine
hie zcu schine   [quam.
dis buch und an ein ende 35
gelobit si der hoe nam!
amen.

27 viufzcic   29 viuftyn

*Die einzige handschrift des hier zum ersten male vollständig
zur veröffentlichung gebrachten mitteldeutschen schachbuchs befindet
sich als Add.* 19,555 *im Britischen museum. dieselbe gehört ohne
zweifel noch dem* 14 *jh. an. sie besteht aus* 58 *blättern; unser
gedicht umfaßt bl.* 2ᵃ — 57ᶜ; *jede seite enthält zwei columnen zu*
35 *zeilen; überschriften der capitel und einzelnen erzählungen sind
mit roter dinte eingetragen. bl.* 1 *ist vorgebunden, es enthält ein
stück irgend eines lateinischen theologischen werkes. bl.* 58 *ist leer;
nur sind von einer hand des* 14 *oder* 15 *jhs. auf der rückseite die
worte* Eynec ritter scholde de ghense hute. *do quā der wolf
ghelōpē myt syner wyden munt. he bet der lāmer sosse. daz
koste wol eyn punt sylbe. ludeke ludeke stok en* eingeschrieben.
abschrift des gedichtes habe ich teils im januar 1871, *teils im oc-
tober* 1872 *genommen. inzwischen hat dann* JBächtold, Deutsche
handschriften aus dem Brit. museum, Schäffhausen 1873, s. 167 ff
*anfang und schluß aus der hs. abdrucken laßen. bei ihm ist als
gesammtzahl der blätter der hs.* 56 *angegeben, da er das leere
schlußblatt nicht mitgezählt hat und nicht bemerkt zu haben scheint
daß ein blatt bei der paginierung übersprungen ist; außerdem ist
die nummer der hs. fälschlich als* 15,555 *aufgeführt. — die ge-
schichte der hs. habe ich nicht weiter zurückverfolgen können.*

Als verfaßer des schachbuchs nennt sich 380, 17 ff *der pherrer*

2/.

zcu dem Hechte, als jahr der entstehung wird ebenda 1355 *an-
gegeben. unsere dichtung ist also nicht unbeträchtlich jünger als
das gleichartige um* 1337 *entstandene werk des Konrad von Ammen-
hausen. doch läfst sich eine benutzung dieses letztern nirgendwo
nachweisen; vielmehr haben beide unabhängig von einander des Ja-
cobus u Cessolis* buch De moribus hominum et de officiis nobilium
super ludo scaccorum *bearbeitet, dessen titel ja auch in genauer
übersetzung in unserm gedicht wieder erscheint* (161 anm. hi hebit
sich diz buch an, daz do heizt der lute site, der edilen ampt in
dem schachzcabilspil). *eine genauere untersuchung über das ver-
hältnis der beiden deutschen bearbeitungen zu ihrem quellenwerke
wird aber erst dann möglich sein wenn einmal das jetzt fast un-
zugängliche werk des Jacobus in einem neuen druck vorliegen wird.
ich habe zwar unsern deutschen text mit dem einzigen mir bis-
her zu gesicht gekommenen exemplar eines druckes des Jacobus im
Britischen museum verglichen und bin zu dem resultate gekommen,
daß die übersetzung sich genau und streng an das original an-*

anschließst, aber ich habe leider aus mangel an zeit nicht so viel excerpiert um diese behauptung hier ausführlich erweisen zu können.

Über den pherrer zcu dem Hechte *habe ich nichts auf-klärendes gefunden.*[1] *aber sei er auch wer er wolle, der wert unseres denkmals wird dadurch nicht geringer. schon die ausbeute die es an seltenen und neuen wörtern liefert ist nicht unbedeutend; dann aber ist namentlich seine genaue zeitliche begränzung sowol für dialektgeschichte als für metrik von wichtigkeit. ich habe aus diesen beiden gründen es für rätlich gehalten möglichst in der ge-stalt das gedicht wiederzugeben wie es in der hs. überliefert ist, obwol weder der ursprüngliche dialekt noch die metrische form überall genau gewahrt zu sein scheint. demnach habe ich still-schweigend nur den wechsel von* u *und* v (*bisweilen steht auch* w, *bei Bächtold fälschlich durch* iv *wiedergegeben*), i *und* j, i *und* y, c *und* k *geregelt; für* vn̄ *neben dem auch* vnd *und* vnde *vor-kommen habe ich je nach bedürfnis* und *oder* unde *gesetzt. um sich über diese orthographischen abweichungen hinlänglich zu unter-richten genügt ein blick auf die bei Bächtold abgedruckten stücke. außerdem aber habe ich nach mittelhochdeutscher weise* z *und* s *geschieden, die in der hs. ganz promiscue gebraucht werden; für einfaches* s *oder* z *der hs. ist also je nachdem einfaches* s *oder* z, *für* ss *oder* zz *desgleichen* ss *oder* zz *gesetzt worden. dieses ver-fahren erschien mir als das einfachste, obwol die reime zeigen daß im auslaut wenigstens kein unterschied zwischen* s *und* z *bestand;* 63 *mal habe ich* z *im reime auf* s *gefunden, sowol nach kurzen wie nach langen vocalen. für das neutrum* diz *habe ich nach den reimen auf* Ysidis 297, 38, is 304, 2, gewis 375, 23 *überall* dis *geschrieben, obschon auch* diz *nach dem angeführten möglich gewesen wäre. auch vor* t *ist* z *mit* s *zusammengefallen, wie zahlreiche reime wie* tröst : genözt 161, 5, vaste : hazte 166, 5, virgizt : ist 346, 32 *usw. zeigen. aber einfaches* s *zwischen vocalen reimt noch*

---

[1] *Man könnte versucht sein mit beziehung auf poln.* szczuka hecht *etwa an das dorf* Szczuka *bei Strassburg i. Pr. oder dgl. zu denken; es gibt aber der von diesem worte oder dem gleichbedeutenden* szczupak *abgeleiteten ortsnamen (die man sich leicht bei Rudolph zusammensuchen kann) zu viele in den an slawisches gebiet gränzenden landesstrichen als daß eine identificierung mit sicherheit gelingen könnte.*

nicht auf z; von ss : zz finde ich nur die beispiele wizziu : trûb-
nissiu 314, 11 *und* unvirdrozzin : rossin 325, 28.

*Was den dialekt anbetrifft, so fällt das schachbuch ohne zweifel
einer der nordöstlichen mundarten, vielleicht der preußischen zu;
dafür sprechen alle wesentlichern sprachlichen eigenheiten des denk-
mals die sich durch die reime constatieren lafsen und die besonders
mit der sprache des Nicolaus von Jeroschin große verwandschaft
zeigen;* [1] *auch das vorkommen slawischer worte wie* krezchemer 164, 6
nö., jûche 181, 16, *greniczciu (:* wiczciu) 220, 34 *passt gut dazu.
um aber genauere bestimmungen machen zu können, dazu fehlt mir
hier zu viel des einschlägigen namentlich urkundlichen materiales.
ich mufs mich also begnügen für die welche in dieser beziehung
günstiger gestellt weitere untersuchungen anknüpfen wollen den dialekt
in seinen hauptzügen zu charakterisieren. dafs dabei zunächst
nur die reime in betracht kommen ist selbstverständlich.*

*Der consonantismus weicht im ganzen von der in unsern
mhd. ausgaben üblich gewordenen schreibweise nicht sehr ab. aus-
lautendes* b *und* g *werden zu* p *und* c *verhärtet, vgl. zb.* ap,
gap : nap 326, 26. 327, 27, lop, op : kop 330, 20. 331, 27, tac,
lac, bejac, virmac : sac 169, 17. 204, 13. 285, 18. 339, 33 *usw.,*
sig : stric 359, 9, lanc, ganc, ûzganc, betwanc : wanc 356, 35.
371, 19. 211, 11. 238, 4 *usw.,* karc : starc 233, 10 *usf. doch
steht* 246, 10 *das prät.* trôg *im reime auf* hôch. *die oben für*
b *angeführten reime zeigen zugleich dafs geminiertes* p *unverschoben
bleibt; vgl. auch* oppir 271, 32, proppin 272, 3. *auch nach* m
erhält sich das p *wahrscheinlich unverschoben, nach den schreibungen*
gelimp : schimp 182, 11 *vgl.* 259, 32, dempin : kempin 220, 38.
369, 18 *vgl.* 322, 4 *zu urteilen; doch sind natürlich diese reime
nicht beweisend. im anlaut* p *in* proppin 272, 3, plicht 360, 30,
pranc 359, 25, plarczin 360, 36 *für gewöhnliches* ph. *das* b *nach*
m *ist schon überall dem* m *assimiliert, vgl.* lam : scham 273, 5;
krum : richtûm 265, 1, *vgl.* 317, 7. 365, 27, unvrum 314, 17;
darum : Lysymacum 168, 19 *usw. rücksichtlich des* w *ist die
form* zcêsme *für* zcêswe *zu beachten, die* 193, 32 *durch den reim*
zcêsmen : bêsmen *gestützt auch noch* 309, 3. 329, 18 *im innern
des verses sich zeigt. bemerkenswert ist auch der conj. prät. be-*

---

[1] *Ich citiere stets die erste zeile des reimpars dem ein wort an-
gehört, einerlei ob es das erste oder zweite reimwort ist.*

auslautendes h nach langem vocal pflegt
wie allgemein mitteldeutsch zu schwinden, vgl. zb. nâ : Almânia
208, 16 usw., gâ : loyca 309, 28, virlei : geschrei 302, 3, virzcei :
schrei 326, 2, hô : drô 171, 14 usw., vlô : sô 238, 10, doch auch
nâch : geschach 167, 19 usw., nôch : joch 314, 29, roch
352, 32 usw. im inlaut ist ausfall des h vollständig zur regel
geworden, wie die reime zeigen, wenn auch ein par mal noch das
h geschrieben wird; zahlreiche vocalcontractionen sind die folge da-
von; ich führe von solchen die durch den reim gesichert sind bei-
spielsweise folgende an: virsmâu 336, 4. 350, 7 neben virsmêu
179, 29, virsmât 188, 10, vlê 244, 5, lên 361, 5, vlêu 201, 14,
spên 206, 9, spê (= mhd. spæhe) 373, 26, êr 283, 15, swêr
340, 14, nêr 253, 17, nêst 192, 26, erspête 285, 38, virsmête
333, 6, gît 242, 7, geschît 320, 8, gedî 353, 22, vgl. dîe 302, 19,
gedîen 240, 9, virzcîen 305, 17 und vieles ähnliche; hô adv.
333, 28 etc.; zcût 319, 25 usw. daneben einmal g statt h in ge-
schôgin (: herzcogin) zu geschêhen 333, 12. 342,8. besonders be-
liebt ist die auflösung eines inlautenden g in i; in reimen finden
sich zwar nur wenige formen sicher belegt, wie rein 369, 25, wein
335, 26, bewein 369, 28, enkein 221, 17 etc., ûzlein 164, 9 =
rêgen, wêgen usw., denen sich reime wie sain : getwain 198, 14, voit :
gevroit 265, 15, gezcoit 266, 25 anschließen. der text selbst liefert
noch eine große menge ähnlicher formen. hiermit zu vergleichen
ist auch die synkopierung des g in der adjectivendung -ig, die durch
unvirnumftim 176, 21 und hôchvertin 199, 33. 202, 5 belegt wird.

Von einzelheiten führe ich noch an dafs auslautendes t nach
einem consonanten zu verschwinden anfängt, zb. in arcz(t) : scharcz
248, 1. 360, 17, knêch(t) : vrêch 262, 23; doch könnten dies
allenfalls ungenaue reime sein wie man : gezcam 325, 20; sicher
aber ist der abfall des t in der 3 plur. des präsens; kein einziger
der zahlreichen einschlagenden reime weist hier noch -nt als endung
auf; vgl. zb. hân 322, 16, vân 371, 3, stân 349, 22, sên 363, 3,
sin 233, 18, machin 310, 17, bîgin 209, 9, snîdin 319, 9, trîbin
338, 25, mordin 323, 13, figûren 314, 5, mûwirn 274, 15 usw.
andrerseits zeigt sich neues nt in nîmant : irkant 366, 7 vgl.
nîmande : lande 178, 25. 295, 11.

In beziehung auf die vocale ist vor allem darauf aufmerksam
zu machen dafs die verlängerung der vocale offener stammsilben
bereits völlig durchgedrungen ist. gegen 100 mal finden sich worte

*von der ursprünglichen form ⏑ ⌣ : ⌣⌣ im reime auf einander, fast
jede spalte gewährt davon nachweise, und ebenso dafür daſs der
versausgang ⌣⌣ auch da wo ihn beide reimworte haben sehr häufig
schon als ⏑ ⌣ zu betrachten ist.* bezeichnung der quantität ist des-
halb auch im texte nicht eingeführt worden. aus demselben grunde
sind auch die reime von kurzen vocalen auf lange im allgemeinen
im folgenden nicht besonders besprochen.

*Der mitteldeutsche charakter des vocalismus zeigt sich zunächst
natürlich in der verengung von* ie *und* uo *zu* i *und* û, *die durch
reime wie* wî : Tarquini 199, 23, dî : Julii 206, 33, bî : barbari
223, 16, ûr : gir 234, 25, temprîren : giren 316, 35, zcîrde :
girde 172, 22, dîrne : gevirne 296, 29, Krîchin : rîchin 167, 15;
ferner schû : nu 221, 19, zcû : nu 327, 19, tûn : sun 199, 31.
215, 15. 222, 11 *etc.*; rîchtûm, keisirtûm, irretûm : krum 265, 1.
317, 7. 365, 27, *vgl.* 167, 11. 172, 20. 373, 18 *hinlänglich er-
wiesen wird.* auch hier bietet die hs. abweichend oft noch ie und
einige mal û.

Die diphthonge ei *und* ou *sind rein erhalten; ich verzeichne
nur die reime* virzcei : anzcwei 345, 53, schrei 326, 2; virlei : ge-
schrei 302, 3; spei : anzcwei 261, 9 *neben* schrê : wê 193, 4 *und*
trôg : hôg 246, 10. *über* ei, ai, oi, *durch ausfall eines* g *ent-
standen s. oben bei* g.

Charakteristisch ist ferner der ersatz des æ *durch* ê; *dies* ê
reimt sowol auf e *als* ĕ, *selten auf mhd.* ê; *vgl. zb.* gevêre : mere
186, 31, wêr, nêr, lêr : her 211, 7. 253, 17. 313, 22, vêle : ele
293, 23, vêln : weln, zceln 190, 34. 340, 30, vêlin : welin 239, 22.
268, 26 *usw.*; virsmên : dĕn 179, 29, bequêm : Karthaginem
189, 14, vêl : kĕl 182, 35, mêr : gĕr 172, 28 *usw.*, lêr : gĕr
257, 30; wênin : quĕnin 169, 13, mêrin : swĕrin 257, 4, wêre :
gĕre 277, 22, vêlin : stĕlin 325, 32, drête, stête : bĕte 184, 3.
255, 11, gerête : brĕte 347, 3; gebêrdin : ĕrdin 262, 15 *usw.*
(*zusammen sind es der reime von* ê : e *etwa* 12, *der von* ê : ĕ
etwa 45). *von mhd.* æ : ê *finde ich nur* vêle : Danîéle 166, 17,
hêre : wêre 226, 7.

*Dasselbe schwanken findet sich auch sonst bei den e-lauten; es
reimen* e : ĕ, *wenn auch nicht gerade häufig, zb. in* erne : lĕrne,
gĕrne 304, 8. 333, 32 *etc.*, edele : gesĕdele 228, 4, hebin : gast-
gĕbin 319, 23, gesellin : wĕllin 281, 28; bescherrin : bewĕrrin
285, 34 *usw.*, *ferner auch* ê : e *in* kêrin : dirnerin 319, 17, kêrt :

18*

genert 188, 22, virsĕrt : virhert 185, 2, hĕr : her 183, 11, hĕrn :
swern 183, 31 usw.; ferner ĕ : ĕ in lĕrn : begĕrn, spĕrn 170, 16.
206, 7. auch das nach ausfall eines h durch contraction ent-
standene ĕ verhält sich ebenso, zb. swĕr : zcer 340, 14, sĕn : vir-
smĕn 177, 24, nĕr : her 253, 17, nĕst : gewĕst 192, 26, ĕr : mĕr
283, 15 usw.

Kurzes i hat eine neigung sich zu ĕ zu trüben. unzweifel-
haft sind reime spĕl, zcĕl : sĕl 345, 11. 274, 35, bezcĕlt, gezcĕlt,
zcĕlt : vĕlt 353, 18. 354, 11. 369, 16, ummetrĕte : brĕte 368, 1,
bevrĕde : vĕde 268, 32, zcĕmt 3 sg. : virnĕmt 2 pl. 248, 25 (vgl.
268, 36). namentlich findet sich dies ĕ auch oft, ohne freilich
durch reime gesichert zu sein, im part. prät. der verba der i-reihe.
zb. virswĕgin : gezcĕgin 198, 12, blĕbin : geschrĕbin 230, 13, ge-
trĕbin : beschrĕbin 279, 11. 306, 32; geswĕgin : gelĕgin 211, 23,
und in fällen wie sĕdir : wĕdir 238, 20 etc., bĕsin : wĕsin 346, 28
usw. — andrerseits tritt statt des geschwächten e der endsilbe i ein,
in der hs. regellos mit e wechselnd; die reime zeigen wieder dafs
würklich i gesprochen ist; man vergleiche capitil : wil, zcil 167, 5.
374, 32, jungerin : sin 175, 25, Ungerin : in 208, 21, kungin :
begin 239, 10, gevangenin : in 244, 9; auch hĕn : elderen 247, 20
spricht nicht dagegen, da man ebenso gut hin : elderin lesen darf.

Langes i ist in der endung -lich ohne zweifel schon verkürzt
gewesen; wir finden zwar noch die reime togintlīch : glīch 180, 9,
itelīch : kungrīch 351, 16, jēmirlīchin : kungrīchin 359, 33, aber
dem gegenüber über 12 mal den reim von lich (das adverb mit
einbegriffen) auf sich, mich, dich, ich, strich, zb. 179, 7. 184, 25.
187, 33. 190, 20. 222, 9. 270, 23. 283, 7 usw., dazu kommt noch
schemelichir : sichir 303, 34. ebenso ist vermutlich in vīnt wie
in dem unten zu erwähnenden vrunt kürzung eingetreten, vgl.
vint : kint, sint 317, 35. 318, 21, vinde : gesinde 197, 32. 324, 9,
swinde 317, 15. 361, 21. 369, 10; vindin : ubirwindin 247, 12.
251, 30.

Wie i und ĕ, so schwanken auch u und o mehrfach; wieder-
um ist die überlieferung dem dialekte nicht gerecht geworden, wenn
geschrieben wird geburt : begurt 304, 36 etc., irsturbin : virturbin
314, 15 usw., da die sonstigen reime in solchen formen o ver-
langen: gebort (subst.) : hort 221, 11, ort 264, 21, ungehort
250, 1; gebort (3 sg.) : gehört 335, 30, wordin (3 pl.) : ordin
343, 12, worgin : virborgin 194, 15. 224, 34, irworgit : besorgit

201, 26; *ebenso heißt es. abweichend vom mhd. sprachgebrauch*
holde, doldin, son (holde : golde 212, 27, *vgl.* 302, 1; holdin :
soldin 317, 29, woldin 180, 15. 221, 1; doldin : woldin 166, 3;
son : von 265, 11, sone : schône 326, 16, hône 327, 31, *doch
auch* sun : tûn, *s. oben unter* uo).

Das à endlich ist bereits auf dem wege zu ô zu werden; jedes-
falls ist es schon durchgängig wie à gesprochen, da es sowol auf a
wie auf o reimt (nicht auf ô, das dem u näher steht als das offene
kurze o, mit ausnahme von fällen wie dôrum : philosophorum
266, 7, *vgl.* 243, 9. 302, 19, *auch* 220, 24); *es finden sich etwa*
170 à : a *in stumpfem,* 40 *in klingendem reim (zweifelhafte fälle*
wie gedachte, brachte, larte, karte *usw. sind dabei nicht mitgezählt),*
dagegen 32 *resp.* 25 ô : o; *man vergleiche beispielsweise* andirswô
198, 18, wôr 165, 23 *etc.,* hôr 166, 9; vôr 199, 13. 214, 27 *etc.,*
quôl 328, 27, getôn 237, 37, wôn 297, 28, tôt 226, 10 *etc.,*
nôch 314, 29 *etc.,* wôrn : irkorn 175, 33 *etc.,* offinbôrn 229, 2,
gôbe 162, 2 *etc.,* morgingôbin 240, 5, phlôgin 191, 12 *etc.,*
môgin 191, 28. 199, 27 *etc.,* vrôgin 217, 17, wôgin 220, 26,
geschôgin 333, 12. 342, 8, rôte 194, 29, tôtin 233, 4 *usw.* —
daher entspringt auch das schwanken zwischen sal (: bal 177, 16,
al 237, 1, schal 283, 5, zcal 291, 17 *etc., vgl.* salt : gewalt 172, 6)
und sol (: wol 295, 19), *ebenso von* von (: son 265, 11, lôn
302, 25, Babilon 348, 7) *und* van (: man 234, 29, dan 326, 30,
an 329, 8, Quintiliân 321, 11, slân 235, 13). — *in* lazzen *ist*
vielleicht das à bereits gekürzt, vgl. die reime 182, 31. 375, 19,
auch 231, 23.   ●

Der umlaut ist überall durchgedrungen; die schrift bringt ihn
aber wie gewöhnlich nur beim a zur darstellung, und auch die
reime, die wie wir nun schon oft gesehen haben nicht mehr genau
sind, setzen sich über sein vorhandensein zum teil hinweg, wenig-
stens bei dem u (o) *und dem* u = uo. *das u der hs. bezeichnet*
also sowol u, *als den umlaut* ü, $\overline{u}$ *und das aus altem* iu *entstandene*
ü. *zwar kann man zweifeln ob reime wie* natûre : ungehûre
189, 2, stûre 219, 9. 357, 15 *neben solchen wie* natûre : dûre
188, 4, nâkebûre 191, 38 *usw. als unrein anzusehn seien, da ja*
auch die form natûre, *dh. mhd.* natiure *möglich wäre; aber sicher*
ist zb. der conj. slûge : unvûge 196, 23 *hierher zu stellen. — am*
deutlichsten ist die sache beim kurzen u; *es reimen* undin : vir-
slindin 278, 23, vrunde : kinde 286, 8, virnumftin : vimftin 380, 29,

und doch stehen daneben reime wie vrunt (*dh. vrunt, aus vriunt* verkürzt): gekunt 202, 5, enzcunt 203, 1 (*dafs diese participia woïrklich ohne umlaut gebildet werden geht aus* kunt : enzcunt 262, 9 *etc. hervor*); kundin : vrundin 163, 3. 165, 27, wundin 319, 7, gunne : brunne 241, 11, schult : ubirgult 294, 9, gebort 3 *sg.* : begort 219, 1, gehört 335, 30 *usw.*

Besondere beachtung verlangen noch die wortverkürzungen durch ausstofsung unbetonter vocale. es kann ein jedes unbetonte e im auslaut ohne weiteres, auch im versschlufse, abfallen, zb. bei den starken femininis der a-stämme, zb. in sêl 345, 11, stûr *dat. sg.* 190, 24, acht *dat. sg.* 248, 3, êr *gen. sg.* 226, 18 *etc., im nom. sg. schwacher masculina wie* nam 199, 26, hêr 183, 11, *im gen. pl. in* roch 354, 32; *in adjectiven auf* -e, *zb. in* mêr, lêr 172, 28. 257, 30 *usw.; abfall von* we *in* rû 298, 28. 324, 19. 363, 25, gezcou 314, 1; *ferner kann das e fehlen in allen adverbien, zb.* balt 193, 6, bart 263, 17, recht 270, 7, risch 317, 23, sêr 375, 5, vorn, bevorn 218, 27. 294, 29, ap 326, 26, op 331, 37, *sogar* lanc (: getranc) 272, 24 *usw. ebenso tritt ausstofsung des e zwischen* r, l *und* n *oft ein, auch nach langer silbe und wenn noch andere verkürzungen damit verbunden sind; zb.* wôrn 3 *pl.* 175, 33 *etc.*, vôrn 3 *pl.* 213, 31, *dat. pl.* 244, 13, vêln 190, 34, wiln 173, 31, unbewoln 189, 29, woln 206, 13 *usf. charakteristisch ist auch der reim* râts : sacz 364, 29. *die casus obliqui von* nam(e) *sind zu einfachem* nam *verkürzt, s.* 217, 31. 315, 6. 317, 19. 323, 32 *etc., ähnlich* han *für* hanen 188, 26. *neben* ammacht 330, 22, amêcht : rêcht 209, 17. 371, 29 *auch schon* amt : annamt, allentsampt 165, 29. 256, 31.

Der ausfall des e in den verbalendungen, da wo er nicht unerträgliche consonantenverbindungen erzeugt ist darnach selbstverständlich; hier will ich nur noch auf eine derartige eigentümlichkeit speciell aufmerksam machen. bei allen auf dentale ausgehenden verben fällt vor einer mit t beginnenden endung das e und mit diesem der wurzelauslautende dental selbst in der regel aus. man vergleiche zb. geret 237, 11, geschat 281, 26, besmit 341, 5, bevrit 361, 18, scheit 228, 32, gemelt 204, 11 *etc.*, vint 213, 6, ubirwint 230, 1, ent : went : schent 209, 7. 336, 6 *für* geredet, geschadet *usw.*, gestat 197, 18, gewet 312, 29, bit 319, 29, trit 358, 14, gebreit 198, 34, dût 319, 25, gebût 372, 34, schrit 365, 35, geqult 366, 35, bestrit 372, 2 *für* gestatet, gewettet *usw.*, dasu die prdterita rette 171, 16. 211, 17 etc., schatte 180, 17. 340, 16, gestatte 249, 8 für redete, schadete, gestatete. zu seczen lautet das part. prät. stets gesat, im reime 215, 5. 250. 29. 347, 21. 354, 1. 366, 23. 369, 22.

Das in vorstehendem mitgeteilte wird zur charakteristik des dia- lektes genügend sein, wenngleich nicht alle einzelheiten namentlich der flexion mit berücksichtigt sind. aufserdem wird sich natürlich zu den hier nur aus den reimworten gezogenen regeln noch manche bestätigung aus dem texte nachtragen lafsen, wenn man von den hier gegebenen gesichtspunkten aus weiter sucht. besonders möchte ich in dieser beziehung einerseits auf die eben besprochenen ver- kürzungen, andrerseits auf die verlängerung der stammsilben hinweisen. wenn man diese beiden punkte im auge behält und dazu berück- sichtigt dafs das princip der silbenzählung schon stark um sich ge- griffen hat, so wird es nicht schwer fallen auch für die regelung des in der hs. nicht überall gewahrten metrums einfache gesetze aufzufinden, deren hauptsächlichste abweichung von der regelrechten mhd. metrik wol die ist, dafs jedes beliebige zweisilbige wort dessen endung ein unbetontes e enthält als einsilbige hebung gelten, oder was dasselbe ist, dafs die senkung durch zwei beliebige unbetonte silben (deren zweite zb. eine proklitische, dh. eben unbetonte prä- position, ein artikel usw. sein kann) gebildet werden kann; kurz, im grofsen und ganzen wird man den canon des Nicolaus von Jeroschin (FBech, Germania vii, 74 ff) gewahrt finden. dies weiter auszuführen ist hier nicht der ort. vielleicht finde ich ein andres mal gelegenheit die ganze frage in weiterm zusammenhange zu besprechen.

Jena, 27 october 1873.   E. SIEVERS.

ZU ZS. 15, 244.

Auf ein weiteres zeugnis für den namen Lorengel macht mich hr professor Lexer freundlichst aufmerksam. dasselbe findet sich in den mitteilungen aus dem gerichtsbuche des rates zu Erfurt, welche Michelsen, Rechtsdenkmale aus Thüringen (Jena 1863) s. 408 gibt. dort geschieht in den protocollen des jahres 1485 eines Erfurter hauses erwähnung, das den namen 'zum Lorengel' führte.

                                                             ST.

ZU DEN ALTDEUTSCHEN GESPRÄCHEN.

Ich habe die Pariser handschrift lat. 7641 *mit dem von Wilhelm Grimm in den Abhandlungen der Berliner academie* 1851 *s.* 235—237 *gegebenen abdrucke des zweiten teiles der Altdeutschen gespräche verglichen. wo ich die von Grimm gegebene lesart billige, sehe ich mich zu keiner weitern bemerkung veranlaßt. im übrigen trage ich folgendes nach. bemerkenswert ist die merovingische gestalt des* o (ƌ), *die nach Wattenbach (Lat. paläographie) im* 9 *jahrhundert nur noch ganz vereinzelt vorkommt, ihm aber noch im* 11 *jahrhundert begegnet ist. in Grimms ausgabe ist diese form des o durch* à *und* ò *widergegeben in den worten* tuoſ *satz* 63, ſottit 67[1] *und* heuto 97; *aber* Bûzze 79 *gibt genau die schreibung der handschrift wider. zweimal findet sich das nach kinten geschloſzene* t *in* ſuſtim 60 *und* deťe 90. *an letzterer stelle ist es in Grimms abdruck mit* d *widergegeben, mit dem es durchaus keine ähnlichkeit hat.*

45 ros] roſ; 46 taruthz] tharuthz; 51 ros] roſ; 60 zamer in] *że* m&in* dh. ze metin[a] *wie im* 24 *und* 28 *satze der gespräche. also bedeutet das lateinische* ad m̄ *nicht* ad me, *sondern* ad matutinam; 63 tuȧſ] tuoſ; 67 ſòttit] ſottit; 69 heo] habeo; 74 i] n̄; 77 hic] hoc. *über dem o ist ein schwacher flecken;* 84 *steht nur einmal* naſte ·!· ſ ·· o ····*. der querstrich des* ſ *ist zweifelhaft, es kann auch* ſ *sein;* 85 Abtoťgotſraume] Abceťgotſraume ·¦· dſuoſſaldom. *letztere worte sind offenbar lateinisch und sollen vielleicht* saluet domine *oder* salutem donet *bedeuten.* haben *erscheint in den gesprächen sonst nur mit anlautendem* h (WGrimm *s.* 241), *doch halte ich obige lesart für sicher;* 86 Gualogo] Guologo; 87 eutho ·¦· odie *steht über der ersten zeile rechts oben in der ecke des blattes.* od *ist deutlich,* ie *ist durch die nat des einbandes zerstört;* 88 ö ua] *kann auch* ö ua *sein;* 90 ſero dede] ſcio deťe; 93 man ·l· Adſta *git uit dh. im worte* Adſtauit *des glossars steht zwischen den buchstaben* a *und* u *von derselben*

---

[1] tuoſ *und* ſottit *zeigen romanischen lautcharacter; ebenso das deutsche wort* lſnel *lat.* velox *satz* 35. Grimm *lest* uel ſnel, *aber das facsimile hat* lſnel.

hand und dinte als die gespräche die silbe git; 97 heuto] heuto;
97. 98. 99 in Grimms abdruck ist das dreimalige Hi *der hand-
schrift mit* Hi — Ih *widergegeben. aber* atſl *ist die zweite per-
son, der satz, in dem* atſl *steht, also fragesatz. es muſs also
dreimal* Ni *gelesen werden;* 106 trenche..] trenchen.

HERMANN SUCHIER.

BRUCHSTÜCKE MHD. DICHTUNGEN.

*Josef Haupt war so freundlich mich auf eine anzahl kürzlich
in der hiesigen kk. hofbibliothek von ihm gefundener oder neu er-
worbener bruchstücke mhd. dichtungen aufmerksam zu machen: von
einzelnen hatte er selbst schon sorgfältige abschriften angefertigt,
die er mir zur verfügung stellte, wofür ich ihm hier bestens danke.
ich werde diese bruchstücke, je nachdem es mir zweckmäfsig scheint,
herausgeben, collationieren oder nur beschreiben: den anfang mache
ich mit Hartmann, Wolfram und Gotfrid.*

1. ZU HARTMANNS IWEIN.

Suppl. 2724, *zwei blätter einer pergamenthandschrift aus dem
ende des* 13 *oder dem anfange des* 14 *jhs. in quarto. jede seite
enthält zwei spalten, jede spalte ursprünglich* 22 *verse, doch ist auf
dem zweiten blatte der erste vers einer jeden spalte weggeschnitten.
die versanfänge der ersten spalte der vorderseiten fehlen immer, die
versenden der zweiten spalte der rückseiten meistens. die ungraden
verse beginnen mit einer majuskel, die auf dem ersten blatt rot
getuscht ist, die graden mit einer minuskel und sind eingerückt.*

Das bruchstück gehört zu der gruppe BDb: *am nächsten ist
es mit* D *verwandt, wie namentlich auch die beiden gemeinsame
auslaſsung der verse* 6239 f *zeigt. in der hier folgenden vergleichung
mit dem texte der zweiten ausgabe des Iwein von Benecke und
Lachmann steht ein senkrechter strich vor dem ersten oder hinter
dem letzten erhaltenen buchstaben eines verses, zwei punkte be-
zeichnen unlesbare oder fehlende, kleinere schrift nicht ganz deut-
liche oder nur zum teil erhaltene buchstaben. einzelne striche, die*

*sich nicht mit sicherheit als einem bestimmten buchstaben angehörig
erkennen lie/sen, sind nicht erwähnt, rein graphische verschieden-
heiten, wie anlautendes v für f, pf für ph, v für u (oder um-
gekehrt) usw. sind weder hier noch bei den folgenden stücken ver-
zeichnet worden.*

Erstes blatt = 6209 ·· 6298.

r^a 6209 |nger :: vor   10 |z in vil chvm genas   11 |der
in   12 |ren   vīi : *so regelmäfsig*   13 |grozen   14 |libe
15 |ren   16 |r wilen tivere   17 |isch zv̂ den vischen
18 |se verwischen   19 |haft   20 |gen et mit   21
|amen si sin war   22 |ren sie ê riwevar   23 |s wart do
michels m :   24 |aiv scham   25 |die   26 |aie træhne
27 |ovgen   28 |grozen   29 |frvmer het ersehen
30 |s in   geschehen

r^b 6231 in hie   32 vnz si   vber   33 hænden
35 wold   36 gerne gefragte han der mære   37 wande
.andern   38 der   39. 40 *fehlen*   41 mvndes   42 schalk-
licheste chvnde   43 her gaste fvr   44 nein da ist ein rigel
vor   45 vndersehen   46 iv solt iwer reht hie geschehen
47 e daz tor werde iv vf gespart   48 sol ivch ze iwerre
50 ivch bereitten   51 maniger   52 ê] hie   53 hofzv̂ht
54 iwer

v^a 6255 do ich   57 *absatz*   ritter mit dem   58 dv
maht   59 michn enbeste ein grozeriv not   60 zeware   sone
ich hie nimmer   61 beslivzzest dv   62 zewære   67 stet
ez vmbe   armen wip   68 vnt   69 dem gelich   70 waren
si   vnt   73 sage   74 wænt ir niht her gast   75 iht
76 iwerre   vnnvtzen

v^b 6277 :rbeit   78 der ritter sprach :: z ist | 79 vnt
gie   80 mit dem bôs| 81 beheft| 82 het   fvr ein|
83 *kein absatz*   vnd v| 84 hvstvr   85 vnt gie zv̂zin
86 swi   87 wære beswæret doch wæren   88 doch wæren
si vnervær| 89 enwurde   ge| 90 vnt   werck lig|
91 d :: wile   92 zv̂ht   arde gebot| 93 lvt| 94 vberiger
95 geschi| 96 ensam | 97 wont in ir arm| 98
vnde   g |

Zweites blatt = 6475—6562.

r^a 6475 *weggeschnitten: nur der untere teil eines g ist ge-*
blieben 76 | wirt 77 | illechomen 78 | het chvrzer
79 | t div 80 | andelunge 81 | einem 82 | gap 83
| nwat 84 | harte ohleine 85 | mite· mandellin 86 | daz
was hermin 87 | meden 88 | het er 89 | warmer abende
90 | ¦niste 91 | m bovmgarten 92 | si in 93 | ä ein
94 | evander 95 | anecklicher ivgende 96 | vn̄ michel
tugende

r^b 6497 *weggeschnitten* 98 nimer 99 svezzeriv wort vn̄
6500 da mite 1 gedancʰ 2 wanch 3 himel
4 wand im sin sælbes stæte 5 einen solben 6 sinem
7 mohte sinem genvte 8 gv̇te 9 immer benomen 10
het zewære 11 vnt nie *könnte auch* me *gelesen werden*
gesehen 12 vil] verre geschehen 13 tet 14 er en-
chvnde 16 schöneren 17 sich e die 18 gesunderten

v^a 6519 *weggeschnitten* 20 wol *fehlt* geliche 22 ver-
sich zewære 27 vnt ivgende 28 redeten tugende
29 sie wolden 30 ensamt leben solden 32 redeten
34 winder ckalt 35 solden si 38 choste 40 ahten et ir

v^b 6541 *weggeschnitten* 42 so spot| 43 :az in ein
44 daz ezen wær gereite 45 *absatz : der rubricator hat das*
N *zu malen unterlafsen, so dafs statt* nu *nur* V *dasteht* ez |
46 niht| 47 dem 48 vollecklichen 49 groze 50
ez] er wirt me| 51 sinem erb| 52 vn̄ w| 53 *kein*
absatz volleklic| 54 wirtsch| · 55 gedaht er| 56 wol
n| 57 fvrhte aber ich v| 58 groze| 59 tiwer gælten mv̇z|
60 antvanch ist z| 61 schall| 62 bv̇r|

2. ZU WOLFRAMS PARZIVAL.

In der handschrift 12780 *befinden sich jetzt* 16 *zum teil*
unvollständige pergamentblätter des Parzival von einer und der-
selben hand, die, wie J Haupt sich ausdrückte, 'noch ziemlich früh
im 12 *jh. schreiben gelernt haben mufs.' die blätter* 1. 2, 5—8
und 11. 12 *hat Franz Pfeiffer in den Denkschriften der academie,*
phil.-hist. cl. bd. 17 *(Wien* 1868) *s.* 44*ff veröffentlicht. Pfeiffer*
hat die ersten beiden blätter einer andern hand zugeschrieben, als
die übrigen sechs: indessen die neu dazu gekommenen blätter 3 *und*

4 zeigen ganz deutlich den übergang von den zügen auf 1. 2 zu denen auf den übrigen: die schrift wird immer zierlicher.

Die 8 blätter, von denen ich hier eine vergleichung mit dem text der zweiten ausgabe Lachmanns gebe, haben zum teil sehr gelitten. bl. 9. 10. 13. 14 sind aus streifen zusammengesetzt, die Haupt von einbänden hiesiger incunabeln losgetrennt hat: 9 und 10, die zusammenhängen, sind, soweit sie beschrieben waren, in 19 querstreifen zerschnitten worden, von denen der 2 (oder waren es vielleicht 2 streifen?) und 15 nicht gefunden sind; 13 und 14 dagegen in längenstreifen: von 13 sind nur der erste bis dritte und fünfte bis achte gefunden, von 14 fehlt nur der 5. — bl. 3. 4. 15. 16 sind gegen ostern dieses jahres gekauft worden.

bl. 3 = 54, 8 (ursprünglich) — 60, 27.

rᵃ 54, 8 *weggeschnitten* 10 vn̄ fvrten manige 11 stunt herberege 13 kunic tragen 14 dem volche er do begund sagen 15 er wolde furen 17 küne stoze (*so!*) 18 vast 20 fröde phfant 21 idoch 23 en *fehlt* geschichet 24 niht 25 im fur werdev 27 *absatz* ze sybilie vz der stat 28 da *fehlt* 29 keren 30 er het manige 55, 2 ern was 3 marnnære 4 sult iz 5 die da tragent swarze 6 min koke 7 niht gnaden (*so!*) 8 schulen 9 tragen 10 muz ih ev sagen 11 fur 12 verholen 14 het 15 chint 16 vast 17 *kein absatz* dev frö butel 18 ein screip 19 franzeis 20 dev 22 bin 23 di mūz ih dir durh iamer stelen 24 ich mach dich fröwe niht verhelen 25 war din orden 26 wir nach dir immer 27 *absatz* ich han sus nach dir immer piu

rᵇ 55, 28 *weggeschnitten* 29 am antlvze: *das übrige sehr undeutlich* 30 deswar 56, 1 erst geborn von anschowe 2 dev frowe 3 aber er schvre 4 nachgebure 5 wizen 7 lag 9 adanz 11 vo [*zu erwarten* vn̄!] was von art ein brittun 12 vn̄ vtpandragun 13 zwaier bruder 14 di 15 was *fehlt* 16 brichurs 17 zwaier vater 18 furt femurgan 19 dev derdalashoye 21 chom daz geslahte 22 mere lihten 23 islicher sit 25 frowe wil dv 27 *absatz* engert si deheinen 28 owi geschit 30 uil schier 57, 1 manlichev 2 verlazen hie sin fruht 3 liplich 4 rewe chraft 6 sinem got 7 solde 8 vn̄ swi wolde

10 frôde dvrren 11 dev tvt 12 dev mvt 13 swen
ir an ir trvtschaft 14 trewe *oder* triwe? *die 7 letzten verse dieser*
spalte sehr undeutlich ein durren 15 *kein absatz* dev frowe
cit 16 zwaier 17 den ennein

v^a 57, 18 *weggeschnitten* 19. 20 *unlesbar* 21 dev mvter
22 anschvin 24 tiost ze 25 vil manich 26 turchel
27 *absatz* 28 öch 29 *kein absatz* uber iares cil 30
gahmoret 58, 1 worden *fehlt* da von den ze 2 signuft
3 dan noh swebet er 5 einen siden sach er 6 koke
7 sotten 8 het 9 bats dazs verchur 10 swie er mac
dur verlur 13 einn] an und *fehlt* zwo 14 muget
ir *fehlt* wnder 15 koke 16 dev aventur 17 gaben imz
lopt 19 ware so er wider kome ze ir 20 si seit 21
trüge ein 22 sybilie 23 kune 24 marnare 25 uil
hart 26 was *fehlt* 27 *absatz: für den ersten buchstaben ist*
mehr raum gela/sen, als er ausfüllt; der schreiber wollte hier ge-
wis einen gröfseren ruhepunkt andeuten, als gewöhnlich ze spanie
in dem lande 28 den kunic er 30 nac 59, 1 nach riter-
scheft 2 schild dorft sparen 3 *eingerückt* 4 dev aventivr
6 von grünen 7 islichez het

v^b 59, 8 *weggeschnitten* 9 für 10 lanch vn̄ 11 reihten
vast unz *fehlt* 12 ze des isen 14 kûnem 17 sins lvten
18 truten 19 begunden si in werdecheit 21 in] ichn
weiz] wel *oder* wes? wi 22 herberige 23 in dem 24
vor 25 manic pavlun 26 ichn eu nih von wane 27 ge-
bietet 29 sand 30 knappen maister 60, 1 er solt 2
herberige vahen 3 snellich gahc 4 sômar 6 was 7 gar]
alsam 8 al] gar vmbvangen 9 kuniginne 10 gesprochet
het 11 turnei so 12 noch *vor* manigen 13 gelich 14
geschiet 16 und] dev vn̄ 17 bris 18 ditze mær manigen
19 vfen 20 selich mamen 21 der csanze zeflust gesaget
22 belede vnverzaget 24 hurtechlicher rabyn 25 manich
26 erchlenget 27 : in schifbrucke an ein plan

bl. 4 = 100, 30 (ursprünglich) — 107, 20.

r^a 100, 30 *weggeschnitten* 101, 1—3 *unlesbar* 101, 4—6
gebe ich was ich entziffere 4 si enpfiengen 5 bats riten di du
6 den gep 7 daz pantel: *das übrige bis auf* vc *ziemlich undeut-*
lich 8 zobel man im *vor* vf 9 klein 10 hemede kuaegin

11 rvrt   13 halsperge   14 abtceheniv man dvrhstöchen   15
durhhöwen   16 e *fehlt*   schiet   17 legts an ir bloze   19
manigen dvrchel   20 zwier   21 *absatz* het   22 mænlich
25 war   26 wære   27 babilon   28 heizet ihpomidon
29 ponpeirus   30 dev aventvr sus   102, 1 stolzer   3 jvlyvs
4 kvnic nabvchodonosor   5 brvder   6 trvglichen   7 wold
selb   8 ez wær lvte   10 di   waren   11 linvs gewaltes
12 wurd   13 selbe *fehlt* stifte   14 schad vn   15 ze vrborn
16 vñ   17 gnvc   18 tà] die held   19 vber

r^b 102, 20 *weggeschnitten*   21. 22 *unlesbar*   23 *absatz*
svas da gescheb wi ez dort erge *nicht zu erkennen*   24 gw ::
:: flust wi   25 des herzlöd niht   26 dev *beide mal* libt
27 het   28 ivngend, g *aus* d *gebe/sert*   29 frö :: n   103, 1
kert git   2 beiach   3 herzelöde kvnigin   4 sit lob gvin
5 kvsch& vur   6 kvneginne vber   7 waleis anschowe
8 vber   9 chron ze nvrgals   10 höpstat   12 dehein frö
mer *fehlt*   14 mohtz wol lazen an   15 *kein absatz* vzen
16 wart fvr   18 fröden gelinge   19 mittem vz dem heft
einzwei   20 vñ   21 git alselben   23 stat disev mensheit
24 hivt fröd   25 *absatz* frö ein   26 angstilichs pfalc
27 vohrtlicher   28 dvht wi eins sterns   29 den *fehlt* lvften
fvrte   30 rvrte   104, 1 manic dornstrale (*so!*)   2 die *fehlt*
flugelin (*so!*)   3 svnct vñ   4 ganstern zopfe   5 krake   6
brinde zaher guz] flvz *von derselben hand hinter einem durch-*
strichenen duz   7 *kein absatz* dannoch wider *fehlt*   8 ir zvht
ein griffe ir zesve hant   9 verkeret ir mit

v^a 104, 10 *weggeschnitten*   11. 12 *unlesbar*   13 *nur* tracke
lesbar   14 flvge   15 niemer mer   16 er ir vz dem   17 di
vorht mvs ir öge sehn   18 wib mer geschen   19 slaf dem]
d e   20 riterlich   21 wênc] w *und dahinter leerer raum* wirt
fehlt   22 wart   23 schad vñ   24 komendev herzevleit
25 *absatz* frö   26 des   27 bedev zabln   28 slaf lvt   29
iuncfrowen   30 di   105, 1 *kein absatz*   2 maister enknappen
wis   3 iunkerren   4 do *oder* da?   giez fröden cil   5 si
chlagende   6 herzelovde   7 vil   8 di riter wi ist   9 sinem
10 *das zweite* sö *fehlt*   11 *kein absatz*   13 minnen lebns
14 harsnier er von im   15 tvang starkev   16 heidensch]
handens   18 riter het bokes   19 genomn   · 20 slvg er   21
ward dann   22 noh fvrz   23 ouchz] daz crvce sin clau

von derselben hand hinter durchstrichenem kha 24 dem da si
getan 25 *absatz* scharen riten 26 avoi wi gestriten
27 des barvches riterschaft 28 wol wert chraft 29 *ein-
gerückt* vfm

v^b 105, 30 *weggeschnitten* 106, 1. 2 *unlesbar* 3 die panier
4 manic degn for 5 da worht al mins herren 6 *das zeichen
für* er *in* verswant *unsichtbar* 7 sus kom ypomidon 8
minem 10 *fehlt* 11 *kein absatz* vor 13 kvnige 15 sneit
spers] swertes 16 dvrh 17 den *fehlt* drvnzvn 19 altö-
wende vzm strit 20 der 21 da kom vber in 23 sin biht
sande] san 24 ditze vn̄ ditz selbe *fehlt* 25 vns von im
gescheidn 26 all 27 die *fehlt* 28 enpfalch kvnegin
29 *absatz* 107, 1 gold 2 daran 3 von edelm 4 dar
5 gebalsmt der iunge 6 von lvten 7 tivr 8 sinem grab
dar dvrh 9 hi mit 10 crvce sit 11 christes erlost
12 lie zetrost 13 sel vberz 14 di kost 15 tivr 16 au
17 nih chrvces 18 lie

bl. 9¹ = 228, 12 — 235, 1.

r^a 228, 12 daz was gefvre 13 *kein absatz* 14—17 *und
zum teil* 18 *standen auf dem nicht gefundenen zweiten (oder dem
zweiten und dritten?) streifen* 18 ovch moht ir, *von dem übrigen
nur geringe spuren erhalten* 19 wan ir sit öch ein 20 ge-
prvuet reht 21 lons iv sit irs 23 gelvke 24 selben 25
absatz sancte vn̄ 26 trvrigen 29 danner palrapeir
229, 1 *kein absatz* wart 3 do 5 ze *fehlt* 7 wirt wær
9 parcifal 11 bi im ninder 12 fvste tvanger so 13 dez
fehlt blvt vz den nageln 14 die 16 crhaft 17 trvric
18 tvt an im 21 zv dem get im ein 22 *stand auf dem
nicht gefundenen fünfzehnten (oder sechzehnten?) streifen* 23 *kein
absatz* in ein 25 da vf 26 hvsgnozen 27 vil cleiner
vmb 28 bette er *fehlt* lign 29 ez pflagn 30 drvfe
lagn 230, 1 *absatz* svnder sitz

r^b 230, 2 vnder witz 3 da fvr ein tepic sinwel 4—8
fehlen: s. zu 228, 14 *ff* 9 dri fiereke fivr ram 10 da vfe
fivrs nam 11 lignv̄ 12 fivr 13 hi 14 kostlichiv 15

¹ *der buchbinder hat aus versehen dieses blatt zum* 10 *gemacht
anstatt zum* 9.

wir: sitzen 16 mittern tivr stat 17 an ein 18 es
19 fröde 20 ern lebt töde 21 *kein absatz* 22 der wart
da 23 parcifal 24 saude 25 *steht nach* 26 ern lie
leuger 27 und *fehlt* sitzet zv mir 28 satz ich ivch 29
wær gæstlich 30 so 231, 1 *absatz* dvrich sicheit 2
groz 4 mv̄st vzen vn̄ innen 5 ein belz vn̄ ein mandel
6 svechest balch was 7 vn̄ 9 sinem hüpt zwifal 10 zobel
tivr 11 arabysch porte .12 *fehlt: s. zu* 229, 22 13 dar
an was ein knopfelin 14 dvrh lvtich 15 *kein absatz* manic
16 do fvr trvc 17 tvr 18 trv̄c ein 19 sit gvt
20 snide blv̄t

v" 231, 22 daz an 23 geweint vn̄ gescrit 24—28 *fehlen:*
s. zu 228, 14 29 vntz hin zer tvr 30 der fvr 232, 1
absatz wart 2 im der *fehlt* 3 glavin 4 die trv̄c ein
knappe 5 *kein absatz* 6 so wirt iv hie angevangen 8 ge-
dient 9 *kein absatz* zende] zen 10 stælin tvr entslozen
12 horet wi geprvofet 13 gabn 14 dienst 15 ivncfrowen
16 tschapel vber ir blozez 17 blv̄mn 18 ietvederiv vf ir
19 trv̄gen gvldiniv kerzestal 20 vn̄ 21 brinnendiv 22
svln vergezen niht 23 vmb gwant 24 si komnde 25
div tenebroch 26 scharlach roch 28 si] in gevitschiert
29 gvrteln 30 hüffe] gvrteln an dem 233, 1 *absatz*
nach der gie 2 *fehlt: s. zu* 229, 22 3 die 4 fivrs 6 die
zvo satztn 7 fvr 9 si einer 11 *kein absatz*

v° 233, 13 anderre zwo 14—18 *fehlen: s. zu* 228, 14 ff
nur 18 *läſst sich allenfalls* schein *aus den erhaltenen untern spitzen*
folgern 19 fvr nam 20 iochant 21 beidiv vn̄ 22
dvrich die lieht in die svnne sneit (*so!*) 23 zeinem 24 dar
abe dvrich richeit 25 harte] al 26 vor dem alle æhte
27 höpt 28 vier tavel 30 komn 234, 1 *absatz* zvhten
3 *kein absatz* den 4 roche grv̄ner danne 6 vn̄ 7 miten
zesamen tvanc 8 gvrtel vn̄ 9 die aht iuncfrowen 11 ein
chlein blv̄min tsapel 12 lvuel von nvnel 13 vn̄ kernis von
kile 14 ez was vber mile 15 gnomn 16 zvo fvrstinne
17 hart wunnechlicher 18 snident 19 trv̄gen durh 20 in
zwein tewehlhen 21 daz : : a : lb : : : : : : : : : z *kann man*
allenfalls nach den erhaltenen obern spitzen vermuten 22 *fehlt:*
s. zu 229, 22 23 was sin scherpfe 24 het stal 25 komn
frowen 26 do dienst *der ganze vers undeutlich* 28 vor *fehlt*

missvende 29 sus *fehlt* si giengen 30 horet 235, 1 *absatz* ez nigen zv̊ vn̄ trv̊gen dar

bl. 10 — 248, 12 — 254, 29.

· *r*ᵃ 248, 13 wurfels eke 14—17 *fehlen: s. zu* 228, 14
18 vast *fehlt* di sla di er 19 dahte ritent 20 die wæn
ich 21 vmb des wirtes 22 rvhten wær 24 wurd 26
gedient 27 vn̄ daz wunnechliche 29 trag 30 wænt liht
zag 249, 1 *kein absatz* sich hv̊p des valsches widersatz
2 kert *fehlt* hv̊fsleg kratz, t *über der zeile von derselben hand*
4 alrest 5 *kein absatz* 6 sich] si 8 si 9 *absatz* 10
herzeleide gvau 11 *kein absatz* vernam helt riche 12
iamerliche 13 dannoch tv̊we 15 fv̊get 16 gebalsemter
17 leint ir zwischen armen 18 den ez wold 20 im] ir
21. 22: *s. zu* 229, 22 *von* 21 *sind nur die oberen, von* 22 *nur
die unteren spitzen erhalten: die ersteren laſsen* s *do gein ir raten
und wande erkennen* 23 *auſser* si was *nichts lesbar: auch das,
was in dieser spalte auf diesen vers noch folgt, ist sehr undeutlich*
26 parcifal vn̄ 27 nv wiʒel frö mir ist leit 28 iwer sen-
lichiv arbeit 29 mins 30 in iwerm dienst, *das übrige unles-
bar* 250, 1 *kein absatz* si danket in uʒ, *das übrige unlesbar*

*r*ᵇ 250, 2 wanner kom 3—6 *fehlen: s. zu* 228, 14 7
mac *nicht zu erkennen, von* h *in* hie *nur der untere teil* groziu
schande geschehen 8 gesehen 9 *absatz* lvte den lip 10
werlichen ende kvrn 11 gnesen 12 sagt 13 ode mere
14 ichn so here 15 richeit 16 wile] cit danne 17 *kein
absatz* der iv getrv̊wet 18 gern 19 eins 20 moht 21
erbo̊wen geriten 22 inner milen 23 deheinem bo̊we 24
niwau 26 flizechliche 27 vindet 28 lvte 29 vnwizinde
30 immer *fehlt* die bvrc sol 251, 1 wen herre div ist
vnerkant 2 mvnsalvasche gnant 3 bvrge wirt ist roiam 4
der tschalvasche was 5 daz titvrel 6 roys 7 sus *fehlt*
8 vil mauigen 9 *absatz* au einer tiost 10 im: ein kvnegin
dar 11 lie 12 driv mit jamer sint 13 der vierde der hat
armv̊t 14 dvrich got fvr svnde tuot *erloschen* 15 der ist geheiʒ-
zen trefresont 16 *unlesbar bis auf* lent 17 geriten noch gegén
erloschen 18 noch lign 19 mvnsalvatsche 20 ::: nad 21
kein absatz si *erloschen* hér *fehlt* wæret komn

*v*ᵃ 251, 22 iamerlichen 23. 24 *fehlen: s. zu* 228, 14 25

von sprach *nur der untere reil erhalten* 26 gröz 27 vñ ma-
nige 28 erkande 29 *kein absatz* si sprach dv bist ez par-
cifal 30 sag et *fehlt* 252, 1 fröden 2 horen 3 wendich
si din reise, *aber* reise *ist durchstrichen und dahinter ein nicht
mehr ganz deutliches* freise, *wie es scheint, von derselben hand*
5 lvtte beslagn 6 obe hohe 7 dient vñ 8 gein
richen ist 9 *absatz* parcifal 11 ich 13 dir e sagt 16
kvsche 17 gelvtert 18 lone do *fehlt* 19 frivnt 20
han in prṽve 21 hat got gegeben 22 lenger solt 23
gṽte 24 mṽte 25 och (*oder* öch?) *ganz erloschen, auch sonst
ist in diesem und dem folgenden verse die schrift sehr verblasst*
26 fur 28 bist dvz 29 *nur die oberen spitzen sichtbar* ane,
der fehlende streifen (s. zu 229, 22) *hatte hier nur eine sehr ge-
ringe breite: in der vorhergehenden spalte (zwischen* 251, 12 u. 13)
hat auf ihm gar nichts gestanden. 30 din erloschen reideloch
brvn 253, 1 *kein absatz* des erloschen hvbet bloz ge-
stan 2 zem (*oder* ze dem) erloschen forest breizilian 5
varwe vñ 7 verdrvze sold ich si 8 svln den toten 9
absatz ögen

v° 253, 10 frowen 11—15 *fehlen:* s. zu 228, 14 16
wib die ma bi 17 maniger der gedagen 18 horet mer von
syngvne triwen sagen 19 *kein absatz* si gefrovn 20
daz ist ein dinc daz ich sin entovn 21 lazet trvrigen 22
scheide hofflichen 24 fṽrest öch vmb 25 hastv gelernt
swerts 26 strits 27 eke 28 edelm 30 bi 254, 1
kvnic 2 bestæt 3 an dem andern zervellet 4 wil dvz
danne *von* 5 *bis zum ende dieser spalte ist das meiste sehr un-
deutlich* 7 in] iz beschine 9 *absatz* stvke verreret
10 swer si :eht keret 11 si 12 stercher 13 valsch, *wie
es scheint* eke 14 verliesent 15 wort *unlesbar* 16 fvrehte?
dv habst 17 gelernt 18 vñ kernt, *wie es scheint* 19 *nur
die spitzen erhalten, es läfst sich nicht daraus schließen, ob die ks.
bi oder an hatte* 20 gelob 21 *unlesbar* 23 so mahtv
24 iemmer der `25 hoch 27 gewaltichliche 28 niemn
29 mvge

bl. 13 = 328, 23 — 335, 14.

r° 328, 23 ic: k| |r 24 sag w| |r 25 niemn vṽr
si| 26 ho| 27. 28 *fehlen* 29 *absatz* ansche| 30 dvrich

w| |eu pin 329, 1 m| |ære 2 dv| |e 3 ze : kennen
av| 4 hoste stv| 5 an iv daz ist gar g| |t 6 pr : se ich
von la| |t 7 gebarde h| |t 8 vū mi| |t giht 9 vū|
ſcher sit 10 da mit 11 wise| |eidenin 12 kvnst| |win
13 redet| |zois 14 an : wurt der| 15 *kein absatz* selich
re| |sie 16 lo : iv frŏ daz| 17 gŏtlic| |rost 18 ichn
trv| |iht erlost 19 be| |u 20 ichn : agez so ni| |eiden
21 : ir k| 22 s : : h manig| |ndet 23 we| |ner klage
24 spo| |rage 25 ichn : : l deheine| |pflegen 26 ich m : z
alrest den| | geseben 27 wil od| |nc 28 ende| |n gedanc
29 *absatz* scheide ich| |er 30 mins lebns 330, 1 *kein*
absatz dvrich miner| |e gebot 2 horen werde| 3 sone
rat| |iht ganz 4 g| |manz 5 fræveliche| |e mite 6
imm (*so!*) gein : ng| |ge strite 7 ritter sich| |hie 8 dvrich
zvht| |atet 9 daz ich iwern hvlden| |en mich 10 strenge|
|rpf gerich 11 wort| |hie getan 12 hvld drv| |verlorn
han 13 wenic| |zen in 14 swen her n : : p| |genim

*r*ᵇ 330, 15 mich| 16 scheid| 17 mir| 18 wil stv
19 des ledi| 20 do von mi : gr| 21 .groz| 22 ge|
23 ich *fehlt* mvnt| 24 von| 25 wie| 26 iemn w|
27 dannoch pf| 28 hat| 29 ei helfelos| 30 waz half
di| 331, 1 *absatz* sinmŏge| 2 mŏz| 3 w| 4 ze
artvse| 5 unt *fehlt* ze vū| 6 wold ir| 7 vū mit ir|
8 des endorf| 9 so| 10 ich wæn e| 11 lopt| 12 kŏme
immer| 13 cl| 14 des kvmbe| 15 war ŏc| 16 næme|,
doch der erste strich des m *abgerieben* 17 dienstes|, *doch* s *vor*
t *abgerieben* 18 den helt tr| 19 kvnw| 20 h| 21 hend
22 in| 23 do sprach d| 24 zv̊ h| 25 frivnt ich|
26 strites| 27 dir| 28 helf ŏ| 29 noch d| 30 mv̊ze|
332, 1 *absatz* der wa| 2 er| 3 v| 4 vū kvnde|

*v*ᵃ 332, 5 |an 6 |versan 7 |agan (*so!*) 8 |gn 9
|t 10 |den strit 11 |nt 12 |nt 13. 14 *nichts erhalten*
15 |er sehe 16 |geschehe 17—19 *nichts* 20 |ant
21 |ngen dar 22 |r 23—25 *nichts* 26 |an 27 |t
28 *nichts* 29 |ert 30 *nichts* 331, 1—24 *nichts sicheres*,
höchstens 17 zv̊ 18 v̊

*v*ᵇ 333, 25 dic| |e daht 26 daz im wirt| |braht 27 des
schildes am| |den gral 28 vil g| |nder tval 29 herze|
30 ŏch er| 334, 1 *absatz* sus kert der ma| 2

arb| |zil   3 aventivr| |u   4 hundert| |ven   5 kvneg| 6
war| 7 vl tschatel m| 8 da| |ze   9 haben| |inen   10
bin doch| |v̓wen lons :az   11 *kein absatz*   ouch sprach der
k| |che cl:as   12 bin   vers| |was   13 er d| 14 ein
tvrkeyte| |stach   15 ich| |ch schamn   16 seit er m| |ivnc-
tŕón namn   17 kronbæ| 18 zwo   alt z| |noch kint   19
einiv i| 20 andriv heize| |rie   21 heizet| |e   22 sav̓|
23 ieslic| |a besehu   24 ir reise moht| |t vol spehn   25 si
muosen schade| |eiagen   26 ich z| |clagn   27 dvric| |hat
28 ez git   im *fehlt*   fróde et| |ne   29 ort ez fv| |wigt   30
diche minn| |ns pfligt   335, 1 *absatz*   nv bereit óch si|
|gawan   2 kampf| |man   3 bin fvr den kvni| |aschalv̓n   4
trvret man| |ritvn   5 manic wip v| |agt   6 herzelichen wa|
|claget   7 sins strites| 8 der werdecheit| |weise   9 tav|
|nder   10 maz b| |der   11 moht| |l gesigen   12 alt *fehlt*
schilte wo| |igen   13 rvht   si| |ren   14 si   kùlv| |ar

bl. 14 — 364, 7 — 370, 26.

r᷎ 364, 7 mine b| 8 mv̂sen   r| 9 wi| |ern   10
striten| 11 herre   iw| |den mac   12 ampt in e| |ac   13
wold   ziehe| 14 :lieh| 15 erkand| 18 gv̓tlich| 19
alle her s| 20 hant| 21 danne   ir si   rò| 22 gelóbe|
23 *kein absatz*   fvrste   la m| 24 nemac   args vz| |ehn
25 er fvrt in da er gawa| |ch   26 vn̄ ein herz| 27 libovt
br| |r   28 wol ge| 29 vn̄ daz rehte manlich| 30 gebar-
den wont| 365, 1 *absatz*   rehtiv ie| 2 herze minne|
3 des be| 4 reht der mi| |nt   5 vῡ   6 dehein   nimmer|
|l zelt   7 fv̓| |n   8 wip ode   9 herzem| 10 diche sin|
11 obye vn̄   12 der zweir   was| 13 stvnt   selben|
14 solde ri| 15 er so zornic von i| 16 gap   selh| |t
17 kvsche wart g| |ne balt   18 vnschvldic   des| |t   19 ir
d| 20 diche   frólic| |en   21 flhat   kvsche s| |orn   22
óge| 23 sva   ma| |hen ch   24 melianzen i| 25 er solde
ho| 26 mich l| |in

r᷎ 365, 27 wil   von im   28 sv̂zen   29 werlde   30
herze sinne   366, 1 *absatz*   minne zorns noch   2 wizet ez
obyen   3 *kein absatz*   vῡ horet óch wie   5 vῡ er in in
6 wi ez   an gevienc   7 komn   8 mac   mir gefrvmn   9
gevarn   manic   12 gein   13 kvn̂teclicher   14 uns| vn̄

trosten wan er trosten   16 harnasch   17 wol *fehlt*   20
bereit   22 striten, *aber der zweite strich von* n *ist abgerieben,
ebenso das* t *in* mit   23 vntz   ein benande   24 obe ode
25 wold   mit iv   26 dvrich   27 vntz   29 dvrich   lvte
30 ich die   losen   367, 1 biu   2 ode   3 *absatz* libovt
   4 herre dvrich iwer   5 vñ dvrich iwer zvhte   6 vernemt
   7 zvo   9 gegeben   10 hi   fröden leben   11 gvan   15
vngelich   16 tvt   minne
   *v*ᵃ *beginnt mit* 367, 17   18 mich   19 gvalt   20 dvrich
deheiner *svn, wie es scheint*   21 svln doch   22 waz darvmb
24 sver   25 svie   daz svert   27 erwirbet   kvschliche   28
ellen   29 gedigen   30 wers   her gawan   368, 1 *absatz*
libovt   fvrst   2 herre dvrich   3 sus *fehlt*   kvniges   4
dvrich   6 ein   7 sag   8 drvmb   9 *kein absatz* libovt
fvr   10 vfem   sin   11 vñ   pvrgraven   12 zvei   14 kvmstv
   15 vat : r   16 trowe   im *fehlt*   mich   18 lons   19 ge-
klaget   20 ab noch an   21 bet   23 *kein absatz*   si   24
si enpfienc   25 sv̊zen   26 vñ danket   27 do   28 dvrich
   wenic fröwelin   30 s : ld   dvrich   369, 1 *absatz*   sv̊ziv : lare
   4 sit ez
   *v*ᵇ 369, 7 ovch m| |mlicher   8 a| |mir gvin   9 mir|
|isterin   10 w| |innes   11 *kein absatz*   herre   b| |vñ
12 lert| |hafter   13 nenne| |gerv̊chet   14 m| |deste   15
d| |maze pfat, *ursprünglich* pfade, *aber* de *durch puncte getilgt und*
t *darüber geschrieben*   16 wan d| |silber (*so!*)   17 mit| |eit
   18 die| |ilen   19 libs| |lt ir   20 ma| |man   21 hán
fehlt iwer| |gegert   22 mic| |e vngvert   23 schemli| |iv
24 dar vmb| |rehte   25 fv̊| |s selbes   26 min| |chiv frvht
(*so!*)   27 gnade an| |chet   28 h| |chet   29 iv| |inne
30 herzen| |sinne   370, 1 *absatz*   man| |te hat   2 so
weiz| |daz   3 dient| |bin dienstes   4 öch m| |r hilfe   5
frivnden| |magen   6 d| |betragen   7 dient| |iden   8 frö
iw| |des don   9 mich| |en scheiden   10 iv| |leiden   11
triwe| |pfandes   12 vner| |bin   13 m| |st vñ   14 gein|
|minne   15 ir| |mvgt   16 mv̊zet| |ar   17 iwer m| |zil (*so!*)
ein zal   18 do daht er| |e parcifal   19 baz| |wet danne
go: 20 bevelhe| |dirre ʙᴏ| 21 was *fehlt*   d| |ze sin
22 lopt er de' 'welin   23 d| |en dvrich si tragn   24 begvnd
ir| |baz sagn   25 iwer he| |min   26 iemn tiost| |ir gert

r° 377, 20 man ins   21 gerŷhten   22 vñ si sŷhten
23 *kein absatz*   24 vñ   25 manige   treken in   26 dem
mæne schin   27 manigen   28 fŷren   29 manic   30 regens-
pvrgær   378, 1 dā *fehlt*   svachem   2 bearotsch   3 *absatz*
wapenroche   4 wol richer   5 *kein absatz*   altem   6 an
dem   tac   volgt   8 clanc   11 wær   wolchen   12′ do
13 liravoyn   14 kvnic   androyn   15 erholt   manic   riche
tiost   16 wurfe   17 groze kastanie   18 dem planie   21
kein absatz   tschatelivr   22. 23 dvrich   24 *vor* pfaffe *ist* pffe
durch puncte getilgt   25 er   si beidiv   vn   26 nahet in
werdekeit gvin   27 wand *fehlt*   daz was   28 ritens   30
manigem   379, 1 tschervles   3 *absatz*   waz welt ir daz si
spreche mer   4 poydekvmvnz   5 selher   7 dorſte da nimer
8 sin   spehen

r° 379, 10 von   strites   11 bvsvnirre   dòzes *fehlt* klanc,
aber n durch zwei darunlergesetzte puncte getilgt   12 als   13
angstlicher   14 manic tabvrre worhte *am rande von derselben
hand nachgetragen*   15 den bvsvnieren   16 iender   ein stopel
halm   17 getrettet   enmagich   18 erpſvrtær wingart   20
vil ors fŷz die sla da bot   21 *kein absatz*   nv   astarot *zu*
astor *gebeſsert*   23 tiost   24 manic   gesetzet   25 vf den
acher   26 waren wacher   27 manic vol da lieſ   29 stvnt
30 dem] im   wær   kvnt   380, 1 *absatz*   nv sach   3
di   4 hŷp   poyndir   5 mŷlich   6 doch] do   wenic   7
tscherules vñ al die   10 starcher   11 werd   bot   12 der
kraft   got   13 fvr   14 da   erzogn manic   15 in waren
18 site   manic   19 gezogn braht   20 sins   21 vñ fragt
ob si iemn wolde da   22 ir was gnŷc die   23 alle   25 *kein
absatz*   nv   27 bvrgrave von bearoys   28 kvrtoys   29
die komn

v° 380, 30 *unlesbar*   381, 1. 2 *unlesbar bis auf einzelne
buchstaben*   3 *absatz*   dvrich   4 mit des vordern   zvhten
6 ditz komn   7 erbeizet   vber sinen   8 gawan in er-
kande   gap   9 was   10 im *fehlt*   11 *kein absatz*   12 vf
dem acher   14 die tet meliahkanzes   15 zv:ten   sin   16
diche   17 bi   swertes slegn beschrit   18 was   19 d: gein
den   20 manic   21 sin   22 poyndier   24 beschŷte er

hart 26 da 27 manic ritter wider gevellet 28 gelobt ez
29 mir sint gezivge 30 aventivr 382, 1 *absatz* lech
kons emontane 4 lahodoman 5 vf dem acher 6 sicher-
heit phflac 7 der starche 8 ergie gawan 9 *kein absatz*
10 næhst 11 erg:e manic herter 12 vil dich nant:s
13 artvs 15 manic brimneis 16 vū die *fehlt*
dextr:geis 17 erkes 18 *undeutlich* 19 der dvc lanvarunz
v⁶ 382, 20 moht poy de kvmvnz 21 *unlesbar* 22 wart
ez dä *nicht zu erkennen* 23 wurden 24 montanie 26
einem 27 nantis 28 da ode 29 ez vū 30 trvc
383, 1 *absatz* etslicher britvn 2 dvrich kantnvsse ein kapelvn
3 eintvæder vfem helme ode vfem schilde 4 nach cleinotes
wapen 5 der artvses werden 6 mac [dô] nv 7 schvfte
dor siniv wapen 8 wan 9 sins cleins svns 10 gawan
11 er bekande 12 vberliefen 13 britange 14 sus *fehlt*
vf der plange 16 frivntschefte 17 *kein absatz* 18 die
hvrgær waren so ze wer 19 man ins 20 daz *fehlt* 21
vberkraft ze behabu 22 waren entvichen grabn 23 bur-
garen manige 25 vngenande 26 wan niemn erkande
27 *kein absatz* sagt ivz als ich 28 ze 29 driten
384, 1 *absatz* er] der 2 dem erwarp ovch er von semlidac
3 namn 4 zer tiost in der poinder 5 svaz g::ieten
6 versvant 7 sine tioste die waren von tiost hel 8 wa:
kvnic 9 dä *fehlt*

bl. 16 = 424, 8 — 430, 27.

r⁴ 424, 8 man da des kvnige 9 *unlesbar* 12 hoster
sin 13 manige 14 kvnic och sin rede horen 15 *kein ab-
satz* 16 dvrich aventiur 17 foreis lehtamris 20 wan
flvgelingen 21 al *fehlt* tval 22 tvanc 23 gelopt 24
soldich 28 fvr 29 darvmbe min 425, 1 *absatz* vor
her *ist* riche *durchstrichen* 2 dannoch 3 ane 6 kome
7 crone pelrapeir 8 tampvnteir 9 svnne 11 der obs
12 wær froden gvin 13 wærz 14 kvnige 17 herren
18 och dar zŝ 19 sves tvanc der ein 21 iwern
cloben 22 bit daz loben 23 gvinne 27 mˆsen
r⁴ 425, 28 iwerm, *das übrige unlesbar* 29 *unlesbar* 30
dvrich iwer svester 426, 1 *absatz* hie erliten 3 svaz
vmbeslangez 4 ne *fehlt* 5 mvntsalvatsche so div 7 sinen

gemache 8 sage 9 volgeten alle ratgeben 10 dâ stât

daz lebn 11 *kein absatz* 12 nahtes da 14 tac *durch*
puncte getilgt und morgen *von derselben hand darüber* geschach
15 vñ 16 vſem palas 17 povel vñ 18 kvnic 20
wolder tvingen 21 habt 22 im 23 antigonie div kvnigin
wol gevar, *aber* kvnigin *durch puncte getilgt* 25 vñ ander
gnǔge kvniges 26 kvniginne fvrte 27 fvrn kvnic 28
tschapel gebende 29 nam den pris 30 tschapel deheinen
    427, 1 *absatz* deheiniv 2 svem gvtlichen kvssen 3
svenden 4 maniger 5 *kein absatz* grǒzen 6 kvschen
vñ sǔzen 7 antigonien 9 lebt selben 10 nider 12
alle 14 bestvnde 15 trǔbe 16 virrec] : : : rich 17 stat
    19 sǔze 21 *kein absatz* bringe 23 la 25 gedenc
brǔderlich 26 vñ 27 stat manlich 28 danne dvltest
29 kvnd 428, 1 *absatz* sǔze 2 svester 5 vndersvungen
    7 tohte danne 8 tienten, *doch das erste t durch einen punkt*
getilgt und d von derselben hand darüber gesetzt 9 stǔnd abe
dvrich 10 hazen mir hostiv 11 mir ist frǒde vn ere
14. 15 dvrich 17 svester 19 verkius 20 gebn 21 tval
    22 vmbe den 23 *kein absatz* wirt disiv sǔn 24 ga *vor*
vñ *getilgt* 26 dvrich 27 kingrimvrsel öch 28 kvnic vor
fehlt 30 fvrsten ggeschach 429, 1. 2 waren 3 knappen
an des 4 ir *fehlt* deheiner 5 gvaltic 7 si vñ leits
    v⁰ 429, 8 er franzoys ode britvn 9 starchiv, *doch iv in*
e *gebeſsert* knappen vñ 10 swelhem lande si komn 11
braht 14 da 15 ieslicz an sich 16 weinen vor leide
    17 *kein absatz* kvrnwals 18 laiz 19 ovch 20 can-
dilvz 21 dvrich scheidelacvrt 22 manic frowe ir leit erkos
    23 liaze de kindes 24 vñ naseǀ base 25 kern 26
sach gern 27 sehse anderiv 28 dis æhte ivncherrelin
    sin *fehlt* 29 waren gebvrt 30 alle hoher 430, 1 *ab-*
satz dvrich 2 vñ dienten 4 vñ pflac 5 *kein absatz*
6 sǔze 8 wær 9 trwen 10 waren 13 deheiner
14 mvzærsprinzelin enpflǒch 15 kvnegin 16 sazet liefe
    ælliv 17 *kein absatz* stǔnden 19 prǔſten 20 wær
ein hart hofscher man 21 vrlǒbs 22 kvnic 23 vñ
24 latgrave 25 zwen man div kvnegin 26 vñ 27
fvrtens

3. ZU WOLFRAMS WILLEHALM.

*Zwei zusammenhängende blätter von derselben hand und hand-
schrift, wie das Wiener bruchstück bei Pfeiffer, Denkschriften der
kk. academie, phil.-hist. cl. bd. 17 (1868) s. 117ff, dessen lücke
dadurch ausgefüllt wird, jetzt mit diesem in nr 12850 (als bl. 2
und 3) vereinigt. nach Josef Haupt gehört auch das Melker bruch-
stück, das Diemer in den Sitzungsberichten der kk. academie, phil.-
hist. cl. bd. 11 (1854) s. 655ff herausgegeben hat, derselben hand
und handschrift an.*

bl. 2 = 264, 6 — 268, 9.

rᵃ 264, 7 han   beiait   8 werlich vn̄ vnuirzait   9 sint
siez   haben behalden   10 walden   11 ieglich   recht (*regel-
mä/sig* cht *für* ht)   12 der *fehlt vor* vurste *und* graue   vn̄
13 vn̄ °ander ritter   14 dikeines   17 sin   alyschanz bliben
    18 da zu getriben   19 zert   sie *immer*   20 irre   sulle
21 sin hin gekert   22 gemert   23 *kein absatz* vurste (*immer*
u *für* ü)   zu   25 sine   26 da *fehlt*   28 ernalden   30
und *fehlt* der wirt   265, 1 palases   an *fehlt* eine   3
kuniginne   seze (e *regelmä/sig als umlaut von* â)   4 oder
6 irgienc   dienst
    rᵇ 265, 7 vor sie   trugen (u *regelmä/sig für* uo)   9
mochte   10 clareth vn̄   11 sie gaben vn̄   12 ovch was
13 die *regelmä/sig statt* diu   14 man sach da vrouwen wol ge-
var   16 der selbe: sunder trachte   17 nicht   18 neheine
    21 sines   wip *fehlt*   22 sie zwei   23 maniger vrage
24 vmme der wirtin   25 claite   26 siez   .vaderaite   28 daz
sie ot vroude   29 me dan   30 ir *fehlt*   266, 1 *absatz*
2 vn̄   5 dan   6 durch daz er   7 kunigin   wile
    vᵃ 266, 8 dà *fehlt* grosten   9 thyebalden truge   10
gein mir   11 irzeigeten haz   waz ich ir   12 echmereiz
13 hat ouch   gnuc   14 ringe   16 duchter   zu   17 waz
    18 soldich   19 *kein absatz* kunige   alytschantz   20 vir-
lurn   21 zu oransche quam   22 wichus phorten vn̄ al die
wer   23 irleit   dikeinen   25 nupatris   27 jach iz
267, 1 wa   marcgraue   brachte   2 dar quam alrest in rache
    3 thesereizes ritterschaft   4 grozer vbercraft   5 minnen
gernde   6 sere in daz virsmachte   7 wer   8 schouwen

11 gein] nach   12 solden   13 daz sie   dienstes   15
kein absatz bern los   16 irkos   17 von kunic nupatris
diet   19 von gesait   20 wene wern vnuerzait   21 *kein*
absatz   23 grifane   noriende   24 manic ritter   25 sun
26 waz   27 ander   28 der was ot zu   29 thiebaldes   30
krefilicher   268, 1 do vrunde gerne   2 sprechen sie   3
absatz   4 von des   5 daz uf die brust   die ougen   6 liecht
antlitze   8 alsus hin mit zuchten bat er   9 lieze sin virholn

bl. 3 — 268, 10 — 272, 15.

r^a 268, 10 solde kurzewile doln   13 wan   15 hie *fehlt*
schimpf   16 dochz] daz, *aber davor über der zeile von anderer*
hand, wie es scheint, doch   17 *kein absatz*   18 uwer rehte]
iht irre   19 und *fehlt* ieman drabe irschreke   20 vn   21
dicke   22 mine   23 intwichen   24 mac nich • 25 zu
genozen   26 irwelt   27 zur   scharfen, *doch der zweite strich*
des n zum teil abgerieben ritterlichen   28 suln hohes mvtes
29 lvten vn sagen   30 irkunet manigen zagen   269, 1
kein absatz   sulch   2 abendes   3 marcgraue   9 losten
vater bruder   10 wolderz lan an die wage
    r^a 269, 11 gnade wurbe   12 die vant er dort   13
kein absatz vn ir kumen   14 die habt ir da vor wol ver-
numen   15 me   16 ist *fehlt*   17 was irlost sie et *fehlt*
18 vn   19 waz vor   20 vrunt   21 gienc vor die geste
durch   22 vngevuge   23 burgundioys britun   24 flaminc
und *fehlt* engloys   28 richesten sun   29 des vater crone
bie   270, 1 *kein absatz*   2 manic mermelsul   5 an einen
philer leinte   6 meinte   8 etliche   9 schulde liden   10
konder virmiden   11 ern
    v^a 270, 12 swa gesweizet   13 drau   15 quam   16
etwa des sweizes zar   17 rennewartes   18 glichen   20
louwec spitze rose   21 ruer   22 klubt vn is ein teil ist
dran   23 von   24 glantz im noch bi   25 *kein absatz*
27 vor im lutter   28 na irliez nicht   29 monleun   30
wuchs ein   271, 1 iare nicht   2 die da reichten   4 hette
    5 die twungen den   7 sulche   8 antlitze   9 zu   10
sin blic irwarp   11 ir *fehlt* dikeine hazzen   12 sage uch
lobes gnuc

v^b 13 genahet 14 und *fehlt* só] der 15 *kein absatz*
17 durch sulche 18 als der iunge parsciual 19 do
envant glantz 20 karnakirnantz 21 an siner venie 22
jebet rennewarte 23 der selben schone der selben craft
25. 26 *fehlen* 27 *kein absatz* zur kunigin 28 menlich
29 vor 272, 1 *kein absatz* gute 2 iz 3 kurtzen
leben 4 zu rechte wenic ist gegeben 5 dunket solde 6
diu *fehlt* zu 7 quam zu riten 8 gestriten 10 die
viende 11. 12 er hete da beiaget pris herre sprach der
markys, *aber mit anderer dinte durchstrichen, und unten am rande*
von einer hand aus dem ende des 14 *jhs.* herre mir iach der
markis im gaben der kunic loys 13 er vngehure 14
lamperure 15 hoe balygan irstarp

4. ZU GOTFRIDS TRISTAN.

Suppl. 2717, *zwei zusammenhängende pergamentblätter in folio*
aus dem 14 *jh.: jede seite ist in zwei spalten von je* 40 *zeilen*
beschrieben, die graden zeilen sind eingerückt. der buchbinder hat
das versehen begangen das erste blatt zum zweiten zu machen. ich
gebe hier eine vergleichung mit Mafsmanns text.

bl. 1 = 335, 39 — 339, 38.

r^a 335, 39 gib 40 din 336, 2 tristran daz ist 3
kein absatz spiler hvp abr 4 herpfen abr 5 svze 6
gaudin (*immer aufser* 336, 11) sin 7 vliziclichen ysot 9
herpfen waz verdacht 10 waz vol bracht 11 kvnigin 12
wolde 13 waz die vlize (*aus vlzze gebefsert*) vnd 14 von
der so 15 nieman 17 zv der 18 waz tv wir 19
kvmt vrowe hin an 22 ev fvret 23 swaz zv 24
lvtzel 25 hohes bei 26 ich wene wol so hoch ez sei
27 min vrowen ewer vrvndin 28 sie wol *fehlt* 29 gefvre
30 sie iht rvre 32 bringe 33 vnd nim ouch ysa
34 *kein absatz* tristran bracht 35 isa qvam 36 sin
herpfen zv 37 yrlant 38 bitet min vrowen

r^b 336, 39 fvr sie 337, 1 ne *fehlt* sie rvren 2 sie
fvren 3 die schon ysot 4 ditz mær an 5 rvren 6
endelichen 7 daz *fehlt* ich kvm nimmer 8 enfvr dir spil-
man 9 ysoten 11 fvr sie 12 dirz immer 13 ysolden
zv im 14 sprengte lvtzel 15 ersach 16 zv im 17

was daz 18 tristran 19 vrvat stet des *fehlt* 20
rotten spil 21 kvnige 22 fvr mit der rotten 23 be-
trvget seit 24 tristran der *fehlt* evch 25 evch 26
vrunt gebt richliche 27 hân] haut 28 gezelt 29 *absatz*
tristran sin 31 trvrick vnd rewesam 32 vnd 33 innen-
clichen 34 kert vbr 35 vnd 37 tristran ysot 38 sie

v 337, 39 indert zv qvemen 40 rvwe blvmen nemen
338, 1 wenen 2 ich wil wenen vnd 3 meinthalben 4
tristran der *fehlt* bracht ysoten · 5 seinem ohem (oder
o hein?) 6 straft vil starke 8 ev die kvnigin 10 sie
gebt so lichte 11 herpfen 12 die werelt 13 ie mer kv-
nigin 14 veil gesin 15 dar nach 16 hvtet meiner vrowen
17 *absatz* tristrandes lop 18 blvten abr do sere 19
zv hofe 20 sie lobten an tristrande 21 sin fvge vnd sin
22 vnd die kvniginne 23 sie warn abr vro vnd vrvt 24 sie
gabn an ein ander mvt 25 sie immer 26 *kein absatz* 27
het tristran ein kvmpanivn 28 waz parvn 29 des kvniges
lantseze 30 trvchtseze 31 waz genant 32 tristrande
33 gevrvnt vnd 34 svzen kvniginne 35 trvg mvt 36
manic manger vrowen tvt 37 sie lvtzel 38 trvchtseze
vnd tristran

v 338, 39 sie zwen heten 40 gemein in ein 339, 1
warn gern 2 waz trvchtsezen sit: 3 tristran schoner mere
p : : ack 4 daz : : im na : htes bi gelac 5 daz : : bereit
zv im 6 *kein absatz* nachtes geschach 7 het tristrande
8 manger 9 mere 10 vnd waz 11 minnere tristran
12 tovgenlichen 13 sin 14 mangem hertzen leide 15
im selbe vnd der kvnigein 16 do sie wanden : : 18
heten m. 19 strick 20 disen selben pfat 21 den 22
zv ysoten vrolich 23 daz] des nachtes besneit 24 man zv
der z : : : 25 liecht vnd 26 tristran nam kein ware 27
slachte 28 wan er ginch ot ballich dar 29 sin 30 het
31 qvam 32 brangane 33 fvr daz liecht leint sie daz
34 nv enweiz wi sie verga: 35 sie tvr 36 vnt sie
37 *kein absatz* abr 38 trvchtseze daz gesach

bl. 2 — 347, 39 — 352, 2.

r 347, 39 da enwil sie stete 40 let sie lichte
348, 1 vnd wa so sie zwifel 2 sie 3 dar an vnd 4

get sie 6 sie ir▾hertzen leit 7 den durch sie 8 vnd
10 ginck 11 er want spat vnd vru 12 zv 13 zwifel vnd
14 gern helle 16 hertzenliches 17 gern were 18
waz gevere 19 *absatz* nachtes 20 als ers vn *(dieses aus
von gebe/sert)* 21 s : mt heten geleit 22 sin kvndikeit
23 ysoten fvr leite 24 sie kvndikeite 25 gern het 26
verkert 27 strick richte 28 tichte 29 die kvniginne
30 kvnic 31 ir *fehlt* branganen 32 brangane 34 ge-
sezet 35 der *unlesbar* kvnic twanck kvnigin 36 hertze
37 sie zv manger 38 in *statt* an *beidemal*

r 348, 39 schone 40 niht hertzen lieber den ir
349, 1 ev 2 weiz himel 3 min 4 *kein absatz* die
kvniginne 5 die stiez 6 svftzende sie 7 innenclichen
8 wand 9 ditz mere 10 were 11 hore vnd 12
ernst 13 sie hvp vnd 14 vnd 15 leitlich 16 clege-
lichen 17 sie 18 sin zwifel 19 gesworen hete 20
hertzen tete 21 wan vrowen 22 en *fehlt* nie mere
23 als 24 noch enhat dehein trvge niht 26 wen daz sie.
27 ane minne mvt *von derselben hand hinter getilgtem* gvt
28 offte sie gvt 29 *absatz* ysot die weinte 30 gelovbet
31 schone 32 ev 33 mack wein ysot 34 clage
ich tvt 35 ellendes 36 niht mer den ein lip 37 als
ich han 38 die zwei

v 349, 39 evch vnd ewer 350, 2 den evch 3 mir
ist niht reht liebes den ir 4 wares 5 holdes hertze 6
so ▾ vnd 7 mvt 8 fvret vnd 9 in dir vremde solt
10 bei mack verstan 11 evch vnmere 12 mein hertze
vnd 13 werden immer 14 *kein absatz* war vmbe sprach
er schone do 15 habt zv ewer 16 beide levt vnd 17
absatz die ewer vnd 18 vbr seit gebiterin 19 zv ewerm
20 gebitet daz ist 21 ich ovch vnter 22 muz ewer
23 ewer 24 mein hvbsche tristran 25 bedechtic vnd
26 allen 27 evch 28 vnd 29 als 30 grozem *fehlt*
getrvwen sol 31 lip 32 tvt iz evch vnd durch 33 herre
tristran sprach die schon ysot 34 zwar were 35 und *fehlt*
wold ich 36 e den mein 37 were 38 losere

v 350, 39 er ist mir ze allen 40 gelischende 351, 1
smeichente bei 2 gihet lip im sei 3 idoch sin mvt
4 in welchen trewen erz tvt 5 doch weiz selber genvck

6 wan   mein oheim slvck   7 fvrchtet   8 vmb   10 vnd
11—14 *fehlen*   15 *absatz*   sein   16 und *fehlt*   17 evch
  18 wan   mein   19 vrvntlichen   20 so gesach   zware
21 vrvndes   22 und *fehlt*   sint   verberen   23 ichn mvz
  horen vnd   24 so] nv   25 meines hertzen   bei   26 meiner
trewe lvtzel sei   27 an lovgen   28 hertzelosen   29 lvge-
lichem   30 dicke vnd zv manger   31 mein vleiz   32 itweiz
  33 vrowen   34 sie   mannes vrvnden   36 mit mangem
lvgen blicke   37 hertzelosem   39 hete   40 ichs hertzen
tete   352, 1 en *fehlt* evch   2 ewer   min *fehlt*   tristran

Dieses bruchstück, das ich mit *w* bezeichnen will, steht in einem
nahen verhältnis zu B und lehrt, dafs die ansicht Theodors von
Hagen (Germanistische studien herausgegeben von Bartsch 1, 41 ff),
B sei direct aus M und F geflofsen und zwar in den von *w* er-
haltenen teilen nur aus F (aao. s. 43 f), einer kleinen modification
bedarf.

1. die nahe beziehung von FB*w* ergibt sich aus den folgenden
stellen, wo FB*w* allen anderen handschriften gegenüber stehen (von
Hagen hat nur die zweite geltend gemacht):

336, 14 vor] von F*w*, van B.

337, 31 trûresam] ruwesam FB, rewesam *w*.

339, 18 bæte im] hetten FB, heten *w*.

349, 30 geloubige] geloubete F, geloubte B (s. Groote: Mafs-
        mann führt viele varianten nicht an), gelovbet *w*.

351, 27 unlougen] anlougen F, an lougen *w*, ane lougen B.

2. M ist schon eher, als erst 352, 9, wie von Hagen (aao.
s. 43 f) meint, wieder quelle (sei es mittelbare oder unmittelbare)
für B (und *w*): dies lehren die folgenden drei stellen, an denen F
mit Mafsmanns text übereinstimmt, während MB*w* gleichmäfsig ab-
weichen:

350, 10 entstan F, verstan MB*w*.

351, 34 manne F, manes M, mannes B*w*.

352, 1 enlat F, lat MB*w*.

3. die zahl der unter 1 und 2 angeführten stellen würde sich
noch beträchtlich vermehren lafsen, wenn Groote sämmtliche lesarten
aus B angeführt hätte. wenn B immer, wo Groote keine ab-
weichung daraus verzeichnet hat, zu seinem text stimmte, so müste
man annehmen, dafs B und *w* unabhängig von einander aus den-

*selben handschriften zusammengeschrieben worden seien, was mir
sehr unwahrscheinlich, um nicht zu sagen, underkbar vorkommt:
für B müste aufserdem noch eine dritte handschrift quelle gewesen
sein. ich führe hier zunächst diejenigen stellen auf, wo F und w
zusammenstehen:*

336, 18 getuon] tu *F*, tv *w*.
    23 swes] swaz *Fw*.
    26 ez *vor* si (sei) *Fw*.
337, 7 daz *fehlt Fw*.
    nimmer *hinter dem verbum Fw*.
338, 31 geheizen] genant *Fw*.
348, 21 ensament] samt *Fw*.
350, 30 von rehte getrowen (getrvwen) sol *Fw*.

dagegen stimmen M und w überein:

350, 35 und *fehlt Mw*.
351, 11—14 *fehlen Mw*.
351, 16. 22 und *fehlt Mw*
    24 só] nv *Mw*.

   4. *F selbst war nicht quelle für Bw, sondern nur eine ihm
sehr ähnliche handschrift: dies ergibt sich, ohne dafs man über den
bereich des in w erhaltenen hinauszugehen braucht, aus mehreren
stellen, wo F offenbar nicht die ursprüngliche lesart gibt, während
w zu den übrigen handschriften stimmt: die lesart in B wird hier
nirgends ausdrücklich angeführt.*

336, 33 iesä] ysa *w*, zehant *F*.
339, 32 schachzabel *w*, schachzabelbret *F*.
    35 lie *w*, verlie *F*.
350, 33 diu schœne] die schon *w*, *fehlt F*.

*aus M können die lesarten von w hier nicht herrühren, weil dieses
die ersten drei stellen überhaupt nicht enthält und an der vierten den-
selben fehler hat, wie F. in anderen fällen aber mufs es unent-
schieden bleiben, ob M oder die F ähnliche handschrift die quelle war:*

349, 31 saget] sag *F*.
    38 gar] sere *F*.
    39 und] und an *F*.
350, 1 kan] niht kan *F*.
    20 daz ist *w*, daz sol sin *F*.

aber auch in einigen offenbaren fehlern oder ungenauigkeiten stimmen

B und w überein, von denen gewis nicht alle erst bei der constituierung des textes Bw entstanden sind:

336, 28 wol *F*, fehlt *Bw*.

339, 4 lach *F*, gelach *B*, gelac *w*.

16 do er … wande *F*, do sie (du si *B*) … wanden *Bw*.

26 keiner vare *F*, keine ware *B*, kein ware *w*.

349, 22 enist *F*, ist *Bw*.

35 ellende *F*, ellendez *B*, ellendes *w*.

5. *die schrift in w sieht älter aus, als die in B (s. das facsimile bei Groote): doch das allein reicht natürlich nicht hin um zu beweisen, dafs w nicht aus B geflofsen sein kann. es ergibt sich dies aber aus den folgenden stellen, wo F und w zusammen B gegenüber stehen:*

336, 27 mine *F*, min *w*, dat ich min *B*.

28 daz ich si *Fw*, hin *B*.

337, 14 her *Fw*, hin *B*.

338, 8 die kvnigin *Fw*, min vrouwe *B*.

339, 17 siner *Fw*, aller *B*.

28 et *F*, ot *w*, fehlt *B*.

348, 19 aber kom ez *Fw*, nv quam id aber *B*.

349, 17 einvalten *Fw*, einvaltigen *B*.

18 sinen *Fw*, den *B*.

24 niht *Fw*, anders niht *B*.

350, 18 sit *Fw*, sit ir *B*.

351, 8 und umb daz *Fw*, dvt er daz *B*.

9 ist er mich *Fw*, er is mich *B*.

20 in *Fw*, fehlt *B*.

21 mit *Fw*, in mit *B*.

wahrscheinlich auch:

337, 8 dirre *F*, dir *w*, obwol freilich nicht ausdrücklich gesagt wird, dafs *B* der habe.

6. *dagegen finde ich (natürlich unter voraussetzung des unter 3 bemerkten) nichts, was hinderte anzunehmen, dafs B aus w geflofsen sei: freilich mit sicherheit liefse sich das nur dann entscheiden, wenn von w mehr erhalten wäre.*

7. *da Bw aufser aus M aus einer nicht erhaltenen handschrift stammen (unter 4), so sind sie doch für die kritik nicht vollkommen wertlos.*

Wien, den 14 *november* 1873.   JULIUS ZUPITZA.

ZU JOHANNES DE ALTA SILVA DE REGE
ET SEPTEM SAPIENTIBUS.

Für das von Charles Brunet und Anatole de Montaiglon (Paris 1856) zuerst vollständig herausgegebene altfranzösische gedicht Herbers *Li Romans de Dolopathos* (gedichtet zwischen 1223 und 1226) sowie für die von Moriz Haupt in den Altd. blättern i, 119 ff veröffentlichte deutsche übersetzung von sechs einzelnen erzählungen grofse bruchstücke des gemeinsamen lateinischen originals in österreichischen hss. des 15 jahrhunderts entdeckt zu haben ist das verdienst Adolph Mussafias, welcher in den Sitzungsber. der Wiener acad. der wifs. 1864 und 1867 ausführlich über seine funde berichtet hat. herrn Hermann Österley ist es vor kurzem gelungen, mit hilfe des bibliothekars des athenaeums in Luxemburg, des herrn dr Schötter, die früher von Martène nur zu einem kleinen bruchteile benützte, vollständige und noch dem 13 jh. angehörige hs. jenes lateinischen originals wieder aufzufinden und zum abdruck zu bringen als *Johannis de Alta Silva Dolopathos sive De rege et septem sapientibus* (Strafsburg, Karl JTrübner 1873). verfafser desselben war um das jahr 1184 ein für seine zeit gelehrter junger lothringischer mönch, Johannes aus der abtei Haute-Seille, welcher es liebte, seine lesefrüchte aus der lateinischen kirchlichen und profanen litteratur[1] möglichst zahlreich in seine an die geschichte von den sieben weisen meistern anknüpfende, aber mannigfach davon abweichende erzählung einzuflechten, die Johannes selbst in seiner widmung an den bischof Bertrand von Metz 2, 12. 13 *De rege et septem sapientibus* betitelt wifsen will. gebührt somit dem herausgeber wie dem verleger dank dafür, dafs der lateinische text überhaupt allgemein zugänglich gemacht worden ist, so bleibt doch die philologische behandlung desselben durch herrn Österley im einzelnen weit hinter der

---

[1] häufig finden sich anklänge an daktylischen rhythmus, vgl. zb. 6, 19; 26, 25—26; 28, 24; 29, 17—18; 34, 4; 34, 26; 36, 35; 37, 2—4; 37, 18—19; 43, 14 (zu schreiben *loca sola??*); 45, 9—10; 79, 35. — auffallend verschränkt ist oft die wortstellung, vgl. zb. 56, 35—57, 1.

akribie zurück, welche an früheren veröffentlichungen desselben
gelehrten gerühmt wird. mag es auch verdrießlich sein, über
ein so buntscheckiges mönchslatein specialstudien anstellen zu
müfsen, so überschreiten doch, wie im folgenden gezeigt werden
soll, die fehler das mals dessen, was sich durch entfernung des
herausgebers vom druckorte und durch über gebühr beschleunigte
drucklegung gern entschuldigen läfst. wenn ein mittelalterlicher
lateinischer autor einen herausgeber nur dem inhalte nach in-
teressiert, so mag dieser sich auf eine deutsche inhaltsangabe
beschränken; wird aber die schrift des autors im originaltext
abgedruckt, so hat der herausgeber dieselbe pflicht wie jeder
editor eines klassischen lateinischen textes.

Zunächst bemerkt herr Österley (vorr. pag. x) 'der vor-
liegende abdruck (des jetzt in Luxemburg, früher in der abtei
Orval befindlichen codex) ist möglichst zuverläfsig. ich
habe an dem texte nichts geändert, als was durchaus unerläfs-
lich schien, um ihn lesbar zu machen, doch ist der mangel-
hafte wortlaut (in den anmerkungen unter dem texte) überall
angemerkt.' er wollte also einen möglichst getreuen abdruck
des ältesten codex mit beibehaltung seiner barbarismen und or-
thographischen eigentümlichkeiten geben. demgemäfs werden
die enklitika *ne ve dum* gelegentlich als selbständige wörter
geschrieben; das schwanken in der schreibung mit oder ohne *h*
(auch der wechsel von *c* und *ch*) ist bewahrt, ebenso das in den
vokalen *i* und *y* sowie *i* und *e* (also zb. 25, 5 *palleis* usw.),
auch *au* und *a* (also *agmentavit* 30, 28 und *actores* 30, 29);
e ist constant für *ae* und *oe* beibehalten. doppelte consonanz
statt einfacher (zb. *accuebant accus, aufferre deffendissent defferre-
tur, callida pestillentissimi Quintilliani sollitudinis stillo, fummum,
dessudasse, legittime*; ja sogar *quoddammodo* 38, 25—26 und
addeunt 46, 33); und umgekehrt (zb. *pecaverit, dificiliores,
agressus, sibile similima, comodi imanitate, apellare opida opor-
tunum etc. suplicium, corumpere horesceret offerent* [7, 1], *equisimi*;
vgl. auch *pannicilos* 63, 17) findet sich, daneben formen wie
zb. *trucitabantur* 53, 1, *collacteralia* 3, 12 (vgl. pag. 100),
trunculentior 37, 5, *menbrum etc., Agamennonem, septemnium,
domumculam* usw. am anfang der silbe steht häufig *c* vor
folgendem *e* oder *i* statt *sc* (zb. *abcide, abciderat, cedula, celestus
etc., cyphus etc., dicissis*), auch umgekehrt *didiscerat* statt *didicerat*

47, 11; aber das berechtigte kaum auch 72, 4 *sillabas* c r u t i n o statt *scrutino* im text zu lafsen. warum 82, 36 statt des handschriftlichen *catnulos* geschrieben ist *quaternulos* und nicht *caternulos*, ist nicht abzusehen.

Aber, wenn in solcher weise der schreiberlaune nachgegangen werden soll, so bedarf es natürlich gröster akribie bei der drucklegung. das vertrauen zu der genauigkeit in der wiedergabe der graphischen eigentümlichkeiten des codex wird nun wesentlich geschwächt durch die überfliefsende menge von druckfehlern, durch die die ausgabe entstellt ist. denn das druckfehlerverzeichnis, welches Österley selbst (pag. 100) zusammengestellt hat, giebt die allerwenigsten druckfehler an. in diesem verzeichnis selbst ist zu lesen: 5. zeile '10' statt '12' und 15. zeile '29' statt '30'. aus dem texte selbst wähle ich im folgenden nur die am leichtesten in die augen springenden druckfehler aus: zu lesen ist 2, 22 *eidem*   4, 21 *qui*   6, 2 *und* 79, 20 *pepererat*   6, 9 *exhiberent*.   7, 17 *quidam*   7, 35 *curium* 9, 25 *tanti*   9, 36 *respondendi,*   13, 1 *Luscinio* (vgl. dazu vorr. pag. x)   14, 6 *memorie*   14, 11 *dignaretur.* 15, 37 *perspicacitatem]*   22, 20 *dolere*   23, 29 *preteris* 24, 15 *et*   32, 36 *manuum*   32, 38 *expectabat.* 33, 16 *earum*   35, 28 *in genas*   37, 18 *colubrarum* 37, 34 *defuncta*   38, 14 *principibus*   39, 26 *o lector,* 39, 35 *ignibus*   40, 22 *minimo*   40, 29 *congeries*   '42' 15 doch wohl *successione*   42, 32 *brevi*   43, 6 *temperavit,* 43, 10 *cantho*   46, 23 *tuum*   47, 30 *utere*   48, 16 *iacturam.*   49, 13 *valens*   49, 26 *hic*   50, 9 *alias* 50, 25 *hac*   51, 9 wohl *valens*   53, 15 *in equales*   54, 27 · *Congregatis*   55, 22 *meliorem*   57, 11 *Civis*   57, 35 *magistro*   58, 18 *et pondus*   58, 20 *etenim*   59, 29 *terminum*   62, 17 *es* (oder *sis*) statt *eis*   62, 25 *gallinulam*   63, 16 *tugurio*   65, 27—28 *responderunt.*   68, 26 *arbusta*   68, 37 *persepe*   70, 29—30 *circumligans*   72, 35 doch wohl *nullo*   73, 26 *accommoda*   79, 6 *scelestam* 79, 18 *in solitam*   79, 29 *tui*   80, 30 *simultates.*   81, 27 doch wohl *redeunti.*   81, 32 *puniendam.*   85, 9 *ordiamur* 85, 11 *principio*   85, 19 *carens*   88, 17 *hominum,* 89, 12 *corriperentur,*   89, 15 *sunt,*   90, 11 *divina* 90, 34 doch wohl *passim*   90, 37 *extremum]*   92, 34 *Tri-*

nitatem 94, 1 *ligneeque* 99, 2 *plorantium* usw. mag immerhin an einer oder der anderen dieser stellen der herausgeber mit absicht eine von mir für einen druckfehler gehaltene lesart der handschrift mit fleifs beibehalten haben, jedesfalls ist der abdruck im einzelnen zu sehr durch druckfehler entstellt, als dafs er als in jeder hinsicht zuverläfsig gelten könnte.

So weifs man an mehreren stellen nicht, ob absicht des herausgebers oder druckfehler ursache einer schreibung ist; zb. wollte der herausgeber 1, 12 das im texte stehende compositum *prehabundantiori* oder *pre habundantiori tristitia etc.*? (in der französischen ausgabe steht *pro abundantiori*); wollte er 3, 9 *frustratim* mit barbarischem einschub eines *r* oder das vom sinne geforderte *frustatim*? wollte er 18, 6 *actualis elementi* oder *aqualis elementi*? die *cantheriata conscientia* 61, 16 ist hoffentlich nur druckfehler statt *caut[h]eriata* (vgl. 16, 19 und 1 Timoth. 4, 2). wollte er 24, 28 *distabatur* oder *distabat*? 25, 10 *ferre* oder *ferri*? 26, 38 *medium* oder *mediam*? 33, 15 *subverserunt* oder *subverterunt*? 33, 35 *commoveretur* oder *commoreretur* (Mussafias text gibt *moreretur*; vgl. freilich 80, 27)? 41, 17 *deferens* oder *preferens* (vgl. 52, 9)? 42, 12 *ne sue derogaret generositate* oder *generositati*? 77, 2 *per mane aeris volitantes* oder *per mare*? 84, 38 *generent* oder *generem*? 87, 14 *confirmaretque* oder *confirmareturque*? 93, 7 und 8 *potentia* und *sapientia* oder *potentiam* und *sapientiam*?

Dazu kommt noch die sorglose behandlung der interpunction, die an unzählbaren stellen zu reichlich, an eben so vielen anderen zu kärglich ausgefallen ist. um mit diesen kleinigkeiten nicht zu ermüden, erwähne ich, dafs kommata notwendig zu tilgen sind, zb. die je letzten: 48, 5; 63, 22; 65, 24; das dritte: 46, 31; das zweite: 37, 27; die je ersten: 28, 31; 34, 27; 41, 13; 61, 23; 63, 23; 64, 22; 67, 17; 71, 14; anderswo wiederum zuzusetzen zb. hinter *amatores* 28, 35; *vitro* 32, 31; *oculorum* 34, 16; *avaritiam* 42, 12; *generositati* 42, 13; *studuit* 42, 19; *egreditur* 47, 27; *petisses* 51, 33; *ipse* 52, 32; *restitisset* 87, 12. ferner ist jedem leser sofort erkennbar, dafs zu interpungieren ist 3, 18 *dantis, nichil aliud quam* 23, 14 *laniabit? Neque* 26, 22 *erat, aut aurum aut argentum,* 38, 14 *expeto; et* 42, 31 *possis, hic* 48, 8 *ut heri et nudius tertius, in* 54, 10 *singuli, alius*

57, 34 *scientiam subtilitatemque ex artibus comparavit,*
ut   11, 15 *ad propria.* Ad cuius   16, 29—30 *responde-*
rent? Undique   24, 3 *apponit.* Quod   27, 37—38 *conor?*
Nunquam   37, 7 *persequeris?*   50, 13 *deceptiones?*
54, 4 *prodant accusentque filium,*   79, 23 *Vide ergo, o rex,*
   85, 30 *dedit, eamque videre iussit*   97, 11 *dixerit,*
an.   an anderen stellen ist erst durch änderung der Öster-
leyschen interpunction . der gedankenzusammenhang herzustellen:
so wohl 70; 27 *factum, tertiam*   10, 17 *proditores, indigna-*
rer utique nisi ob etc.   77, 12 *ut, supremam pendulam si*
videres,

Die einrichtung der k r i t i s c h e n a n m e r k u n g e n am
unteren rande der seiten läfst manchen zweifel offen: zb. ist zu
1, 9 nicht zu ersehen, welches der beiden *et,* ebenso 92, 27
nicht, welches *qua* gemeint ist. druckfehler in den zeilenan-
gaben sind sehr häufig; es war zu schreiben 2, 35 '2' statt '22'
   8, 36 '9' statt '10'   11, 36 '15—16' statt '14'   59, 36
'19' statt '13'   59, 37 '33' statt '26'   72, 36 '2' statt '1'
   88, 35 wohl '23' statt '22'   88, 36 '26' statt '28'
89, 37 '35' statt '36'.   unersichtlich ist, wie die falsche zahl
zu befsern ist, 25, 37.   95, 36 gehört das psalmencitat wohl zu
zeile 4; die dort citierte stelle steht psalm. heb. cxv, 3—8 (aus-
gelafsen ist 95, 8 nach *audient* folgendes: *nares habent et non*
odorabunt)   95, 37 mufs es heifsen Sat. ı, 8, 1—5   96, 36
und 37 mufs es statt '15 13, 16 Virgil. Eclog. ıv. 7; 5 | 19
Aen. ıı. 660—20 Virgil. Aen. ı. 664'. heifsen: 16 Verg. ecl. ıv
7 | 19 ecl. ıv 6 | 20 Aen. ı 664 | 21 Aen. ıı 650   97, 37
schreibe: 1869, 55.

Der herausgeber (vorr. pag. x) sagt, nach genauer ver-
gleichung des von Mussafia mitgeteilten textes der österreichischen
hss. habe er keine irgend erwähnenswerte abweichung gefunden.
aber er selbst nimmt gegenüber den verderbnissen der Orvaler
handschrift die richtigen bei Mussafia sich findenden lesarten
nicht selten auf: vgl. zb. 4, 28; 5, 20 48, 23; 67, 30; 81, 32;
99, 34. vielfach stimmt der Orvaler codex mit Mussafias B.
manchmal (zb. 50, 3; 50, 7; 65 14; 65, 36; 69, 9; 69, 11;
71, 6 [vgl. auch 80, 18 *peremisse* und 81, 36]), waren Mussafias
lesarten als die befseren vorzuziehen. an anderen stellen konnten
dieselben als fingerzeig für die emendation dienen, zb. 5, 27 ff

(vgl. auch 48, 2—3; 68, 16). 6, 18 schreibt Österley '*vino meram sitim ydropicam temperabant*', dagegen Mussafia dem sinne angemefsen: *vino (et) mero sitim etc.* 81, 16 fügt Mussafia hinter *continentem* noch folgendes hinzu: *hoc ammonens, ne alicui dicat nec significet*, und diesen zusatz giebt auch' die deutsche bearbeitung in den Altdeutschen blättern. — 21, 25 war, wie das nicht vollständig vom herausgeber verglichene altfranzösische gedicht zeigt, wohl eine gröfsere lücke anzusetzen.

Erscheint nach dem gesagten die diplomatische grundlage der ausgabe nicht fest genug gelegt, so giebt die divinatorische seite der vom herausgeber angewandten kritik fast noch zu mehr ausstellungen anlafs.

Die conjecturen, durch welche er den text zu befsern sucht, scheinen zum teil überflüfsig. zb. schiebt er unnütz *quidam* ein 56, 30: *ecce Romanorum* quidam *indutus toga muloque sorello insidens grandevus senex . . . . . se presentat*; aber *Romanorum* gehört zu *toga*. ebenso unnötig, *perspicacitatem* 15, 9: *Invidebant enim ei quam plurimum, qui ad summam scientie eius* (perspicacitatem) *pertingere non valebant*; ebenso unnötig *dirigit* 34, 5: *nunc obliquando circumflectendoque in eum oculos impudicos* (dirigit), *nunc agitando brachia ad duellum Venerisque certamen provocat*. ähnlich unnötig scheinen die vermutungen zu 17, 25; 30, 4; 30, 28 (vgl. 39, 25); 39, 19; 41, 4; 77, 19 (wo wenigstens *eos* statt *eas* zu schreiben war, vgl. 77, 17 *quorum*, 77, 21 *assuefacti*, 77, 22 *domestici facti*); 79, 25; 86, 8; 89, 7; 95, 32. wie konnte er vollends 35, 27 *nec mens michi nec* cor *certa sede manent* statt des in der hs. richtig überlieferten *color* setzen, zumal da unmittelbar darauf *humor et in genas furtim labitur* folgt? wie ferner 89, 35 *odoris sui* flagrantia *statt des handschriftlichen fraglantia?* anders als Österley es tat, war auch 76, 34 f zu behandeln.

Besonders unglücklich hat er 3, 38 ff behandelt; er ediert *presumpsi ea* (nämlich *regis gesta*), *quamquam elinguis et ydiota, quamquam nullius discipline scientiam assecutus, saltem qualicumque stillo describere,* notam materiam *phaleratis verborum pompis cupiens colerare, vel ut verius de-* corare *dicam, quam materie veritatem, prout res geste sunt, simplici pedestrique calamo satagens, declarare*. das ist der

absicht des bescheidenen autors völlig widersprechend. dieser
will eben· im gegensatz zu pomphaftem schwulst einfach und
schlicht erzählen. es kommt dazu, dafs die handschrift nach des
herausgebers eigener angabe vor *dicam* nicht *decorare*, sondern
decolorare bietet. es war natürlich zu emendieren *presumpsi ea*
..... *saltem qualicumque stilo describere, non tam materiam
phaleratis verborum pompis cupiens colorare, vel ut verius
decolorare dicam, quam materie veritatem* ..... *satagens
declarare.*

12, 30 *mos erat regum aut nobilium filios non annuis
conviviis patrum interesse, quam infantiam, que septimo ter-
minatur, exivissent.* hier ist *annuis* unglückliche conjectur des
herausgebers für das handschriftliche *anna.* offenbar ist *antea*
dafür herzustellen.

8, 8 *Consedentibus ... cesare consulibus senatoribusque
ac Romanorum nobilibus, cum fussisset cesar, ut causam ad-
ventus sui edicerent, ... in hec ... verba prorumpunt pes-
simi delatores.* im eingang ist *consedentibus* von Österley
statt *cum sedentibus* vermutet und *cesare* statt des handschrift-
lichen *ceseri.* dafs dieses aber vielmehr in den von *conseden-
tibus* abhängigen (vgl. 17, 15; 60, 15 und die construction von
congaudere 13, 6; 19, 22) dativ *cesari* zu verwandeln war,
liegt auf der hand. wie übrigens hier *Consedentibus* aus *cum
sedentibus* gemacht wurde, so konnte auch 14, 7˙ *Unde factum
est, ut infra unius anni circulum, cum socios suos, qui eum
et etate precedebant, iamque quinquennio vel septennio sub
disciplina fuerant magistrorum, transcenderet* die anakoluthie
entfernt werden durch herstellung von *ut infra unius anni cir-
culum consocios suos* ..... *transcenderet.* — 60, 20 schreibt
der herausgeber *quid lucraberis, nisi mortem forsitan, si
iuvenem interficias?* da die hs. *fortem* darbietet, so ist mit
streichung von *si* wol zu schreiben: *nisi fortem forsitan iu-
venem etc.* — das mafs des verzeihlichen übersteigt die behand-
lungsart von 88, 22—28: Österley schreibt *Si quis lata ince-
dens via, in cuius medio puteus altus haberetur, et premunitus
esset, ut ipsum caveret, scienterque omissa dextrorsum si-
nistrorsumque via in illam se precipitem daret? Quis, rogo,
illum plangeret, quis ei iuste manum porrigeret? Ita de ho-
mine, qui scienter suggestione, non necessitate peccavit, intel-*

der handschrift, und über einen zusatz, welchen er vor *Ita de homine*, weil er ihn nicht verstand, ausgelafsen, sagt er in der anm. wörtlich: 'vorher der verderbte und in den übrigen handschriften fehlende satz: *Quis fleat Empedocle deus immortalis haberi qui cupiens sponte flagrantem etham. Insiluit.*' Horatius art. poet. 464 schreibt bekanntlich *Deus immortalis haberi dum cupit Empedocles, ardentem frigidus Aetnam insiluit.* natürlich rührt der von Österley ausgelafsene satz von Johannes de Alta Silva her, welcher schrieb *Si quis lata incedens via, in cuius medio puteus altus haberetur, praemonitus esset, ut ipsum caveret, scienterque . . . . . in illum se praecipitem daret, quis, rogo, illum plangeret, quis ei iuste manum porrigeret? Quis fleat Empedoclem, deus immortalis haberi qui cupiens sponte flagrantem Etnam insiluit? Ita de homine etc.* — wenn der herausgeber (vorausgesetzt dafs kein druckversehen vorliegt) 91, 6, wo unter ausdrücklicher angabe des dichters *(ut ait Oratius)* die verse Horat. art. poetic. 391—396 citiert werden (394 steht *urbis* statt *arcis*, 395 fehlt *et*), nebst einer völlig verkehrten interpunction statt des nach ausdrücklichem zeugnis in der handschrift wie bei Horaz stehenden *Silvestres homines sacer interpresque deorum* durch conjectur *homo* statt *homines* einsetzt, so läfst sich der mafsstab, den man sonst an philologische arbeiten anzulegen pflegt, kaum festhalten; ebenso verfehlt ist die interpunction in den nächsten zeilen, wo Horat. serm. I 3, 99—106 citiert werden (100 steht *et* statt *atque*, 101 *deinde* statt *dein*, 104 *assistere* statt *absistere*, 106 *latro ne* statt *latro neu*); vgl. auch die interpunction in dem Horazcitat 95, 24 ff!

Gar viele stellen, zu denen keine bemerkung gemacht wird, hätten der befsernden hand des herausgebers bedurft. ich kenne das barbarische latein des zwölften jahrhunderts zu wenig, um mit sicherheit beurteilen zu können, wie viel man einem damaligen scribenten zutrauen darf. allein in folgenden beispielsweise ausgewählten stellen scheint mir doch die correctur geboten: 3, 2 *puram in properaculo positam dicere veritatem*, man schreibe *in propatulo*   3, 21 *philosophantes, quos melius dixerim deluantes*, ob *heluantes* oder *delirantes?*   9, 15 *fidei suos condignos sperare honores*; wohl *sue*   18, 4 erfordert der

sinn *adlata* statt *ablata*   21, 33 doch wohl *profecturi*, nicht
prefecturi   27, 14 *nullam pudor virginalis ab osculis, que
caste et pudice offerebatur, redarguit*; man schreibe *offe-
rebantur*   31, 33 *Aiebant eum phisicos tradere*; man schreibe
phisicis   34, 8 *Sed ille* . . . *iacula machinasque eius for-
titer repellit, nec tantum desistit illa ceptis, sed acrior
insurgit in eum*; man schreibe *tamen* statt *tantum* (vgl. auch
34, 24)   35, 3 *O meorum, ait, conscientie secretorum,
neque felicitatis participes!* doch wohl *conscie?*   59, 15
delusione sibi ex lecti mollicie contigisse, vielleicht *delusio-
nem?*   62, 18 *sub mortis terminatione indicit silentium;*
schreibe *interminatione,* vgl. 87, 22.   76, 6 *animo eius* . . .
titillante, doch wohl *titillante,* vgl. 33, 14   80, 1 *con-
cutitur ac roborat tota* . . . . *planities clamosis fletibus,* doch
wohl *reboat*   83, 24 *Quis hodie* . . . *patris mutetur iu-
stitiam?* doch wohl *imitetur*   90, 35ff *nondum capere po-
terat perfectam Christi doctrinam rudis adhuc nudus et to-
tius peritie ignarus;* doch wohl *mundus*   96, 24 wird der
bekannte λόγος τέλειος des Hermes Trismegistos als *logosto-
lios* belafsen. ► andere leicht, aber auf mannigfache art zu
hebende verderbnisse sind als solche nicht angemerkt zb. 3, 16;
40, 32; 44, 24; 46, 7—8 (vgl. auch Mussafia); 64, 19; 88, 2;
90, 11; auch 26, 15, wo die bedeutung der klammer nicht klar
ist; sollte 43, 31 nicht *miser* statt *miles* gemeint sein?; ebenso
45, 27 etwa *quid* statt *quia?*

Unzureichend ist die behandlung der von Johannes de Alta
Silva citierten dichterstellen durch den herausgeber. gleich
2, 1 ist als fundort für das bekannte *Rara avis in terris
alboque simillima cigno,* welchen vers zb. auch Johannes Sa-
resberiensis Policr. viii 11 citiert, der französischen ausgabe
falsch nachgeschrieben Juv. sat. 7, 105 statt 6, 105. — zu dem
verse 93, 33 *Primus in orbe deos fecit timor* lautet Österleys
anm. 'diese worte gebrauchen Petronius, fragm. 22, 1' [ist bei
Bücheler 27, 1; fraglich, ob Petronianisch] '(Fulgent. Myth. 5)'
[= myth. ı 1 p. 31] 'und Statius Theb. 3, 661; die betreffende
stelle bei Virgil (Aeneid viii., 40—41) lautet: *Timor omnis
et irae concessere deum'.* aber von einer 'betreffenden' stelle
des Vergil kann nicht die rede sein, denn bei diesem steht in
hss. und ausgaben *Tumor,* nicht *Timor.* dem 'Virgilius' schreibt

Johannes den vers falsch zu, weil ihn Servius zu Verg. Aen.
ii 715 (als von Statius herrührend) citiert. nicht einmal die
gangbarsten dichterstellen — um von den nachahmungen von bibel-
stellen zu schweigen — hat der herausgeber aufgesucht. so
stammt 7, 36 *trisulcis linguis* aus Vergil (Georg. iii 439; Aen.
ii 475); 23, 30 aus Aen. i 94; 36, 32—33 aus Aen. iv 569 f;
42, 7—8 aus Aen. ii 1 (danach war doch wohl wenigstens
tenebant zu schreiben); 66, 11 aus Buc. 3, 93; 66, 29—30 aus
Ovid. Her. vii 6; 9, 6—7 aus Ovid. R. A. 93; 9, 9—11 aus
R. A. 81 (darin die lesart *differ*). 91. 92 (darin die lesart
invaluere); 29, 8 aus Ovid. ex Ponto iv 3, 35 (nur *hominis*
statt *hominum*); 85, 29—31 aus Ovid. met. i 84—86 (darin
terras statt *terram*, *videre* mit Ovidhss. für *tueri*, *celum* statt
sidera); 42, 16—18 und 20—21 aus Horat. art. poetic. 161—165
(v. 161—164 hat Johannes Saresber. viii 24); 88, 37—38 aus
art. poetic. 464—466; 91, 6—10 aus art. poet. 391—396;
91, 11—17 aus Horat. serm. i 3, 99—106; 29, 9—10 ist um-
arbeitung von Horat. carm. i 4, 13 f; vgl. auch zu 42, 31
Hor. epist. i 19, 8. zu 35, 11 konnte wegen ähnlichen inhalts
zb. auf Phaedr. iv 19 verwiesen werden; 94, 21—22 auf Vahlen
zu Ennius pag. 30 f (mit Dio Cassius, den Österley citiert, ist
nichts anzufangen); 96, 5—7 (schreibe da *secla*) zb. auf Mirabilia
Romae ed. Parthey pag. 33.

Eine ganz andere frage ist es, ob es, angesichts der sorg-
falt des strebsamen Johannes, nicht geboten war, die crassesten
sprachlichen unregelmäfsigkeiten zu entfernen, welche sich in
der Orvaler handschrift vorfinden. zb. war 7, 21 *pares nequi-
tia, equales in scelere, concordes in proditione* der analogie
wegen doch wohl *in* vor *nequitia* zuzusetzen. der analogie
wegen scheint auch 39, 13 *regina . . . . . instat testans deos,
numquam se illum de cetero pro rege habituram, num-
quam recepturum illum in gremio* zu verbefsern *recepturam*.
auch 19, 19 *sub silentio tenueram, ne, si tibi hoc propalassem,
viderim tibi doloris . . . . auctor existere* ist vielleicht *vi-
derer* zu schreiben. 7, 30 *quod palam ferre non audent, hoc
saltem in occultis linguis efficiunt venenosis* ist doch wohl
in occulto herzustellen (vgl. zb. 7, 33); 63, 13 *ut te colat ut
matrem, adorat ut reginam, timeat ut dominam serviatque*,
doch wohl *adoret?*

Ihm aber durch conjectur solöcismen aufzubürden war keinesfalls erlaubt; so schreibt Österley 11, 34 für das handschriftliche *tantum marique* seltsam *terre marique*, statt des gewöhnlichen *terra marique* (vgl. auch 24, 20). auch kann man schwanken, ob zb. 20, 18 mit Österley das consecutive *ut* mit dem indicativ (*repedas*) verbunden werden soll, oder regelrecht mit dem conjunctiv (*repedes*) (die handschrift läfst das verbum aus); wenn auf die handschriftliche überlieferung verlafs ist, so schwankte der sprachgebrauch des Johannes in der construction dieser partikel.

Strafsburg.   W. STUDEMUND.

„ MESSEGESANG.

Vater herre, vater got,
nu si wir hie in dîme gebot,
dâ man dir opfert dînen sun,
als du uns, herre, hieze tuon.
5 dô du begienge den antlâz,
dîn barmunge des niht vergaz,
si enteilt mit uns des lebennes brôt.
du beschiede uns selbe dînen tôt,
als wir in hiute hie begên
10 alle die mit uns hie stên
in der gemeine der christenheit.
unser clage unt unser leit
lâ dir, herre, erbarmen:
hilf den vil armen
15 die in den wîzen sint begraben
unt anders trôstes niene haben
wan dîner gnâden güete.
unser aller gmüete

2 nŭ dinem   3 opfrt   4 tvn   5 da beginege   6 dn nit
8 dvo beschide diennen   9 hŭte   10 stent   11 gemein   16 nine
17 wn genaden gvote   18 gemŭte

rihte an dîn minne,

20 daz unser herzen sinne,
dich rehte erchennen als du bist,
durch dînen sun den heiligen Christ,
des lîchnam man wandelt hie,
als er an dem chrûce hie

25 mit dem tôde den er leit
durch die heiligen christenheit,
dô er daz rehte bluot vergôz.
dîn barmunge ist sô grôz
daz die nieman mac volsagen.

30 dar umbe sulen wir niht verzagen,
daz wir in den sünden sîn geborn.
ze voget hân wir dich erchorn
für des vîndes meinen rât:
von unser grôzen missetât

35 soltu uns, herre, liutern gar.
nim ouch genædeclîchen war
dîner vil siechen lider,   *l.j. ~~~~*
* uns gesunt wider
daz wir ze jungst an im erstên,

40 des marter wir al hie begên,
sô daz wir mit im werden ein,
gevallen ûf den ekestein   *j. 24j. vl. 8.*
ûz dem deu wâreu sunne erschein.

21 erchēnen   22 durich hæiligen   23 lichnā   25 læit   26
durich hæiligen christenhæit   29 von sagē   33 mæinen   34 grozzen
   35 lutteren   38 *das fehlende wort ist nicht mehr lesbar, vielleicht
fieng es mit g an;* getuo? widere   39 iungest   41 æin   42 eke-
stæin   43 erschain

*Das voranstehende gedicht findet sich in der unfoliierten hs.
A v 31 in octav der bibliothek des benedictinerstiftes SPeter zu
Salzburg von einer hand des 12/3 jhs. aufgezeichnet. die hs. ent-
hält lateinische psalmen und gebete. das deutsche stück ist zum
grösten teil abgerieben und kaum noch zu lesen; mir kam es zu
statten dafs eine sehr sorgfältige abschrift eines germanisten (Diemers?)
beilag; und da die eigentümliche clausur welche über die stifts-
bibliothek verhängt ist, nur eine kurze benutzung verstattete, so*

muste ich mich darauf beschränken, diese abschrift zu copieren und einige fehler derselben durch nachvergleichung der hs. zu verbessern. auch sonst sind deutsche längere und kürzere randbemerkungen getilgt: doch scheinen dieselben außer etwa dem sprachlichen kein weiteres interesse in anspruch zu nehmen. die eine notiz wenigstens die ich leidlich vollständig herausbrachte, enthält nur eine anweisung über die lectüre des psalms, dem sie beigeschrieben ist. sie lautet: ... daz dv .... gesehest du warest von deheinem laster, so sprich den salm vndern ewglo..... ionis so man dez lese; habest dv den salm gelesen e man dez ewglm habe gelesen, so heb so wider an.

Der text, den ich gebe, schließt sich bis auf die mitgeteilten abweichungen und die veränderung von u in v und v in u genau der hs. an. das gedicht wird etwa um 1200 *gearbeitet sein; die reime sind genau mit ausnahme der drei ersten; kürzungen zeigen nur z.* 7 *und* 39. *richtiger rührender reim liegt vor z.* 23f, *das ganze endet mit dreifachem (vgl. Scherer, Deutsche studien* 1, 338).

Wir haben es zu tun mit einem gesange der gemeinde (z. 10. 11) *zur wandelung; aber gerade dieser umstand läßt es mehr als zweifelhaft erscheinen, ob das stück würklich zum gottesdienstlichen gebrauche bestimmt war, oder nicht vielmehr als ein privater versuch eines geistlichen in deutscher versification zu betrachten ist. denn daß der verfaßer latein verstand, darauf weist außer dem orte der eintragung — und ich sehe keinen grund, die uns vorliegende aufzeichnung nicht für das original zu halten — die ausdrucksweise in den versen* 21f, 42, *die ins lateinische übertragen passend wäre, im deutschen recht unbehilflich sich ausnimmt. auch der gedankengang ist kein sonderlich präciser, eine genauere gliederung ist nicht vorhanden und namentlich die zeilen* 23—29 *hemmen den fortschritt. gott hat das abendmahl eingesetzt, damit wir dabei seines todes gedächten; nun möge er auch unser gedenken und sich erbarmen sowol über die seelen im fegefeuer als über die noch lebenden, mit sünde beladenen menschen, damit sie endlich alle zum ewigen leben eingehen. ähnlich ist der inhalt des Benedictbeurer gedichtes das dasselbe motiv behandelt (MSD nr XLVI) und die grundzüge dieser gedankenreihe enthalten auch die lateinischen messordnungen.*
STEINMEYER.

ZU GOTTFRIED HAGENS CHRONIK.

Da die ausgabe der Kölner reimchronik Gottfried Hagens durch Groote auf der einzigen bisher bekannten hs. aus dem 15 jh. basiert, so wird die mitteilung der lesarten eines die verse 3976—4100 enthaltenden fragments des 13 jhs. zu Düsseldorf, so weit dieselben nicht rein graphischer natur sind, um so mehr willkommen sein, als dieselben an mehreren stellen gegenüber der ausgabe den richtigen text bieten. das fragment ist ein pergamentdoppelblatt in octav, jede seite enthält 32—33 zeilen.

3378 wat 79 dus *immer* 80 dan goit 83 bas hud wir 84 icht dan 90 und *oder* unde *aufser* 4076-*immer* 94 allesamen 96 eyne 98 ane hedden dusent hundert ander gebrant 99 dit 4000 man inhedde so waile neit da af 3 hern Steyuin. 5 as 7 Here van Colne laist vns geschieden 8 laist vns samen van hinne keren 10 manlijch 15 man 17 we weynt ir we hei karmen begunde 18 stucken 21 gewinnen 26 mogen wail 27 ymmer 31 ire 32 heilgen 33 weisen 34 mir de got 37 aldus 41 desem vnmoit 43 man heilz 49 allit dat neit doyn 51 Vil *fehlt* 54 zwene 57 eyne 58 mûlengassen 60 sine 61 Walter 66 begaiden 68 ire 72 alze eirst 74 irre 90 ire 91 de si heymelijchste 92 allesamen 95 man.

Bonn. **A. BIRLINGER.**

EIDRING.

Diesen merkwürdigen namen trägt ein zeuge, der am 19 februar a. 834 in Lorsch eine urkunde (cod. Lauresh. nr 271) über eine in Buosinesheim (zwischen Oppenheim und Darmstadt) dem kloster gemachte schenkung mit unterzeichnet. sonst ist weder eid als erster noch ring als zweiter teil eines deutschen namens in guten alten quellen nachweisbar, ein lese- und schreibfehler etwa statt Heitung (nr 228) oder Heidung (nr 254. 259) aber hier nicht anzunehmen, da in den Lorscher urkunden wol ein h *als spiritus lenis dem anlautenden vocal vorschlägt* (*zu Dm.* xvi, 1 *und s.* 635), *meines wißens aber niemals wurzelhaftes* h *im anlaut fehlt. der name zeugt also dafür dafs auch in Deutschland einmal der eidring wie im norden* (*Grimms RA* 895 *f, Maurer Bekehrung des norwegischen stammes* 2, 221 *f) in gebrauch gewesen ist, wenn auch sonst die belege dafür fehlen. es ist aber wol bisher übersehen dafs, ähnlich wie jeder isländische gode den ring an der hand tragen sollte zu allen gesetzlichen dingen die er hegen sollte* (*Landnamabok* 4, 7), *so auch die heidnischen gotischen priester im vierten jahrhundert einhergiengen. in einem zu den acten des concils von Aquileja gehörenden schreiben des heiligen Ambrosius vom j.* 381 (*Mansi Concil.* 3, 617) *heiſst es wenigstens von einem christlichen priester aus der durch die Goten zerstörten stadt Poetovio* (*Pettau*) *in Pannonien* 'qui etiam torquem, ut asseritur, et b r a c h i a l e s i m p i e t a t e G o t h i c a p r o f a n a t o s m o r e i n d u t u s g e n t i l i u m ausus sit in prospectum exercitus prodire Romani. quod sine dubio non solum in sacerdote sacrilegium, sed etiam in quocumque est Christiano; etenim abhorret a more Romano, nisi forte s i c s o l e n t i d o l o l a t r a e s a c e r d o t e s p r o d i r e G o t h o r u m.' *aus Ducange s. v.* Brachiale, Brachialis *sehe ich dafs der Arianerfeind Vigilius von Tapsus im sechsten jahrhundert diese stelle gegen den Palladius anwendet.*

7. 12. 73. K. M.

SEGEN.

Contra febrem.

Dit is·weder dat kalde zo boisczen. magte (?) ind man sal den mynschen leiden an eynen boum, die da vrucht draget, ind man sall yecklich ort van syme gurdel in syne hant geven, ind in yecklich hant eyn rijs van dem boume, ind sprechen yeme dese wort vur, ind nym dan der erden under syme rechten voisze ind stich de eme in synen munt ind spreche v p̄r. n̄r. ind 6 Ave maria an dem boyme.

Louf, nu verschudde dich, Rede; nu lais mich durch den irsten nagel, de durch got wart geslagen. Louf, nu verschudde dich, Rede; nu lais mich durch den zweiden nagel, de durch got pp.

Ist dat man id lange hait gehat, so sal man dese wort vursprechen an dem selve boyme.

> Do Jhesus an dat cruce trat,
> do bevet allet dat da was;
> do bevede eme syne beyn,
> Do reys der mermelstein.
> 5 Do sprach Pylatus 'haistu den reden?'
> Jhesus sprach 'neyn, ich des reden neit en hain,
> noch nummer vrauwe noch man
> der dese wort † gesprechen kan.'
> dat sy wair in gotz namen. Amen.

Swert seinunge.

> Ich beswere dich alle wapen goit
> by gode ind by syme heilgen bloide,
> by den heilgen caritaten,
> dat du din snyden salt laissen,
> 5 din snyden ind ouch dyn stechen,
> dattu werds also weich
> als unser vrauwen sweis,
> do sy irs kindes genas,
> sunder dat myn alleyne:
> 10 dat snyde vleisch ind blod gemeyne..
> Als id kumpt us mynre hant,
> so sy id zo den anderen gezalt.
> In namen des vaders ind des sons ind des heilgen geists.
> Amen.

Papierhs. des xv jhs. in 4° auf der Darmstädter bibliothek nr 2277. nach einer abschrift aus dem nachlaße Uhlands mitgeteilt von JMWagner. vgl. Myth. [2] 1118 ff und zu Dm. xvlii, 3.

K. M.

SANGALLENSIA.

I

Hattemers ausgabe der SGaller benedictinerregel ist gegenüber den leistungen aller seiner vorgänger eine höchst anerkennenswerte arbeit und entschieden die sorgfältigste aller seiner publicationen. er zuerst hat sich bemüht, die ursprünglichen lesarten des lateinschen textes, welche von der deutschen version vorausgesetzt werden, aber durch zahlreiche rasuren und correcturen späterer verbeſserer verdeckt sind, widerherzustellen. in einzelnen fällen ist es mir gelungen, weiter zu kommen: im verein mit einer reihe kleiner berichtigungen von druck- und lesefehlern (wobei ich die von Hattemer 3,618 f selbst mitgeteilten verbeſserungen als bekannt voraussetze) und der genauen angabe der seitenanfänge stelle ich dieselben im folgenden unter I. II. III zusammen. IV gibt ein vollständiges verzeichnis der späteren correcturen des lateinischen textes, wie sie von einer, vielleicht von zwei alten händen herrühren; einzelne, namentlich die meisten tilgungsstriche unter worten und ganzen sätzen, hat erst eine ziemlich junge hand sich erlaubt. dafs aber auch die älteren correctoren[1] erhebliche zeit nach der anfertigung des codex arbeiteten, dafür spricht die ersetzung mancher karolingischer a durch andere auf s. 116 f. wert also für die übersetzung und ihr verständnis haben diese änderungen (von Hattemer und mir als dritte hand bezeichnet) nicht, doch runden sie erst das bild der hs., wie sie jetzt vorliegt, ab und zeigen die schwierigkeiten, mit denen ein herausgeber zu kämpfen hatte. daneben ist noch eine andere und ältere hand, als die der correctoren, zu bemerken. sie zählte die lagen der hs. und trug von abschnitt XVIII an die kapitelzahlen, von LVIIII an diese und die überschriften ein, während die letzteren in den ersten sieben kapiteln vom übersetzer herrühren

---

[1] *Die mehrmalige angabe Hattemers 'corr. von erster hand, aber nach der übersetzung' ist irrig.*

und auch nur dort zum teile, deutsch wiederzugeben sind, in den folgenden aber bis LVIII rot und von dem schreiber des lateinischen textes geschrieben sind. wenn auf s. 80 der hs. wörtlich, wie mir scheint, die correctur der überschrift vom übersetzer vollzogen ist, also sämmtliche rote überschriften eingetragen wurden, ehe die übersetzung beigeschrieben war, so machen es diese beiden umstände zusammen genommen schwer, einen wahrscheinlichen grund der differenz aufzufinden, zumal der lateinische text der hs. keinen anhaltspunkt gewährt ihn von mehreren geschrieben zu denken.

Über die verschiedenen hände und verfasser der deutschen übersetzung habe ich zs. 16,131 ff untersuchungen angestellt. damals hatte ich die hs. noch nicht selbst eingesehen, mir entgieng Lachmanns notiz (Specimina s. 8 oben) und ich muste auf grund von Sievers angabe, die übersetzung rühre von éiner hand her, die gefundenen deutlichen unterschiede der einzelnen partien einer früheren stufe zuweisen. jetzt kann ich positiv versichern, dafs allerdings der codex, wie er vorliegt, von mehreren händen geschrieben ist; nur über die zahl und die gränzen derselben ist die entscheidung schwierig. als ganz sicher wage ich nur folgendes hinzustellen (die zahlen bezeichnen die seiten der hs.): s. 8—47 sind von éiner hand, von einer andern, die sich aufs deutlichste abhebt und die nur diesen passus geschrieben hat, rühren her s. 48—51. mit s. 52 beginnt eine dritte hand. wie weit diese schrieb, entscheide ich nicht: es schienen mir mit s. 61 und 76 andere einzusetzen; von 80—91 haben wir wider die erste, von 92—95 die dritte, von 96—103 die erste. das weitere ist unsicher; mich deuchte, dafs 111 und 127 (von dort wider die erste hand) weitere abschnitte bildeten, doch könnten auch mehr anzunehmen sein. zweifellos war nur dafs bei 135 die schrift nicht wechselte.

Doch die aao. vorgenommenen abgränzungen haben sich mir auch bei erneuter prüfung bewährt und ich kann die gründe dafür noch durch eine reihe anderer beobachtungen vermehren, von denen ich folgende anführe: 1. nalles (geschrieben nalľ s. 31. 81) steht durch mit nur einer ausnahme (nľ s. 31) in 1. 3. 5. 7. 9, während nľ sich ausnahmslos in 2. 4. 6. 8 findet; s. 48—51, über die sogleich zu handeln ist, haben drei nľ und ein nallas. 2. (n)eouuit (n)eouuiht steht nur zuweilen in 2. 4. 6. 8 neben (n)eouueht, welches 1. 3. 5. 7. 9 regelmäfsig bieten (s. 48 zeneouuiehti). 3. after haben regelmäfsig 1. 3. 5. 7. 9, aft 2. 4.

6. 8.   4. *nur in* 2 *und* 4 *steht zuweilen* durufttigot, notduruftti *ua. wenn also s.* 80—91, *wo die untersuchung drei partien ergab, von einer hand geschrieben sind, so können die differenzen, welche, regelmäſsig wiederkehrend, zu jenen scheidungen anlaſs gaben, nicht von den schreibern der jetzt vorliegenden hs. herrühren, müſsen vielmehr aus der vorlage*[1] *stammen. und in dieser deuten sie auf zwei verfaſser. denn* 1. 3. 5. 7. 9 *kennen kein* ka: *die angabe meiner tabelle s.* 132 *daſs abschnitt* 9 *ein solches enthielte ist irrig; die beiden auf s.* 49 *und* 50 *erklären sich leicht phonetisch (dera* kameinsanum *und* erda kasihtim) *und sind erst von dem schreiber dieser seiten hineingetragen. einige differenzen zwischen dem letzteren und dem der bis s.* 47 *schrieb, hatte ich wol erkannt und darauf meine vermutung s.* 134, *die ich nun zurücknehme, gebaut; aber zur annahme einer neuen hand reichte das statistische material nicht aus, die differenzen sind unbedeutend. auch scheint der erste schreiber über diesen zweiten eine art controlle ausgeübt zu haben, wenigstens rühren von ihm die bei Hattemer s.* 56 anm. 4 *und* 57 anm. 5 *angezeigten ergänzungen her. so bleibt nur* seltkaluaſſo *s.* 38, *ein seltenes und bisher nicht erklärtes wort.* ka *kann also in partien von* 2. 4. 6. 8 *die der erste schreiber schrieb, der keine* ka *in* 1. 3. 5. 7. 9 *kannte, nicht hineingetragen, sondern muſs dort ursprünglich sein. da nun mehrere abschnitte einzelner schreiber mit denen der beiden verfaſser zusammen fallen, so wird der schluſs berechtigt sein daſs wir die abschrift des auf einzelnen blättern geschriebenen originalconceptes vor uns haben.*

Was die nachfolgende collation anlangt, so bemerke ich noch daſs æ *und* œ *verschlungen, wie sie Hattemers abdruck bietet, in der hs. nur höchst selten sich finden, daſs sie vielmehr, wenn nichts anderes bemerkt ist, voll ausgeschrieben stehn; das* æ *der vorsilbe* præ *ist fast immer auflösung von* p̄. uel *ist mit wenig ausnahmen* ul̃ *geschrieben.*

I.   *s.* 26,4 adhibendis 5 Quę   27,2 hīs 8 ferrament*is auf* rasur I   35 *nach* De *rasur eines buchstaben*   28,20 *nach* Ascensio *rasur von* ne 22 continentur *auf rasur* 30 om̄tre 29,10 nihil asperum *zweimal, das zweite rot durchstrichen*   13

---

[1] *Daſs eine abschrift uns vorliegt, zeigen stellen wie* 54, 14. 57, 17. 67, 30 *im vergleich zu* 31. 93, 26. 96, 20. 120, 28 *zu* 121, 1, *sowie die nachträge am rande.*

~~ ...ur in e. 23 eine,- der erste strich des u entre aus'd~~   30, 16
inoboedientiꝫ 25 *nach* bonum *rasur von* h   31, 6 *rasur eines*
h *nach* scriptura 19 uitꝫ 20 conprehendant 33 hꝫc 35 meꝫ
32, 6 uitꝫ 7 *rasur eines buchstaben nach* fide 13 cuis; s *aus dem*
ersten striche eines u, *dann rasur* 15 perueni&ur 30 *nach* diabolum
r̀asur *zweier buchstaben,* cū̄?   33, 7 *es stand* Oparentem 10 nominꝫ
22 impigerunt *corr. in* e *vom übersetzer* 25 Hꝫc 26 suis sanctis
auf rasur von dritter hand. stand etwa sanctis suis? 27 debe-
re *radiert aus* p 32 adducit *zugefügt vom übersetzer*   34, 4
nach de *rasur. auf der noch der erste teil des* h *steht* taber-
naculā̇ 12 quattuor 20 nouitiꝫ 24 fraterno *vom übersetzer* 25
puꞟgnam, *puncte vom übersetzer*   35, 2 plumbi *corr. aus* o 3
mentiri *corr. aus* e 19 inleceꞟbris, ri *verschlungen; am letzten*
ri *ist unten radiert* 22 miserrima *radiert aus* ri   36, 17 diuinꝫ
19 sit; *am* t *radiert* 24 culpꝫ 30 pastoris *nach* fuerit *rasur* 31
nach morbidis *desgl.*   37, 1 *nach* fuerit *desgl.* 3 *vor* Dicat *desgl.* 9
curꝫ suꝫ 20 discipulis *rad. aus* o 33 Non] N̄ *und* E *verschlungen*
      38, 14 militiam 20 ꝫqualis 22 disciplinꝫ   39, 9 ꝉ 11 in-
probos *radiert aus* b 12 ꝉ 29 ꝉ intellegentiam   40, 27 animꝫ
33 emendacionem 34 uitiis, *zwischen den beiden* i *rasur eines*
buchstaben   41, 4 Quoties, *zwischen* i *und* e *rasur von* n 10
iudicauerit 12 *nach* sepe *rasur; es ist aus* sepius *corr.* 21 dis-
cipulos *auf rasur von dritter hand* 26 rasur (*von* i?) *vor* tenere,
über dessen 2tes e *von dritter hand ein* m *geschrieben ist*   42, 2
disciplinꝫ *auf rasur (dritte hand) von* a   4 regule 6 ꝫquissimo
24 uult *auf rasur* 28 casticare *desgl.*   43, 4 amore *corr. in* i
5 Iracundie 21 somnolentum *auf großer rasur von* ?len 22 mur-
moriosum *auf rasuren, das erste* m *von* p 32 uite sue   44, 1
custodire 16 cotidiꝫ 26 uelle   45, 2 *rasur zweier worte, deren*
erstes deutsch glossiert war 11 hꝫc 12 que 18 quꝫ 21. 30 hꝫc
      46, 3 uitꝫ aeternꝫ 11 Ergo *auf rasur* 14 inperfectum 25 que
32 sentenciam, *zwischen* n *und* c *rasur eines buchstaben*
47, 3 hꝫc 9 quꝫ   48, 26 cvm *corr. vom übersetzer aus*
con   49, 22 prꝫsentis uitꝫ 25 que   50, 4 Quꝫ 9 euocatio
15 quꝫ *vor* qualiter *ist* ut *ausradiert* 17 *es stand* Ipsa 18 *vor* in
vom übersetzer (?) & nachgetragen 20 reuoluat *ausradiert* 21 peccatis
vom übersetzer übergeschrieben 24 propriꝫ   51, 24 uiꝫ
25 rectꝫ   27 pauemus *corr. von dritter hand aus* c

52, 10 cęlo   22 cottidię   24 hec   53, 21 oues   23 diuinę
27 *es scheint* dicit *ausradiert zu sein*   29 *rasur von* igne,
fuire   54, 7 percussit *ausradiert*, *dann rasur von* in, in   8
prebent ausradiert   55, 4 qu", *die zweite hälfte des* u *und* e
jünger vor uelut *rasur*   5 *vor* iudicet *rasur von* se, h   16
Ego auf *rasur*   18 sum *auf rasur*   19 *nach* humiliatus *rasur*
von sum *und einer deutschen glosse* 20 quod *auf rasur*   56,5
promptus *corr. aus* u *vielleicht von dritter hand* 26 *rasur nach*
presentari   57, 2 cęlum 11 que   13 *lut* naturaliter *auf*
rasur 15 amore; *zwischen* o *und* r *rasur* 17 quę   58,
7 amplius *zweimal*, *das zweite mal ausgestrichen*   59, 2 *die*
überschrift auf rasur 4 Deus 5 domine *vom schreiber ausgestrichen*
13. 16 antepona. antephonis *corr. in* i *vom übersetzer* 17 uersö
18 benedicit *corr. in* a 27 sanctę   60, 2 quę 10 letanię 16
nach A *rasur nach* pascha e *ausrad.*   61, 13 Quä; *von der*
zweiten hand rührt der strich über a *her, nach* a *folgt rasur:* *ur-*
sprünglich stand wol Quae cum 19 phetarum 20 Quę 23 aliç
62, 4 uigiliarum 20 quinquagisimus 22 centisimus 23 sexagisi-
mus. ii. 27 conpletum   63, 12 vtus 14 lxix *auf rasur* 16
deuteronomii; o *aus dem letzten striche von* m *gemacht*   diuidatur
22 hęc 26 conpletum   64, 20 pertinentes *radiert aus* per-
mentimentes   65, 3 paschę 8 noctibus *übergeschrieben* 13 tercia
auf rasur 15 nūquam *desgl.* 25 nostre   66, 6 iusticię 24 cęle-
bretur 25 uersum   67, 10 directanii   dicendi; *zwischen* n *und*
d *rasur* 11 *rasur vor* Post 24 uero 30 *über* usque *ist* un *aus-*
gewischt   68, 8. 11 coxvino; *nach* viii *ist* i *ausradiert*   30
centisimo   69, 3 Idé *ist in* Id est *aufzulösen*   4. 6 centi-
simus. centisimo 15 psalmodię 17 ęqualiter 31 sue   71, 6
dominow *ol radiert aus* deo 10 Et; *über* t *ein strich*   72, 5
sanctę 13 uitę 16 superbie   74, 6 sanctę regule 16 inprobus
21 disciplinę   75, 7 rectionem, *zwischen* o *und* n *rasur* 8 *rasur*
nach uerbi 10 uesperęa 15 culpe   76, 5 fratri *auf rasur* 9
excommunicacionis *auf rasur*   77, 4 stristicia *ausrad. vgl.* 83,
23   absorbeatur 17 poni *corr. in* h *vom übersetzer* 19 nouem
     78, 17 *vor* onem *deutsche und lateinische rasur* 19 pręualere
        79, 5 *vor* de *rasur* 7 *vor* pro *drei buchstaben ausradiert*
16 pueris *schwarz nachgetragen*, minori *schwarz corr. in* e, *beides*
vom übersetzer 21 poenas 23 nimiis *übergeschrieben*   acris *auf*
rasur 24 coerceantur *corr. aus* i, *dann rasur eines buchstaben* (?c)

geschrieben 81, 1 *monasterii* Sed *auf rasur* 5 qd tribuatur *corr. in* uę 13 tyfo *auf rasur von* ?o 82, 3 ferramentis *scheint vom übersetzer* 20 Precipuę 22 *vor* ut *ist a nachgetragen* accipere 83, 1 necessaria *aus corr.* 2 quicquam *auf rasur* 3 *nach* non *rasur mehrerer buchstaben* 6 *vor* nec *rasur von* fast *einer zeile* 7 ſ presumat 12 *nach* emendauerit *stand wol* legitima disciplina (*vgl.* 84, 4); *dies ist ausradiert und darüber hat die dritte hand* correptioni *geschrieben, mit verweisung hinter* subiaceat 15 Equaliter 84, 1 uerbo 3 deprehensus 7 sic *teilweise ausradiert* 8 coquinę 11 mercis *corr. in* e 13 Inbicillibus *desgl.* 17 quoquina 22 faciant 28 egrediens *durchstrichen vom übersetzer*

85, 5 refectionis accipiant, *zwischen* e *und* ſ *und* a *und* n *rasuren* 22 Subsequens *auf grofser rasur* 27 ingrediatur *überge-schrieben* 86, 20 Balnearium *ausradiert* 27 More *vom übersetzer auf rasur von* ?i 87, 7 inbicilitas 10 preueniant *auf rasur* 16 casa *vom übersetzer* arripuerit *auf rasur* 21 orare *corr. aus* e 88, 15 *presumat auf rasur* 89, 12 addatur, *zwischen den beiden* d *ist* a *ausradiert* 15 caenę 17 *vor* seruetur *rasur zweier buchstaben* 18 reddenda *auf rasur* 21 expediat, *zwischen* i *und* a *rasur* 25 *nach* crapula *rasur* 90, 12 *nach* infirmorum *rasur eines lateinischen und deutschen wortes* 19 an etatis *ist oben radiert*

91, 5 m̄sura, *der strich über* m *vom übersetzer* 8 murmó-rent *corr. vom übersetzer* 10 *nach* sint *rasur eines deutschen und* lat. *wortes* 13 *nach* pascha *rasur von* c 16 *nach* pentecoste *rasur von* ?n ęstate 27 anime 92, 4 indigeant 6 consumentur, *dar-über strich vom übersetzer* 7 caçnę 8 recfectionis 23 utiſle *aus-radiert* 93, 2 quis *ausradiert nach* forte 6 compleantur *aus-radiert* 19 UEL 94, 2 *nach* XCIII. *rasur von fast einer zeile* uenite exultemus domino 4 *nach* dici *rasur zweier buchstaben* 8 uideantur *ausradiert* 16 remaneant. 96, 6 oratório 7 celebra-tur 27 hanc *auf rasur* 97, 13 uabulent 98, 18 ędificen-tur 99, 3 animę 7 *nach* ac *rasur* 21 nona 24 *rasur nach* aut 100, 15 quadraginsime 29 acediosus *auf rasur* 102, 9 *rasur nach* et diebus, *am rande* sanctis *vom übersetzer* 15 nostrę 18 uindictam *ausradiert;* tam *auf rasur* 26 offeret *corr. aus* i 103, 4 possunt 7 horę 12 die *corr. aus* de 13 quouis 105, 1 *nach* a *rasur eines buchstaben, es stand wol* aū —

autem 7 Pauperém 20 ut, *zwischen beiden buchstaben rasur*
106, 23 cui *nachgetragen* dare *corr. in* i 27 presumpserit *disci-*
pline *auf rasur* 28 regulare *corr. in* i 107, 5 temperiem,
daran rechts radiert 6 *vor* in *rasur* 17 possunt 27 *nach* tónicas
folgte & duas tonicas, *das vom übersetzer durchstrichen ist* 108,
4 cocullæ 18 *nach* ab *rasur von* h *oder* b 27 éat 109, 5 Quo-
tiens *aus corr.* 110, 7 preciis, *zwischen beiden* i *rasur* 8
subripiant *ausradiert* 9 dentur *desgl.* 19 dificultatum 22 suç 25
nach postea *rasur* 26 nouitiorum *nachgetragen* 27 deputatur *corr.*
in e 111, 3 reuera *übergeschrieben vom übersetzer* (?), *dann rasur*
4 si *bis* dei *vom übersetzer durchstrichen* 6 Predicantur *corr. und*
radiert in e 8 suç 10 Hęc 11 lex *übergeschrieben* 30 regulę
112, 8 reliquię 12 nouit*ius übergeschrieben* 14 incipiat *desgl.*
15 nouit*ius desgl.* 17 *nach* ne *rasur* 23 orent, *rasur nach* e 26
eroget *übergeschrieben* 27 *jetzt steht* solemniter *mit bogenförmigem*
striche über t; *was früher stand, läfst sich nicht erkennen* 113,
4 suadente *corr. in* i 16 minore *desgl.* 22 *ursprünglich stand* p
petitionē 26 occasionem, *nach* a *rasur* 114, 7 Autque *aus-*
radiert 10 dedicimus *corr. in* i 25 regulę 115, 14 *desgl.*
116, 13 corpore *corr. in* i 14 decatur *ausradiert* 25 superiore
corr. in i 30 maiore *desgl.* 33 *rasur nach* autem 117, 15 dis-
ciplinę 29 sepe 118, 4 oboedire 119, 22 obuiant 120,
19 christianus *radiert in* i 121, 24 *nach* si *rasur eines buch-*
staben 25 quam *corr. in* quæ 27 iacobi, *daran radiert* 32 *es*
scheint sicut *gestanden zu haben* 122, 4 erogauit, *vor* g *rasur*
10 contingit *übergeschrieben* 12 sint *nachgetragen* 13 superbię
desgl. 14 *nach* se *rasur* 123, 3 inuidię rixę 19 non *nach* unus
nachgetragen vom ? *übersetzer* 32 regulę 124, 5 sic *nachge-*
tragen vom ? *übersetzer* 125, 5 iuniorem *desgl.* 7 constituit
getilgt vom übersetzer 9 diuersae *aus corr.* 25 Reuertentes *über-*
geschrieben vom übersetzer 127, 2. 10 Presumat 8 hęc acrius,
nach a *rasur* 15 decimum quintum disciplinæ 128, 3 Oboe-
dientię 7 imperio, *daran oben radiert* 9 repperitur 13 satisfaciæns
19 seperat 24 inpendant. 129, 9 diuinę 10 rectissimę uitę
humanę 23 penitentię quibus tam 24 probacio *scil.* penne, *gehört*
also gar nicht in den text 25 disciplinę 130, 3 Quorumdam.

II. 28, 31 eocouuelihera *aus correctur* 29, 12 neouueht
zweimal 18 erflaucter *auf rasur von* forahtun 21 k *mit strich*
oben durch den senkrechten balken, und so immer wenn nichts

anders, bemerkt. 30. vnaan   30, 8 mejetarbunsen'... corr-
rectur vom ansatz eines m 29 ruuua corr. aus o   31, 6
kescrifti mit dunklerer dinte nachgezogen über ausgewischtem ph
25 hüer 33 vbile aus corr. (von o?)   32, 4 truhtines unterge-
schrieben 12 kangames corr. aus c 13 vor ladoot ist k ausgewischt
23 antfrahidu corr. aus dem anfange eines a 27 vor ano ist i aus-
gewischt 31 uuidar scheint aus e corr. 32 mit über der rasur
     33, 19 kelihhison, zwischen beiden h rasur von l   34, 4
puarre radiert aus e; vor dem worte pu ausgewischt 6 neben
conplea, erful steht vom übersetzer ein mir unverständliches vu 11
munibo 17 andraz corr. aus ansatz von a 32 kechorote corr. aus
c   35, 5 kevvizzan corr. aus ansatz von ?s 8 vzzan 26 farlaz-
zanem aus corr.   36, 7 cristes   37, 21 vvidaruuartiv auf
rasur 22 chundit corr. aus s 27 vor euua kleine rasur   38,2
uzzan corr. aus n 13 vntar   39, 4 vf 10 andrera aus corr.
28 deonoon aus corr. 32 kespenstim corr. aus ansatz von a, dann
von i   40, 1 unfroma aus corr.? 3 vuar 10 vor zerihtenne
scheint zese ausgewischt 35 ketaan.   41, 25 alle aus corr.?
42, 8 $\bar{\text{k}}$ auf rasur von hu 11 kecriban alliu corr. aus d 23 uue-
san, daran radiert 28 fastun desgl.   43, 1 serazzantan corr. aus e
     44, 29 tatim auf rasur oder verletztem pergament   45, 6
vngaherzamv aus corr.? 7 sedalkange corr. und rad. aus n 12
zuaerfultiv 27 nach erista rasur von h   46, 2 duruh corr. aus
r 26 vor enger ist ei ausgewischt 28 zwei deutsche worte aus-
radiert über uel desideriis 48, 17 fruatii 18 farkeban aus
corr.   49, 16 erhuab ausradiert von dritter hand, weil für sed
gd platz geschaffen werden muste   intspenitaz corr. aus ?r 17
vor itloon sind zwei buchstaben ausgewischt 25 selbiv untergeschrieben
weil oben das pergament zu dünn war   50, 19 sie:: 20 nach
libe rasur   52, 30 uzzan aus corr. 35 notduruft auf ver-
wischtem buchstaben   53, 8 selbvn 12 fardolenti auf rasur von
?b 27 keminnota corr. aus m 31 saztoos corr. aus c   54, 9
nach tunibhu ist das pergament abgeschnitten 14 ubilo sprehhante
auf rasur von aabtunga 28 forakechundv corr. aus ?c 30 far-
liazzi auf rasur dera sunta wurde bei der rasur der untern schrift
(peccati mei), die durch cordis mei von dritter hand ersetzt ist,
zerstört   55, 1 eocouueliheru auf rasur 9 nach lū rasur von
l 12 fora auf rasur von e 16 k ohne strich 18 nach erhapener
über dem lateinischen sū ein langer senkrechter strich 23 zwischen

den beiden u *von* neouuehl *rasur eines striches* 28 piuuerie
56, 4 enti *auf rasur* lahtere *aus corr.* 26 *nach* uuane *rasur von*
i 29 kistactem *corr. aus* r   57, 8 minnó diu (*statt* hu) 11
eher anoo sosama 13 kehaltan *auf rasur* 14 *nach* forahtun *rasur*
von h 17 *nach* uueracman *sind über* operariū *buchstaben ausge-*
löscht, wol nan   58, 10 salmsanges *nachgetrayen* 18 uzkanken
aus corr.   59, 6 *nach* qhuedane *rasur zweier buchstaben,* mv?
9 *nach* sal *rasur* 19 uuibe   60, 6 siɴ *nachgetragen* 9 inhuct-
lihcho 16 *zwischen* f *und* k̄ *rasur eines buchstaben* 17 *k*ichuetan
corr. aus c 27 uueomichili *corr. aus* e   61, 11 k̇achuætan 18
de: *verdorben durch die rasur des unterstehenden wortes*   63,
12 f to, unf *von später hand zugesetzt* 17 *nach* e *ist nur éin*
strich noch zu sehen   64, 2 duruʜ *aus corr. von* ?f   66, 15
e̓neru   67, 9 aft. *ohne strich über* t   69, 22 *vor* suanit
rasur dreier buchstaben tuç 28 kernnissa *(vgl. dazu* 71, 7)
72, 6 *zwischen* e *und* h *in* zehanninga *rasur*   73, 19 uuerchæ
sic   75, 3 ni *doppelt, das erste ausgewischt*   77, 6 imv
78, 26 kelidet *scheint in* i *corrigiert*   79, 5 kihuuorban 18
pidiv   80, 10 ruahhvn 18 keha*l*te *auf rasur* 24 vviszanti *aus*
corr.   81, 14 *nach* ni *ist* ze *ausgewischt* 21 kelimfanteem *corr.*
und radiert aus h 22 kep&an; *es scheint zuerst* b *haben ge-*
schrieben werden sollen, wenigstens ist über p *ein senkrechter strich*
   82, 16 rehtlichun 19 ahcbust   83, 1 notduruftti 2 arlaube
10 rehtlichun 20 durufttigot   84, 15 samanungu *auf rasur*
   86, 9 kescauuoen, 18 deonoostman 26 sitiv   87, 3 chɴuat
corr. aus v 5 *wol* áltero 6 ortfroma *auf rasur eines senkrechten*
striches 14 mias *auf rasur von* z   89, 11 smalasat   90, 21 *sicher*
kemarre 25 mac *aus corr.*   91, 4 obana *corr. aus* u 7 zua-
manonte *corr. und rad. aus* e   92, 5 uzzan *aus corr.* 8 in-
bizzes 14 *nach* citi *ein zeichen das wie* t *aussieht, vielleicht* t 23
nach desa *rasur*   93, 4 pifolahanemu *corr. aus* u 9 zuuiror
   94, 6 vzzan 17 ibv 27 kehläífit   96, 4 suuarrem   99,
3 fiautin 31 lutcilmvate   100, 28 slaffer *radiert aus* u 31
erheuit *ausgestrichen von dritter hand*   102, 20 untá:at, *rasur*
von r 23 libchvm *scheint in* n *radiert*   108, 2 intfahen 12
duruʜ *corr. aus* f 17 achvst 21 duuahila 28 piscauuuohe   109,
7 kauualtidu.   110, 4 *zwischen* not *und* duruft *rasur von* du
14 samfɴ̄ 23 selidvn *corr. aus* d   111, 1 kimahcher 2 anavvartee
16 kichorot, *nach* ki *rasur von* k 18 kileraɴ *auf rasur* 25 dr ru

— derru 112, 23 ibu 24 tultlibchiv *auf rasur* 31 kikarvvit *aus corr.* 113, 2 vvahhvfe 13 *vor* nas *rasur* 22 untaruorfanan 115, 11 *über* v *in* selbvn *ist ein strick ausradiert und n scheint von dritter hand* 19 fvri 116, 16 kiarnet 117, 16 fra (*nicht* frä) *steht auf einer dünnen, löchrigen pergamentstelle* 23 *zwischen* z *und* t *in* kisaztem *ist* z *ausradiert* 118, 20 kemeinsamii *aus corr.* 23 keskeidan 29 *zwischen* ke *und* huuerbit *rasur* 119, 21 kecaruŭe 121, 20 neonaltre *corr. aus* i 29 andreru *aus corr.* 31 kemezlihhee *corr. aus dem ansatze eines* z 122, 24 kekeban *corr. aus* c 25 kespanan 123, 5 ellinodes, *rasur nach* i 7 *nach* ke *in* keflehit *rasur von* fre 10 kesezzidv 34 utmatii 124, 24 chlocchot *radiert aus* c.

III. Silen[7]cium. submitte[10]re. rede[11]as. fili[12]os. Iu [13]men. Gra[16]tia. secun[25]da. so[37]lum. elo[38]quiis. erigen [40]da. no[44]bis. re[48]misisti. humilia[49]sti. euan[51]gelicus. modola[56]tis. audi[60]entibus. ad[63]iutorium. do[66]minico. uolu [70]mus. sollicitudi[71]nem. modera[73]tae. excommu[74]nicationis. cul[75]pe. excommuni[76]catio. ab[77]orbeatur. infir[78]mitate. excom[79]municationis. ele[81]gatur. sol[82]licitudine. indi[86]get. Septimana[88]rii. inten[89]de. mix[93]tum. maiori[95]bus. [97] Qui-bus horis. septem[98]bris. completu[100]riis. corri[103]piatur. [104] De his. humili[106]atus. pri[110]mo. mo[111]nasterium. con-punctio[113]ne. glo[114]riae. tamquam [116] christus. ampu[122] tari. pecu[123]liaris. in [128] oraturio. sua[130]dente. habitan[136] dum. con[139]silio. re[150]gulam. audi[151]erit. uindic[155]ta. om[156]nino. re[157]gula.

IV. 27, 16 mensura *übergeschrieben* 29, 1 sic *ausradiert* 6 agendum *est* modo *est* 18 itenere *unterpunctiert* 26 partici-pemus, *darüber* r 32, 9 et — preparatione *und* pacis pedibus *von dritter hand unterstrichen; am rande steht* perdvcatum 19 requiesci*t corr. in* et 33, 6 exestimant *corr. in* i 34, 18 *über* anachoritarum *steht* e 24 *über* examine *steht* cie 35, 23 silire *corr. in* e 36, 12 abbas *nachgetragen auf interpunction* 28 *über* Tantum *ist* dem *übergeschrieben* 38, 2 quem, *nach* q rasur *und* uem *hoch* 33 proficiscant *radiert in* proficiant 41, 23 concedet, *über dem zweiten* c *ein* d 42, 9 monasterii *nachgetragen über* ausradiertem o 43, 3 a *nachgetragen zu* facere *am rande mit verweisung* faciat 6 reseruare *nachgetragen* 10 periuret *am rande* 17 Persequutionem *mit verweisungszeichen,*

dem am rande cu *entspricht* 48, 31 ad *auf rasur* 49, 15
am rande sed quid *mit verweisung auf* Si sed; d *ausradiert und*
e *in i corr.* 17 matrem *ausradiert über* suā *der strich desgl.* 18
retribues *auf rasur* 50, 3 recte *corrigiert in* erecta 5 ut
durchstrichen 6 eiusdem *durchstrichen* 15 omnia *corr. in* ū 17
jetzt steht pro peccatis *auf rasur zweier buchstaben, die de können*
gewesen sein incedunt *corr. in* i 27 respicere *ausradiert und das*
vorhergehende e *in i corr.* 51, 1 Demonstrans *ausrad. und* t
übergeschrieben 16 prohibimur *corr. in* e 18 *über* iterum *steht*
item 26 *Et radiert in* u 27 pauemus *von dritter hand* 28
negligentibus *corr. in* e 30 uoluntatibus *corr. in* p 52, 7
precepit *corr. in* i 30 Uoluntatem *corr. in* p 32 Uoluntas,
darüber p 53, 11 *die corr. von dritter hand* 12 lasiscat *corr.*
in e 20 exaestimati *scheint durchstrichen* 54, 9 tōnicam pal-
leum *corr. in* i 10 Angarizanti *ausradiert* milliariō 11 Et *auf*
rasur 19 abbati *corr. in* ē suo *corr. in* vm ˙30 cordis mei
auf rasur 55, 5 se *von dritter hand* 30 Dicente *durchstrichen,*
darüber monstrante 56, 1 effugitur, *darüber* e 2 diregitur
corr. in i 57, 9 illam quę *auf rasur von dritter hand*
58, 3 kłdis *von dritter hand* 4 nouembris, *darüber* ł bribus 8
degesti *corr. in* i 11 meditacione *corr. in* i 12 inseruiantur
ausradiert 15 ut *ausgestrichen* 16 *nach* quo *verweisung auf das*
am rande stehende custodito 59, 3 scriptum *corr. in* o *und*
daneben premisso 4 uersum *ausradiert* 6 *neben* secundo *steht*
tercio *dicendum, darüber* tercio 9. 11. 12. 14. 15 subiungendū.
psalmū. nonagesimū. quartū. decantandum. ambrosianum, *der*
strich über u *ausradiert, resp. das* m *ausradiert und* s *überge-*
schrieben 12 Uenite — domino *durchstrichen* 16 ymnum *desgl.*
22 et *desgl.* trea *corr. in* i 23 *nach* responsuria *ist* cantentur
nachgetragen 60, 3 doctorum *ist ausgestrichen und* & *darüber*
gesetzt 9 *vor* recitanda *steht* ex corde *auf rasur* 17 kłdas *von*
dritter hand nouembris *corr. in* e 19 autem *ausgestrichen, dar-*
über qd 23 memorię, *darüber* ter legatur *corr. in* Dicatur
breuis *corr. und rad. in* e 24 responsurius *corr. in* sorium 29
nonagisimo *corr. in* e 61, 3 Dominicis radiert *in* o diebus
ausradiert temporibus *rad. in* temperius 7 uersō Resedentibus
corr. in i 15 Post quas lectiones *auf rasur* 18 quos *auf rasur*
dicantur *corr. in* legantur, *dann folgt* alię quatuor *auf rasur*
62, 26 ambrosianū. *der strich ausradiert* 63, 19 unumquem-

que, daneben qd 25 ambrosianum, darüber 8 sexus corr. in vs
27 agendum, darüber a   65, 25 quo, darüber e   qui 24
idem radiert in n 25 ymnum rad. in i 26 lectione unterpunk-
tiert   67, 3 quibus, am rande quos 12 lectione scheint aus-
radiert   68, 2 sane ut auf rasur 3 über diuidantur steht
parciantur 26 covinio auf rasur   69, 1 scriptus ausradiert
4 vinnus radiert in n 5 xvinnus desgl. 26 omne corr. in i, aber
wider ausradiert   70, 10 specularis ausradiert 11 dupitatione
corr. in b   72, 15 aliquis ausradiert   75, 8 si uerbi, dazu
am rande nisi forte   78, 14 über fomenta ist medicamenta
geschrieben   79, 8 vor Sic ist & nachgetragen   80, 4 corr.
zu inmaturis 5 sobrius corr. aus u 7 prodicus corr. in g 14
nach quis ist frater eingefügt 16 vor coutristet desgl. eū 21 ad-
querit corr. in i 27 nach uasa verweisungszeichen auf das am
rande nachgetragene monasterii 30 prodicus corr. in g stirpatur
corr. in exstirpator und davor & nachgetragen   81, 9 abbas
zugefügt 22 tanda corr. rad. in danda   82, 6 nach uite ist &
eingefügt 12 uicibus radiert in uicissim nach succedunt ist ut
nachgetragen 13 recepit corr. in i   84, 9 über nisi nochmals
nisi über egritudo ist ine geschrieben 14 mit verweisung hinter
solatia steht oben ut non cum tristitia hoc faciant sed habeant
omnia solatia 23 aut unterpunctiert, darüber ac tergent 29
reconsignet unter- und durchstrichen   85, 6 singulos, darüber a
sibi unterstrichen 7 biberis corr. in e 15 orare 18 meus un-
terstrichen 20 accipiat corr. in accepta 22 Subsequens corr. in
atur   vor dicat ist & nachgetragen   86, 5 christi corr. in o
8 meis unterstrichen 14 conpositior ausradiert   88, 27 Fratres
— 29 audientes unterstrichen von später hand   89, 6 infirmi-
tatibus corr. in es 7 uno corr. in illo 9 pulmentataria unter-
punctiert 11 aut ausradiert, darüber vnde   nescentia ausradiert,
darüber und darunter a 12 tercius corr. und radiert in n 18
jetzt steht cenaturisdis auf rasur; d ist unterpunctiert 22 vor ut
ist & nachgetragen   90, 1 nach Carnium verweisung auf am
rande nachgetragenes uero   nach quadrupedium und abstineatur
rasuren und verweisung auf omnimodo und comestio 9 scrupolo-
sitate ausradiert, darüber v 13 himinam corr. in eminam 18
aut auf rasur nach necessitas steht 1 über einer rasur 21 vor
omnibus ist in übergeschrieben subrepta radiert in subrepat 22
monachorum omnino durch zeichen umgestellt   91, 2 aportatare

radiert und corr. in s 22 *nach* Qu *rasur, darüber* e 23 agros
corr. in i 28 murmoratione, *neben* ti *am rande* n(?)eta 29 idus,
darüber ib septembris *corr. und radiert in* bus 30 in. *darüber*
ad quadraginsime, *darüber* ge 92, 1 in *auf rasur* quadragin-
sima *ausradiert* 3 autem, *ausradiert, dafür am rande mit ver-
weisung* tamen 9 cum *ausradiert* 13 maxime *tamen von dritter
hand am rande* 17 rasur *nach* prandii 18 uno *corr. in* 8 loco
ausradiert 21 *nach* P *rasur, dafür am rande* non autem eptati-
cum 93, 1 occurrentibus *ausradiert, dafür am rande* con 2
nach si *ist* qui *übergeschrieben* 7 Et *ist ausradiert* completuriis
corr. in o 11 hanc *am rande mit verweisung vor* taciturnitatis;
das erste hanc *ist ausradiert* 94, 1 quis *ad* nocturnas uigilas
auf rasur 3 *ptrahendo auf rasur von* pro 7 negligentibus *corr.
in* e 12 loco *ausradiert* 15 emendentur *auf* rasur 16 foris
oraturiũ *desgl.* 17 recollocet 18 sedit, *darüber* ea foras *corr.
in* i 19 uacat *corr. und radiert in* e 21 ingrediantur *intro auf
rasur* 28 stet, n *übergeschrieben* 29 presumat *desgl.* 31 *remis-
sione auf rasur* 32 vt; *am rande mit verweisung steht* Ita tamen
vt satisfaciat reus ex hoc 95, 1 *nach* mensam *verweisung auf
den rand* Ad mensam autem qui ante nersum non occurrerit
qui per neglegentiam suam Ut si q... *ist ausradiert* 2 *aut*
uitiö *auf rasur* 3 pro hoc *auf rasur* 8 porcionem suam *aus-
radiert* de *über* a 18 rennuit *corr. in* rennuerit 20 aut *vor*
aliud *nachgetragen* 97, 8 excessum *von spdter hand ausge-
strichen* 99, 8 ordinare *corr. in* i 9 kĺas *zugesetzt* 10 oc-
tubris *corr. in* o; i *corr. in* e *das folgende* a *ausradiert* 15
lectione *corr. in* i 17 lectulis suis *auf rasur* 21 *vor* Agatur *ist*
& *nachgetragen* 22 iterum *auf rasur;* t *corr. aus* c 25 recol-
ligendas *nachgetragen* 27 quia *bis* 29 apostoli *von spdter hand
unterstrichen* 32 kĺdis *nachgetragen* 33 octobris *ausradiert und*
bus *dafür corr.* in *corr. in* ad 100, 4 ad *ausgestrichen* 7
opere suo *corr. in* a 10 mox *bis* curatur *durchstrichen* 17 ad
desgl. 20 quadraginsimae *corr. in* e 33 extollit *durchstrichen*
101, 9 excepto *corr. in* is 12 uellet *corr. und radiert in* uelit
16 diligatis *corr. in* delicatis 19 oppremant *ausgestrichen, dar-
über* opprimantur 20 ababbate *nachgetragen* 102, 11. 12
Oratione *und* conpunctione *corr. in* i 15 pinso *corr. in* e 21
se *durchstrichen* 28 *über* patris *ist* permissione *übergeschrieben*
29 presumpcione *corr. in* i 30 mercidis *ausgestrichen* 103, 4

sperat, *darüber* ur 14 *ei über der zeile nachgetragen* *nach* suo
~~ist e ausgestrichen~~ 104, 3 Oratörium 5 ~~zu et agatur~~ *steht am*
rande &abeatur 11 *am rande neben* remorari *steht in* oratorio
explicito 24 incli*nato nachgetragen* 26 ad *desgl.* 27 ‐scriptura
ausgestrichen, darüber ut edificetur *auf s.* 116. 7 *der hs. sind*
über eine reihe karolingischer a *andere* a *geschrieben* 105, 1
omnes *corr. in* i, *dann* ei *nachgetragen* 4 *nach* abbas *ist nach-*
getragen hospitibus det. pedes hospitibus onmibus tam abbas 5
Suscipimus *corr. in* e 7 maxime *am rande zur einschaltung nach*
peregrinorum 8 susceptione *corr. in* is 13 *über* et *ist* vt *ge-*
schrieben 14 superuenien*tes nachgetragen* 20 amministrentur *zu-*
gefügt von dritter hand, durchstrichen von noch jüngerer 23 exiant
corr. in e 24 opere *corr. in* a 25 ab *durchstrichen* 28 accom-
medentur *corr. in* o 30 imperanti*bus ausgestrichen* 33 possedit
corr. in possidet 106, 7 s *vor* Ibi *zugefügt* conloqui *durch-*
strichen 12 lice*t corr. in* eat 19 non *bis* 21 fuerit abbati
doppelt, das zweite mal durchstrichen; abbati *stand aber nur in*
der zweiten hälfte und ist daher von dritter hand seines orts nach-
getragen 25 fueri*t corr. in* a 27 alter, i *übergeschrieben*
107, 2 ET *ausgestrichen, darüber schwarz* I 4 qualitati*bus corr.*
in em 8 abbate, *darüber strich und davor* penes 11 *nach* sin-
gulos *unten am rande* cucullam & tunicam cŏcullam 17 inuenire
corr. in i 18 habitant *ausgestrichen und durch* degunt *ersetzt* 19
conparare possu*nt corr. und radiert in* conparari possit 22 eas
corr. in i 24 in *von dritter hand für ausgestrichenes* non 26
duos *corr. in* a tŏnicas 32 uetere *durchstrichen, dafür* uetus
nebengeschrieben 108, 1 hi*i ausradiert* 2 Qui *corr. in* e 3
& *nachgetragen nach* restituant 4 tŏnice 5 a *ausgestrichen* 7
de uia *desgl.* 9 sufficiant *übergeschrieben* 10 saga *radiert in* ū
Que *corr. in* i 11 lecta *radiert in* i frequenter *durchstrichen*
12 scrutanda *radiert in* i 13 inueniatus *corr. in* r 14 inuentus
corr. in ū 15 acciperit *ausgestrichen* 20 caligas *corr. in* e 21
cultello *corr. in* vs graffiŏ ac, *darüber* vs mabbula *corr. in* pp
tabuli *radiert in* ę 22 *vor* Omnis (*übergeschrieben*) ut *nachgetragen*
24 ab *ausgestrichen* 28 considerat *radiert in* e 29 infirmitatis
corr. in e mala uoluntate, *darüber striche* 109, 3 *geändert zu*
cū *peregrinis & (durchstrichen)* *hospibus 7 potestatem *ausge-*
strichen 8 Seniore*m corr. und radiert in* es 13 Artefices *corr.*

in i 18 conferre *durchstrichen, aber der strich und die correctur
am rande wider ausgewischt* 19 euellatur *ausgestrichen und am
rande* erigatur, *das aber auch wider durchstrichen ist* 25 sit *aus-
gestrichen, darüber* sunt 26 in *ausgestrichen* aliqua fraude, *dar-
über striche* 110, 1 animae *ausgestrichen, darüber* ananię 3 *es
stand* isti uł; *das zweite wort ist ausradiert und* I *von dritter
hand übergeschrieben* 4 om̄ *text,* nes *von dritter hand darüber*
10 dari po^{test}ut *auf rasur* 11 mit *verweisung hinter* glorifice am
rande tur 15 conuersionem *geändert in* sac 26 meditetur *nach-
getragen* 111, 16 nouitiorum *übergeschrieben* 18 mensuum
ausradiert circuitu, *darüber strich* 22 relegatur ei *eadem* regula
übergeschrieben 23 habitare *corr. und radiert in* s 27 e *corr. in*
& 30 Quia *corr. und radiert in* Quē 31 ei *ausgestrichen, dar-
über* aut 112, 1 conuersatione *ausradiert* 4 a deo *ausgestrichen,
darüber* abbeo 8 abbate presente *corr. in* is 9 Qua peticione,
darüber striche 14 quā *von dritter hand* imposuerit *übergeschrieben*
15 vor hunc *ist* mox *übergeschrieben* 16 et *durchstrichen, dar-
über* domine 20 respondeant *ausgestrichen* 21 gloriam *desgl.* 24
die *ausgestrichen, dafür* hora *gesetzt* 30 vor ex *ist* qui *nachge-
tragen* 31 habiturum *auf rasur von dritter · hand* sciat *radiert
in* scit 33 propriis *his durchstrichen* 113, 9 tullerat *ausge-
strichen, darüber* tulit 13 Uel *ausgestrichen, dafür* aut *und hinter*
pauperum *angefügt* qui offeruntur 16 *nach* etate *ist* est *über-
geschrieben* 18 ipsa, *darüber strich* 19 manu *desgl.* inuoluat,
vor t *ist* n *übergeschrieben* 20 offerat *desgl.* 22 promittat *desgl.,
dann* se *nachgetragen* 23 am rande nochmals nūquam *mit ver-
weisung* subiectam *corr. in* ff 24 vor quolibet *ist* nec *nachge-
tragen* 114, 3 elymosina, *darüber strich nach* sua *ist* faciant
übergeschrieben 5 dotionem *auf rasur, darüber* na faciant *aus-
gestrichen* 6 vor ita *ist* si *übergeschrieben* usum fructum *ausge-
strichen und am rande* fructuario 13 nihil *scheint von dritter
hand* 14 habet, *vor* t *ist* n *übergeschrieben* faciat *desgl.* 15 of-
ferat *desgl.* 18 *nach* Qui *ist* forte uoluerint *übergeschrieben* 19
Uoluerint *ausgestrichen* 24 hanc *desgl.* supplicationē, *strich aus-
radiert* 25 disciplinā *auf rasur* nec *übergeschrieben* 29 aut *aus-
gestrichen, darüber* & 115, 1 aliquid *ausgestrichen, darüber* as
aliqua, *darüber strich* 2 regule *ausgestrichen und dafür am rande*
disciplinę regulari 8 monasterio *corr. in* v̄ 10 Clericorum *über-
geschrieben* 11 sociare *corr. in* i 12 uoluerint *ausradiert* locum

angehängt 22 quem *corr. in* am ne *corr. in* non 24 *vor* et
ist s *eingefügt* contentus, *darüber* est 116, 4 *am rande* ad
hoc, durchstrichen 8 quia ausgestrichen 9 hospitalitatis auf rasur
12 hospitalitatis *scheint ausgestrichen* 15 Non *corr. in* Nc 18
sibi *ausgestrichen* 20 suadeatur *corr. aus* ?suad& instet *ausge-*
strichen 23 militatur *auf rasur* 24 Quem *ausgestrichen, darüber*
quod prespexerit *corr. in* p 25 *nach* liceat *ist* eum *nachgetragen*
26 aliquantolum *corr. in* tum locum *corr. in* o 30 in *ausge-*
strichen 31 prespexerit *corr. in* p 117, 2 commendatitias
corr. in i 3 alteri non *ausgestrichen, darüber* alii ne 7 I *nach-*
getragen 8 ordinare *corr. in* i 9 elegat *desgl.* sacerdotnm *aus-*
gestrichen, darüber tio 13 ab abbate *übergeschrieben* 15 regularis
ausgestrichen subditum *ausgestrichen, daneben* dendum 17 et
ausgestrichen obedientie *corr. in* ä& 20 quod *ausgestrichen* 21
monasterio, *darüber* v̄ propter *corr. in* preter 24 uoluerit, n
übergeschrieben 25 a *ausgestrichen* se *desgl.* 26 *vor* seruare *ist*
sibi *nachgetragen* 118, 2 clariscentibus *corr. in* e 10 inuenit
durchstrichen 14 potestatem *desgl.* 18 quis *corr. in* o 23 dis-
cernatur *ausgestrichen* 119, 8 Jeiuniores *ausgestrichen* 9
minores *ausgestrichen, darüber* iuni 10 ipsam autem *ausgestrichen*
17 es *stand wol* agit, *jetzt steht von dritter hand* agere creditur
23 a *ausgestrichen* priore benediccione *corr. in* em 24 petant
ausgestrichen 26 ei *desgl.* 31 conseruent *in* quantur *geändert*
32 et *ausgestrichen* 120, 6 &iam *nach* siue *nachgetragen* 8
saniore *corr. in* i 10 et *ausgestrichen* elegatur *corr. in* i 12
omnis *ausgestrichen* 16 elegerint *desgl.* 18 esse *desgl.* 19 cla-
ruerit, n *übergeschrieben* 21 domus, *darüber* ui 24 fiat *ausge-*
strichen, dafür faciant 27 *am rande* apbas *mit verweisung hinter*
autem 121, 1 esse eum *durch zeichen umgestellt* 3 subrium
corr. in o 5 misericordia, *darüber strich* item *corr. in* d *von?*
dritter hand 11 fragilitatem *ausgestrichen* 15 nutrire *corr. in* i
16 unicuique *ausgestrichen* 17 expedire *corr. aus* ti *nach* sicut
ist iam *eingefügt* 19 *vor* et *noch einmal* bolentus, *ausgestrichen*
20 abstinatus, *darüber* o *und vorher* & 21 zelotipus *aus* u *corr.*
22 requiescit *nachgetragen* et *ausgestrichen* 23 sit *desgl.* 28
plus *vor* in *nachgetragen* 29 moriuntur *corr. in* e con *in* cōn
corr., dann cti vn *auf rasur* 30 una *ausgestrichen* 32 et *desgl.*
nach fortes & *nachgetragen* sint *ausgestrichen; durch zeichen ist*

das wort vor fortes *gewiesen* 122, 1 et, *darüber* v 5 seruis,
darüber con 11 scandala *nach durchstrichenem buchstaben* 12 *in*
monasteriis *nachgetragen* 15 abbates esse *durch zeichen umgestellt*
16 tyrannid*is, darüber* dem 17 congregat̃ionem *ausgestrichen* 19
his.*desgl., darüber* e 22 quamuis *geändert in* quam sit 23 quia
übergeschrieben 123, 2 ordinatur, *darüber* s 3 ac *ausgestrichen*
4 discensionem, *darüber* s; *dahinter verweisung auf den rand*
ex orc . . (*rasur*) cationes . ut dum contraria sibi abbas pre-
positusque sentiunt et ipsorum necesse est sub hac dissensione
5 pereclitari *corr. in* i   in his *corr. in* hi 6 qui *ausgestrichen,*
dafür dum adŏlantur 7 perdictionem *ausgestrichen* 9 quia *aus-*
gestrichen talibus *desgl.* ordinatione *corr. in* is 10 fecerint 11
preiudicamus *corr. in* preuidemus expetire, *darüber* d 15 decanis
corr. in o 16 omnes *corr. in* i 17 utilita*tis corr. in* s 23 ex-
petire, *darüber* d quecumque, *darüber strich* 27 *ab* abbate *nach-*
getragen 31 sollicite *ausgestrichen, darüber* tivs 35 superbie̜, *dar-*
über r   124, 3 ei correptio *am rande nachgetragen vor* discipline
10 congregationem *ausgestrichen* 11 expellatur *desgl.* 15 aut
nach forte *nachgetragen* zeli *und* inuidie̜ *umgestellt* 16 flamma
corr. aus e 22 uacare *corr. in* i 23 debet *corr. in* debebit 29
benedica*t corr. in* & 125, 4 pertarius, *darüber* por solacium
corr. in o 8 molendino *corr. in* v̄ 9 pistrino *desgl.* orto *corr.*
in vs intra *nachgetragen* 10 monasteriŏ 17 excusit *corr. in* e
21 abbatis *nachgetragen* 23 operis dei *desgl.* 26 quo *desgl.*
126, 1 horas canonicas *durch zeichen umgestellt* prostrato *corr.*
in i loco *ausgestrichen, darüber* solo 2 quis *ausgestrichen* subri-
puerit, n *nachgetragen* 4 Non *corr. in* Nec in *ausgestrichen* 5
discretionem *desgl., darüber* distinctio est 6 Quid si se *corr. in*
Quod si quis uinde̜ *ausgestrichen, darüber* dicte regulare *corr.*
in i 8 par*um corr. in* uum 11 suscipie*t corr. in* at 12
oboedientie *desgl. in* a 13 Aut *durchstrichen, darüber* quod 14
sue *nach* inpossibilitatis *übergeschrieben* 16 suā *desgl. nach* sug-
gestionem 17 expetire, *darüber* d 127, 3 Alium defendere
durchstrichen und dafür Alterutrum defendere 4 Summopere *aus-*
gestrichen p̄cauendum *nachgetragen* occansione *ausgestrichen* alium
corr. in alius alium 5 at, u *übergeschrieben* uiri, *darüber* tueri
qualeuis *corr. in* i 6 nec *übergeschrieben* 7 occansio *ausgestrichen*
orire *corr. in* i 10 Quisquam — Excommunicare *ausgestrichen*
und ersetzt durch passim. aliquis cedere 12 Uetetur *corr. in* i

excommunicare ausgestrichen 13 ordinamus nachgetragen vor adque 14 excommunicare, i übergeschrieben cui nach nisi eingefügt nach fuerit ist nachgetragen peccantes autem coram omnibus arguantur ut ceteri metum habeant 15 annorum corr. in num 17 fortiari, darüber o aetati ausgestrichen aliquatinus corr. in a 18 regulare corr. in i   128, 2 Fratres ausgestrichen 4 ita nach inuicem nachgetragen 5 sibi, darüber se 10 ab abbate nach causa nachgetragen 11 quodlibet ausgestrichen, darüber quoli animos corr. aus u 15 si quis corr. in qui corporale corr. in i 16 expellatur ausgestrichen 20 seperat corr. in a 23 et ausgestrichen nach infirmitates ist suas nachgetragen 24 tolerent corr. aus a 25 quod ausgestrichen 26 sencera, durch n geht ein langer strich, wol i, das e ersetzen sollte et nachgetragen 28 deducat ausgestrichen, darüber per   129, 4 in vor monasteriis nachgetragen 5 bone ausgestrichen am rande mit verweisung hinter conuersationis steht nos demonstremus habere; ceterum ad perfectionem conuersationis qui festinat 7 quarum, darüber o 9 Que — 11 resonat unterstrichen von junger hand quis durchstrichen hanc desgl., darüber ac 10 rectissime corr. in a 11 cörsusu ausradiert 12 nostrorum ausgestrichen, darüber nostrum 13 uitas corr. in e 16 róbor 18 festinans ausgestrichen 20 super corr. und radiert in pra 21 ueries, darüber ni 26 morum — innumerabilis doppelt, das zweite von junger hand durchstrichen.

II

1. hs. 911 s. 291—323, zwei quaternionen, deren erste und letzte seite leer ist; sie bildeten ursprünglich eine besondere hs. und sind erst später den Keronischen gll. angebunden. MSD LVII. Hattemer 1, 324ᵃ, 5 uuillo din 6 emez|zi hic ausgewischt 325ᵃ, 3 pilates [322]   325ᵇ, 1 chuüftic, der zweite strich des zweiten u ist fast ganz vom ſ verdeckt qhuekhe.

2. hs. 1394 s. 143 — MSD LXXXIX. Hattemer 1, 326ᵃ. 6 obseruatione 8 adtendere. über t 326ᵇ, 1 der anfang ist durch einen schnitt zerstört geloubegin, darüber i 5 daz verschmiert, daher nochmals übergeschrieben 8 bahältenusse 9 neccet 10 die anmerkung ist zu streichen 13 éer 14 heiligen und chomot überschrieben 16 uũaren nach mit unterpunctiertes fon 327ᵃ, 8 quia ausradiert 17 separemini| übergeschrieben 18 penitentiam 19 curauerit 22 th tiufel. 23 sine gezi:rde (: loch im pergament)

26 wil gelóu 27 almhatigen | *übergeschrieben* 327ᵇ, 1 *nach* lút‐
tristin *rasur, vielleicht stand* mo *statt des letzten* n 6 únt: *loch*
7 hábent *übergeschrieben* irsi *desgl.* 10 himilisken *über* s chunig:s
loch 11 sinere 12 mitterheiligen cristinheit *übergeschrieben* 13
wirtskéftit *desgl.* 14 dáz hic 15 zerffurftinne *ausradiert* 16 dáz
fóne sólichen 17 dáz 19 aller g8ten unt allerrweltten *nachge‐
tragen mit verweisung* 30 wass ána 31 ánente 32 gefangen wart
scheint corrigiert aus m 328ª, 3uð. ḡ 7 fat 15 náᵇluttere pihite
23 fone *übergeschrieben* : isen *verblasst* 328ᵇ, 2 ṁ *beidemal*
3 demo *corr. aus* e 4: llen *verblasst* 8 innikheit *übergeschrieben*
aus raummangel. — *der lateinische text ist ganz gleichmäſsig, das*
deutsche aber erst nachher übergeschrieben und daher ungleich‐
mäſsig und zuweilen, wo der raum nicht ausreichte, sehr in ein‐
ander gezwängt. für die beichte war aber von anfang an aus‐
reichender raum reserviert; daſs die hs. irgendwelche schwierigkeiten
der lesung böte, kann ich nicht finden. — *s.* 144 *ist leer.*

3. *hs.* 232 — *MSD* LXXXVIII. *Hattemer* 1,329ª, 7 suondon
corr. aus u 9 hiutigin 11 gedanchen *corr. aus* i 14 slafendo
corr. aus t 16 un|unuuizindo 19 alemactegon *corr. aus* e · 20
gotes *aus corr.* 21 heiligin. 329ᵇ, 1 firmidín [*sp.* 2] mueze
scheint in e *corr.* 3 *dieser absatz steht hinter dem folgenden, ist*
aber durch zeichen hierher verwiesen den *übergeschrieben* 4 unde
corr. aus f 7 keuuældes 8 hiuero *corr. aus* i 12 genenneda *corr.*
aus n 13 alemachtiger er *nachgetragen* 20 a *vor* unde *ausradiert*
21 pʹeto, e *ist nicht getilgt* ablazes.

4. *hs.* 338, 11 *und* 12 *jk.* = *MSD* XCII. *Hattemer* 1,330ª,
1 unde *verschlungen bís* 16 3 gel8be 4 almehttigin schép,hare 6
ihm̄ xp̄m 7 lch.g. *und so fort* 9 incheinin 10 sun gérndot 17
and᾽ gothéit. 18 Vn̄ *und so meist* 21 irst8n 330ᵇ, 3 danàn gel8‐
bin 4 leibinde 15 he,ⁱrrin 18 sunde 19 uirgibe gétatin *corr.*
aus d.

III

Graffs editionen gegenüber kann Hattemers *ausgabe der Not‐*
kerschen werke nur sehr bedingt als ein fortschritt bezeichnet
werden. die unnütze und störende sonderung des lateinischen vom
deutschen, wie sie Graff im Boethius und Martianus Capella durch‐
führte, nötigte Hattemer zur neuen abschriftnahme für seine aus‐
gabe; wenn er nun auch nicht wenige auslaſsungen und fehler

berichtigte, so bietet dagegen sein text eine unendliche reihe von
~~lesefehlern und versehen in wörtern, die Graff völlig~~ richtig gab.
die unten folgenden vergleichungen werden eine im wesentlichen
zuverläßige basis für die kritik beider werke gewähren: denn daß
trotz aller aufmerksamkeit nicht hie und da eine kleinigkeit, ein
accent oder dergleichen dem auge entgangen sei, kann ich mit
sicherheit nicht verbürgen. über die hss. selbst bemerke ich folgen-
des. die des Boethius hat je 30 zeilen auf der seite, die des
Capella 22. es ist nicht richtig, daß die letztere ganz auf re-
scribiertem pergamente geschrieben sei; vielmehr sind nur die seiten
1 bis 80. 133 f. 139 f palimpseste. richtiger als Hattemer hat
Graff die hände im Capella unterschieden: 2 bis 92 rühren von
mehreren schreibern her. 93 ff von einem anderen und derselbe
schrieb auch s. 84 egypto sint bis zum schluße der seite. dieser
zweite teil zeichnet sich ferner durch mehrere eigentümlichkeiten
aus, so dadurch daß die initialen, die von seite 67—92 unaus-
geführt geblieben, ausgemalt sind, daß die zeilen die mit einem
neuen satze und großen buchstaben beginnen, vorgerückt sind und
daß in den überschriften mit vorliebe V statt des vorher üblichen
U verwendet wird. auch erscheint, wenn ich nichts übersehen habe,
der strichpunkt (;), der in der hs. die gestalt ungefähr eines aufrufungs-
zeichens hat und den Hattemer an den ganz wenigen stellen, wo
er · ihn hier und im Boethius beachtet (vgl. die anm. s. 189),
törichter weise auch so widergibt, nur in der zweiten partie (zuerst
s. 94 oben). im Boethius sowol wie im Capella kommt häufig ein
e mit einem schnörkel darüber vor, das Hattemer als ê aufgefaßt
hat: aber beide buchstaben lassen sich leicht auseinanderhalten, da
der circumflex nie mit dem e zusammenhängt, der schnörkel immer.
nicht consequent durchgeführt ist endlich die von Hattemer beliebte
trennung des circumflexes über diphthongen in acut und gravis; an
einer bedeutenden menge stellen gibt er selbst den circumflex, ohne
daß eine differenz von den in der gedachten weise bezeichneten
fällen ersichtlich wäre.

Leichter war Hättemers aufgabe bei der Logik. er brauchte
dort nur Graffs ausgabe einer neuen vergleichung zu unterwerfen.
aber auch diese arbeit hat er nicht befriedigend gelöst, denn nicht
nur haben sich · zahlreiche verbößerungen durch druckfehler einge-
funden, sondern es sind auch nicht wenige grobe lesefehler unge-
ändert verblieben. außer der feststellung der lesearten von hs.

818 (A) *glaube ich aber für die kritik dieses werkes ein nötiges und erwünschtes hilfsmittel durch vollständige mitteilung der varianten der hs.* 825 (B) *beigebracht zu haben. sowol Graff als Hattemer hatten jeder nur ein ganz kleines stück aus dem anfange abdrucken laſsen, der erstere, weil er die varianten für 'unbedeutend' erachtete, der andere, indem er auf sein, glücklicher weise nie erschienenes, wörterbuch vertröstete. unbedeutend sind nun diese varianten keineswegs, denn nur mit ihrer hilfe lieſse sich ein der ursprünglichen gestalt des werkes nahe kommender text herstellen. daſs die hs. B, welche viel sorgfältiger als A ist, nicht aus dieser gefloſsen sein kann, davon überzeugen leicht stellen wie* 395ᵃ, 25. 396ᵃ, 8. 396ᵇ, 30. 397ᵃ, 12. 397ᵇ, 10. 17. 402ᵃ, 11. 402ᵇ, 14. 403ᵇ, 33. 416ᵃ, 14. 416ᵇ, 2. 418ᵃ, 20. 418ᵇ, 30. 420ᵇ, 11. 17. 423ᵃ, 2. 424ᵃ, 24. 432ᵇ, 11. 435ᵃ, 18. 439ᵃ, 1. 442ᵇ, 11. 449ᵇ, 9. 450ᵃ, 33. *für allernächste verwandtschaft sprechen die gemeinsamen fehler und eigentümlichkeiten der schreibung an folgenden stellen:* 379ᵇ, 31. 389ᵃ, 13. 393ᵇ, 22. 394ᵃ, 15. 397ᵃ, 3. 398ᵃ, 1. 11. 400ᵇ, 7. 401ᵇ, 13. 403ᵇ, 29. 409ᵃ, 6. *die figur auf s.* 413. 415ᵃ, 11; *ja man könnte glauben, daſs A eine direkte abschrift aus B sei und stellen wie* 393ᵇ, 3. 395ᵃ, 21. 400ᵃ, 6. 400ᵇ, 22. 401ᵇ, 9. 405ᵇ, 33. 406ᵇ, 21. 407ᵇ, 10. 408ᵇ, 19. 410ᵃ, 3. 20. 410ᵇ, 16. 412ᵇ, 15. 414ᵇ, 27. 415ᵃ, 17. 418ᵇ, 26. 419ᵃ, 24. 424ᵃ, 7. 12. 424ᵇ, 3. 11. 447ᵇ, 19. 25 *würden dieser annahme kaum im wege stehen, da derlei geringfügige fehler ein abschreiber leicht verbeſsern kann; selbst das fehlen von* 388ᵃ, 19 *würde darum nicht schwer wiegen, weil in A diese ganze stelle auf rasur steht, also erst nachträglich der fehler durch den corrector, der, wie andere stellen beweisen* (379ᵇ, 31. 432ᵇ, 25 *usw.*), *entweder seiner eigenen überlegung oder einer anderen vorlage folgte, entfernt worden sein könnte. aber* 411ᵃ, 11. 412ᵃ, 10. 422ᵃ, 26. *die rasur der figur auf s.* 423. 425ᵃ, 18. 426ᵃ, 3. 427ᵇ, 9. 430ᵃ, 2. 444ᵃ, 20 *ff.* 449ᵇ, 33 *zwingen zu anderer ansicht, der nämlich daſs A wie B unabhängige abschriften eines codex seien. bei einer ausgabe müste B zu grunde gelegt und aus A verbeſsert werden.*

A ist einspaltig geschrieben und hat bis seite 18 je 23 zeilen auf der seite, von dort ab je 27. B ist zweispaltig und zählt je 30 zeilen, die seiten 311—326 *je* 32; 327—338 *und* 299—302, *welche letzteren hinter* 332 *gehören, sind jedoch einspaltig. die ersten seiten* 275—278 *haben stärkeres pergament und sind von anderer hand, auch zeigen sie einige eigentümlichkeiten, zb. ein besonderes zeichen ", das absätze anzudeuten scheint. von s. 397 Hatt. an sind in B die überschriften schwarz.*

Die seitenanfänge von A anzugeben war nicht nötig, da dieselben in Graffs ausgabe mit aller wünschenswerten genauigkeit verzeichnet sind; die von B wurden vollständig mitgeteilt. die des Boethius und Marcianus Capella habe ich am schlusse des ganzen soweit aufgeführt, als sie in den lateinischen text fallen und demgemäss bei Graff ungenau sind.

Sonst wäre nur zu bemerken dafs Hattemers æ in den hss. sich durch ę ausgedrückt findet, soweit nichts gegenteiliges angemerkt ist, aufser in der präposition pre; *œ und* uel *geben die hss. durch* oe *und* ł, *letzteres mit einigen wenigen ausnahmen.*

Die weniger ergebnisreiche vergleichung der psalmen werde ich später veröffentlichen, wenn ich auch die in anderen als SGaller hss. befindlichen Notkerschen stücke habe vergleichen können und im stande bin, untersuchungen über die verfasserschaft der unter seinem namen gehenden werke vorzulegen.

BOETHIUS. *s.* 13, 4 begóndi. 6 disên 7 sízzen 20 demo 15ᵃ, 8 chárasáng 18 dráneo *auf rasur* 15ᵇ, 5 mîh 14 mír 15 geslúngen 21 Fóne *auf rasur* ih 16ᵃ, 12 surds *auf rasur* 14 ér 15 sæua 29 *nach* hábet. *ist am zeilenschlusse* nû lénget. *einmal ausradiert* 31 iactastis me 32 mîh 37 stûont; 16ᵇ, 3 PHILOSOPHIAE. 16 Éruuîrdigero 27 mágenes; únde úngebróstenes; 17ᵃ, 18 sî 17ᵇ, 9 quędam 14 hábeta 26 uitam; 28 *inter übergeschrieben* 32 léiter 18ᵃ, 9 ánauuert die *auf rasur* 18 sceptrum; 19 Sî 18ᵇ, 5 geuuéneten 35 sie *corr. aus* a 19ᵃ, 17 intsláfent *corr. aus* a 22 héilen; 35 geuuáltigo *auf rasur von alt* 19ᵇ, 6 tûon 19 mít *auf rasur* 21 PHILOSOPHIAE 22 AEGRO 20ᵃ, 9 *nach* rosei *ist* s *ausradiert* 31 sáhen 20ᵇ, 3 Uirgilivs uuánda 15 zéichen. *auf rasur* 19 Uuáz *auf rasur* 30 rifên 31 rátsámemo 21ᵃ, 1 nû mûotes 14 AEGRI 19 náh 25 minero 21ᵇ, 11 gezógeni *unter der zeile nachgetragen* 20 éin 30 inlusarum 31 áuuízzôntôn 33 hábet 35 facile; 22ᵃ, 1 dáz 11 fletibvs 12 mîníu 22 sydera; 23 choro *auf rasur* 27 dicchên 22ᵇ, 11 skíuzet 18 zebechénnenne; 28 *nach* ih *ist* uuas *durch zeichen darüber getilgt* 30 otu 23ᵇ, 26 cessisse; 24ᵃ, 5 uuíse *auf rasur* 18 tóten (?) 24ᵇ, 14 sint 15 indísemo *auf rasur* 25ᵃ, 11 sarcinulas 13 gebúlstere 14 *nach* die *ist* s *ausradiert* 23 zócchònten *corr. aus* o 25^b, 5 *béidiu corr. aus* p 6 sálda. únsálda. 10 éinemo 11 uuás; 22 .i. dispersit *übergeschrieben von anderer hand* 23 in 26 sìnìu 30 dónerstrálo. 32 chúningo 26ᵃ, 4 nebeuuáne 6 zeuerltesenne. 33 lacrimis 26^b, 3 medicantis. 14 sìn zeságenne? 17 ná; ´23 bùohchámera *übergeschrieben* 24 ipsa *corr. aus* e 31 kàt; 33 erat; 27ᵃ, 15 áscûn 38 Tár 27^b, 11 uel 16 sâlige 19 háfta sìh *auf rasur* 28ᵃ, 5 amministrationis. *auf rasur* 11 mìh. *auf rasur* 24 quod 28 Neuuág *auf rasur* 35 neuuéreta *am rande mit verweisung. wol von anderer hand* 28^b, 28 tomannes 34 pretorii 29ᵃ, 1 *sélb*un *auf rasur* 9 nótturtúrſte., *hinter dem ersten* tur *ist der zeilenschluſs* 12 ih. 14 U'nde *brdhta auf rasur* 25 *nach* albinum *rasur* 27 cipriani 29^b, 2 só 5 reseruaui; 12 léidaren 13 *bin corr. aus* p 27 exilium. ob innummeras 29 *gaudentium auf rasur* 34 flìhende. 30ᵃ, 12 atqui *auf rasur* 17 *geságet aus corr.* 33 scámelìh. 30^b, 5 *mìh* kérno *auf rasur* 31ᵃ, 15 E'r 23 únfrûoti. 31^b, 21 senatvs 22 *zwischen* dioterìh *und* tìa *ein senkrechter strich; es sollte wol zuerst* dìa *geschrieben werden* 23 uuâren 27 uuóla 31 ána ságûn; 32ᵃ, 13 ìh *übergeschrieben* 20 zêh *auf rasur* 28 sìn. 33ᵃ, 7 gehúgest 8 uuás; 9 Uuîo *auf rasur* 28 ûsquam 29 ságo; 33^b, 21 ìmo 28 ſáfen *auf rasur* 34ᵃ, 1 fìnfstûnt *auf rasur* ìhseli 13 uuás 18 úberuuínden 34 nostri. 34^b, 1 non *auf rasur* 3 Trìuuo 7 ána séhentero. 10 illud; 29 *nach* ist *ist* imo *durch zeichen getilgt* 35 *nach* P *in* Preterea *rasur* 35ᵃ, 1 domus; 3 Cętus 18 *criminis auf rasur* 31 *vor* cnûoge *ist* n *ausradiert* 35^b, 2 *uuanda auf rasur* 8 rerum; 16 sie diu *auf rasur* 24 populi; *die interpunction ist aus einem fragezeichen radiert* 29 kerúobòn? *auf rasur* 36ᵃ, 14 ámbahtes *radiert aus* b 31 mìnên 36^b, 2 erbáldén; 13 *vor* Tû *rasur* 15 nìxus *aus corr.* 34 ánegáenda *rad. aus* à 37ᵃ, 2 áber uuéhseloe sìna 17 Só. 24 syrivs 26 bootis. *auf rasur* 37^b, 9 sìzzent 12 tréttónt, ó *scheint aus* e *radiert* 13 fûoze. 16 tíu 24 Méineìda *übergeschrieben* 38ᵃ, 1 quisquis 7 homines; 15 homines. 28 spráh 38^b, 5 I'h 14 uertrìbenen. 23 uuánnân 39ᵃ, 19 ea. 26 chárchâres 39^b, 5 tìuri. 11 geságet; 16 zìhent; 40ᵃ, 9 cęlum. *auf rasur* 11 zelézest. *auf rasur* 12 hìmele 40^b, 3 uáske. 12 sáta in 30 bachôs 36 propriis 41ᵃ, 24 uuìse. 41^b, 10 Verum 20 du dár *auf rasur* 22 V'nde 33 sententia 34 V'nde 37 Verum

42ᵃ, 11 Vix 12 rogationis; 14 Méra 16 Numne 19 uelit
hiante robore ualli? 20 si. éteuuár, *am zeilenschlufs ist ein uuár*
ausradiert 26 Vten 31 ualli; . 42ᵇ, 1 Vuánda 5 ih. 6 gehúht.
auf rasur g. s .. 11. 15 Vnde 16 ánagénne. 18 Verum 22 hábint
von anderer hand übergeschrieben; int *auf rasur* 34 Ziu   43ᵃ,
11 Vnde 19 quid 24 sist 34.35 *auf rasur*   43ᵇ, 3 únde 4
dinis *auf rasur* 7 *nach* finis *rasur* 8 ignoras. *radiert und corr.*
aus ? e 16 táz *auf rasur* tritta *am rande mit verweisung* 18 fierda.
auf rasur 21 fimfta. *desgl.* 23 séhsta. *desgl.*   44ᵃ, 22 Vuánda
32 Vt 36 mugist   44ᵇ, 5 Stérnen 9 Vbe 12 ceno. 16 *nach*
par *ist* s *ausradiert* 20 Vnde 23 Verstózet 27 Vbe 31 Vnde
45ᵇ, 2 uuéliu *nach* mán *rasur* 8 PHILOSOPHIAE 45ᵃ, 15 an *auf*
rasur 20 Vbe 23 tér *radiert aus* a 26 sáldo. lánget 27 mutata.
29 bestúrzet   46ᵃ, 5 *nach* dô *rasur von* h 19 Vnde 23 Vnde
25 Verum   46ᵇ, 16 tantum 22 suaderæ. *auf rasur* 32 orator;
37 ménnisken   47ᵃ, 3 *nach* únsinnigé *rasur* 17 FORTVNAE 23
Vidisti 30 sunt;   47ᵇ, 18 hábetón pro 19 plinda. Ziu blinda?
21 gihet 25 *tibi auf rasur* sih nóhfóre *auf rasur* 29 dir 30 Vnde
dih *auf rasur* 34 Vbe 37 iro;   48ᵃ, 4 *nach* tu *ist ein* in gúo-
temo *am zeilenschlufse ausradiert* 15 Vnde 29 euentu; 37 éinen
ne sól *auf rasur*   48ᵇ, 10 chúmftiga 19 dinen, *nach* f *ein* n
ausradiert 20 uertrágen. 25 conpascuus *radiert aus* s 29 subiu-
gabis. 30 Vuile 34 dia dû *auf rasur* 35 sézzen   49ᵃ, 7 dû
nieht *auf rasur von* geskiht keuuéhselón 28 fláge;   49ᵇ, 32
despectibilem.   50ᵃ, 2 si. 6 Vnde 8 chúrzero 13 uuólti 20.23.
26 Vuáz 30 Málo   50ᵇ, 2 Vnde 7 réht éines, *durch zeichen*
umgestellt 11 táte 23 Vnde 31 lústet 38 perdideris hábest
51ᵃ, 3 Vuáz 5 *nach* Nulla *rasur* 26 Vbe 35 dáz   51ᵇ, 5 celo
20 ébeni; 29 scéltúnga.   52ᵃ, 1 óbera *auf rasur von* nid 15
skéndeda., *nach* de *am seitenschlu/s rasur* 23 mittúndes 27 Vuánda
35 sáhe 38 in *auf rasur*   52ᵇ, 7 *nach* capti? *ist* regis *durch*
zeichen getilgt 23 Vuáz 33 Vns   54ᵃ, 2 Vnde 22 *nach* cupi-
dinem *ist ein fragezeichen ausradiert* 32 sih 35 mít.   54ᵇ, 6
nóh 8 tuearis; 15 quidem sunt speciosa. 28 *ist*   55ᵃ, 7 be-
dárf. 8 dúrfto. Tára *auf rasur* 12 sár *übergeschrieben* 24 táz
26 *vor* gehóre *ist* gerno *unterpunctiert und durchstrichen* 30 úmbe
36 díu.   55ᵇ, 11 man *von anderer hand übergeschrieben* 14
vor héizet *ist am seitenanfang* bedíu *unterpunctiert und durch-*
strichen 29 legem *übergeschrieben von anderer hand* éinér 37 áber

56ª, 20 Ter 24 Vuéder 29 únguishéite. 35 stángo *überge-schrieben von anderer hand* 56ᵇ, 7 tínges *von anderer hand übergeschrieben* 27 *nach* genómen *ist* t *ausradiert* 29 sacrilegium álde fúrtum., *durch buchstaben umgestellt* 33 Vués 57ª, 4 ínzibtígo 7 álde mínnera ándót *oben am rande mit verweisung* 12 *nach* constantinopolitanum *ist* episcopum *unterpunctiert und durchstrichen* 57ᵇ, 36 ddz *corr. aus* e 58ᵇ, 14 ántuúrtet. 16 *nach* só *ist* l *ausradiert* 31 *nach* striten *rasur* 32 Tés 59ª, 9 *nach* álde *ist* so *unterpunctiert* 28 áber. ● 59ᵇ, 2 táz 22 mér. 34 scúldígen *übergeschrieben von anderer hand* 60ª, 14 numerorum *teihveise ausradiert* 15 *felicitatis* auf rasur 20 *nach* unéiso *ist* uuur *am zeilenschlu/se ausradiert* 60ᵇ, 24 dehéínero *auf rasur* 26 *nach* uuérden *ist das fragezeichen in strichpunkt corrigiert* 27 léide? 33 *uuérden auf rasur* 34 *nach* álles *rasur*

61ª, 5 uuésendo. *radiert aus* e 20 currules 26 táz 61ᵇ, 3 enfángen *auf rasur* 4 in *desgl.* .7 táz *desgl.* 15 ín 36 zértet 62ª, 16 oculo 28 uidebantur; 62ᵇ, 3 gást. 18 et si 63ª, 5 tíen skímón *auf rasur* 14 dánne 25 Crede *bis* fugacibus *oben am rande mit verweisung von anderer hand nachgetragen;* Crede *auf rasur* 29 Vbe 31 So *bis* ménniscon *oben am rande mit verweisung von anderer hand* 63ᵇ, 21 isáligen, *aber* i *ist nicht blässer oder getilgt* 64ª, 4 Igitur. 20 quid uitę 31 uxor; 38 állen 64ᵇ, 1 fáter 65ª, 26 státen 66ª, 6 únédele 26 siv *auf rasur* 66ᵇ, 5 quibvsque 67ª, 7 bítteri 9 esse *übergeschrieben* 12. 24 neíst. 67ᵇ, 6 preciosius? 26 Si, S *ist nicht eingetragen* 35 dáz *auf rasur* 68ª, 17 uuíze 27 amittat; 68ᵇ, 33 uuérlt *auf rasur* 69ª, 15 dív *übergeschrieben* 69ᵇ, 17 uentus. 29 rationum; 30 vtendum *auf rasur* 70ª, 8 ána *übergeschrieben* 70ᵇ, 2 íro 6 ménnisken auf rasur 9 Tríuuo. 22 ér *nachgetragen am zeilenschlu/s* 71ª, 1 ríhtúom. 10 totas *am rande mit verweisung* 11 et *auf rasur* 18 An, A *nicht eingetragen* 29 íro 71ᵇ, 12 únde *auf rasur* 13 *nach* scóní *rasur* 25 maris *auf rasur* 72ª, 1 splendore *am rande mit verweisung* 15 líebera *auf rasur* 72ᵇ, 7 *infuderis übergeschrieben* 25 An, *zwischen* A *und* n *rasur* 32 hús 73ᵇ, 2 fortunę desideratis? 74ª, 3 conditio est. 12 hábede *auf rasur* 23 *Nec intellegitis.* quantam auf rasur 37 preciosius 74ᵇ, 9 *vor* só *ist* dáz *ausradiert* 75ᵇ, 3 sórgést 35 tíriskemio 76ᵇ, 3 flentscáft 77ª, 17 daz, *über* a *ist der strich ausradiert* 27 fógetis 77ᵇ, 4 uuíu 19 fernémén

dáz 78ᵃ, 31 PHILOSOPHIAE   78ᵇ, 27 Aethici sint.   79ᵃ, 10
hominum. 32 ír   79ᵃ, 19 ámbáht. 29 ér 36 tén   80ᵃ, 13
deferantur *auf rasur*   80ᵇ, 4 dáz 16 *nach* quempiam *ist ein
fragezeichen ausradiert* 18 infra corpus est? 20 *vor* únde *rasur
eines fragezeichens*   81ᵃ, 38 ne quod   81ᵇ, 17 nieht. 28
fortune;   82ᵃ, 28 Atqui. 36 astrictum.   82ᵇ, 9 mèr;
83ᵃ, 15 táten. 24 máhti *übergeschrieben* 26 acuta. 31 SENTENTIAE
83ᵇ, 30 phoebus *übergeschrieben* 38 estv; harenas ardentes
durch zeichen umgestellt   84ᵃ, 7 úbeli? 18 ih. 31 táz   84ᵇ,
14 skinên. 21 CAELI.   85ᵃ, 7 nehábet. 8 *nach* linea *ist* ist
ausradiert 9 sò 20 uuider | (— *zeilenschluſs*) der 38 sinuuelbiu.

85ᵇ, 3 scithicum 18 cancrum *auf rasur* 21 scithico *corr.*
aus n 26 ze   86ᵃ, 17 terrae 21 distenditur 25 únde   86ᵇ, 2
magnificumque. 27 Aetate   87ᵃ, 30 lo   87ᵇ, 11 inops *corr.*
aus b   88ᵃ, 13 sî; 18 parari *übergeschrieben und das vorher-
gehende* a *aus* i *corr.; beides von anderer hand*   19 diuturnita-
tatem 26 Tíu 28 gemézen *auf rasur* 30 áne   88ᵇ, 20 húbota;
89ᵃ, 4 iz *übergeschr.* 11 dáx *auf rasur* 14 VIRTVTE. 19 quid.
89ᵇ, 11 des 27 des   90ᵃ, 11 sîh 14 manige 15 guúnnene.
19 Eʹr *bis* smáhen *oben am rande mit verweisung* 21 Aequatque
90ᵇ, 23 *neben den worten dieser zeile ist* e *am rande einge-
kratzt* 25 liumendig   91ᵃ, 4 rebvs 14 taz 16 únde   92ᵃ, 9
uuilôn 19 ih   92ᵇ, 5 in; 11 sie; 21 beduúngena.   93ᵃ, 6
vultus; 19 *vor* ferlórnes. *rasur* 24 suadere. 25 dén   skíhén. 33
sta 34 Uuér, U *nicht eingetragen*   93ᵇ, 7 stâtes 13 táz   94ᵃ,
19 phoebe *übergeschr.* 24 fine;   94ᵇ, 5 gót. 13 dîz 14 nú
24 mínnón   95ᵃ, 7 des 8 nieht *unter- und überpunctiert* 23
fortune *auf rasur; daneben* e *am rande eingekratzt, desgl. neben
z.* 26 25 *nach* dien *rasur* 29 auidus audiendi uehementer   33
siê   95ᵇ, 2 inquit; 5 geuuár. 15 táz 17 inuerslúndeníu 27
Quonam   96ᵃ, 5 án 6 ténchest 15 dîna 18 uuile   96ᵇ, 1
dána. 4 apivm   97ᵃ, 5 rínga; 23 sò 27 áne   97ᵇ, 3 *am
rande* e 26 éruuúrdigi ilent 27 guúnnen;   98ᵃ, 2 Sunt, S *ist
nicht eingetragen* 11 quiddam 19 boni.   98ᵇ, 11 dára *übergeschr.*

99ᵃ, 1 téro 12 bona. 14 triffet sinuen. *durch zeichen um-
gestellt*   99ᵇ, 15 íro 20 *nach* abrahæ *rasur* 26 guúnnet *auf
rasur*   100ᵃ, 11 sò. 18 sò ist iz   100ᵇ, 6 uuánda   101ᵃ, 20
am rande e 31 dáz   101ᵇ, 4 Dáz 6 e *am rande* 20 fórderósta
ist?   102ᵃ, 3 Atqui. 20 e *am rande* 26 uuis 34 án   102ᵇ, 17

chûnen 32 préchent *corr. aus* b 103ª, 5 dér uuírt kefángen.
11 só 21 vordara *ist von anderer hand übergeschr. und hinter*
fûora *ist* fóre *unterstrichen; am rande steht* e 103ᵇ, 12 uárt;
15 fini; 16 Nóh nehéin 104ª, 12 bonum; 17 *misseléitet*
auf rasur 20 ʜᴀᴇᴄ 27 guuínnen. 104ᵇ, 6 deprehenditur.
105ª, 1 álso chád 10 mán áber *durch zeichen umgestellt* 105ᵇ,
2 Atqui. 7 ímo 11 Tés 16 Tánne 22 rúoftá 25 Áne 35 zeiruuér-
renne. 106ª, 1 Atqui. 13 sibi. 24 indigentia? 106ᵇ,
9 ih. 20 lo. 32 egenvm. 107ᵇ, 1 ársn; unde 14 *nach*
gignant *ist* ur *ausrad.* 21 fóllûn 31 comitantur 107ᵇ, 9
uitia? 22 zágostên. 23 curuli. 32 e *am rande* 34 ámbaht
únde 108ª, 7 e *am rande* 21 enim *einmal nach* Non
am zeilenschlusse ausradiert 28 preditum 29 cum non dignum.

108ᵇ, 10 e *am rande* 21 cnôto *auf rasur* 109ª, 1 tóh
5 Táz 9 inpune. 20 ūmbratiles 109ᵇ, 26 sunt. 110ª, 33
témo 110ᵇ, 17 êo; 27 sélbo; 111ª, 12 Tára 20 e *am*
rande 29 religionis. 33 uuáren; 111ᵇ, 7 tér 13 ordines; 15
tér 19 patres; 25 mábtôn 112ª, 1 sia; 32 léidsám; 112ᵇ, 2
e *am rande* 12 desgl. 23 Atqui. 113ª, 4 miseriam? 36 r *am*
rande 113ᵇ, 9 nequit expellere 114ª, 8 ist; 10 gesuásen;
26 aulicos. 114ᵇ, 9 láden. 28 diu 115ª, 1 ǫᴠᴀᴇ 3 ani-
mos; 4 summittat; 11 tellvs 19 scádoháfte 115ᵇ, 22 scáment
25 e *am rande* 26 sapientis? 34 e *am rande* 116ᵇ, 1 tér?
2 fáz *corr. aus* s 3 e *am rande* 14 táz nobilitas ist chómen 30
kûot. 34 sláhenne; 117ª, 1 ᴠɴᴀᴍ 8 éinêr 18 líden; 22 chímo;
35 Ferlázet 117ᵇ, 17 modo. 18 uina. 118ᵇ, 7 bízet 10
bízze. 25 léiten; 31 lángséimo; 119ª, 1 ᴅɪᴠɪᴛɪᴀᴇ. 8 fulgere 9 in
| inámbahte 10 skínen?, *nach* s *ist* c *radiert* 12 cęteros 15 án-
derên; 29 dingen; 119ᵇ, 3 lústsámo 6 fragilissimę? 7 ún-
úuért scálh? 11 sínt 14 ᴀᴇǫᴠᴀʙɪ 24 guuínnet 27 síh; 30 brústen;
31 ín; *síh ze übergeschrieben auf rasur* 120ª, 8 iz 13 er *über-*
geschrieben 29 elephantis; stárh 120ᵇ, 32 scónesto 33 Uuír
ne uuízen *ist begonnen auszuradieren, das folgende bis* bíez. *ist*
unterstrichen 121ª, 8 bona; 35 léret 38 efficientia *aus* u
durch puncte corr. 121ᵇ, 25 ʜᴠᴍᴀɴᴀᴇ ᴄᴀᴇᴄɪᴛᴀᴛɪꜱ. 32 gémmas
122ª, 16 uuízôn 21 pisce; uel 122ᵇ, 2 dígen 15 ꜰᴀʟꜱᴀᴇ
34 mári mít 123ª, 11 réda 12 *diese zeile* Atqui *bis* est. *steht vor*
Triuuo *usw.* z.10 13 est. 16 éinfálte 27 Uuánest 123ᵇ, 16 ih.
19 e *am rande* 30 desgl. 124ª, 9 dáz 17 úndurftig *corr. aus* f

30 uuésen. 32 Mit 125ᵃ, 21 laborat; 22 rihtûomes 125ᵇ, 2
abiicit; 9 ánderiu; 24 necessariis; 126ᵃ, 3 honoribus. 4 ságen.
5 uuúnnôn. 11 témo 25 e *am rande ausradiert* 126ᵇ, 26 e *am
rande* 127ᵃ, 5 aduertisse. 6 e *am rande* 19 Quidnam 127ᵇ, 2
gûot. 5 sih, 9 unde 11 diu sih 15 e *am rande* 19 *nach* nostro
ist ein zweites placet nostro *ausradiert* 36 inquit; 128ᵃ, 1
PHILOSOPHIAE 128ᵇ, 13 uuérit; 21 bildôta. 129ᵃ, 7 diceret;
24 conectis· 26 líden; 129ᵇ, 1 zetéilet 2 gánda an 10 ist; 24
e *am rande* 130ᵇ, 26. 29 r *am rande* 131ᵃ, 2 taz 20
uuâr *aus corr.* 131ᵇ, 15 inperfectum 28 *desgl.* 132ᵃ, 1
inconsummatisque. 12 Fóne 133ᵇ, 15 mite 19 férrolicho *aus
corr.* 27 e *am rande* 134ᵇ, 21 NVLLA EIS 33 Ne presumas
135ᵃ, 1 perhibetur. 4 ita naturaliter 31 coniunxerit.
135ᵇ, 15 cogitare *auf rasur* 25 tiu effici | efficientia 136ᵃ, 28
Nv 136ᵇ, 10 díu 137ᵇ, 6 ságo; 138ᵇ, 33 *hoc übergeschrieben*
geschrieben 139ᵃ, 1 eadem .s beatitudo. 30 skéiden; 38
uuârin *corr. aus* e 139ᵇ, 18 chád; 140ᵃ, 27 sint 28
sâr 33 bo | bonitas 140ᵇ, 12 petantur; 23 táz chád
141ᵃ, 28 táz tien uuénegên 35 Quicquid 141ᵇ, 27 sinstri
32 tiu. 33 skimen, *am* m *radiert* 35 ího is chád 142ᵃ, 17
Atqui. 142ᵇ, 12 sinuo 143ᵃ, 22 Vnde 24 uuórten;
143ᵇ, 20 *nach* anima *rasur* 30 zegán; 144ᵃ, 17 Vnde
144ᵇ, 7 e *am rande* 12 nelúste; 24 tód; 30 *wahrscheinlicher*
chríuteren. 32 únde 145ᵃ, 3 quid 5 arbores; 7 quantum
von anderer hand übergeschrieben 12 méino. 21 súm inbérge.
145ᵇ, 13 quidque 25 Iam 146ᵃ, 2 uuérig *corr. aus* z *von
anderer hand* 20 Porro autem | autem quod 146ᵇ, 10 si;
29 e *am rande* 147ᵃ, 6 tiu natura 12 sint. 31 uuillo;
147ᵇ, 14 manendi. 17 uuérennes *corr. aus* i 16 *indubitato*
übergeschrieben 148ᵃ, 12 Ita quidem 14 petunt 16 tár
148ᵇ, 23 compositum; 149ᵃ, 28 cháde 149ᵇ, 16 sin. 27
nubes erroris. 33 ér 150ᵃ, 9 profecto 10 ueri; 17 mersus
aus corr. 22 effectu. *aus corr. und darüber strich* 31 animę
150ᵇ, 9 dô 11 dero 19 án 23 táz chád ih? 24 gubernaculis
culis auf rasur 151ᵇ, 4 úbe 9 temporibus; 10 qualitatibus.
12 guis 18 cęlo. 27 álso 35 lérent 152ᵃ, 2 e *am rande*
nach geríhte *rasur* 12 dâr 152ᵇ, 2 úndúrftig tero úzerûn
hélfo. 3 uuánda 153ᵃ, 1 anota; 18 prospexi; 154ᵃ, 19

beatitudinem? 24 obsistere; 154ᵇ, 35 die 155ᵃ, 28 est;
37 nest; 155ᵇ, 3 deficere. 156ᵃ, 3 deo *auf rasur* 12
bonum., *dann rasur* 36 cháde 156ᵇ, 14 só? *vor* klóublichi
ist klóub *am zeilenschlu∫se ausradiert* 25 aristotile 35 fone, *der
strich über* o *ist ausradiert* 157ᵃ, 5 zíhet. 9 affricanus. 28
.i. *übergeschrieben* extortionibus. táz chit fóne geihtedon *auf
rasur* 157ᵇ, 7 dáz 158ᵃ, 1 neuuírdet. 2 ne *übergeschrieben*
6 externa 7 aliquid 11 uuárd; 158ᵇ, 4 dáz sélba 10
uuérdent; 21 uuint 159ᵃ, 9 hártôr chále 22 trenara. 23
héllentíu 159ᵇ, 19 ríngent; tíu 32 modis. 160ᵃ, 2 *geuuṅohse.
auf rasur* 5 extinguitur; 29 oculus. 33 d*d*r *aus corr*. 34
sia; '160ᵇ, 9 tér 25 uuára 29 gloriam. 31 hler tár
161ᵃ, 10 hábeti. 19 rhetorica *übergeschrieben* 24 ánalúttes. 29
preuia 161ᵇ, 16 fóne 162ᵃ, 13 uuáltesôntên. 20 omnia.
potentis omnia sed 162ᵇ, 9 e *am rande* 34 cognouisti *über-
geschrieben und das e*r*ste* o *corr. aus* a 38 mínero zéigûn.
163ᵃ, 5 ist 9 felicitas. 10 potentem. 11 lẹtumque 12 Tía
163ᵇ, 11 e *am rande* 12 sint *ist ausgestrichen und darüber
ist von anderer hand* sihet *geschrieben* 27 ist. 36 genámot *l*'z
auf rasur 164ᵃ, 6 únde *ausgestrichen, darüber* álde *von an-
derer hand* 23 ten 27 liehtes; 32 uuérltzimberes 164ᵇ, 5
immemor *von anderer hand übergeschrieben* 7 sélbûn 15 noctem
terrarum., *zwischen beiden worten rasur* 165ᵃ, 1 inquit *von
anderer hand übergeschrieben* 4 e *am rande ausradiert* 27 táz
165ᵇ, 23 adipiscatur. 27 guốnnen 35 tés 36 sólt
166ᵃ, 11 ᴍᴀʟᴏs ᴀᴜᴛᴇᴍ 30 *das fragezeichen nach* kûot *ist in strich-
punct gebe∫sert* 31 uuis 166ᵇ, 3 nituntur? 28 imbecillos?
167ᵃ, 24 áne 167ᵇ, 6 *nach* áber *rasur* 20 nieht 29
kelóublih; fone 168ᵃ, 4 ᴀᴇǫᴠᴇ 22 mit 25 quid 168ᵇ, 33
svochent 36 kûoten. 169ᵃ, 8 chád ih; 14 gíïhtig *überge-
schrieben* uuórten 22 uuánent 26 ist 169ᵇ, 5 queunt. 14
uuúrte 24 optinere 170ᵃ, 8 gûotôn. 170ᵇ, 10 tuéres *über-
geschrieben von anderer hand* 15 nemugen. 17 ʙᴏɴᴠᴍ. 26 fer-
liesent *übergeschrieben von anderer hand* 30 quẹ *bis* quoque *auf
rasur* 171ᵃ, 15 sie; 37 uuésen; 171ᵇ, 2 gelóubet; 6
argumentvm 11 úbelên. 172ᵃ, 3 uuír 172ᵇ, 8 kémág.
173ᵇ, 27 áhtent 28 uuéllen; 174ᵃ, 2 áber; 22 chétennôn
174ᵇ, 11 ᴘʀᴇᴍɪᴏ 175ᵃ, 6 bonum. 32 die 33 geuuórhten.,
darüber v̊ 175ᵇ, 14 gûoti *von anderer hand übergeschrieben*

19 experimur? 37 Ac sie 176ᵃ, 1 liquet; 26 pisas;
176ᵇ, 26 quoque *von anderer hand übergeschrieben* 28 nehéin
auf rasur unise mán am rande mit verweisung von anderer hand
177ᵃ, 30 ist 178ᵃ, 14 áchusten 20 gelth. 24 ****
27 gaudet; 37 fórhtelêr *corr. aus ansatz von h* 38 ****
auf rasur 179ᵃ, 4 e *am rande* 5 eee 179ᵇ, 2 máleta 36
úngeuuáltigóren. 180ᵃ, 6 MALOS MINVS *auf rasur* 8 inquam;
15 líchamón, *zwischen* l *und* l *kleine rasur* 19 noluissem. 32
táz 180ᵇ, 8 sint tés te únsaligóren. 29 ist. 181ᵃ, 29
temporalia fúre 181ᵇ, 27 érera *von anderer hand überge-
schrieben* 182ᵃ, 32 *nach* zálo *rasur eines buchstaben* 33 ér
von anderer hand übergeschrieben 38 áfterùn; 182ᵇ, 10 uitiis
zuéin. *durch zeichen umgestellt* 18 ESSE. 183ᵃ, 4 supplicii 12
si; dáz 13 flihén; 17 habeatur; 27 Negáhen *unterpunctiert
und darüber* i 29 uuénege? 37 keléget *aus corr.* 183ᵇ, 6
misero; 10 releuatur? 26 quidem *übergeschrieben von anderer
hand* 184ᵃ, 4 ih 16 sínt., *der circumflex aus acut radiert*
32 énemo. 34 inpuniti; 184ᵇ, 4 *nach* relinquis *ein aus einem
fragezeichen verbeſserter strichpunct* 8 inquit *radiert aus a* 20
QVAE 185ᵃ, 15 tés te 17 uuáre; 20 inpunitate 185ᵇ, 11
iro *teilweise ausradiert* 17 getûot; 27 quid 186ᵃ, 25 cháden
36 uuír 37 óugelósen. 186ᵇ, 13 *nach* zefernémenne *ist* chád
ih *umzáunt und das* d *des folgenden* dia *aus* t *corr.* 17 chád
34 stûol sázzo 187ᵃ, 3 nezu'ueloti 187ᵇ, 20 ûz 29 uuts
von anderer hand übergeschrieben 188ᵃ, 24 uuízen 28 loman
188ᵇ, 20 sua; 189ᵃ, 1 Táz 2 níeht; 12 ih. 31 ihselíg.
33 ist ríche. 34 máhtíg. 189ᵇ, 20 uñize *radiert aus* bûoze
28 confusionis *von anderer hand über unterstrichenes* confessionis
geschrieben 190ᵃ, 26 nedubites; 190ᵇ, 6 legat bootes tardus
.i. sequatur plaustra .i. tardus ad occasum *ist durch zeichen so
umgestellt daſs die reihenfolge der worte sein soll* legat .i. sequa-
tur bootes tardus .i. tardus ad occasum plaustra 14 démo 19
nórdkíbel 28 érdo; 191ᵃ, 29 error; 191ʰ, 1 túndere 5
es steht fláhet. 8 is 9 héizi. 19 uulgus *von anderer hand über-
geschrieben* 25 Cessant *über ausgestrichenem* e 192ᵃ, 6 só
12 sit *übergeschrieben von anderer hand über ausradiertem* ê 14
mih 34 hercules *übergeschrieben* 192ʰ, 27 fóresíhte. 30 Fóne
32 gáhen geskíhten. *auf rasur* 34 predistinatione 193ᵃ, 2
sélbuuala; 3 electionem 5 editionis. 26 sint. 34 áber *über-*

geschrieben óuh dáz *durch buchstaben* zu dáz óub *umgestellt;* d
ist corr. aus t 35 iz *corr. in* s *oder umgekehrt* 194ᵃ, 24 be-
dénchet *corr. aus* u 30 keséstot. 194ʰ, 19 geréccheda. 29
ándermo; 35 deus *radiert in* dei 195ᵃ, 37 scáffunga.
195ᵇ, 22 fati *auf rasur* 196ᵃ, 2 ráde *auf rasur* 16 hábende.
21 diffundique 34 *wahrscheinlicher* uutllen 196ʰ, 27 ïnuuertïg
197ᵃ, 9 úf 14 ér *übergeschrieben von* 'anderer hand 17
úrmbetán 18 nieht; 19 intellegentia 30 únzegánglïh. 31 pro-
uidentia. 34 stát 197ʰ, 4 rés 198ᵃ, 15 conexione 29
chúmet 32 .i. reguntur. *von anderer hand übergeschrieben*
198ʰ, 6 uuéndigen, *der acut auf rasur* 14 uuto 16 túnchén
18 rámendïu. 24 est; 199ᵇ, 9 éiner 15 egritudinis, *zwischen*
t *und* u *rasur* 17 métemunga *corr. aus* u 21 *der strichpunct*
nach probitas *corr. aus fragezeichen* 22 ẹgritudo 29 tér
200ᵃ, 3 límfen. 8 rihti 33 nehúlfïn; 34 pompeii uuóla 35 só
nedúohti *bis* pézera *zweimal, das zweite mal unterstrichen*
201ᵃ, 7 iudicat; 12 múhi; 29 dáz 35 dïng. 201ʰ, 10
múot 14 despiciunt; 20 ángest, *darüber circumflex ausradiert*
202ᵃ, 11 lïeb *von anderer hand übergeschrieben* 203ᵃ, 13
dïssentiat. 21 neïst; 23 sie 203ʰ, 29 dén 34 fortissimvs
204ᵃ, 14 disponat *aus corr.* 16 séstót. 33 uuártést.
204ʰ, 15 SOLVANTVR. 16 sollers 26 impedit 27 táz 205ᵃ, 3
in sédel gán. 4 índemo 13 *nach* cursus *ist* alternos cursus
umzdunt 16 dïe 17 úngezúmft 38 iáres; 205ᵇ, 15 flectit;
27 uuéndet 30 Nam nisi 33 dáz 36 zeflúgïn 37 kuïssér
206ᵃ, 10 kúotes; 29 sáldá 30 quia *ausradiert* 206ʰ, 8 ár-
béitsamïv. 16 réda; 37 inquit? 207ᵃ, 2 usurpat; 14 mén-
niskón? 207ʰ, 4 Vuto 11 uel 31 úbela? 208ᵃ, 1 reliquam?
15 sequentes. quiddam 26 rasur *nach* qui 208ᵇ, 9 adduci-
tur. *auf rasur* 18 Utrique 21 diu 34 emarcescere 209ᵃ, 1
wahrscheinlich túgedïgen 5 Prelium *über* l 12 daz 15 dáz 18 últra
209ʰ, 14 fúorta 210ᵃ, 14 árbéite; 24 er *von anderer hand*
übergeschrieben 210ᵇ, 8 occidentalis *ausradiert* 18 Aestuarium
25 zéssót 26 sï. 34 cnhúttele. *scheint aus corr.* 211ᵃ, 25
dar 36 gáb *corr. aus* b 211ʰ, 14 fnótondo. 24 *precium*
ultïmi *auf rasur* 212ᵃ, 14 bedíu 25 ánderén 212ʰ, 14
moralitas; 213ᵃ, 16 uuáren ïmo *durch buchstaben umgestellt*
34 béitent; 213ᵇ, 22 re. 26 réda *auf rasur* 214ᵃ, 22 tóh
214ᵇ, 20 máchunga. 215ᵃ, 10 úmbedéncheda. 215ᵇ, 1

von anderer hand; 1. auf rasur 36 unirdet 216ᵇ, 7 méino.
12 das. zweite 1 von anderer hand übergeschrieben 30 nach rei
rasur eines fragezeichens 33 intendebatur von anderer hand über-
geschrieben über ausgestrichenem tuebatur; am rande e 216ᵃ,9
e am rande 14 ist 16 l′z 26 eó 30 ér (übergeschrieben) dár.
217ᵃ, 2 tûontôn 19 dáz 36 gerinnen übergeschrieben
217ᵇ, 8 rasur nach ITEM 29 ûlezên. 218ᵃ, 3 uuázer 11 Tte
23 ín; 26 máchónt; 218ᵇ, 8 animorum? 9 iz 12 Sô 17
angeli in cęlo. homines auf rasur 25 quidque. 26 rasur nach
skéide 219ᵃ, 15 constituo; 16 dóh 24 spûotig 30 si. 37
nach diccho kleine rasur 219ᵇ, 1 óuh von anderer hand über-
geschrieben 20 únfrieren auf rasur 220ᵃ, 12 seruitutem über-
geschrieben von anderer hand; ui auf rasur 27 benémden auf
rasur 220ᵇ, 3 perrumpere aus corr. 4 terrę corr. aus a 6 tia
corr. aus u 14 dicchi 16 uinstri corr. aus fi, i ist überge-
schrieben 19 pliches von anderer hand auf rasur 25 súnnun;
28 FIERI. 221ᵃ, 6 aduersari 7 dúnchent von anderer hand
übergeschrieben 19 nieht von anderer hand übergeschrieben trigen,
am u unten radiert 36 nach nemág rasur 38 e am rande
221ᵇ, 1 quam corr. radiert aus e 6 héizen; 15 hábent aus-
radiert; am rande e 29 chúmftigon 222ᵃ, 7 e am rande 21
tero 29 chúmftigên. 222ᵇ, 8 sô 16 nach uuárrer rasur 24
utraque corr. aus o 25 táz 223ᵃ, 1 chúmftig 32 chúmftigiu.
223ᵇ, 9 esse. 15 chúmftig 224ᵃ, 2 presciri? 10 si
224ᵇ, 19 diuina corr. aus ę 20 nach si rasur 21 diiudicat;
22 euentus? 32 prescierit 225ᵃ, 26 uidetur 31 meino 32
gûotên. 225ᵇ, 8 nesínt. 28 gében; 226ᵃ, 6 scilicet. 7
éiniga von anderer hand übergeschrieben 13 nach humilitatis. ist
s. in deum umzdunt 36 conecti später über ingredi geschrieben
226ᵇ, 6 Sô mûoz bis mittundes doppelt, das erste mal, wo
du keinen circumflex hat, ausgestrichen 18 tie nách dingo ist
ein fragezeichen ausradiert 19 nach mannes ist aus dem frage-
zeichen ein semikolon gemacht 29 ne von anderer hand überge-
schrieben 227ᵃ, 1 ueris? 2 ungehélli? übergeschrieben 10
tenues über aus o corr. e 21 dien, darüber rasur 23 táte.
28 mentis; 227ᵇ, 1 appetit nachgetragen am zeilenanfang,
nachdem es am schlufse der vorhergehenden zeile ausradiert war
7 blínt corr. aus blindet 34 neuuéiz 228ᵃ, 7 állez uuize. állez

20 dîa diccho 228ᵇ, 1 tie nexus 16 cum 25 prorsus *über-geschrieben* 229ᵃ, 8 fóregeuuîzedo. *durchstrichen von anderer hand* 25 tâte. 34 errîhto. *radiert aus* aι 229ᵇ, 6 tîh. 230ᵃ, 1 *nach* uuérden *rasur* 21 gébe 23 keskîhet; 33 *es steht* dóz 36 necessitatem *von anderer hand über ausgestrichenem* libertatem 230ᵇ, 10 sínt. 14 quid 231ᵃ, 11 tóh *von anderer hand über ausgestrichenem* táz 14 futurórum; 231ᵇ, 2 prȩscientia; 232ᵃ, 11 ʹprouidentia; 19 natura; 22 perpendas 36 e *am rande* 232ᵇ, ʹ2 fieri? 7 dáz 15 necessitate; fiant *corr. aus* u *am rande* e 16 uuérdên; 29 uuvŕtîn; 233ᵃ, 31 séuuen. 32 guuîsslu. 233ᵇ, 8 e *am rande* 30 presentia. 234ᵃ, 12 sínuuelbi 15 Daz ʹ16 tára 30 imaginatio. 234ᵇ, 1 intellegentia: 7 sín. 9 Imaginatio 12 taz 16 imaginationem 27 Intellegentia 28 intellegentiȩ. 32 blûang 38 *nach* iz *rasur* 235ᵃ, 1 íst; 2 ménnisken *corr. aus ansatz von* k 5 gótes 25 dróum 26 fantasma; unde illusio; 235ᵇ, 29 dâr 36 dáz 236ᵃ, 26 só imaginatio 236ᵇ, 2 óuh *von anderer hand auf rasur übergeschrieben* 4 formam *von anderer hand über ausgestrichenem* intellectum 34 pechénnent. 237ᵃ, 4 álliu; 12 quid 15 chréften; daz 237ᵇ, 28 dér. 238ᵃ, 18 ín 23 imaginationes. 238ᵇ, 9 *nach* síu. *ist eine zeile ausgelaſsen* Síu gébent úns kesîht. únde gehóreda. dóh man chéde. dáz uuír síu 239ᵃ, 9 álliu *von anderer hand übergeschrieben* 25 *nach* questiones *ist ein fragezeichen ausradiert* 35 inpressas notas; 239ᵇ, 30 íro; 33 Uuánda 36 ûzera 240ᵃ, 5 dei; 14 fóne 34 fúrefángoe *radiert aus* t 240ᵇ, 9 gât ╀8 dáz sîe 241ᵃ, 16 U'be 29 éin *von anderer hand übergeschrieben; von derselben hand ist das* h *des folgenden* sîh 241ᵇ, 14 mág; 19 bílde; 21 rationis; 30 díu man 35 quiddam 36 sensibile; 242ᵃ, 11 adsurgere *doppelt, das erste mal durchstrichen* 17 Vuánde *nachgetragen von anderer hand* 242ᵇ, 1 IMPAREM 5 futura. 8 sín 9 chúmftigen. 10 Vuánda sûs *von anderer hand über ausgestrichenem* rubr. Só 25 gelóuben *corr. aus* i 35 menti; 243ᵃ, 8 uuír 9 intellegentiȩ. 30 *nach* ERECTO *ist* QUOQUE *ausgestrichen* 31 ERIGI *schwarz über* rotem INDUI. 243ᵇ, 21 ióh 23 tû 26 facies. 244ᵃ, 8 hóubet 13 pesuártez. ze *von anderer hand übergeschrieben* 18 comprehendentium., *nach* com *rasur* 21 sélbero *doppelt, das zweite mal ausgestrichen* 22 só 26 Só 244ᵇ, 4 quid 245ᵃ, 13 Vuír 15 uuír 28

aristotiles. 29 Dóh radiert aus dz 245ᵇ, 1 sélih, 11 daz
34 murthin. von anderer hand übergeschrieben 246ᵃ, 32 imita-
tur 246ᵇ, 2 únerdrózena 6 nemág. 10 únstatigi.
247ᵃ, 35 subiecta; 247ᵇ, 16 éinfalte. 24 éinnaltun 27
uuórdén. 248ᵃ, 10 prouidentia. 12 férrív 14 stándiu. 17
excelso 248ᵇ, 7 géristig übergeschrieben über ausgestrichenem
ster 11 presenti. 13 kágeauuerti. 15 siu éuuigun
249ᵃ, 2 er von anderer hand übergeschrieben 249ᵇ, 25 két.
250ᵃ, 2 tinges übergeschrieben von anderer hand 11 ióh
nóthâfte am rande mit verweisung von anderer hand 29 mén-
nisken 250ᵇ, 2 est doppelt, das erste mal von anderer hand
durchstrichen 9 is von anderer hand nachgetragen 23 nót von
anderer hand übergeschrieben 30 esse schwarz corr. aus rotem
est von anderer hand 251ᵃ, 11 sint. 32 Nû 251ᵇ, 2 sie
252ᵃ, 4 zuéi, unten am z radiert 10 uuúrte; daz
252ᵇ, 1 állelih ist; 3 ipsa übergeschrieben 4 éinluzze. 6 éiniu;
8 álliu 253ᵃ, 3 gótes uuîzentheit; 6 Uuánda 7 uuárheit
253ᵇ, 12 keuuándel 21 ictu. 254ᵃ, 9 keántuuurtet. 12
scientiæ causam (radiert aus e) durch zeichen umgestellt 34
Uuánda 254ᵇ, 17 chúmftigun 255ᵇ, 3 tér ál

MARCIANUS CAPELLA. s. 263, 10. 11 gesézzene beidemal
nachgetragen 11 úmbe sie gefréhtoton auf rasur von gefréhtoton
15 philologia auf rasur von sophia 16 uuízze übergeschrieben
264ᵃ, 22 duingest auf rasur 26 úngelichen übergeschrieben
264ᵇ, 4 hérta corr. aus a 15 triuua mit stérchende., davor
rasur von ster 18 cipridis übergeschrieben 19 hîmachare desgl.
265ᵃ, 1 carmina übergeschrieben 14 .s. dona auf rasur von
dona 21 annuere 28 cano aus a radiert 30 Tó 265ᵇ, 20
ságest 266ᵃ, 3 uuéist auf rasur von uuest(?) 9 is radiert
aus z 13 góten übergeschrieben 14 Nec auf rasur 22 proflu-
xerint übergeschrieben 26 vor satyra rasur von S 29 spél.léngi
benéme, darüber rasur des acuts 266ᵇ, 7 etheria 12 mánigi
auf rasur 19 Presertim 21 U'nde 24 humanitas, nach t rasur
zweier buchstaben 31 consonarent. corr. und radiert aus sonerant
34 únde 37 ságetin. auf rasur 267ᵃ, 2 etherias übergeschrieben
3 ságetin 8 idhe auf rasur 10 suadente übergeschrieben 13
trepida über rasur 17 dés 24 vor sententia rasur eines buch-
staben 34 uxorium. 267ᵇ, 6 Aesculapio auf rasur 14 den
auf rasur von t 15 pechéret auf rasur 17 cubéle desgl. 22

memphitìcam *desgl.* 28 imo 36 quod 268ª, 4 .dero góto *übergeschrieben* 11 annua *desgl.* 13 ín *desgl.* 19 chînt 24 Tárumbe 27 mit *chuturigen drmín auf rasur* 29 stárchi *desgl.* 35 cypridis *übergeschrieben* sinebant. *auf rasur* 37 liezen *auf rásur von* z 268ᵇ, 9 *industrię von anderer hand nachgetragen* 11 deliberationis *auf rasur* 33 ungeskéidenero *nachgetragen* 269ª, 10 filiarum. *über unterpunctiertem* o 12 ingenium, *vor* g *rasur von* g 29 tóhter 31 wuánda *auf rasur* 269ᵇ, 6 góta. 14 geéretostûn *aus* e *radiert* 31 mit íro *smóochen. ába genómenero auf rasur* 34 témo *auf rasur* 35 uuthun. 36 Sô gezîmit animę. *auf rasur* 270ª, 2 beduúngen. *auf rasur* 8 íro *auf rasur* 10 tréget. *desgl.* 13 uuízegtúom *desgl.* 15 *nach* ást *rasur von* ni(?) 16 *nach* imo *rasur* 270ᵇ, 3 nábtfinsteri 4 sélo *übergeschrieben* 11 ûzeren 15 *nach* mit *rasur von* p 16 stáng suózi 22 honorationis *übergeschrieben* 31 *prénnóda. auf rasur* 271ª, 6 dárbeti 7 lústamí. *auf rasur* 14 *tráten auf rasur* 16 spuótigo *übergeschrieben* 20 pregrauauerit. 23 suárti. *auf rasur* 28°*His nicht eingetragen* 29 ditatam *auf rasur* 271ᵇ, 1 *kímelisken auf rasur* 2 gérno · 6 potentia *auf rasur* 7 superí. de *auf rasur* 13 geskéidena *desgl.*; na *übergeschrieben* 14 sklezenten. *auf rasur* 16 fásto *desgl.* gebúndena. *desgl.* 26 deligeretur *desgl.* 28 *cnóto* geábtoten *lózes desgl.* 32 ioui ze snórun geristi. 272ª, 3 des *auf rasur* 4 *nach* súln *rasur* 5 fóne *über* boreférro *ist ein acut ausradiert* 8 *vor* ne *ist* ne *ausradiert* 12 ubicumque *auf rasur* 13 frater ésset adiretur. *desgl.* 14 so, darüber acut ausradiert 16 *nach* fuóre. *rasur von* pɪᴛ 19 uolatilem *auf rasur* 26 méino caduceum. *desgl.* 272ᵇ, 11 loquebantur. *desgl.* 12 solitus sortítus .í. díuinationes *auf rasur* 14 gnóto 17 friskíngen, *der acut scheint ausradiert* tie ín hérderen *auf rasur* 25 arentis *radiert aus* e 34 uuórmmélo *auf rasur* 273ª, 5 skéidenne *desgl.* 9 sih 11 contamine monendorum. *auf rasur* dedignatur *desgl.* 14 *fórn úrdruzze* uuórtener *desgl.* 20 eum lyciumque sectantur. *auf rasur* 273ᵇ, 12 gesúasen bérge *auf rasur°* 15 Tamen *auf rasur von* andem 31 imminet *auf rasur* 274ª, 5 chúningo. 7 Súmelichę 10 tó ze gágenuuérti. *auf rasur* 13 zû 15 prolixitas., *vor* x *rasur von* x 16 uelut *auf rasur* 25 susurrantibus *desgl.* 28 séltsaninôn. 29 óuh temo *auf rasur* 31 fóne gehéllemo ánastôze des *auf rasur°* 36 distenta. *radiert aus* a 274ᵇ, 6 áber

7 lûtta *auf rasur*   15 an íro fûoginon *nachgetragen*
auf rasur   35 sámelíchero *desgl.*   36 *gehéllen. desgl.*
phoebus. *desgl.*   18 sî   25 cesariẽ,·*dann rasur von* s   31 skéi-
teliun.   32 Hinc *bis* hinc *auf rasur*   275ᵇ, 3 preterea *auf*
rasur   7 Áne   9 sólton *bis* er *auf rasur*   14 raptabat. *radiert*
aus e   15 *déro sélbon auf rasur*   23 únde lázota *desgl.*   30
uuízemo   37 fragososque *auf rasur*   276ᵃ, 3 fílo *desgl.* .*hír-*
líchemo scúze uudren *desgl.*   6 spuóte sih *desgl.*   11 riuulis   20
gelámf *aus* f *radiert*   21 dien   únde   24 stationariẹ. *auf rasur*
31 in uuálascun *smaldum. auf rasur*   276ᵇ, 7 dulcissimo,
zwischen beiden s *rasur von* i   14 scricchen. *auf rasur*   17 sih
vor óuh *ausradiert*   25 Áne   27 *úmbesuéifte. auf rasur*   28 tíe
35 iógelíchero   37 íro *nachgetragen*   277ᵃ, 8 Alius   9 flexuo-
sisque *auf rasur*   16 íst   26 tero *auf rasur*   30 uiolensque
desgl.   31 peruadens.   277ᵇ, 4 káhen *radiert aus* e   uuándôn
übergeschrieben; á *auf rasur*   7 easdem. *desgl.*   8 dráto   10 in
15 *ferchnísti. auf rasur*   23 nièht *desgl.*   36 *nach* sî *íst* e *aus-*
radiert   278ᵃ, 3 *es steht* sluuiorum.   24 tóh   * 278ᵇ, 2 chám
11 púrlicho   15 éinzen *übergeschrieben*   18 Quẹ   38 kacauminis
279ᵃ, 4 flur.   7 bízza *übergeschrieben*   28 rífon. *auf rasur*
30 suíd *desgl.*   31 tínges *desgl.*   32 *suéndi. desgl.*   33 resplenden-
tis. *desgl.*   37 únde   279ᵇ, 18 getéperot   20 silberuáze.   22
æri   34 cẹci   280ᵃ, 3 témparátun.   5 héilesama *auf rasur;*
das letzte a *corr. aus* e   6 tîsen   9 crisocomes *auf rasur*   20
vor chád *rasur*   25 mít   26 *hdlemo corr. aus* o   280ᵇ, 2 er
nachgetragen 3 bechnâta, *nach* h *rasur*   12 dóh   17 phoebus.
übergeschrieben   21 dien *auf rasur*   281ᵃ, 9 defixis *und* s.
deorum *nachgetragen*   10 *nach* preobtare *íst* detixis *ausradiert*
19 dû   25 tû   281ᵇ, 19 bruôderon *ausradiert*   28 docta *corr.*
aus o   37 *vor* se *íst* ip *ausradiert*   282ᵃ, 11 quoque *nachge-*
tragen   282ᵇ, 5 éteuuáz   29 *gáreuui radiert aus* e   283ᵃ, 8
ántuurta *auf rasur von* imo   9 imo *nachgetragen*   14 *nostrum pectus*
auf rasur   18 zuéio   19 lóufet   20 io mít sóle.   283ᵇ, 20 fóne
23 instes.   30 quón   36 únde   284ᵃ, 3 dicente mercurio.
durch verweisungszeichen umgestellt   284ᵇ, 7 geskíhet *auf rasur*
11 pia *übergeschrieben*   15 conibens *radiert aus* h   22 zeíchene
auf rasur   285ᵃ, 7 fógela.   8 rábena *auf rasur*   9 fáren
285ᵇ, 5 aeria *auf rasur*   6 *ergléiz übergeschrieben*   7 tíu, *dar-*
über acut ausradiert   10 tára   11 tíu, *darüber acut ausradiert*

15 cuiususdam *ausradiert* 16 concinebant 20 hórtist., *darüber
circumflex ausradiert* 286ᵃ, 6 delectatio uoluptatis héizet. *auf
rasur* 8 Erato *bis* modulatur. *unten mit verweisung nachgetragen*
24 hospicium. *auf rasur* 28 raucioribus *desgl.* 29 geróbe *desgl.*

286ᵇ, 2 uuîr poeticę 8 subito ei uitta crinalis *inmutatur in
radios. laurusque auf rasur* 10 retinebat. *desgl.* 15 *irskéin
übergeschrieben* 23 Tero, *darüber acut ausradiert* 287ᵃ, 17
CAELO 28 sîe 34 héilesodes. *auf rasur* 35 chéttende *desgl.;
das zweite t übergeschrieben* 287ᵇ, 6 uix 8 minore *radiert
aus* ē 10 iugata *radiert aus* ā 11 *nach* omen *rasur von* s
19 netâtin. 288ᵃ, 6 Únde nù 9 *es steht* séstunga 12 scá-
font 16 gât 30 Álso *auf rasur* 288ᵇ, 1 dù *übergeschrieben*
9 góto. 10 néfòn 18 iugetur, *vor* g *rasur von* n 33 *vor*
uuérde *rasur* 289ᵃ, 6 inquirit. *auf rasur* 10 *multa desgl.* 12
supplicabat. *corr. aus* b 16 flêhota. uuónnesami *auf rasur* 18
uuîrt 23 *gelérte. dâra auf rasur* 289ᵇ, 7 alle *radiert aus* a
9 îh méino *auf rasur* 22 gignere *desgl.* 25 fóne 37 *ermafro-
ditum. übergeschrieben* 290ᵃ, 16 famulitio *auf rasur* 32 mar-
moris. *corr. aus* o 35 liebeblicha *ausradiert* séltsani *auf rasur*
290ᵇ, 3 ist *übergeschrieben* tríuuo. 4 iunglîchero 13 ge-
fristet *auf rasur* 16 trâgheit *corr. aus* h 22 *dúrhkât. auf rasur*
25 dés *desgl.* 291ᵃ, 11 únde 12 mére. 13 gesâze. 18 lim-
mata. 21 philologia. *corr. aus* e 29 planetatarum *ausradiert* 31
sâment *zweimal, das erste ausradiert* 32 âne 291ᵇ, 4 ófte
8 únmezîgero 10 possit pigrescere *auf rasur* 15 sâment *über-
geschrieben* 16 trâkon *auf rasur* 17 erbúretên, *acut ausradiert*
18 uuîtina *radiert aus* m 20 *toh auf rasur* 24 pro sola 26
dânne *corr. aus* e 292ᵃ, 5 hóhera *auf rasur* 8 allapsa *desgl.*
9 descendit. *desgl.* 17 tandem *desgl.* 20 sámoso hóubete *auf
rasur* 292ᵇ, 4 *sist radiert aus* b 5 álde 31 summissior *über-
geschrieben* 293ᵃ, 23 hilîcho *auf rasur* 30 zéhne *überge-
schrieben* 35 radiorum *aus corr.* 293ᵇ, 13 fórderota·*corr. aus*
o 14 rât. gehîte *auf rasur* 25 Augustius *desgl.* 27 depromi-
tur. 35 hértuomis *übergeschrieben;* tuo *auf rasur* 37 fronesi.,
acut ausradiert 294ᵃ, 3 taz? *auf rasur* 7 cnûoge *bis* gefólgeta
desgl. 9 Ac *bis* scriba *desgl.* 23 geliutpâret 294ᵇ, 1 éiscota
4 aetherius 30 sól. 31 Nec *auf rasur* 36 misseliche *radiert
aus* a 295ᵃ, 4 léngi 7 tóh 31 ter *übergeschrieben* 295ᵇ, 7
greca 30 eadem *aus corr.* 36 dea. 296ᵃ, 4 diu 8 proxima

corr., *aus* o   12 uuúrten   13 chórngéba. *auf rasur*   20 óuh *ir
geládot iouis súne. auf rasur*   21 spélaékko. sáment   30 pales.   31
uuingot.   37 uuólton *auf rasur*   38 si   296ᵇ, 1 cillenio   2 die-
nota ausradiert*   25 *unfúrhta. übergeschriebe*n   29 *refutatio. ra-
diert aus* f   30 hi in *auf rasur*   38 affirmat *auf rasur*
297ᵃ, 4 dríttezendun desgl.*   11 consequenter   16 iouis.   24
séhszéndū.   30 conuocantvr. *am rande mit verweisung*   297ᵇ, 1
nach omnisque *ist* so *ausradiert; es stand* omisso   2 tie   7 gnóte.
auf rasur   10 zeromo *desgl.*   12 sáment tien góten *desgl.* sélbo
21 conuibrantibus   298ᵃ, 8 raptus   13 tíu   24 brústtüoche.,
zwischen beiden t *rasur von* e   25 zito *auf rasur*   30 uocis.
38 in *übergeschriebe*n   298ᵇ, 4 síe   16 griffela. *übergeschriebe*n
24 *nach* contracturus *ist* in *ausradiert*   25 senatum.   299ᵃ, 2
bedáhta *auf rasur*   3 imo   12 ist.   15 uibratus *auf rasur*   18
skimen   23 porectiore *auf rasur*   27 ándera   299ᵇ, 18 mánéga
corr. aus* e   300ᵃ, 10 keuuórhtez   23 misselichi   26 fulgurantis.
30 *der punct nach* nubibus *auf rasur*   35 serenitate *überge-
schriebe*n   300ᵇ, 1 ętheri *übergeschriebe*n   2 só   8 Ąther
uúirt *auf rasur*   21 tar, *circumflex ausradiert*   28 sustinens. *auf
rasur*   35 erskuizzende. desgl.*   301ᵃ, 1 calceis *ausradiert*   21
únde   27 multiplici *auf rasur*   301ᵇ, 19 etiam.   24 sáment.
38 erséuuenuuen *ausradiert*   302ᵃ, 5 míssedíhen.   13 férdósen
14 álde   dáz   22 dáz hérote, *circumflex ausradiert*   302ᵇ, 3
lázota corr. aus* o   13 bezéichenet.   19 tau.   21 iniáre.   22
lx. v. auf rasur*   29 uuínterlichen   36 ops.   303ᵃ, 3 féselig
6 diu   14 *scázza góldes auf rasur*   15 geuuáhste. *radiert aus* h
22 ferbórgen *auf rasur*   25 ethna *desgl.*   27 sustentasse *desgl.*
31 man *desgl.*   303ᵇ, 5 expetitur. *desgl.*   304ᵃ, 3 tánne   11
dés   24 lúft *auf rasur*   29 lapidum *desgl.*   304ᵇ, 2 lichynis
5 únde   7 chúmit   20 gelich   305ᵃ, 21 éiuer   33 *latine
suculę. auf rasur*   305ᵇ, 9 sint *ausradiert nach* sie   10 sint
nachgetragen   11 nehéine *auf rasur*   14 Áber *bis* táuro *desgl.*
15 sint *desgl.*   óuh *nachgetragen*   28 piscē, *dann* m *ausradiert*
      306ᵃ, 1 kemábcha *auf rasur*   12 gechnúpfet   16 resplende-
bant *übergeschriebe*n   27 acincto, *vorher raum für die initiale*
      306ᵇ, 3 gegrásegoten *corr. aus* a   10 gerárten   15 skimen |
skimen ausradiert   22 démo   307ᵃ, 18 Uuárte *radiert aus* a
20 chóme   22 zúene *nachgetragen*   31 *vor* tū *ist* tu *ausradiert*
32 imo   307ᵇ, 2 osterior, *vorher raum*   ydathite *auf rasur*

25 *urzeum desgl.* 30 *über* vulto ist't *ausradiert* 308ᵃ, 12
psius; *davor raum* 13 brátteatas. 15 sinez *ausradiert* 19
tenuissima. auf rasur 23 apparebat desgl. 27 trâtes tungelinges.
desgl. 30 íh doppelt, das erste mal ausradiert 308ᵇ, 1 stúndon
11 geuuórmót. 17 *ver* skilte *rasur von* sk 23 geliche. *auf*
rasur 30 nem, *davor raum* 309ᵃ, 9 ost, *davor raum* 10
alter nachgetragen 11 uiridior. 25 tartareȩ auf rasur 31 bél-
lolichun übergeschrieben 309ᵇ, 13 táz 16 erum, *davor raum*
coniunx 25 gástkébun. 34 érdrátes 310ᵃ, 1 tlehsamo.
corr. aus e ᵛ3 chúmet. *corr. aus* i 7 gébe 14 ehinc, *davor*
raum 17 ruber auf rasur *von* s 22 túrstesare *radiert aus* a
23 plúotes. übergeschrieben 27 Uuáz auf rasur 28 minnesamera
desgl. 310ᵇ, 1 ohópf *desgl.* 6 *Huius* gressus desgl. 7 scrán-
chelige. *desgl.* 8 odorati. *radiert* aus e 11 stárchen radiert aus
s 13 ost, davor raum 29 fúozen *radiert aus* s 30 minnero.
31 skínent übergeschrieben 311ᵃ, 3 sihest 8 únder überge-
schrieben sint 16 ehinc, *davor raum* 19 solichesches ausradiert
22 hercules übergeschrieben 33 gúollihkéinón., *circumflex* aus-
radiert 311ᵇ, 10 lóbeta 18 máchot. auf rasur 312ᵃ, 4 um,
davor raum 15 uidam desgl. 30 Dóh 312ᵇ, 4 íst 10 unc,
davor raum 16 ín, acut ausradiert 19 ist gnúht uuíderuuartig.
durch zeichen umgestellt 28 grece auf rasur 29 súmeliche desgl.

313ᵃ, 1 scózen. auf rasur *von* barme (?) 12 préochende.
16 uerticem. 20 mit 27 factorum ausradiert 31 ín
313ᵇ, 4 dáz 8 *féste* auf rasur 26 upiter, *davor raum* 34
hímeliscun 314ᵃ, 3 commonebat. auf rasur 7 héizet. 12 *er*
deus auf rasur 15 gedagetón 17 Tunc auf rasur, nc überge-
schrieben 21 i, *davor raum* 23 Suspensio. übergeschrieben
scúnti auf rasur 28 Et hic. übergeschrieben 29 iúuih mir 33
Depositio. übergeschrieben uúio auf rasur 314ᵇ, 7 gebót.,
der acut scheint radiert aus circumflex 13 únfrólíh, *circumflex*
ausradiert 19 lȩta 30 rát auf rasur 31 *ergo* o grata dei
315ᵃ, 15 tár 25 celitum. 315ᵇ, 4 liget, acut ausradiert 15
censebat ausradiert 18 gezálót. uuáz auf rasur 20 anteuólans,
acut ausradiert 21 sortem. 28 sinén. 36 ín 316ᵃ, 5 t, da-
vor raum 8 fîtzig. auf rasur 12 sín uutíe 25 ergo o superi.
31 pechénnent übergeschrieben 316ᵇ, 4 zesámine mit héilesode.
durch zeichen umgestellt 11 ed, *davor raum* 13 suffragium auf
rasur 14 fólchete. álles auf rasur 16 *nach* fieri rasur *eines*

buchstaben 22 appetitum *auf rasur* 30 nach méist *ist* ist *aus-*
radiert 31 gelúst., *rasur nach* g 317ª, 2 thebę. *aufˑrasur*
16 ~~lídan nachgetragen am zeilenanfange~~ 24 gelóbontemo. *über-*
geschrieben 25 éina . 26 fróvuun. 32 ed, *davor raum*
317ᵇ, 21 sélbo *úf.* *auf rasur* 25 ze 27 uuáren. 318ª, 8
facchelòn. auf. rasur 9 uuirt sie *auf rasur* 14 ten háls 15
elicē. 19 stánde. 24 só 25 in *übergeschrieben* 318ᵇ, 8
tuén *auf rasur* 10 nideronhángenton *ausradiert* 13 óffenę. *auf*
rasur 19 Zuéne *bis* fúozen *übergeschrieben* 20 án 23 sírium.,
circumflex ausradiert 24 tánne *auf rasur* 27 ferstráhten. 28
mit 319ª, 9 *nach* nórdzéichen *ist* n *ausradiert* 14 Únz 22
nique, *davor raum* 25 multa *auf rasur* 28 úns hína desgl,
34 *exiliendumque desgl.* 319ᵇ, 22 eruuíndenten *desgl.* 30
plúomondo. *aus e corr.* 32 zeeruárenne., *acut ausradiert* 35 so-
brietatem. *auf rasur* Tér *radiert aus* s 38 sálboton *auf rasur*
320ª, 1 síh. 3 dáz 11 áber *übergeschrieben* 23 opinatione
auf rasur 32 si, *circumflex ausradiert* 320ᵇ, 2 taque, *davor*
raum 5 apto *radiert aus* a 6 ex nuptiali *auf rasur* 17 zeteilta
desgl. 25 *tmo* gescáffòt *desgl.* 32 Uerum *desgl.* 321ª, 2 dén
5 xyríos. *radiert aus* e 10 súnder *übergeschrieben* 14 hálb 15
ánæ 20 ketáner.ᴵᴵᴵ. *auf rasur* 22 uuánda *desgl.* 23 só | só
ausradiert 25 zéllennis. 321ᵇ, 3 úmbe *auf rasur* 10 vor
uuirt *rasur von* d 11 án 16 longitudinis. *auf rasur von* s 24
nach dén *rasur von* b dén phitagoras. 322ª, 6 restrinxit
12 minneronde *auf rasur* 20 *nach* námen. *rasur von* O 22
xxɪɪɪ. 25 O. 30 ɪɪɪ. 35 perfectus 322ᵇ, 13 vuúrchet ér
durch zeichen umgestellt 27 giggnit *ausradiert* 33 Únde dáz ist
ausradiert 323ª, 3 symphonias *corr. aus* i 6 diapason *auf*
rasur 11 gegében; 12 íst. 17 uicibus ˑ.ᵢ. uicissitudinibus *auf*
rasur 30 sInen íst 35 réhte *auf rasur* .323ᵇ, 2 Áber *auf*
rasur 3 óuh *übergeschrieben* 4 chúnniga *auf rasur* 12 erfóllot
27 cęli 35 .ᵢ. phitagorę. *übergeschrieben* 36 mathentetradan
aus d *radiert* 324ª, 24 mér 29 órganûn. 36 sesqualtera.
324ᵇ, 1 zuéin. 10 díplaíoque *auf rasur* 30 gratulatur. *auf*
rasur 325ª, 27 métemungo. *radiert aus* a 37 tes 325ᵇ, 8
fólgeen *übergeschrieben* 16 gebríefent. *radiert aus* b 25 dero,
acut radiert 326ª, 21 táz *übergeschrieben* .22 tar, *circumflex*
ausradiert 326ᵇ, 5 convbium *auf rasur* 9 álla 12 ᴄᴏʀᴘᴏʀᴀʟɪ-
ᴛᴀᴛɪ *auf rasur* 21 globos; 27 *rasur nach* tanne líden.

327ᵃ, 1 saturni; 2 únuuartesalig *corr. aus* l 9 permixtis. *corr.*
aus a 11.13 zûo *radiert* 30 aduersus 34 únde gáreuuiu;
327ᵇ, 1 déro 2 sólta. *auf rasur* 7 sálb., *darüber rasur* 14
pedissequa. 22 chít 29 sí 30 sía *nachgetragen* 328ᵃ, 8
uigilia; 16 Síd 20 sollertíę. 24 uuóla *übergeschrieben* 25
uuídemdíuue. *corr. aus* a 27 brûotegomen *ausradiert* 30 Non
auf rasur 32 Únde 33 brûotegomo *ausradiert* 328ᵇ, 5 hábe.
8 Úbe 13 Únde 29 uuárnungo 30 Uerum 31 quis
329ᵃ, 12 uidebatur 16 umbrabratii. *ausradiert* 21 Uuánda 22
án 329ᵇ, 27 síh *auf rasur übergeschrieben* 34 gegáreuuet
36 záme. 38 subligauit. 330ᵃ, 4 nebeuuúlle. Der, *acut aus-*
radiert 16 *rasur nach* uuésen. 23 pegónda 330ᵇ, 2 síh
übergeschrieben 4 ézen *radiert aus* héi 18 die *radiert aus* a
28 áha *radiert aus* b 29 dár 37 modulationis; 331ᵃ, 3
méisterlicho *auf rasur* 5 Nam *radiert aus* ec 29 lûtreisti, *dann*
rasur 33 súngen *übergeschrieben* 331ᵇ, 9 PHILOLOGIAE 15
Uide , 24 ..s. *übergeschrieben* quid 26 causas. 27 *frágende.*,
über ſ *und* r *rasur* 332ᵃ, 5 spera. dáz 14 tûot *übergeschrieben*
15 in *desgl.* 18 radius *über unterpunctiertem* i 19 mánen *über-*
geschrieben 21 skínen; 332ᵇ, 3 poscit *übergeschrieben über*
undeutlichem poscit Fárhína 8 MVSICAE DE PERITIA. *durch zei-*
chen umgestellt 16 libetros. *übergeschrieben über undeutlichem* tr
dén 17 poetę sín. *durch zeichen umgestellt* 26 .ſ. sáment tien
poetis tíh *umgestellt durch zeichen* 333ᵃ, 7 pérge 10 tero
übergeschrieben 15 dictante. 18 daz 19 traciskun; 29 uuídere
333ᵇ, 14. addita 23 rithmica *übergeschrieben* 28 mázero
nachgetragen am zeilenanfang 31 quid *übergeschrieben* 32 figuret
radiert aus fugiret , trigonus *auf rasur* 334ᵃ, 29 quón *auf*
rasur 334ᵇ, 3 Vnde 10 applaudente *auf rasur* 13 trûogin.
radiert aus e 14 gehteltín. *desgl.* 19 dunse, *der acut scheint*
ausradiert 28 míh 335ᵃ, 5 Nú, *der acut radiert aus circum-*
flex 7 gespráchi *übergeschrieben* 10 tûont *übergeschrieben* 15
mít 335ᵇ, 9 intsízzent *auf rasur.* 12 collectiones *desgl.* 23
crámatichis 26 Sollers quod 29 kechôses *über rasur von* s ..tti(?)
33 Sollers 336ᵃ, 3 ętheris; 6 ze *doppelt, das erste mal ausradiert*
7 árbeito *ausradiert* 16 ánagenne 17 nû 27 chít. 28 Unde
29 *nach* chláfondo *ist* uuint *ausradiert* 336ᵇ, 4 lúft 6 ęris:,
darüber a 11 gedícchént. 34 premuneratione, *nach.*pre *rasur*
337ᵃ, 12 uuáchen 17 semper *übergeschrieben* 19 cartis *auf*

rasur 31. 34 sabaeorum. 35 uuistôom 337ᵇ, 5 áscun; 21
léra. 338ᵃ, 18 kehlen *radiert aus* z 24 thalamum; 26 *lóbe-*
sánge auf rasur 34 perrexit. 338ᵇ, 10 óberen 13 ófto
óberôro *auf rasur* 15 parentis *übergeschrieben* 28 osiris; 31
sûona *auf rasur* 33 smite. *auf rasur* 35 ten rát. *desgl.*
339ᵃ, 3 uilo. *desgl.* 4 házett. 7 fermúgentero. 14 chit *ra-*
diert aus d(?) 15 doctius *ausradiert* 17 chúnnigosto; 22 celo;·
36 sín; 339ᵇ, 1 lu 9 soғʀosɪɴɪ. 22 Uuára *ausradiert*
fróuvûn *am zeilenanfange nachgetragen* dára *radiert aus* t 23
innôr 24 lústsamero *ausradiert* 340ᵃ, 21 Únmtotegerniu. *auf*
rasur 340ᵇ, 13 grauis 15 gloriosa. 28 sí, *circumflex aus-*
radiert 341ᵃ, 4 cᴀʀɪᴛᴀᴇ 5 Preterea 14 gezterte 26 letos
341ᵇ, 2 dáz 10 uuérdent, *rasur eines circumflexes* 19 ge-
táten dô *umgestellt durch zeichen* 20 musis; 24 tréttenóda.
ausradiert 26 cᴀᴇʟᴠᴍ. 29 cymbalorum. 342ᵃ, 14 dôza *auf*
rasur 15 bezémlichemo, *darüber* chin *von anderer hand und am*
rande mit verweisung bezéichenlichemo 342ᵇ, 6 állero.
343ᵃ, 1 guuár 6 fólle 36 carbasinis *radiert aus* p 37 uolumi
minibus. 343ᵇ, 7 iz ív 344ᵃ, 6 effuderat *auf rasur* 14 ge-
zívuge. 21 gesâmenotôn *auf ras.* 344ᵇ, 7 uuír, *darüber rasur*
10 triscozên., *nach* c *rasur* 13 dar 28 quedam equalis 345ᵃ,
11 ist *übergeschrieben* 22 sih 29 binun *übergeschrieben*
345ᵇ, 18 chlíuuis 27 innerun 346ᵃ, 2 gegében; 11 uuérlte
ánasihtigun., *durch zeichen umgestellt* 13 dáz 346ᵇ, 12 qua-
dam *übergeschrieben* 17 sólti. *auf rasur* 23 aduersum 28 im-
mortalisque *ausradiert* 347ᵃ, 14 *rasur nach* eius 31 formi-
dauit. 32 héllevuínná *radiert aus* u 347ᵇ, 8 consecrauit. 12
des *übergeschrieben* 20 cᴀᴇʟᴠᴍ. 24 uidebantur *ausradiert*
348ᵃ, 31 mancipia; 38 posset *über unterpunctiertem* i *gebôt*
348ᵇ, 2 vulb 16 gratiae. 22 fólgeta *übergeschrieben*
349ᵃ, 3 aduenire *subito desgl.* 26 teta. 34 iuuando *auf rasur*
36 dih *übergeschrieben* 349ᵇ, 11 contagionis. 15 gebúrte *auf*
rasur, te *übergeschrieben* 16 sléhtero. *ausradiert* 24 om̄, *dann*
rasur 27 sálbsmizun. 30 *férte* uuáltêst. *auf rasur* 31 só 38
protexeris. 350ᵃ, 14 uoco nuncupatam. *durch zeichen umge-*
stellt Et hic. *übergeschrieben* 18 poscenti. *radiert aus* p 25
fúore. *auf rasur* 26 féld. *radiert aus* t 30 quero 350ᵇ, 8
dero 9 chédên 10 die *übergeschrieben* 351ᵃ, 23 vutzegúngá.
30 an *auf rasur* 31 *nach* fóre *rasur von* ze 351ᵇ, 8 virgilius

auf rasur 19 *dien* | dien *ausradiert* 352ᵃ, 12 angelvs
22 esse *übergeschrieben* 23 lucide *esse mit tilgungszeichen dar-
über* 352ᵇ, 24 dicunt; 353ᵃ, 3 húmana *auf rasur* 6 *ze-
gemáche desgl.* 10 mit 21 Alcmene *auf rasur* 24 *nach* Si
rasur von ? e 353ᵇ, 25 uuin 36 italia; 38 málen, *der acut
scheint aus circumflex radiert* 354ᵃ, 9 uuizegungo. 14 dén
24 s. *übergeschrieben* ut *desgl.* 354ᵇ, 1 kemúgentôn *überge-
schrieben* 19 táz *bis* chúeniga. *desgl.* hértinga *corr. aus* e 28
omnis aeris hẹc *durch zeichen umgestellt* 32 plátonis 355ᵃ, 9
illá tribuéntur. 20 adiuti 355ᵇ, 7 mantuona. 18 genámôt
19 únde *bis* mania. *von anderer hand übergeschrieben* 35 Hincque
übergeschrieben 356ᵃ, 12 malum 20 mániginá. 30 démo 33
uuánda 35 satyrica *über unterpunctiertem* ꞏi 36 *inludendi. auf
rasur von* fabulẹ 356ᵇ, 2 únde 7 fana 18 faciendi. 21
ánanéndennes. *auf rasur, nes übergeschrieben* 27 uuielte *aus-
radiert* 30 *himeliskiu auf rasur* 32 Si *chit. übergeschrieben* 38
cẹlum. 357ᵃ, 13 Dés 357ᵇ, 3 prenitentis. 15 egypzisca
20 uuis; ze *auf rasur* 25 blécchezeta *übergeschrieben* 32
héizet *auf rasur* latine. *übergeschrieben* 358ᵃ, 8 misseſáreuuér
uuárb 16 preferebat *corr. aus* s 18 stéccheliu. *ausradiert* 23
ſter *auf rasur* ánalútten; 358ᵇ, 22 femina *radiert aus* e 31
só 359ᵃ, 20 ér *auf rasur* 359ᵇ, 16 uirga. *corr. aus* o
18 dáz 29 dero *ausradiert* 360ᵃ, 5 sáment vuúrmen *über-
geschrieben* 12 egypziskes, *dann rasur* 22 priutegómen 23
úngeéreta *radiert aus* a 31 keuuálte. *auf rasur* 33 est. 34. 36
blancẹ. *desgl.* 360ᵇ, 1 sia *auf rasur von* die 4 lucrorum *auf
rasur* 10 uuánda *si, rasur von circumflex* 31 s. *übergeschrieben*
nach uenerii *rasur von* s 361ᵃ, 2 mit, *der erste strich auf
rasur* stílta 17 ascensus. *auf rasur von* tonus 26 A′lliu *auf
rasur* 28 scipiónis. 34 dáz in *auf rasur* 361ᵇ, 3 ist sólih
6 s. *übergeschrieben* 19 bílde stúont 22 bóum; 362ᵃ, 16
sole; 28 blínt. 31 hímeles; 362ᵇ, 4 ẹtherem *übergeschrieben*;
vor m *ist* re *durch zeichen getilgt* 8 sines *doppelt, das erste mal
ausradiert* 27 tír 33 *nach* perfectus *rasur von* narius
363ᵃ, 15 cúldine 21 alipedes *corr. aus* i 27 elementa mundi
durch zeichen umgestellt 34 Hinc, *vor* n *rasur von* c 37 chúmf-
tigiu 363ᵇ, 25 *chint auf rasur* mít 33 ébere. 36 tiu
364ᵃ, 6 ᴛ ᴍ ᴛ 7 mentis *übergeschrieben* 13 ánderro 14 ẹtherios
übergeschrieben 21 ᴍᴀʀᴛᴇᴍ. 29 hemitonio *auf rasur* 364ᵇ, 6

áha   10 hemitonii *übergeschrieben*   31 uuármén   365ᵃ, 2
rasur nach tó   4 góten; únde   13 dero *übergeschrieben*   20
saturni.   34 álle *übergeschrieben*   365ᵇ, 9 erchómeniu.   13
CAELVM.   14 maximis *auf rasur*   16 *oder* sie   19 tono *auf rasur*
   366ᵃ,᾿1 *erfáren hábetôn. auf rasur,* tôn *übergeschrieben*   6
fólleglichûn *auf rasur*   9 CAELO   14 skricchendíu. *auf rasur*
29 síh   366ᵇ, 1 mánigiu   4 syderum crebrorum *durch zeichen*
umgestellt; r *übergeschrieben*   18 summitate *auf rasur*   20 Et
hic. *übergeschrieben auf rasur*   21 inále *auf rasur*   25 corpor*alis*
übergeschrieben   367ᵃ,, 6 gaudedentem *ausradiert*   24 ignita.
27 ánahárende.   32 gespróchene.   367ᵇ, 3 sen*sibilis* sperę *auf*
rasur   6 ánauuálton *desgl.*   19 diei noctisque *desgl.*   28 *deitas*
30 i. semel *übergeschrieben* i. bis *desgl.*   31 i. substantia. *desgl.*
33 dir héizent *auf rasur*   368ᵃ, 5 lieht.   8 uuárhéit *auf rasur*
15 gestùont *übergeschrieben*   19 góta; únde *auf rasur*   36 fóne
   368ᵇ, 11 *uuérlt úmbegriffe. auf rasur*   12 *die radiert aus* a
23 Scóniv *auf rasur*   369ᵃ, 27 ueterum;   369ᵇ, 9 uuérbín
corr. aus e   14 Udus, *acut ausradiert*   30 uuésen *übergeschrieben*
   370ᵃ, 2 *vor* frùot *rasur von* uu   4 *vor* scréib. *rasur*   9
discrepantibus *auf rasur;* pan *übergeschrieben*   dissonabat. *auf*
rasur   33 *ináben übergeschrieben*   370ᵇ, 10 eidemque *über-*
geschrieben, ei *auf rasur*   15 geántuuvŕta.   27 scámelín *uuás.*
auf rasur   371ᵃ, 7 non deesset. *auf rasur*   14 popeamque
desgl.   16 gelésen *desgl.*   18 tábellôn.   20 popeus *auf rasur* íu
übergeschrieben   23 attribuit;   30 dilectoque   34 eruuéleta *auf*
rasur   371ᵇ, 14 *nach* ter *ist ein* gágen *ausradiert*   15 únde
bis tág *übergeschrieben, davor rasur*   17 rosetis   33 librales
34 lérent;

   CATEGORIAE.   *s.* 377ᵃ, 5 kenámmen déro *B* écchert *B*   6
unde gelíh íst.“ *B*   7 substantię. diuersa secundum *B*   9 zala
íst uuáz sie sín demo *B*   10 námen *AB* uólgéndo. án *B*   11
sie *B*   12 sín *B*   14 homo et *B*   15 est ut ęquiuoci *sunt*
(übergeschrieben) homo uerus et *B*   377ᵇ, 3 lingua sínt ge-
námmen homo *B*   5 ménnisko. *B*   6 gelíhnisse.“ *B*   9 úngelicho
uuáz *er (ausradiert)* sie *B* demo namen uolgendo der *auf rasur*
B   10 sie *B*   11 máchôt.“ *B*   13 eorum propriam *B*   15 loman
daz louuéderez *B*   16 gibít ío uuédermo súnderiga *B*   378ᵃ, 1
Homo *auf rasur A*   2 Tér *B*   3 sinníg *B*   5 est et *B*   Tér ge-
má[275ᵇ]leto íst *B*   7 libelos. *B*   12 kenámmen .i. hábent *B*

námen *B* 14 Diffinitio ist. tiu dir *B* 15 sie *B* 17 est. *A*
18 baptista filius *B* 19 euangelista. *B* 23 mortale; *A* 25 *ho-*
minis uel *auf rasur B* 30 *nach* nieht *rasur A* namen *B* 31
iohannes ter sie *B* 378ᵇ, 3 habent sie. *B* 5 ęquiuoci{276ᵃ]sed
B sine *B* 6 gelihnámig *B* 7 éinnámig. *B* geméinnamig. *B,*
in A acut über a *ausradiert* 9 uuérdent *B* 12 dicuntur quorum
B 15 héizent *B* héizint *A, corr. aus* e aber éinnamig. *B* 16
geméinnamig. *B* geméinnamig. *A, acut und circumflex ausradiert*
17 temo námen. *B* 18 sie *B* 19 sint so man siu héizet." *B*
26 Sie *B* 27 héizint *A* keméinltcho *B* 28 ist. *B* sie *B*
29 .s. táz sie *B* 379ᵃ, 1 "Si ·*B* 2 quid *auf rasur A* sint.,
acut ausradiert B 4 pédero. *auf rasur A* louuéderiz *B, acut aus-*
radiert. A si. *AB* 5 zala *B* 6 tiu zala? *B* 7 sie *B* also *B* 8
sie *B* héizent. *nachgetragen B* 9 [276ᵇ] Uuáz *B* 10 *nach* animal
rasur A 12 táz ist *B* daz *B* 13 anim*al ist auf rasur A* sint
B, danach sint *unterpunctiert* 16 hábent *B* difinitionem *B* 17
modum; *A* 19 nthet. *B* 20 táz *B* gé*méine ndmo auf rasur B*
21 ist. *B* 22 bouis. *AB* 24 aequiuoca. *B* 26 uuérdent *B* ae-
quiuoca uuilôn ungeuuándo. *B* 27 úngeuuando, *circumflex aus-*
radiert A fortuito *B* 29 uuilôn *B, in A ist der circumflex aus-*
radiert gel*u*bedo *auf rasur A* gelúbedo. *B* 32 pictvs *B* 33
múgen *B* béidiu *B* 34 appellatiua. *B* 379ᵇ, 1 hic *bis* uerus
auf rasur͵ A 2 pictus. *B* 3 communiter. sint *B* 4 aequiuocis.
B 5 quorum [277ᵃ] *B* 6 ticchór *B, circumflex ausradiert A* 7
appellatiua *AB* 8 uuérdent *B* 10 est. *B* Vuilôn *B* 11 patria.
B 13 professione ut *B* 15 consul *auf rasur A* 17 seruo in-
genuus *B* 18 mánigíu, *circumflex ausradiert A* uuésen múgen.
B 19 mánegiu *B* uuésen múgen. *durch zeichen umgestellt B*
20 díngolih *B* díngolih, *circumflex ausradiert A* 21 iz, *acut*
ausrad. A 22 námen geméinen. *B* 23 U'*nde auf rasur B* áber
B áber *auf rasur A* 24 aequiuocum temo *B* hábet *B* 25
námen. *B* 26 úngemeinen, *über* e *acut ausradiert B,* i *auf*
rasur AB 28 aristotiles *B; vom zweiten* t *an bis zum schlu/se*
des kapitels auf rasur 29 est. *B* 31 ᴅᴇ ᴅᴇɴᴏᴍɪɴᴀᴛɪᴠɪs. *fehlt in*
B, in A schwarz übergeschrieben 33 quęcumque *B* 380ᵃ, 1
differen*te auf rasur B, danach rasur A* 2 [277ᵇ] námen *B* 3
genámôt *B* 4 keuuéhselotomo *B* úzldze. *B, circumflex aus-*
radiert A 5 deriuatum. *B* mit *B* 6 fóne námen. *B* 7 gram-
matica *auf rasur A* gramatica *B* 10 ᴘʀᴇᴍɪssᴀ *B* 11 disén *B*

12 prędicamenta *B* 12 aristotelis *B* 13 námen hábent *B* 14 úngelícha *B*, *circumflex ausradiert* A Prędicamenta *B* 15 héizent *B* 16 sint *B* 17 úngelih. *B, circumflex ausradiert* A – aequiuoce *auf rasur B* 18 genámот. *B, circumflex ausradiert* A 19 sélben *auf rasur* A sie *B, circumflex ausradiert* A 20 spe-ciebus. *AB* 21 siu geméina *B* 22 hábent. *B* 23 uniuoca. náls aequiuoca. *B* 24 uuérdent, *darüber und darunter rasur* A 27 sih *B* er *übergeschrieben* A 28 nîmet *B* er, *acut ausradiert* A ist *übergeschrieben* B 29 Léget *B* ér *B, acut ausradiert* A 30 ist er, habens. *auf rasur* B er, *acut ausradiert* A 32 únde *B* ná[278ª]men, *vor* m *ist* m *ausradiert* B geuuúnet. *B* guuíanet. *übergeschrieben; über dem ersten* u *circumflex ausradiert* A 380ᵇ, 1 fóne *radiert aus* u A 2 fóne *B* uestitus *fóne radiert aus* u A ueste., *acut ausradiert* AB 4 namigiu., *vor* g *ist am zeilenschlusse* g *ausradiert* B namigiu., *acut ausradiert* A 6 marcus tullius *B* 7 missendmigiu. *B, acut ausradiert* A 8 dero? *B* 9 ne bedórfta *auf rasur* B er., *acut ausradiert* A dissemo *B* 11 DICTIS. *B* 17 uuérdent súmelichiu *B* 19 súnderigo., *circumflex ausradiert* A súnderigiu. *B* 20 quae dicuntur *B* 22 gelégitiu. *B, acute ausradiert* A 26 man, *acut ausradiert* A súnderigo *B* 27 currit *bis* 381ª, 1 er *von anderer hand und bis* zesámene *auf rasur* B 28 tíu súnderígen *B, acut ausradiert* A 29 daz *B* ér *B* án *B* 30 zesámene *B* 381ª, 1 kelégetin *B* er, *acut ausradiert* A 2 [278ᵇ] hára *B* 4 *sunt. alia auf rasur* A 6 Súme-líchiu *B, circumflex ausradiert* A 7 díngo uuérdent *B* 8. 9 únderen. *B* tíu *bis* 9 únderen *oben von anderer hand nachge-tragen mit verweisung* B 11 únderen." *B* 14 démo *B, acut ausradiert* A 15 únderen. *B* ételíchemo *B, circumflex aus-. radiert* A ménnesken. *B* 17 die *B* grammatica *auf rasur* A 18 uuérdent *B* 19 fóne *auf rasur* A 20 áber *desgl.* proprie A propriae *B* 21 sint. *radiert aus* u *B* 24 *homo* gespróchen. *auf rasur* A 26 an corr. aus i *B* 30 esse *auf rasur* B 381ᵇ, 4 dicuntur [279ª] Táre *B* 5 démo, *davor rasur von* i *B* únderen *B* 6 siu *B* 7 únderóren *B, circumflex ausradiert* A 8 siu *B* 9 únderósten. *B, circumflex ausradiert* A 11 in *über-geschrieben* B 12 inpossibile *aus corr.* B 16 quedam *AB* 18 uuésen *B* 19 únderen. *B* tár *B* ist unde *B* 20 unde *AB* iz *B* 21 niener A 23 quedam A 27 unde dóh fóne *radiert aus* u *B* 28 gespróchen, *darüber* i *ausradiert* B 29 ér *B* er, *acut*

ausradiert A ‚animę aristarchi B 382ᵃ, 3. 4 éinlúzzén B, *acut*
ausradiert A 5 nals B 6 uuérden B 7 [279ᵇ] B UNIUER-
SALI ACCIDENTE. *auf rasur* A 8 dicuntur *bis* 11 *uniuersalia auf*
rasur A 9 dicuntur. et in B 10 kespróchen fone B 11 síu B
18 íst íro stůole. *auf rasur* A 21 Taz, *acut ausradiert* A sia; B
sia, *circumflex ausradiert* A ut scientiam anima tregit. *fehlt* B;
in A am *rande mit verweisung* 23 sia. B sia, *circumflex aus-*
radiert A ut grammatica scientiam. *fehlt* B; am *rande mit ver-*
weisung A 24 íst B 25 máhtí B 26 ‚substantia? *auf rasur* A
máhtí B uuizen. *corr. aus* i A 29 díen B, *circumflex aus-*
radiert A 382ᵇ, 3 Aber B 4 sint B súmelíchiu. B, *circum-*
flex ausradiert A 8 síu B, *acut ausradiert* A 9 díu B, *acut*
ausradiert A 11 ęquus. A 15 téro B, *acut ausradiert* A éin-
luzzón, *acut ausradiert* A substantiarum. B 19 [280ᵃ] B PRÆ-
CEDENTIBUS A 20 QVATVOR. B 21 uteriv getéilit. tíu ér B fleriv
auf rasur A 23 ‚uuíderuuártíg. B, *acut und circumflex ausradiert*
A 24 *nach* particulare *rasur* 383ᵃ, 2 éinluzzíu *auf rasur* A
sint. B sò *auf rasur* A 9 an B 10 síu B, *acut ausradiert*
A 12 iz *übergeschrieben* B 13 tíu B, *acut ausradiert* A 15 táz
B, *acut ausradiert* A 17 Tíu B, *acut ausradiert* A 18 án AB
in AB éinluzzén, *acut ausradiert* A 19 nemág AB 25
nnder AB 29 geméinlícho B, *circumflex ausradiert* A 30 [280ᵇ]
B 33 predicatur. *auf rasur* A 383ᵇ, 5 tánne *auf rasur* B
6 taz B 11 óberin. AB 19 péidíu *auf rasur* A 23 uuírdit. B
26 Diuersorum *auf rasur* A 27 alterernatiou ǀ natim *ausradiert*
A 29 diu B 32 species. *ausradiert* A daz sie uuúrchent. B
33 animalis *auf rasur* B 34 skidunga B sint. A 384ᵃ, 1
sunt. AB 4 súmelíchiu B *beidemal, circumflex ausradiert* A
[281ᵃ] múgen B 6 Scientie A 7. 19 mán B, *acut ausradiert*
A 20 skídón. B, *circumflex ausradiert* A 25 díen B, *circumflex*
ausradiert A taz, *acut ausradiert* A 31 die B 32 skidunga
auf rasur A dés B, *acut ausradiert* A generis. *auf rasur* A
34 *nach* sie *rasur* A múgén. B 36 tis B 384ᵇ, 2 A´lsò B
súmelíh *radiert aus* ǀ A 4 sumelih *übergeschrieben* B animal.
B 6 tie AB diuisiuę AB 7 nedúrhcánt B 8 ní[281ᵇ]derin. B
12 tis B 15 rationalis B rationaľ *st. auf rasur* A 16 QVOT B
26 éinlúzzíu B, *die acute ausradiert und iu auf rasur* A etelih
B ételih, *circumflex ausradiert* A 28 sl. AB uulolíh. B 30
ánahébid. B 385ᵃ, 3 bicubitum tricubitum. Bᵒ 4 zuéidlníg

triálnîg. B, *die acute und circumflexe ausradiert* A 5 aliquid auf rasur A 12 óberóstin. B 16 [282ª] tîu B uteríu? *auf rasur* A 19 HAEC B 25 sîh AB éinlúzziu B, *acut ausradiert* A 28 fit. AB 29 gelégentên. *ausradiert* A 385ᵇ, 7 ér B, *acut ausradiert* A 8 predicamentis. *auf rasur* B 9 er, *acut ausradiert* A éristin. *corr. aus* e A; in *auf rasur* B daz B 10 skídungo B 11 DIUISIO *bis* SECUNDAS. *auf rasur* A 22 óbe[282ᵇ]ren B 23 tie B héizint. *auf rasur* A 26 stando. *auf rasur* A 27 Só *desgl.* ist. *desgl.* 34 ánderèn B 386ª, 1 áber *übergeschrieben* B éristin. AB 2 die B éin *auf rasur* A 9 est *desgl.* 12 begrífet *desgl.* 15 uernúmste sint. *desgl.* uernúmste AB 18 uuárin. B uuárin, *circumflex ausradiert* A negenuñoge B 19 uloman. *auf rasur* A 20 PRĘDICANTUR A 30 dîa [283ª] B 386ᵇ, 17 predicabitur de AB 22 rehtor, *mit zeichen über* e *und* t (⊣ *und* ⊢), *die wol die umstellung in* th *andeuten sollen* A 25 ouh B 32 námo. *doppelt, das zweite mal durchstrichen* A 34 tro *auf rasur* A 37 [283ᵇ] nihil B 387ª, 1 súmeltchero B, *circumflex ausradiert* A 3 cum *auf rasur* A 13 ęquiuocatio. B 15 CETERIS B 16 que B 20 daz B tír, *acut ausradiert* A 21 substantias. *auf rasur* A 23 tûont B lígènt AB, *in* A *noch* punct *darunter* 31 accidentibus. *auf rasur* A 387ᵇ, 4 gespróchen. B 6 [284ª] corpore. B 10 éinlúzzemo B, *acut ausradiert* A 16 ána B ánæ A 17 e *am rande* B 29 neuuárin accidentia B 388ª, 5 ist B substantia *übergeschrieben* A 6 tanne B 9 náhór B, *circumflex ausradiert* A téro B, *acut ausradiert* A 15 éinlúzza B, *acut ausradiert* A 19 assignando bis 23 magis *auf rasur* A manifestius *bis* assignando *fehlt* B 20 dû B 21 zéigóst hominem B 22 [284ᵇ] némmindo. B tanne B 31 Zéigóst *auf rasur* A 34 *nach* unde ist *sprei am zeilenschluſse ausradiert* B 35 Amplius. AB 388ᵇ, 2 sunt idcirco B 9 Sicut *auf rasur* B 11 habent. *übergeschrieben* B 15 substantia *über* ę B 21 sprichit *auf rasur* B 22 neuuîrdèt B 26 Tánnán B náhór B náhor, *circumflex ausradiert* A 29 [285ª] Ipsarum B Ipsarum bis primę 33 *auf rasur (drei zeilen)* B 31 alia *auf rasur* A 35 daz B 389ª, 6 Téro B, *acut ausradiert* A 7 éinlúzzón B, *acut und circumflex ausradiert* A 8 hártór B, *circumflex ausradiert* A diu, *acut ausradiert* A 9 ánderiu. B 13 hóhso B, *ausradiert* A 16 secundę substantię. *auf rasur* A 19 tien, *circúmflex ausradiert* A 20 genémen B 23 hæ AB

25 éinin *B* éinen *auf rasur A* zéigônt *B* 32 zéigôt *B, circumflex ausradiert A* 34 danne *B* 35 genere [285ᵇ] *B* 37 quilibet *B* 38 So, *circumflex ausradiert A* 389ᵇ, 1 míssenémᵣ mendo. *ausradiert B* 4 A'lsô *B, circumflex ausradiert A* 5 míssenímet. *B, acut ausradiert A* in *AB* 8 hæ solæ *B* hae *A* 10 tie substantiæ. *B die primę auf rasur A* 11 alde *AB* 14 substantiæ *B* 15 Secundis *bis* 17 substantię *auf rasur (eine zeile) B* 19 under *B* 20 nelágín. *auf rasur A* 21 Netrñegín *B, circumflex ausradiert A* síu. *B, acut ausradiert A* 23 síu *B, acut ausradiert A* 25 síu., *acut ausradiert A* 28 secundæ *B* 29 sínt *auf rasur A* 32 úndertán. *B, circumflex ausradiert A* 33 substantiæ. *B* 36 úndertrágetên. *B* 38 héizent. *übergeschrieben A* 390ᵃ, 1 Sicut *bis* substantię *desgl.* 7 *nach* únder *rasur am zeilenschlußse A* 10·[286ᵃ] reliqua *B* 11 Uuánnân *auf rasur A* 13 in? *AB* 29 substantiæ *B* substantię *A* 390ᵇ, 1 Tíu *B, acut ausradiert A* 13 ánæ *A* 21 est [286ᵇ] *B* 22 óuh *übergeschrieben B* taz *B* 26 ímo *AB* 29 substantiæ *B* 33 aliquoties *B* 391ᵃ, 1 uuílôn *B, circumflex ausradiert A* 3 níomér. *B, circumflex ausradiert A* 6 péidiu *übergeschrieben B,* idiu *auf rasur A* 7 i. *übergeschrieben A* 17 neíst *auf rasur A* . 22 *sí* neíst *auf rasur von* neíst tóh *A* 25 súochendo *auf rasur A* 26 substantiæ *B* 28 nù [287ᵃ] *B* 30 SUBSTANTIAE. *A* 33 differentiæ. *B* 391ᵇ, 1 éigiu *auf rasur A* 6 Fone *B* 8 differentia. *übergeschrieben B* 9 ér. *AB* 14 gressibile. *auf rasur B* 17 differentiæ *B* 19 Fone *B* démo *übergeschrieben B* 22 Uelut *auf rasur A* Uelud *B* p̄dicatur. *ausradiert B* 23 gressilis *B* 25 differentiæ *B* homine *bis* 31 gressibilis. *auf rasur (vier zeilen) A* 27 ímo. *B* 28 diffinitio. *B nach* 31 *folgt in B die rote überschrift* PARTES SUBSTANTIARVM NON ESSE ACCIDENTIA QVAMVIS SINT IN SVBIECTO. *auch in A stand sie, ist aber ausradiert bei der letzten großen rasur* 36 eas [287ᵇ] *B* 38 síu *B, acut ausradiert A* 392ᵃ, 2 *unten am rande von* s. 28 *eine zeile ausradiert A* sie *B* 3 substantiæ. *B* substantiae. *A* 7 substantiæ *B* 9 sunt *auf rasur A* 11 nioman *B* 13 SUBSTANTIAE *A* 14 DIFFERENTIAE. *A* 16 differentiís *übergeschrieben B* 18 differentiis *auf rasur A* 19 uuérdin *desgl.* 29 démo *desgl.* 392ᵇ, 3 ioh *B* 5 indíuiduis *übergeschrieben B* 7 homine [288ᵃ] *B* 8 tiu *B* tín éina *auf rasur A* 11 substantiæ *B* 17 Sô ist óuh *B* hábit óuh homo *auf rasur A* tiu *B* 26 gemdcha *auf rasur A*

31 hábint. *desgl.* 36 substantiiis *A* 393ª, 4 SUBSTANTIAE. *A*
5 ET NON *B* 8 díng *auf rasur A* 12 unum [288ᵇ] *B* 14 qúisso
B 15 bezéichenet. *radiert aus* nt 17 únspaltig., *acut ausradiert*
A 27 táz *B* 28 bezéichenint *B* 30 substantiæ. *B* 393ᵇ, 3
simplicit *A* simplicit *B* 8 só *B* 10 áne *bis* 17 mite *auf*
rasur A 11 uuiolichi. *B* 16 úmberingint *B* 19 substantiam
[289ª] *B* 20 bezéichenit *auf rasur A* 22 Só *B* Sí *auf rasur*
von o *A* 24 Só *B* 33 E'niu *auf rasur A* 394ª, 5 substan-
tiæ *B* 13 úrspringe *übergeschrieben A* 16 únde uérristin. *B*
18 íst. *B* 21 natúra *AB* 23 substantiæ *B* 24 etiam *auf rasur A*
25 Tíz *B* 26 substantiæ *B* 27 únde [289ᵇ] *B* 32 láng. *B* 35
só zéeniu *B* 394ʰ, 2 únmánigiu *B auf rasur, darüber* èn 3
uuíderuuállòn. *B* 6 guíssotòn *auf rasur A* 8 úngeuuíssòten *AB,*
darüber acut ausradiert A 11 ne *übergeschrieben B* 12 uuíder-
uuártigi *B* 15 Videtur *A* 17 mínnera *auf rasur A* 21 a *sub-*
stantia *desgl.* 23 éin *bis* 24 substantia *auf rasur A* 25 ánderiu.
bis 26 hábo. *desgl.* 26 keiégen *B* 32 danne *B* 395ª, 2 neque
[290ª] *B* 5 imo. *bis* 16 ménnisko. *auf rasur A* 12 ándermo *B*
13 gúot *übergeschrieben B* 15 ménnisko *B* 24 Únde uuárm *auf*
rasur A uuázer *AB* 25 cháltera *B* 33. 37 substantiæ *B* 34
Ménnisko *B* 395ᵇ, 2 mín. 6 fersuíget [290ᵇ] *B* 9 sub-
stantiae. *A* substantiæ. *B* 10 OMNI. *B* 11. 15 substantiæ *B* 15
táz táz *B* 19 substantiæ. *B* 22 est. *übergeschrieben B* 27 nigrum.
desgl. 30 únde *B* tàt *B* 33 substantiæ. *B* 396ª, 8 parúus
A 12 chált. *B* uuilòn [291ª] *B* 17 MUTARI. *B* 19 opponat *B*
23 ꞏadem *B* 25 Uuanda *A* únde *B* 30 geskíbet. *scheint aus*
i *corr. B* 32 íst. *corr. aus* sí 34 so *B* 396ᵇ, 5 *rasur nach*
uuár *A* 7 tríugit *auf rasur A* 12 iz *B* 24 suscipiens [291ᵇ]
B 25 uuéhselònt. *auf rasur A* 26 ín *A* 29 *nach* uuórten
rasur von iu *B* 30 sácha *B* *nach* uuórteniu. *hat B* únde gúot.
úbel uuórteniu. 32 iz *B* 37 únde *B* 397ª, 2 síh *B* . 6
æadem. *B* çadem. *A* 12 aliquando uera. aliquando falsa *B* 13 únde
B 17 iz. *B* 19 eo [292ª] *B* 23 infáhen *auf rasur A* 31 Vbe *B*
32 únde *B* 397ᵇ, 2 nieht *B* 8 réda. *AB* 10 in síh álde án
síh ieht *B* múgin. *auf rasur B* 16 A'lso *B* 17 ist álde neist.
álso *B* uuírdit *auf rasur B* 18 nelídet *über unterpunctiertem* i
A 22 sus[292ʰ]ceptibilia *B* 32 *substantia auf rasur B* 38 *contra-*
riorum desgl. 398ª, 3 ládende. *AB* 4 ánanemiga *B* 15 Uuio *B*
díutin *auf kleiner rasur A* 16 únde *B* ꞏ17 substantia *B* 18 tar *B*

19 uuésenne [293ᵃ] *B* 21 substantia *B* 22 intellegitur *AB* 23
mit *B* Videtur *B* 24 compositum leht. *B* 30 quasi *auf rasur*
B 33 nïouuïht. *B* 398ʰ, 3 póseuuïht. *AB* éht. *AB* 12 únde
B speciem *B* 23 genus [293ʰ] *B* 25 posumus *A* 26 inter-
pretacionem *AB* 28 *interpretatio. auf rasur A* 34 leguntur. *aus-*
radiert B 35 úbérhéuen. *B* 36 *nach* prúchent. *ist eine halbe*
spalte in B leer [294ᵃ] *B* 399ᵃ, 5 habint *B* 6 súmeliche *B*
7 únderskéidïn. *auf rasur A* 10 posicionem *B* 15 únlïgendén.
corr. aus o *B* 19 uero. *AB* 20 linea. superficies. *B* 22 únder-
scéidena *B* 23 sïh *B* 24 zesámene *B* tér *B* 25 obeslïbtí.
radiert aus b *B* díu *B* 26 áne *AB* stát. *auf rasur B*
399ᵇ, 4 téil *auf rasur von* zálo *B* 6 zesámene *B* 8 A'lso *auf*
rasur B uïnuïu. *B* 9 *desgl.* zesámene *auf rasur A* 13 quin-
que [294'] *B* 16 zesamene uïnuïu *B* 17 uïnuïu. *B* 400ᵃ, 6
nebendit nebeln *B* 7 gemeïne *B* zesámene. *B* 9 syllabe *AB*
12 gemeïna. *B* 14 geskéidïn *auf rasur A* 15 stát *B* 16 [295']
B 19 particule *AB* 21 zesámene. *B* 22 er *B* 23 dér *auf*
rasur A 24 téilis. *B* 26 *die striche unter* sinistra *usw. auf*
rasur A 27 réiz *B* mïtemin. *B* 28 sínt *B* 400ʰ, 2 réizo. *B*
6 teïl *B* 8 zeigón *B* 9 réizis. *B* 10 bálben. *B* 12 Tér réiz
B 14 tù geteïlen *B* 15 sélben *B* 16 tù *nachgetragen am*
zeilenanfang B 20 superficies *übergeschrieben A* 22 Plaui nam-
que [295'] *B* particule *AB* 25 uuérden *B* reïze. *B* 26
hábent *B* 28 geméïna *auf rasur B* 29 réiz. *B* 31 dàr *B*
401ᵃ, 1 zuéi. *B* 2 uuïs álla día *B* 3 tùohis. *auf rasur B*
4 geméïnæ *B* teïlo. *B* 6 an *B* 7 sint *B* 8 éinemo. *B* úzer
B 9 únde sínt. *B* dúrhkanga. *B* 10 úzer *B* 11 beuóre uuás
B sïhet *B,* sïhet, *circumflex ausradiert A* 13 plicatvs *B* 14
Diuisus *B* diuisus *A* 15 [296ᵃ] Slïhti bábiïnt *B* tero *B* 16
íro *B* 17 réiz. *B* 20 dero *B* 27 álde *B* tïu *B* 401ʰ, 1
blóche. *auf rasur A* 2 ïdun *AB* 7 der stéin *B* daz *AB, acut*
ausradiert A 8 só *B* uuïr *B* 9 uórnáhtïgemo splálte. *B* 10
die *B* dúrhkáng. *B* 11 éin *auf rasur A* áne *B* 12 uuïr *B*
13 bréitit *B* díg *B auf rasur* dïch *auf rasur A* 15 níuuïn
auf rasur B 17 Uuïo *B* 18 *superficies auf rasur B* keméin-
mérche? *auf rasur A* 19 iz. *desgl.* uïndest *bis* 20 án *desgl.* 20
strïmen [296'] *B* 23 Tïe *AB* 24 sár *AB* 29 stráza *B* 30
hímele. *AB* 31 gemeïnïu. *B* 32 dés *AB* 33 anmïtén *B* 36
hólz. álde *B* 38 dánne *B* 402ᵃ, 1 skïnent *auf rasur A* 3

terminvs B 5 superficies. A 9 [297ᵃ] B 10 superficies tíu
man B 11 min *übergeschrieben* A éin B 402ᵇ, 1 án B 2
uérním B uvóla B 3 tíu, *acut ausradiert* B ‚téilent. B 4
téilent B 5 slíhtl. AB 6 uerním *auf rasur* B Úbe B 7 uví-
chen B 9 íro éin téil. B 11 skínet ío. B 12 continue AB
13 húfo B alde A 14 chórnis. iruuágót B túrh B 16 síu. B
únde íro quantitates *doppelt, das erste mal durch zeichen ge-*
tilgt B 19 únde B 23 Taz kágenuuárta B háftet zu demo
feruárenên. B 25 keméine B 26 íro B ánauáng B ‚anauuáng
A 29 ist AB háftendón. B 32 particule AB 33 optineát. B
35 *nach* stát. *ist* fóne díu pehábit éina stát. *durchstrichen* A pe-
hábint B oúh *auf rasur* A 37 particulé. B quen[297ᵇ]dam B
403ᵃ, 1 geméinero B 3 obtinent. B 10 déro B 11 tár *auf*
rasur A 13 zesámine B 15 geméinero *auf rasur* A 16 már-
cho. B uuérdent B 18 márcho. B éin B 20 díe B, *acut*
ausradiert A sínt *auf rasur* A 21 só B tíe B 22 déro B
díe B 23 háftênt. B 25 díu B 27 Vuéliu B 28 Táz B,
acut ausradiert A 29 óbe. B 30 zéseuun. B 403ᵇ, 2 QUAE A
5 Férním áber *auf rasur* B 6 Férním B 7 ín B únde ín B
9 únde ín driu. [298ᵃ] B 10 constant ex particulis *auf rasur* A
13 Sumelíche A pestánt fóne B 16 sumelíche *auf rasur* B
18 quidem *auf rasur* B 29 Únde B vuár B 30 téilen aus-
radiert A 33 Vnde B uuélez B 34 álso B 404ᵃ, 3 *der*
absatz Similiter *bis* 7 gesíto. *unten am rande mit verweisung* A
plani. B 4 *quandam auf rasur* B 5 déro B 10 *in der figur*
immer kesíto B 11 [298ᵇ] B solid*itatis auf rasur* A 13 zéigón.
B 14 déro héui únde B 15 Tíu B tíu hói. B 16 Díu B
17 quíssíu B 18 stát. B 19 tero, *acut ausradiert* A érdo. AB,
auf rasur A 21 ánderên? B ándérmo B 25 *das dritte* Ein
ohe andermo. *fehlt* B 404ᵇ, 1 zéigon B 2 íogelíhiz B líget.
A líge. B 5 ánderíu B, *danach rasur* A stózên B túont dop-
pelt, *das erste ausradiert am zeilenschluſs* B 12 déro B zéigonne.
B quuíssen B 13 ist. *auf rasur* B 14 déro B 16 bérgis. B
18 lígent síu ein anderen? B 19 geórto só B 20 fíngeris. B
22 hóubit B 23 *vor* hálse. [303ᵃ] *rasur* B 24 quíssín *überge-*
schrieben über verwoischtem e B 26 an B téile *bis* 27 nóh *auf*
rasur A 29 álde B fóre. B 30 áfter. B ósterhálb. B 31
nórdenán. B 405ᵃ, 1 quíssen B 3 ABENTIBUS A HABENTIBUS B
8 habeant. *acut ausradiert* B 11 téilen dero B 12 zálo. *corr.*

aus a *B* neuu | uuéder *ausradiert B* 14 geórto. *B* 15 ligént.
ausradiert B 16 zeseuún *auf rasur A* álde ze uuinsterûn. *B*
17 iener *B* háſteén. *auf rasur A* 18 neque ea. *B* eç *B* ee,
haken unten ausradiert A 19 positionem *AB* 21 nehábint *B*
23 diu. *B* 24 stíllo *B* 26 nù *auf rasur A* 27 únde *B* 28
iſt *B* 34 chédin. sùs *B* 405ᵇ, 2 *nach* uérte *rasur von* sin
[303ᵇ] *B* Unde *B* 6 chédin *B* órdinháſtigi *B* 10 dés *B* 11
ér *B* 12 Só *B* 13 tû *B* chédin *B* 15 pivs *A* 17 iſt *B* 19
quendam *auf rasur B* 23 *nach* nehéina. *iſt* Sed *ausradiert am*
zeilenschluſs B 25 iſt *B* 26 eius. *B* 30 dictum. eſt. *B* 33
máht *B* 34 kespróchen *B* 406ᵃ, 1 téilô. *B* siu *auf rasur A*
neuuérênt. *B* 4 particulis *AB* 7 iſt *B* 8 áleuuár. *B* 9
téilẹ́n. *A* 10 súmeliche *B* 12 [304ᵃ] QUẸ *B* ΓΡΟΡΡΙE *B* 14
Proprie *A* 15 sole *B* 16 fúrenómis *auf rasur B* 19 ánderén
cathegoriis auf rasur A cathegoriis michelíu desgl. B 20 héizent
B beidemal 21 sibenén *B* 22 paruum. *AB* 23 breue. *AB* 24
námen fóne *B* 25 ánderen dingen. *B* 27 gehéizen. *B* 30
uuír *B* 406ᵇ, 1 ôuh *B* 2 díngen. *B quan* | quantitates *aus-
radiert B* 5 uuír chédén *B* michelá *AB* 8 U'nde uuír chédén
B 9 uuánda *B* uuán | *A·* 12 múltus. *B* Únde *B* chédén
auf rasur B 13 lángêr *auf rasur B* lôuſt. *B* 14 *iſt auf
rasur B* 20 annuam .ĭ. *B* 21 aliquo mo *B* 22 A'lso *B* ter
B 23 lángseimi dés *B* zeíGot. *B* 25 uuérh *übergeschrieben B*
uuerh, *acut ausradiert A* 28 ságende. corr. *aus* o *B* 29 dáz
B 30 enim [304ᵇ] *B* 407ᵃ, 3 se ipse *B* 4 héizeṇ́t *B* 8
námen. *B* 9 *adiectiua* níeht *auf rasur B* 13 A'lso *B* 14
quantitibus *A quantitatibus auf rasur B,* ta *nachgetragen am
zeilenanfang* 15 únde *auf rasur B* 16 chédin. *B* 17 dáz *B*
nach quantitas *rasur A* 21 héizen *B* 24 A'fter *B* 25 iſt *B*
accio. *AB* 26 passio. *B* pédíu *B* 27 iſt *B* 28 éigín *B*
accio. *B* 32 Únde *B* 33 e contrario *AB* 35 delæctatio. *B*
37 *gezáltén auf rasur B* 407ᵇ, 2 paruæ. *B* breues. *B* 6 ʀᴇ-
ǫᴜɪʀɪᴛᴜʀ [305ᵃ] *B* 10 pechénne *B* 12 uuíderuuártigis *B* 16
geuuissôtén. *B* 18 tricubito. ĭ. *B* 19 ĭ. *B* 20 méze. *B* 23
uuíderuuártigis *auf rasur A* 27 paruo *B* 29 únde *B* 408ᵃ,
2 aliqu*íd radiert aus* d = uod *A* 7 nehéizet *B* 8 ze éinemo *B*
11 magnum. *aus corr. A* 14 hoc *auf rasur A* 21 eorum *desgl.
B* 22 sie *B* 24 paruum. *B* 25 ĭ. *B* 26 paruus. *B* 27
michel. *B* 28 uuártín. *auf rasur A* 30 ke[305ᵇ]héizen lúzelêr. *B*

408ᵇ, 3 sint *ausradiert B* 4 únmánige *B* 6 Lóse *nóh mer auf rasur B* 7 Bicubitum. *B* 9 .uero. ł. *B* 11 aliquid. quoniam ad *AB* 12 spectat *auf rasur B* 15 dáz *B* getâna. *ausradiert B* 16 geuuis *B* 18 *nach* danne? *rasur B* 19 bezéichenit *B* 20 *fóne auf rasur B* 21 án ándir *B* 23 fernómen. *B* 24 UIDERI. *B* 34 alterius, *darüber strich ausradiert A* 409ᵃ, 2 fernémin *auf rasur A* fernémen *B* 3 chére iz. únde *B* zéinemo *B* 5 contrarium? *AB* 6 *die überschrift* [306ᵃ *B*] PROPOSITIO *(in A auf rasur) nach* Amplius (Amplivs *A*) autem *(auf rasur in A) AB* 7 Si autem erunt *B* 11 sin *AB, auf rasur A* 13 sélbemo *corr. aus* o *B* uuíderuuártig. *auf rasur A* 15 paru͡o *A* .17 ist *AB* 19 aliquid *B* 23 gágen *AB* 25 magnum. *B*

409ᵇ, 1 geskíhet. tánne. *B* 2 sint *ausradiert B* 4 zuéi *auf rasur B* 11 *rasur nach* tráge *B* 13 contrariorum *auf rasur A* 15 A'lso *B* 16 Si mág trágen *B* 18 nioman *B* 19 uulz. *B* 25 niomêr negeskíhet *B* 26 uuésen *AB* 27 ITEM. *B* 30 simul est paruum [306ᵇ *B*] et magnum. *AB* 410ᵃ, 2 uuíderuuartig. *B* 3 bédiu. *B* 5 ASSUMTIO. *B* 8 uuídir *AB, corr. aus* e *A* 12 contrarium. *AB* Pédiu *B* 14 lúzzel. *B* 18 toman *B* 20 dánne nebábit *B* 21 uuíderuuárten. *B* uuí | uuárten. *A* 410ᵇ, 1 ist *B* 5 philosophi. *B* 7 mundi sit. *auf rasur A* 8 uuíse gérnen *B* 9 uuíderunártig *auf rasur B* dáz óbenán ist. *B* 10 témo. dáz nídenán íst. *B* 11 míttemo *auf rasur A* 12 sie *B* 13 íst *B* 14 líget. *B* 15 uuérélte. *B* 16 suéibotót. *B* 21 contrariis. [307ᵃ] *B* 24 distant. *B* 25 Tíu sih *auf rasur A* 26 skéident. *B* 27 chómen *B* mûoter. *B* 28 uulz. *B* 29 mûoter. díu héizent *B* 32 stíniu, *circumflex ausgewischt B* 35 in *B* 411ᵃ, 1 ándir. *B* 4 OMNI SED NON SOLI. *AB* 9 uuérden *B* 10 nemág. *AB* 11 maius *B* 13 íst. dánne dáz *B* 14 Vulo *B* 15 anderiz? *B* 17 neuíndest *B* neuíndist *auf rasur A* mêr. *B* 19 mensura, *strich ausradiert A* 21 zála. *corr. aus* o *A* 24 nioman *B* 25 tria. *B* 27 Nec *auf rasur B* 29 chi[307ᵇ]dit *B* zit *auf rasur A* zit. *B* 30 ánder. *B* 32 septem *auf rasur A* 411ᵇ, 1 síbenen *B* 12 homine. *B* 14 SOLI. *B* 18 dáz *B* táz *auf rasur A* ébinmíchel. *B* 19 únébinmíchel. *auf rasur A* 20 úngemáze. *AB* 21 Singulē *B* 23 inequale. *A* 24 logelicho *auf rasur A* logelíche *B* ébenmichel. *B* 25 únébinmíchel. *B* 26 Vt *B* inequale. *A* 29 ébenmíchel. *B* 30 únébenmíchel *B*

31. zála. únde *B* 32 dicimus. *B* ében *B* 33 ében *B* is íst
nú ében *B* 412², 5 dien *AB* 6 die *aus corr. A* 7 vero *B*
quæ *A* quę [308ª] *B* 9 uideatur *B* æquale *B* inequale *A*
10 A'nderén *B* 11 quántitates nesint. *B* 12 bore *B* uuéigiro.
AB, corr. aus e *A* i. nesól *B* 16 æquale *B* 17 in*ę*quale *auf
rasur B* 18 Quali*t*ates. *desgl.* affectio. únde *B* 19 héizent *B*
20 equales. *B* 21 est *übergeschrieben B* 22 inęquales *ausradiert*
B 23 kemáze. *B* 26 kediutit. *B* 27 ríga. únde *B* 28 dúrh-
káng. *B* heizit *B* 34 ólángiz. *B* 35 gáuziz. *auf rasur B* ún-
hóliz. *B* 412ᵇ, 1 est. *B* 4 *bei diesen und den folgenden fi-
guren fehlen in B die lateinischen namen* 7 Eius *B* sunt cir-
culus. *B* *tetra*gonum. *auf rasur A* 8 *et deinceps desgl.* 14
trianguli sunt. species *B* 15 rect*um. auf rasur A* 16 obtunsum.
[308ᵇ] *B* hunc *auf ras. A* 413ª, 3 quę *B* 4 *vor* Solidum *absatz
in B* 8*ff in B ist noch eine halbkugel eingezeichnet; auch in A
stand sie, ist aber ausradiert* 15 habet. *B* 413ᵇ, 3 hunc *auf
rasur A* 6 sunt. *B, der punct ausradiert A* 10 spacium *auf
rasur A* 11 in*i*tio mundi usque *auf rasur B* 15 preteritum
et *B* 16 aristotilis *B* 20 ætates. *B* 21 dies. *B* 26 minime
[309ª] *B* 28 dinosc*i*tur. *auf rasur B* 31 kerád. *B* únkerád. *B*
33 arithmethica *A* 35 genus *AB* 414ª, 1 Enuntia*t*iua *auf
rasur A* Depręcatiua. *A* 2 Impeªratiua. *B* 3 species. *B* 5 af-
firmatio. *B* 6 *danach in B raum von* 8 *zeilen* 7 ᴀʟɪǫᴜɪᴅ. *B* 9
vero *B* 12 éteuuiu *auf rasur A* 13 únde *B* héizent. *B* 16
uuérdent *auf rasur A* uuérdint *B* éinemo *auf rasur A* 19
dáz *B* 20 mérora *B* 22 éines *corr. in* i *A* án[309ᵇ]deris. *B* 26
zuiualt *B* 27 éines ánderis zuiualt. *B* 28 íst táz *B* 29 éteuues
zuiualt. *B* 30 éteuues zuiuált. *B* zíuuált. *auf rasur A* 31. 32
quecunque *A* 32 quęcumque *B* 414ᵇ, 1 múgin *auf rasur A*
uernómen uuérden. *B* 3 gespróchen *B* 6 l. *B* 8 súme-
lichíu séhent *B* 9 vt *B* simpli, *dann rasur A* 12 dicitur *auf
rasur B* 13 accusa*t*iuo *desgl. B* neséhent síu. *B* 15 i. *über-
geschrieben A* 19 magnum *auf rasur B* 20 míte *B* 27 genitius
B 29 res. *B danach* is *ausradiert A* 30 item scientia scibilis
rei. *B* 32 úngelichen *B* 34 nominatiui. *B* 415ª, 1 *rasur
nach* genitiuum *B* [310ª]áber *B* ábir *corr. aus* e *A* die *B*
zuéne *B* 2 nominatiui sensibilis. *B* 3 éiscont *A* 7 uuír
teutones chéden *B* 8 dés hérren *B* 9 scálhc. *auf rasur A* 10
A'ber *B* 11 niht *B* 13 opposi*t*i. *auf rasur A* 14 zuiualt *B* er *B*

15 hâlblîh. *B'* 16 hâlblîh *AB* gágen *B* 17 sensu *B* 19 nomína
corr. *aus* e *B* 20 *der punct nach* spréche *auf rasur B* 21 dóh
fernémen án in *auf rasur B* 22 l'h *B* ferstán *auf rasur A*
23 tîngis. *B* tingins. *ausradiert A* mûgen uuîr uuîzen. *B* 24
férstantnisseda *B* 25 ferstán *auf rasur A* mág. álsô *B* chédén.
B 26 que *A* 28 gágenc. *B* 29 uuánnan *auf rasur B* táz?
mît *B* uuíu *A* uuîó *B* 30 Mît *AB* 31 res. *B* 32 Uuîzent-
héit *B* 33 îst *B* uuîzen *B* 34 uuîzen *B* 35 Seqvitur.
B rot 415b, 2 hæc *B* ha[310b]bitus *B* 5 sézzi *B* 8
ûnuéstiu. *B* 11 állíu *B* 17 éteuués *A* éteuues *B* 18 zúht. *B*
19 hábemáhtîgis tínges. *B* 20 hábemáhtîga. *B* habemáhtîga *auf*
rasur A 23 res. *B* 24 îst *AB* Táz zúhtiga îst *B* 25 est et
B 26 disciplina disciplinatum est *B* disciplina *unter der zeile*
nachgetragen A 28 Táz gesázta *B* 29 Vt *B* 33 dîen *auf rasur*
A tîiot *desgl. B* 34 A'nagehéfteda *B* 35 Táz *B* ánageháfta.
auf rasur A 416ᵃ, 1 affectus. ł. *B* 2 autem affectu. ł. *B*
6 *partici*[311ᵃ]pia *auf rasur B* 8 constructionem apud *B* 12
mûgen *chéden.* dára *auf rasur B* beskértér. *B* 13 dára *B*
gramatiche *A* gramátiche *B* 14 beskértér. *B* gramátiche
keháftér. *B* 16 sár *auf rasur A* uuéhsal. *B* uuîr *B* 18 fóne
AB 19 chéden *B* 20 éteuuaz *B* 21 *undrmdér. auf rasur B*
23 *suárzentér. desgl.* éteuuaz suárzér. *B* sámo *sudrztér. auf*
rasur A 25 quęcunque *B* 27 quomodo *auf rasur B* aliter *B*
29 sínt. *AB* 30 eteuuio *sehent* | hent *ausradiert B* 36 gágen *B*
416b, 1 ad aliquid *B* 5 getáníu *auf rasur A* 6 [311ᵇ] *B*
7 Est autem *AB* accubitus. *B* accubîtvs *A* et statio. *AB* 8
sessio. *B* quedam *A* Taz *B* 11 A'lsó *B* 13 bîetunga. *B* 14
kestélleda. *B* 16 sîu *B* 20 chédent statio *B* 22 mûgen uuîr
chéden *B* 24 stánten. *B* stánto *B* 25 léger *B* 26 ligentes *B*
sizzentes. *B* 27 gágene. *B* 30 autem. ł. stare. ł. *B* 417ᵃ, 1
dictę. *A* 3 síu uerba sínt *B* 4 tánne *B* sîu *B* 5 sínt áber *B*
6 bezéi[312ᵃ]chenint. *übergeschrieben B* bezéichenint *auf rasur A*
8 QUERERE *B* PROPRIUM. *AB* 10 contrarieta, *dann rasur A* 15
uuíderuuártíg *auf rasur A* ist *B* 18 únchúnnón. *B* únchun-
nón. *aus* u *corr. A* 20 contrarietas. *auf rasur A* iz *desgl.* 21
geméine. *B* 24 Zuîualtemo únde drîualtemo. *B* 25 anderén *B*
26 nîeht *auf rasur B* 27 ET MINUS. *B* 28 Videtur *AB* 29 îst
quis *B* 417ᵇ, 2 inęquale *B* 8 inæquale *beidemal B* 9 sínt.
B chît [312ᵇ] *B* 15 în *B* 17 duplex. *B* 18 zuîuáltera. *B*

19 únzuiuáltera. *B* 20 sólebês *B* 28 maius. *B* 30 aliis *aus*
corr. B A'liu *B* 32 díeu *B* úbe *B* álsô *B* 418ᵃ, 8 sensu
sensatum. *auf rasur A* 9 uôre *desgl.* 11 casus *B* 12 fôre *A*
geniti[313ᵃ]uum. *B* 17 i. non potest conuerti. *unten am rande*
nachgetragen A 20 conuenieter de opposito *B* 21 prędicetur. *A*
Relaſiuum *radiert aus* l 26 dér missegrîfet. *B* 27 únscultigen.
B 28 úmbe *B* 30 conuertitur. *B* sit *übergeschrieben A* 33 fé-
táchis *B* 418ᵇ, 1 assignatum *auf rasur B* 3 zechédenne. fé-
tàh *B* 4 fógales. *B* ér ánderes nest. *B* 5 àne uógales. *B* 8
uéttah *B* 9 uuírdet. *B* dáz fógal *B* 12 tára *B* 13 dáz *B*
geuétachôtér *A* geuéttachôtèr íst. *B* 18 foga[313ᵇ]lles. *B* fé-
tàcha *B* 26 Alai *B* et|&alatum *B* 28 geuéttachótes. *B* keuét-
tachôta *B* geuéttachôta *auf rasur A* 29 uéttache *B* 30 FINGEN-
DI *B* 31 forte. *B* 32 fingere *übergeschrieben A* 33 positvm *B*
419ᵃ, 1 dáz *B* 2 námen zefíndenne. *B* 3 vúnden *B* 4
kelimflicho *B* 6 *vor* Ut *rasur B* 9 íst *B* 13 ist. *auf rasur A*
dáz *B* 14 ruôder *B* 15 sámint *übergeschrieben B* 17 cnûe-
gíu. *A* 20 subigun[314ᵃ]tur. *B* 20 Quare *corr. aus* o *A* 21
nauis. *B* 24 skéf. *B* scáltséf. *B* 25 conuenientior forte *B*
26 assignetur. *B* 31 sò *B* 34 l'mo *B* fúndenèr na. *B* 36
gàt *B* 38 uuírdit. *B* 419ᵇ, 2 gerûoderôtiz. *B* fóne *B* 7
capud *B* 12 sô *B* 13 enim [314ᵇ] *B* est animal. *B* 14 íz
nehábet *B* 15 déro nôte. *B* 16 íst. *B* 17 animalia. *B* 18
cnûogíu hôubetlôsiu. *B* 24 ih *B* 25 námen. *B* fôre geskáffen
B 30 geskáffen uuérdent *B* 31 zu *B* 420ᵃ, 5 assignentur.
auf rasur A 7 A'lliu *B* 8 gágenchèrtèn. *B* siu *B* 13 án-
dermo. *B* 14 demo *B* 15 siu *B* 17 PREDICATIONIS. *A* PRE-
DICA[315ᵃ]TIÓNIS *B* 18 dicuntur. *B* 21 assignetur. *auf rasur A*
22 Férnim *B* dáz *B* 23 nehéin *B* 26 mítte gaéudèn. *B*
420ᵇ, 2 er *B* 4 únde er *B* geságet *B* 6 Sò *B* 10 nehéinemo
auf rasur A 11 beuue | uuéndet. *ausradiert B* tóh er guis *B*
12 sì. *auf rasur B* mág *B* remus. *B* 13 zuíueligerin *B* sint
hábin *conuersionem. auf rasur A* 14 siu *B* 15 íro[315ᵇ]gægá-
tèn. *corr. aus* e *B* 17 enim erit conueniens *B* 19 pédíu *B*
23 dicitur ad id. *B* 24 Vbe *AB* 26 uuírdet. *B* gezéichenit. *B*
28 pereuntibvs *A* 29 tïen *AB, radiert aus* e *A* 30 uértílígôtèn.
B 32 únuertílígótemo. zuô *B* vnuertílígótemo *A* 421ᵃ, 1
tíu *B* 7 omnibvs *A* 10 Vt *B* bipedem, *strich über* e *aus-*
radiert A ł. *B* 11 ł. *B* A'lsô *B* 12 imo *B* ménnisken. *B*

14 [316ᵃ] *B* semper *übergeschrieben B* 16 bestânde *seruo nîcht* *auf rasur B* 17 dominus. *B* 21 uuirdet. *A* 26 eina. *B* 29 nehábet *B* 30 A′lso *B* 32 seruvs *B* 33 únde *B* 421ᵇ, 7 *ist*. *auf rasur A* tár *B* 8 neist. *B* 9 féret *B* 14 táz *B* nîomér *B* 17 alicuius.[316ᵇ] *B* Fétáh *AB* 18 tés *B* 26 uúndenér. *B* 27 síbet. *B* llehꞇ. *auf rasur A* 28 V́be dáz *B* sól *B* 30 *sic* reddantur. *auf rasur A* 31 manifestum *desgl.* 33 dáz. *B* síu *B* úmbe. *B* 422ᵃ, 1 ʀᴇʟᴀᴛɪᴠᴀ. *B* 4 gélth *B* 5 sámint *B* sîn. *auf rasur B* 7 uuâr. *B* 9 duplum. *B* 10 dimidium. *AB* 11 Zuiuált únde *B* 12 sámint. *B* 13 taz *B* 15 óuh *corr. aus* u *B* 20 Síu *auf rasur A* 25 V́be *A* 26 úbe neist *B* 29 uérit *B* 422ᵇ, 1 [317ᵃ] ᴇxᴄɪᴘɪᴛᴜʀ sᴄɪᴇɴᴛɪᴀ. *B* 4 uidetur uerum. *B* 5 neist *B* gelth. *B* 6 álliu *A* álliu *B* naturlícho. *B* 9 Ér *ist* *B* 10 ténne *B* uuizenthéit. *AB* 13 uuórtênên *B* 14 méistigên. *rad. aus* e *A* uuúrten *B* 15 uuâren *B* 16 méistigiu. *B* 17 Artes *B* 18 mágtí. *B* man sie *B* 22 scientia *B* 23 álde *B* 24 *témo* | mo. *ausradiert B* 25 châme. *B* der *B* 27 er *B* 28 áber *B* 29 er. ꝉ. *B* 30 er is zuíuelót. *B* er *B* 31 sò *B* 423ᵃ, 1 Tára *B* 2 síu níeht *B* 7 scientia. *auf rasur B* 8 sci[317ᵇ]bile *B* 10 Úbe *B* 12 scibilis *radíert aus* e *A* 14 est. *auf rasur B* 20 Amplivs. *A* 21 scientia. *AB* 22 contingit. [318ᵃ] *übergeschrieben B* 25 zegángen. *B* 26 álsò *B* figurę. *B* 423ᵇ, 1 únde si *B* 2 aristotilis *B* 4 metrci *B* uuío man *B* 6 Síd *B* fúnden. Uuér *B* 7 iz *B* 11 máchón *B* 12 uuirdet lo dóh *AB* 13 circulus. *B* 15 ûzer *B* 17 *die figur* *ist in B zwar angefangen, aber wider ausradiert* 20 et *auf rasur A* 22 ist *radíert aus* z *A* 23 úmbe *B·* 24 enim. ꝉ. *B* sensibile. *AB* 424ᵃ, 2 uérstántnísseda. *B* 6 autem. *AB* 7 dér man uérstáu *B* 8 sehéndo. grífendo. sméchendo.. sò ze- géngent síu *B* 11 sensus. zegángene. *B* 12 zéigéngent *B* nícht. *AB* 14 uuárín sensus tanne? *B* 15 Sensvs *A* 20 est. *B* 22 vor illorum. *kleine rasur B* 23 i. corporalia *über-* *geschrieben A* sò *B* 24 zálo stânt .i. corporalium.[318ᵇ]A′nderis *B* 31 gesíunlíchiu *B* 32 sélbiu *übergeschrieben B* 33 dia *B* 34 uuíu ist táz? *B* 424ᵇ, 1 Sò *AB* ist. *AB* 2 kesíht. *B* gesíhtígiu. *B* 3 infúndelíchiu. *B* 4 uuármiu sínt. *B* 9 sensvs. *A* 10 Táz *B* 11 sámet *B* 16 huiusmodi. *B* 18 om- nino. ꝉ. *B* 20 álterin *B* 25 platonicus *übergeschrieben B* tér *B* 26 scréib[319ᵃ] *B* ímo *B* 27 chít er *B* 28 Fóne *AB* 29

íst iz sensibile. uuío *B* dáz *B* 30 uuírdet? *B* 31 uuárin | rin.
ausradiert B ánderiu *B* 32 amara *AB* uuárin *B* 35 álliu *B*
425ᵃ, 6 contingat *secundum auf rasur B* 7 áber *AB* 8
urágénne. *B* 10 uuánil. *AB* 11 dehéinero *B* 14 substantiis. *B*
15 *íst radiert aus* z *A* 18 mítallo. *B* téil. *B* neséhent *fehlt B*
neséhent *auf rasur A* 23 *possessiue. auf rasur B* 25 aliqui
desgl. A 29 sólst [319ʰ] *B* 31 án téile. *B* 33 quędam *B* 34
alicuius manvs. *A* 36 éines *B* éteuues, *vor* uu *rasur A*
425ᵇ, 1. 2. 3 capud. *B* 4 éines *ausradiert B* 6 hóubet *B* 9
speciebvs. *A* species. *B* 10 pluribvs. *A* 11 an mánigén. *B*
sélbén. *B* 13 Vt *B* 17 níehtes *B* 18 iz *B* 19 huivsmodi
A 22 íst *B* 25 is *A* 29 hóubet. *B* 30 líde. *B* 34 síu [320ᵃ]
B tíen *B* 426ᵃ, 3 sufficienter *fehlt B* 7 gétán *B* 10 álde
B únmahtlíh *B* 18 *ipsum auf rasur A* 20 guůegta zechédenne.
desgl. 22 síu *B* 29 éteuuív. *B* 30 aliquid *aus* d *radiert B* 31
Só mág *B* 35 Tíu diffinitio. *B* 37 spráh. *B* 426ʰ, 6 Táz ío
dóh *AB*. 7 gehéi[320ᵇ]zen *B* 8 táz ne íst *B* 9 uuésen. táz
síu *B* 10 sínt *B* 11 *tía auf rasur B* 12 ín nieht. *B* mít *auf*
rasur B 15 *catonis desgl.* 16 tůot. *desgl. A* 17 .i. bene *B*.
18 mér. álde *B* uuírdet. *B* 20 *relatio. auf rasur B* 21 hába.
B 25 PROPRIO. ᵣER *auf rasur B* 28 Uuánnán? *B* 29 hábent *B*
30 ínfáhet *B* 31 demo *B* 32 óffen? *B* 34 sciet. *auf rasur B*
427ᵃ, 1 dicitur diffinite *B* 2 daz *B* 4 est *B* 5 aliquid. *B*
6 uérmíssist *B* 10 tíen *B* 11 dár *AB* 12 hában zů eteuuiu.
B 13 Tánnan *B* óffen. [321ᵃ] *B* 15 enim *auf rasur A* 16
íóman *B* 17 daz 21 habet *auf rasur A* 24 táz interposita *B*
27 ér *B* ánder. *auf rasur A* iz síh éteuuio *B* 30 nouit *AB*
31 habet. *AB* 32 Vbe ér *B* 35 habet *AB* 427ᵇ, 1 PARTI-
CULARIBUS. *AB* 4 dien *B* 5 nouit *B* 7 ter *B* 8 duplum guísso
bechénnet. táz bínarii *B* 11 diffini*tiuorum auf rasur B* 12 er
B quíssis *AB* 15 *nouit. Só neuuéiz auf rasur B* 20 est. *B*
21 *nach* oůh *rasur B* 22 bézero *B* 23 er. *B* pézerora *B* A'lso
man *B* 24 æneam *A* uué[321ᵇ]sen *B* 26 hæc *B* 27 indiui-
duis *B* 28 iz *B* 32 æneam *B* 428ᵃ, 1 táz den nebéchénnet.
B 2 tés *auf rasur A* pézerora *B* 5 dánne *B* 9 síd. *A* 11
contingit. *B* 15 est. *B* 16 nouerit *B* 19 dív *A* máu. *B* 20
daz *B* 21 daz *B* 25 singula. *B* 28 alde *B* man *B* 30 síu
B den *B* 32 dicantur [322ᵃ] *B* 428ᵇ, 3 ł. *B* 5 ue, *acut*
ausradiert A 6 uués *auf rasur A* hóubet *corr. aus* i *A* diu *B*

7 des *B* 8 nesíbet. *B* 9 Quaré *A* hæc *B* 10 Pediu,
radiert A 11 membra *B* 12 substatiarum. *B* 13
15 éteuues *B* 16 àber *B* 20 Std *radiert, aus* nt *A* 24 sub-
stantiarum. *AB* 25 díu *B* 36 sús *B* ketánên *AB* 429ᵃ, 1
Dub*itare autem de s*íngulis. *auf rasur B* 2 inu[322ᵇ]tíle. *B* 3
zuíuelót. *B* 4 chúmit *B* guishéite. *B* 10 paruum. *B* cętera.
AB 14 enim *auf rasur A* 16 ea. v. species *B* 18 superpar-
cies. *B* 21 conprehendunt *A* 22 dicende *B* 30 *refertur auf*
rasur B 31 sesquitertius. *B* 32 sesquiquartus *radiert aus* m
A 34 cęteris *AB* 35 uocabulis. *auf rasur B* 429ᵇ, 2 modis.
desgl. A 3 comparatiuum. *AB* 5 maior *B* 7 magni [323ᵃ] *B*
prepositionem. *A* positionem. *B* 12 paruitatem. *B* 20 quartus
et *B* 22 ł. coniugati. ł. *B* 23 speciem *radiert aus* s *A* spe-
ciem *faciunt auf rasur B* 25 ł. *B* 31 procae *A* 34 *amico.*
auf rasur B 36 uicinvs *A* 37 proximvs *A* proximo *auf rasur*
B 430ᵃ, 1 conlactanus *B* 2 conlactanei. coetaneo. *auf rasur*
B 3 coheres coheredis. *desgl.* coeredis. *A* 6 concordium. *B*
12 affinitas *auf rasur A* affi[323ᵇ]nium. *B* 13 ł. *B* 14 equiuo-
corum. *AB* 23 quoque. ł. *B* 29 dissonvs *A* 30 inpar inpari.
B 31 inequali. *B* 37 obuii. *B* 430ᵇ, 1 aduersariorum. *B*
4 dissonorum. *auf rasur B* 5 inimiticia *B* 6 imparium. dis-
paritas disparium. dissimilitudo *B* 9 *distinctorum. auf rasur B*
12 pugnan[324ᵃ]tis. *B* 14 prelium *B* 16 lís *AB* 18 huivsmodi
A 20 est *B* 23 *absatz vor* Sunt *B* 24 nomina. et officiorum
B 25 primàs *AB* 26 principatvs. *A* 27 ipsi *aus* ū *radiert B*
29 ł. *B* 30 suffectvs. *A* 32 consulatvs. *A* 34 prepositvs *A*
35 discipulvs. *A* 36 imperium et imperator. *durch zeichen um-*
gestellt B 431ᵃ, 1 tribunatvs. *A* 2 dictator | tura. *ausradiert B*
dic*tatura übergeschrieben B* 4 *vor* ita *rasur von* s *A* 5 ab-
satz vor Sunt *B vor* quę *rasur von* s *A* 8 nostri. *radiert aus*
s *A* 10 fraternvs *A* 11 diuini. ł. *B* 13 seruvs. *A* seruus *B*
:et noster. *AB* 14 et noster. *AB* 15 significat [324ⁱ[*B* 16
Hæc *B* 18 *absatz vor* Uerbalia *B* 21 Ut sunt. *AB, nach* Ut *punct*
ausradiert A 22 illum. diligo illum. sentio *B* 24 diligo illum.
fehlt B 29 illam. incipio *B* 30 rem.suscipio illam rem. intel-
lego *AB* 37 potivs *A* 38 laudabilis laus *durch zeichen um-*
gestellt B 431ᵇ, 4 sęsura *B* cęsę *B* 5 honorabilis *überge-*
schrieben B 7 permissę *B* 9 regimen. ł. *B* 11 recordatę *B*
13 susceptę *B* 14 inuente *B* 15 relatiuam *auf rasur B* 16

transeunt *AB* 19 uiuo. [325ª] *B* 21 gaudeo. *corr. aus* to *A*
23 doleo *auf rasur A* stó. *AB* 24 orior. *auf rasur B* Intran-
sitiua *übergeschrieben B* 26. 27 est. ł. *B* 29 frigidi. *radiert
aus* d *A* 432ª, 1 calidvs. *A* 2 lang*u*idus. *übergeschrieben B*
9 prędicamento. *A* 11 ipse. *B* 15 prꜫscianus *A* 17 Infinitiua
sunt. *B* 19 sunt. *AB* 21 terni. *auf rasur B* 24 uterque [325ᵇ]
B sunt *bis alteruter. auf rasur A* 26 *vor* alterutri̱s *rasur von*
s̄ *B* 35 duo. ł. *B* 432ᵇ, 5 qualis. *B* 7 quantvs *A* 8 quot
AB 10 cętera. *AB* 11 dicat non esse *B* 14 prius *AB* 16
dicamvs. *A* 17 ꜫneades *B* 18 ꜫneꜫ. *B* *nach* pater *rasur A*
ath͟las *übergeschrieben B* 20 modum *B* 24 [326ª] ɪɴᴄɪᴘɪᴛ ᴅᴇ
ǫᴜᴀʟɪ. *B* 25 ǫᴜᴀɴᴛɪᴛᴀᴛᴇ. *B* ǫᴠᴀʟɪᴛᴀᴛᴇ *radiert aus* ᴜᴀɴᴛ *A* 27
dic*i*mur. *auf rasur A* 28 héizo *nachgetragen A, weil das rote* Q
von Qualitatem 26 *über das ursprüngliche, nun ausradierte* héi
gegangen war íh. *B* gehéizen *B* 29 uuérden *corr. aus* i *A*
lingua. *B* 33 héizet *B* óuh *B* 433ª, 1 héizet *B* 5 mánig-
fálte. *B* 6 Ét *A, der strich ist feiner* 8 sláhta *auf rasur von* a
A héizet *B* 15 scientię. ł. *B* 19 difficile *radiert aus* l *A* 20
ió uuírig. *B* 21 unsámfto., acut *ausradiert B* 22 quis. ł. *B*
29 uuéhsal *B* 30 ęgritudine. ł. ab aliquo [326ᵇ] *B* 31 h*u*ius-.
modi. *auf rasur B* stechelbéite. *B* 34 tér *B* 433ᵇ, 1 sines *Bʲ*
3 uirtus. *B* 7 únde *B* 8 geltchíu. *B* sámfto *B* 9 eruuégét *B*
15 úndeuéste *ausradiert A* 16 uuéhselónt. *B* hiez *B* 18 ęgrí-
tudo. *corr. aus* e *B* 20 A′só uuármí. *B* uuármt. *auf rasur A*
28 ęgritudinem *B* 29 chált. *B* 434ª, 4 án éteuuémo [327]
geuéstenot *B* 6 ł. *B* 7 exístat *auf rasur A* affectvs. *A* 9
zegenémḗnne. *B* 11 Quem ita quilibet *B* 18 diuturniora. ł. *B*
difficile *corr. aus* i *A* 19 skínet *auf rasur A* 20 hába. *B*
21 ábagánt. *B* 23 retinentes. *AB* 25 *nach* obliuiosos *rasur B*
26 ágezelen án dien *B* 27 sie ánæ *B* 30 etne *B* keánaleitót.
B 32 Quarḗ *B* 34 diuturnius *übergeschrieben A* diuturnius. *B*
434ᵇ, 1 difficile, *rasur vor* e *A* 7 uero. *A* 8 Hába. *B*
10 hába. *AB* 13 ł. peius. ł. *B* 14 dir bábent. *B* 15 beskérit.
táz sie *B* 17 *nach* dispositi *rasur B* sunt. *B* 19 beskérit sínt.
únde beskíbet zḗ eteuuíu. *B* 20 iz *B* 21 cnûogiz *B* cnûo | iz
A 22 peskérit *B* 27 ł. *B* 28 ł. salubres. ł. *B* 29 némmḕn.
B 30 lóupfen. *aus corr. B* 31 álde ungánze. *B* 435ª, 2 ł.
impotentiam *B* 4 únsculdin *B* genámot *auf rasur A* uuérdent.
B 5 máhte. *B* 9 man *B* 12 skínen. *B* 14 ł. facere *B* 15

ł. B 17 daz B zetůonne. B 18 sieh. álde gesúnt [328] ze-
sinne. B 19 pugillatores. ł. B 23 genémmet. B 24 únde strit-
lóupfin. B iz B nio *corr. aus* e A 25 netáten. B **uuélih** B
tuón *corr. aus* o A 32 ánauállungá B 33 neuuégen. B
fróst B 35 uero. A 435ᵇ, 1 únganze B uóre AB hálzi B
2 fértrágen B 7 potentiam. non cicius B citivs A 9 uuérden.
übergeschrieben B 10 uero. AB ipsivs A 12 unmágŭg B 13
unspuéte. 15 passibiles qualitates et B 16 Tíu AB 17 únde
B 18 lérit B 19 uérnémin. B uernémin. *übergeschrieben* A
22 austeritas. B 23 Tíse sint iz. B 24 pitteri. B 25 gelégeniu.
B 26 autem A ándere. B 28 Calor B albedo B 29 uróst.
uuizt B 36 iz óffen. B 436ᵃ, 1 siu B tiu B 5 héizet. A
héizet. B diu suézi. B 7 corpvs A album. B 8 V́nde B
9 uuizer B dia B 10 bábit. B 12 iz B dien B 19 gustum.
ł. B 25 díen B 26 in *übergeschrieben* A 28 dicitur. B 29
Hónag nebéizet [329] B 33 téro AB 436ᵇ, 1 calor B 2
frigvs. A 3 qualitates *übergeschrieben* B 11 nehéinzent B 12
iéo A 14 diu B 16 uuir B V́nserén A 17 siu B mácbárra
AB dólungo. B 19 efficit. AB 21 infinden B 23 des B 26
tisen B V́nde B sůlen B 27 héizén A héizen B 28 tóle-
machige B 33 Uuizt B 34 suárzt. B 437ᵃ, 2 dólungón. B
5 *rasur nach* passionem B 6 mutationes. manifestum. AB 7
fáreuua B 8 fóne B ételichero *über undeutlichem* e A 9 rubevs
factvs A 12 passionem. B 13 uóne B uórhtòn. *übergeschrie-
ben; vor u ist u ausradiert* A 14 kelth. B 15 *fóne radiert aus*
u A 16 Quare. ł. B 17 quid AB 19 tér samelicha B 20
hában. B 21 naturlicho B solées kesáh. B kescáh *auf rasur*
A 28 scámon. B geskíbet B naturlícho B 29 *rasur nach*
uuérde B so B 30 daz B ouh naturlicho so uaro B 32
Quecumque B talivm B 34 mobilibvs. A mobilibus B
437ᵇ, 1 So uuéliche so B 2 geskihte. s. so uárauua B 3 sint
[330] B 4 stétigén unde *auf rasur* B 5 die B 9 *secundum
auf rasur* B 10 substantiam B 12 dicimŭr. *radiert aus ver-
schlungenem* vs A 13 pléchi alde B 15 unde B 18 æstum. A
19 vel nigredo B 20 *der punct nach* preterit *auf rasur* B 26
demo mán skinet. B 31 Quęcunque AB 32 bis, *circumflex
ausradiert* A soluuntur. B 438ᵃ, 3 keskéhent. B gelóubent.
B 4 spuétigo *auf rasur* B 5 tólunga. B 6 tólunga B scáma.
B 7 *nach* sie *rasur* A 11 náh B 13 factvs A 14 dér *auf*

rasur und über é *noch ein* e *A* dér *übergeschrieben B* 15 ne-
héizet *AB* tórh *radiert aus* a *B* 18 Nóh uóne uórhton *B* 19
uórhtón *aus corr. A* irbléichèt. *AB* 22 quod aliquid *B* 23 mer
B 27 sie *B* 30 PASSIONES NON ESSE *B* 31 his. *B* 32 animam
radiert aus s *A* 33 Náh *aus corr. A* 35 tero *B* 438ᵇ, 1
Quęcumque *B* 4 uuéliu *B* 5 ándero *AB* héizent *übergeschrie-
ben B* 7 dementia. ł. *B* 8 A'lso *B* 9 zórnmůotigí. *B* ge-
líchiu. *B* 11 dicimur. *auf rasur A* 13 I.iracundi *B* . ldē *A* 14
Zórn muó[331]tige. *B* 15 quęcunque *B* 17 facte *B* 18 im-
mobiles. *B* 19 huivsmodi *A* 20 náh tero *B* 22 stéstíge *B* 27
hetzen *B* 29 AUTEM *fehlt B* 32 cicius *B* citivs *A* 34 muóte-
gína. *B* 439ª, 1 *snéllo auf rasur A* échert *B* 2 tólúnga. *B*
3 contristatvs *A* 4 A'lso *B* úbe *B* 5 geléidogóter. *B* éteuuaz
síh pílget. *B* 6 dicitur. *B* 7 huivsmodi *A* 8 passvs. *A* 9 *ne-
héizet übergeschrieben B* 11 erbólgen *B* 13 huivsmodi *A* huius-
modi. *B* 16 uuiólíchína. *B* 17 uerlóufenten *B* 18 sint *B*
cathegorię. *übergeschrieben A* tíu *B* 23 aliquid *AB* 24 uíer-
da *B* 25 tíu *B* daz *B* 27 Amplivs *A* 28 pílde *B* 29 Recti-
tudo. ł. *B* 30 réhtí. *B* 31 chrúmbí. *übergeschrieben B* 32
scrégehóri. *auf rasur A* 439ᵇ, 2 Náh *B* 4 enim. ł. *B* 5
quid *B* 7 uíerscóziz. *B* 8 chrúmbiz. *B* 9 uero. *AB* 10
quid *AB* 13 QUĘ, *nach* Q *rasur von* ue *B* 15 uero et spis-
sum *B* 17 Skéterez *AB* 19 síéhtez. *B* sie *B* 21 huivsmodi
A .29 télelth *B* téílelth *radiert aus* l *A* án *B* 30 iz *B* 32
sint. *A* 440ª, 4 síu [332] *B* 5 uérro *B* 8 díu *B* síniu
téíl' *B* hóho *B* 13 gât *aus corr. B* 14 taz *B* *nach* sint
rasur B 15 álso *B* genvs *A* 17 SPECIĘ. *AB* 19 né *auf
rasur A* ne *B* 20 zeuerchúnnínne *AB* ándériu *B* 24 DE-
NOMINATIUA *auf rasur B* 26 iz *B* 27 uero. *B* 28 U'nde *B*
440ᵇ, 3 grammatica *B* 4 grammaticus. *B* cramaticvs. *A*
et a iustitia · *B* 5 uuízer *B* uuízi. *B* 6 gramátichâre *B*
recter *B* 7 réhte genámóte *B* 8 iz *B* 9 uuérdent *B* 10
kenamót *B* 11 EXCIPITUR. *auf rasur A* 12 qualibus. *B* 16
dánne námen uúndene *B* *nach* uúndene *rasur A* tíen *B* 25
áfter *auf rasur B* 26 uuérdent. *B* chéphin. *A* chémphin. *B*
30 nehéine *B* 31 uúndéne. *B* síe *B* 32 sínt. *B* 441ª, 2
quas. ł. pugillatores. ł. *B* 3 affectionem *fehlt B* 4 pegúnste. *B*
6 uéhtárra *B* 13 *Táunán auf rasur A·* díe *B* 15 EXCIPITUR.
auf rasur A 20 qualitas *AB* hábet. *B* 21 genámót *B* 22

studiosvs. *A* íligér *B* 23 náh *B* **26 non** *übergeschrieben A*
27 Sélbun [299] dia *B* 28 tóh *B* 29 **náh íro B** **31**, autem
auf rasur A 32 únmanigén *B* 33 *tía AB, radiert aus* d *A* ún-
gelícht. *B* 441[b], 2 denominatiue *B* 5 keskáfót. *B* · 7 skáfunga.
B 13 oúh *AB* 17 dero *B* 21 iuosto. *ausradiert B*
23 gesprógen uuérdent. *B* 24 uuíderuuartíg. *B* únrehtez *B*
26 omnibvs *A* 30 coloribvs qualitatibvs existentibvs. *A*
442[a], 1 qualitatibvs. *A* 5 Amplivs. *A* 7 zuéio *B* 9 taz *B*
ánder *aus corr. A* 13 Taz *B* 14 taz *B* 16 cathegoriis.
übergeschrieben A 18 fóne *B* 19 ándertu *B* 22 uuídersácho.
B 26 quicquid. *B* · 27 prędicamentum. *A* predicamentum *B*
30 aliis. *AB* 31 iz *B* oúh *corr. aus* l *A* án anderén *B*
442[b], 4 minvs. *A* 5 *desgl.* alterŏm *B* 6 minvs. *A* 7 ládent,
nach á *rasur A* 8 mér. *B* 9 éin [300] *B* 10 iz *B* 11 uuízera
ist dánne *B* 14 sélben. uuáhsint tŭrh *B* 18 uuízera. *AB* 20
Non autem omnia. *B* 22 mánigiu *B* iz. *B* 26 sélbiu *B*
suine. *B* suíne. *A* 28 affectibvs. *A* 29 man *B* anderén
B 32 talibvs. *A* 34 minvs *A* 443[a], 1 Síe *B* 2 iustitia *B*
5 iz *B* I'st *bis* 6 réht. *fehlt B* 7 Minvs *A* 8 altero *B* 9
minus *B* minvs. *A* 10 súmelígiz. *B* 11 gánzi. *B* 12 daz
B únganzera uuésen. *B* 13 grammatica *B* 14 affectvs. *A*
s. non *B* 15 minvs. *A* 16 affectvs *A* 17 minvs. *A* 19
uuérrent *B* 20 gramatica. *B* 23 conparationem. *B* 24 Gra-
matítior *B* 26 réhtero. *B* 27 gramatichis *B* 28 chúnnigéro.
B 30 iz *B* án *fehlt B* 31 ánderén. *B* 443[b], 2 dríortér.
B uiérortér. *B* ·3 einér *B* 4 nehéines *B* neheinis *über-*
geschrieben A 7 recipiunt. *B* 8 triangula. ł. *B* 9 Só uuélíu
B dríscozis. *AB* 10 nótmez *B* hábint. *B* 15 nótmez *B*
18 Nihil [301] *B* 20 uiéra. *B* 21 *für diese und die folgende*
figur ist in B raum gelaſsen neíst *AB* 22 dir *B* 25 uuéder
B 26 zála *B* 27 óffeno *corr. aus* o *B* 28 zeságénne. *auf*
rasur A, nach z *kleine rasur* 29 propositi. i. circuli *B* 32
nótmez *AB* 444[a], 1 conparationem. *A* 4 prędicta *A* 6
nach uóre. *rasur B* genámdòn *B* úreíche *AB* 8 *et dissimile*
auf rasur A 9 Kelth *B* 11 éigenháfto *B* gespchen. *A* ge-
spóchen. *corr. in* é *B* 15 ándérmo. *B* neuuírdet *AB* 16
ánderén *AB* gespróchen áne *B* 20 Fóne *bis* 22 chédenne.
fehlen B 22 chédenne *auf rasur A* 29 tien *B* lectoribvs *A*
31 neinchúnne. *übergeschrieben B* 32 dára náh *B* 33 guóogez

auf rasur AB, von z A 444^b, 1 Habitvs *A* 2 dicebant. *B*
4 habitvs *A* 5 zerelatiuis *auf rasur B* 6 man *B* 7· talibus.
B 9 álméistlg *B* 14. 17 genvs *A* 18 E´teuues *B* ist *AB*
20 sunt. *auf rasur A* . 22 nehéizǵnez *ausradiert B* 23 sin.
bis 25 alterius *auf rasur A* 26 nechit [302] relatiue. *B* gram-
matica. éteuues *B* 32 Taz *B* 33 man *B* 34 etéuues *B* 35
gelirn. E´r *auf rasur B* nechit *B* etéuues *B* 38 mág man
oúh *B* 445ᵃ, 1 etéuues *B* 2 *desgl.* 6 keskidotiu *B* ali-
quid *B* 7 ungeskidotiu sin *B* 9 enim *B* 11 uuir *B* 16
scienţieiţtias. *B* Uuir *B* 17 déro *B* 22 tíu *auf rasur A* 24
Haec *B* eorum. *auf rasur A* 27 Firnim *AB, in A auf rasur*
30 utrisque hoc *B* 32 peidiu *B* 34 péidén *B* 35 cathegoriís.
Explicit *B* 445ᵇ, 3 m*agis auf rasur A* 4 dir bezéichenent
tñon álde *auf rasur B* tùon *A* 5 ófto *B* 11 chuelin. *corr.*
aus 1 *A* chuélin *B* uuidéruuartig. *B* 12 uuármén únde
chaltén. *B* sin *B* 13 léidig *sin. auf rasur B* 20 uuármén *B*
uuármén. *auf rasur A* 22 minus. *A* 24 tùonnis *AB* dó-
lennis. *auf rasur A* dolénnis. *B* 446ᵃ, 1 sed*ere. auf rasur*
A 2 bezéichénent. *B* 4 nominibus *B* statio. [333] *B* 5 be-
zéichenent. *B* 6 QUANDO ET *auf rasur B* 12 uóne *corr. aus* u
A 15 áne *B* 19 Taz *B* bezéichenet *A* bezéizenet *B* 20
keskúhen *auf rasur A* uuésen. únde gesáreuuit *B* 23 in
uuélero. in uuélero stéte. *B* 25 in *B* 27 que *dicta auf rasur*
A sunt *B* 28 generibus *B* 29 geságet. *B* 446ᵇ, 10 uui-
deruuártigen. *B, corr. in* i *A* 11 priua*tio. auf rasur A* 14
unde *B* 15 autem quodque *B* 16 ingágen *B* 18 figuratum
B 19 ságénne. *B, circumflex ausradiert A* 21 Só *B* 22 temo
B 23 uuideruuártigiu *auf rasur A* 30 cecitas *B* 34 Álsó *B*
35 sizzet *B* 447ᵃ, 6 Tíu *bis* 10 dicitur. *auf rasur A* 8 sé-
hent *B* 10 est. *B* zuiuált etéuués *B* 11 iz *B, acut ausradiert*
A 13 zuiuált. *B* 14 si. *B* 15 tamquam *B* 17 stéllet *B* 18
zù *B* séhentiu. *B* 20 léra *corr. aus* e *A* 25 uuirt *B* 26 ge-
spróchen [334] *B* 33 tamquam *A* 34 gágensihte. *B* 36 sunt.
AB 37 siu *B* 447ᵇ, 2 zu einén ánderen. *B* 4 CONTRARIIS.
auf rasur B 6 uuideruuártigt *B* 7 opposita. *bis* 16 er *auf*
rasur A 10 einén *B* 11 sint. *B* sehent *B* 12 einén *B* 15
cúota *B* 16 ér *B* 17 uuideruuartig. *B* 18 álbum *B* 19
hit. *B* 25 DE *fehlt B* 26 HABENTIUM. *B* 30 necessariu*m auf*
rasur B 448ᵃ, 2 Túz *desgl. A* 3 uuédériz io benóte ána

tat. tten sie *B* 4 sint. *B* 5 síu *B* 13 ételíh *B* 15 xxxxxx *A*
17 A'lsó *B* 21 í. languorem. í. *B* 22 Únde sól te beuóte
éinuuéder *B* 23 sól *A* 24 lichámen. *B* gesúndi. *B* 26 par
auf rasur A 27 predicajtur. *B* 28 dero, *acut ausradiert A* ge-
spróchen. *B* 29 úngerád. *auf rasur A* 33 díu *B* 34 géebe-
nótiu., *acut ausradiert B* 448^b, 6 ébene[335]mo. *B* 11 áber
B 15 corpori *auf rasur A* 16 suárz *desgl.* 17 est *desgl.* 19
nehein *B* 28 fóne *AB* díngen. *B* 32 súmelichén *auf rasur A*
449^a, 1 omnia. í. praua sunt. í. studiosa. *B* 2 dingolíg *B*
5 sie *B* 7 pallidum. et quicumque *B* 8 Suárzís *auf rasur A*
9 pléih *B* crá. *B* 10 rubrum *auf rasur A* rubrum. *B* 11
uiride. *auf rasur B* 12 rót. *B* 13 sálo. *B* crá. *B, circumflex*
ausradiert A cóltfáro *A* 14 chrúogfáro. *B* 16 gúotis *B* 20
álsó rihtûm *B* 21 skóni. *B* sie *B* 22 hábin *auf rasur A*
24 súmelichén *B* 25 námen *B* 28 suázis *B* 29 sínt pleíh *B*
33 súmelichén *B* 34 mediis *radiert aus* s *A* 38 diu *B* díu
auf rasur A 449^b, 6 sínt. *B* úbel. *B* 7 nóht *ausradiert B*
unréhte. *ausradiert B* dann *rasur einer roten überschrift A* 9
et *auf rasur A* habitus dicitur quidem *B* 10 cęcitas *B* 13
blíndi. *B* 19 diu [336] *B* 20 tár *B* dárba. *B* 23 únzit *B*
nesól *B* 26 unum *auf rasur A* habitus. *B* 27 chéden *B*
28 logelíchiz *auf rasur A* tánne. *B* 29 natum *auf rasur A* 33
qui habet *B* cęcum *AB* 450^a, 1 héizén *B* 2 zánelósen.
auf rasur A 5 contingit *radiert aus* g *A* 8 Quędam *B* 9
dentes *B* 13 dicuntur *auf rasur A* edentuli *B* 15 zánelós. *B*
16 zánelós. *B* 18 hárlós. *B* 19 Níouuíht *auf rasur A* 20
léb|beta. *ausradiert A* 22 hárlós. *AB* 23 siu *B* 28 habitum.
B 29 non est habitus *auf rasur A* 30 éteuuaz bábin. *B* 34
Priuatio *A* Priuatio uero cęcitas. *fehlt B* plíndi *B* íst *AB*
35 kestunis. *B* 450^b, 1 uisum. *AB* 2 cęcum *auf rasur A*
4 Nóh *B* uuésen. *AB* 5 quędam *B* 7 Caecum *A* 9 dárba.
B 10 caecitas. *A* 12 prędicarentur. *A* 13 blíndí *B* uuúrtín
B 14 siu *B* gesprochen. *A* 19 dir man *B* 20 náls *B*
blíndi. *B* 26 sélbiu *B* 27 Módus *B* 32 caecum *A* uisum
auf rasur A 33 álsó diu *B* 35 uuésén. *B* 451^a, 1 [337]
B 7 lóugene. táz *auf rasur A* 8 uéstenúnga. *A* uésténunga.
auf rasur B sélbér *B* 12 Féstenúnga. *B* 14 lóugen *B* 16
uero *bis* 21 Concedantur *auf rasur A* 19 rédon *B* 20 tíu *B*
réda. 22 opposita. *B , punct ausradiert A* tamquam *bis*

28 idem *auf rasur A* 26 sint. *B* 27 oppositionis *radiert aus*
b *B* 28 est. *übergeschrieben A* éino *AB* 32 A'lsó *B* 34 siz-
zet *B* 451ᵇ, 1 únde *B* 2 gágene *B* 4 PRIVATIONE. *auf rasur*
B 7 opponuntur. *B* 8 uuizen *B* · 9 Nieht *B* 11 ipsum, *strich*
darüber ausradiert A 14 Visus *A* caecitatis *A* 15 Vuánda *A*
20 caecitas dicitur *auf rasur A* 23 gehéizen *desgl. von* siunis
24 dárba *B* 25 Caecitas *A* dicitur non. *B, durch zeichen um-*
gestellt 27 Férnim *B* 28 omnia reciprocatiue *auf rasur A* 34
aliquid. *B* 452ᵃ, 2 dicitur. '*B* 4 síhtígo *B* 5 zû *B'* si *B*
7 uisus. [338] *B* caecitatis *A* 8 nechít. *B* 9 blíndi. *B* 14
opponuntur. *B* secundum. *A* 18 táz keóffenónt *auf rasur B*
24 aut in quibus *AB* 28 dien *AB* siu múgen *B* 33 démo *B*
452ᵇ, 3 gánzi. *B rasur nach* gánzi *A* 4 únebenemo *B* 8
nebeïn *B* 11 candidum *auf rasur A* .Ï.nigrum *B* 12 Ï. *ca-*
lidum. auf rasur B 13 nót *B* 14 álde *AB* 15 *nach* uuárm
rasur B 19 stánt. *B* 22 inesse *auf rasur B* susceptíbili. *corr.*
aus p *B* 23 mitta. *B* 26 lázo *B* 27 dáz *B* 28 ána *B* 30
uíure *auf rasur A* 35 geskíhet *B* 38 frigidum. *B* 453ᵃ, 1
utur *auf rasur A* 2 sné *B* 4 alterum eorum inesse. *B* 5
állén *B* 7 áne *B* 8 Sed; *damit schließt die letzte seite der hs.*
825; *die folgenden stücke sind nur in hs.* 818 *enthalten* 22 Uuío,
acut radiert aus circumflex 453ᵇ, 2 Uuánda éin *auf rasur* dárba
bis 6 uisionem *auf rasur* 22 quíssemo *corr. aus* i námin. *auf*
rasur 24 Vnde 32 Amplivs. 454ᵃ, 6 languore. 7 prauum.
auf rasur 18 uirtutem. *desgl.* 27 só 454ᵇ, 6 férrór *auf*
rasur 8 contrarium *desgl.* 22 *rasur vor* in 24 caecus 25
uidit. 26 neuuárd 455ᵃ, 3 afirmatio 15 DISCERNITUR A
455ᵇ, 9 uisio *aus* corr. 31 geléitero *auf rasur* 456ᵃ, 26 *tien*
contrariis *desgl.* 456ᵇ, 30 Quare *bis* 34 sunt. *auf rasur* 36
néin, *acut ausradiert* 457ᵃ, 14 iniustitia. *auf rasur* 457ᵇ, 5
Fernim 10 állén *auf rasur* 18 Si *bis* 19 languere *desgl.* 33
langere 458ᵃ, 16 A'Ibedo 31 genera *auf rasur* 458ᵇ, 15
übel. 23 proprię ₄33 érera. *auf rasur* 459ᵃ, 3 sequentiam.
desgl. 7 Ut *bis* est *desgl.* 8 éin *bis* 10 choment zúei. *desgl.*
10 zúei. áne *bis* 12 existentibus *desgl.* 16 só 18 conueruerti-
tur *ausradiert* 29 Duo 459ᵇ, 3 léren, *nach* è *rasur* 9 uuérh.
14 gramatica 16 érerún 23 rehtores 36 héizent *ausradiert*
uuérderen *auf rasur* 460ᵃ, 7 *nach* alter *ist* eos *ausgestrichen*
13 uuéderez *auf rasur* 26 *mit radiert aus* s 460ᵇ, 12 uuárra.

15 úng 22 SIMUL. 27 uriste. 461ᵃ, 24 taz 35 tuont. quiᶜ
corr. 461ᵇ, 1 Haec 5 vor genere rasur von g 19 uolatile
26 Tiu none auf rasur 36 aquatili desgl. 462ᵃ, 4 naturam
9 éin auf rasur 13 diuerso 24 uuéhsales. auf rasur 27
Anderliehi. desgl. 462ᵇ, 17 necesarium 463ᵃ, 12 nach so rasur
von s 18 uuéhsalo. auf ras. 36 quadrangulum. 37 ist tiz
463ᵇ, 1 quadrangulum 15 His auf rasur 21 óuh desgl. 23
motationi. 34 áfrúcchen. auf rasur 464ᵃ, 12 Nisi bis 19
uuideruuártiga. desgl. 13 quiętem 17 uuideruuártig überge-
schrieben 18 ándera desgl. 23 únde auf rasur 24 uuider-
uuártiga 27 Nů 464ᵇ, 1 uuéhsal auf rasur ist uutz- nach-
getragen am zeilenschluße 26 éteuuáz auf rasur 32 menbro
465ᵃ, 1 menbrum 8 tritici. 20 PRÆFATIUNCULA 465ᵇ, 2
uuir 10 miteuuiste ausradiert méinet. 12 eo auf rasur 16
kéngesta radiert aus g 466ᵃ, 1 zeiúngist. 7 ERMENIÂS. 20
uoce. 25 uocum auf rasur 27 Verbum. 466ᵇ, 19 Et bis 22
sunt. auf rasur 21 hae 23 gelihnisse 35 nů gnůge auf rasur
467ᵃ, 4 est. 6 uuórt 7 kelihnisse. auf rasur 15 zesámene
corr. aus i 16 uuirdet auf rasur 23 igitur desgl. 29 áne auf
rasur von lóug 467ᵇ, 1 hoc auf rasur 2 dir, acut ausradiert
23 rasur nach ánderes 468ᵃ, 21 éinlien auf rasur 32 para-
tae est. auf rasur 33 túrh síh. 468ᵇ, 9 dir von anderer
hand übergeschrieben 21 Latine bis 23 nomen. und 24 At bis
25 appellari. standen in umgekehrter folge und sind erst durch
zeichen umgestellt; es folgte aber auf nomen nochmals der satz
At bis appellari 24 nec übergeschrieben 25 appellari. auf rasur
469ᵃ, 1 únguis desgl. 10 catonis. auf rasur 16 idé dh. id
est 19 tu auf rasur 21 secundum desgl. 23 áber 34 zů.
469ᵇ, 4 actione. auf rasur 10 Et est desgl. 470ᵃ, 11 tůont.
470ᵇ, 28 stánt. Prȩteritum 30 stát 31 lóufet auf rasur
471ᵃ, 3 infinitiuum auf rasur 6 lóufen. desgl. 7 lófennis
desgl.; das übergeschriebene v von anderer hand 17 tár. 20
sámo | sámo 22 Vnde 34 l'z corr. aus h 471ᵇ, 4 uésten-
unúnga 9 zesámene auf rasur 24 ɪ̈. 29 lúzsiz auf rasur 34
ɪ̈. 472ᵃ, 6 ho. 12 nehéina doppelt, das zweite mal durch-
strichen 20 dictvm 29 placitvm., zwischen p und l rasur 32
instrumentum. übergeschrieben 472ᵇ, 14 Vuáre 17 bitter.
scheint ausradiert 23 únde radiert aus uuánda ist nachgetragen
am zeilenanfang 31 CAETERIS 473ᵃ, 3 Vuir 18 poeticae

24 enuntiatiua. *auf rasur* 473ᵇ, 4 sélbuuáhste. 34 mit 474ᵃ, 10 síu 474ᵇ, 29 mánege. *corr. aus* i 31 uuérden. *von anderer hand übergeschrieben* 475ᵃ, 20 Fúogest 475ᵇ, 2 dir, *acut ausradiert* 11 tár 20 zúei *doppelt, das erste rot durchstrichen* 26 *enu* | enuntiatio. *ausradiert* 27 significatiua. 29 diuisia 476ᵇ, 3 uéstenúngo- *auf rasur* unde uéstenunga *von anderer hand übergeschrieben* 7 chétúnga. 28 sophisticas·*auf rasur* 477ᵃ, 2 L. 5 haec 477ᵇ, 3 nullvs 7 állelichemo, *circumflex ausradiert* 18 autem *auf rasur* siignificantur 20 mugen 30 úndíllelicho *auf rasur* 478ᵃ, 7 állelicho. 9 PRAE-DICATO. 15 omne *übergeschrieben* 16 ne *desgl.* Spréche *bis* 18 uuár. *oben am rande mit verweisung von anderer hand* 17 Vt 29 subiectum. álde *auf rasur* 478ᵇ, 21 uuideruuártigo 30 uuiderchétigún *auf rasur* 479ᵃ, 5 contradictiones *desgl.* 10 lo *desgl.* 14 álde 479ᵇ, 5 est. *von anderer hand am zeilenschlufse nachgetragen* 6 quaecumque 7 hálb *auf rasur* *in der figur steht* 1 contrariae 6 verae 12 verum 17 falsae 21 subcontrariae; *die mittelpartie ist bei Hattemer völlig unsinnig, während sie bei Graff richtig abgedruckt ist* 480ᵃ, 3 Quaecumque autem in uniuersalibus 14 únde 17 liébsam. *auf rasur von* h 18 cháde. 19˙éinér *auf rasur* 480ᵇ, 3 Videbitur 30 chéden. 481ᵃ, 13 diu 23 descript*ionem. auf rasur* 26 uniuersalibus? 31 ergo. 481ᵇ, 3 aliae sunt contrari*ae. auf rasur* 4 hae. 9 propositi*ones. auf rasur* 23 prędicatum. 31 *album auf rasur* Úbe 33 neist. 482ᵃ, 1 REGULAM. 2 AEQUIUOCA 14 ménnisken. 20 rógh *radiert aus* h 23 chéde. *auf rasur* 28 uulz 34 ding *auf rasur* 482ᵇ, 10 hanc *übergeschrieben* 12 nót. *auf rasur* 13 ęquiuouocationibus *desgl.* 14 uuárra. 16 PRESENTI ET PRETERITO. 19 quae sunt. 483ᵃ, 2 tú in diuiduis. 6˙uniuersalibus. 17 *non omnis homo* sapiens *auf rasur von* Socrates est sapiens 23 singular*ibus auf rasur* 32 ʀuéderez *desgl.* 483ᵇ, 6 mán*ig* | nigfáltero *ausradiert* 23 échert *auf rasur* nemúgen *von anderer hand übergeschrieben* 484ᵃ, 5 iz, *acut ausradiert* 7 zelóugenenne. *auf rasur* 8 et *desgl.* 17 est. *desgl.* 24 áfter 32 uuéderér *auf rasur* 33· álder *ausradiert* 484ᵇ, 7 Utrumlibet *bis* 11 uuérdinne. *von anderer hand oben am rande von* s. 176 *und* 177 *mit verweisung* 12 PREDICTA 27 nun *von anderer hand übergeschrieben* 34 zeeruuéndenne. *auf rasur* 485ᵃ, 5 Fóne *desgl.* 28 síu, *acut ausradiert* 32 haec 485ᵇ, 1

29 quæ 30 singularia. *auf rasur.* 486ᵃ, 2 consiliorii. *ausrad.*
vor neque *ist* neque *ausgestr.* 9 héizet *corr. aus* r 28 skeſſenne.
30 REBVS 486ᵇ, 1 neſtâtis *auf rasur* 2 uóre 487ᵃ, 11
taz *von anderer hand übergeschrieben* 21 quedam esse. ul *desgl.*

487ᵇ, 11 únuerscróteuez 15 ûnuerslîzenez., *oben am* û
radiert 26 necessitate *auf rasur* 27 an *von anderer hand über-*
geschrieben 30 nôte *auf rasur* 37 negatio *unterpunctiert*
488ᵃ, 2 dicchôr 9 dáz 14 est *auf rasur* 15 esse *desgl.* 26
témo 488ᵇ, 8 nesîzzet. 9 immortalem *von anderer hand über-*
geschrieben 18 óuh *auf rasur* 24 taz uóre *auf rasur* 32 fu-
turum *corr. von anderer hand aus* futurorum 489ᵃ, 3 *necesse*
auf rasur 6 Uel 10 ne si. 15 PRIVS 21 gebúreda., *acut aus-*
radiert 489ᵇ, 11 dicchôr *auf rasur* 27 possibilibus *desgl.*
31 nesint. *desgl.* 35 quis. 490ᵃ, 4 PREDICATIVE 7 uocis *auf*
rasur von s 11 nomen *auf rasur* 12 innobinabile. diutin *auf*
rasur 30 Quemadmodum & *non übergeschrieben* 36 uerbo. *aus*
corr. 490ᵇ, 6 Preter *auf rasur* autem *desgl.* 491ᵃ, 17
PREDICATA. 18 Quando prędicatur. 31 toh 491ᵇ, 1 ánderiu
6 quatuor *übergeschrieben* 13 similes *auf rasur* 34 Intellegimus
492ᵃ, 4 enim *auf rasur* 14 analiticis. *desgl.* 15 am rande
ein obelus 22 affirmatio 492ᵇ, 5 huiˢusmodi *ausradiert* 18
numquam 20 sin. *auf rasur* 35 sámint 493ᵃ, 12 non *über-*
geschrieben 18 infiniti 19 homo 28 sie *doppelt, das zweite*
ausgestrichen 493ᵇ, 2 particulares 15. 17 homo 35 bestât
494ᵃ, 12 de *übergeschrieben* 494ᵇ, 9 non *desgl.* 12 iz
auf rasur von anderer hand 25 omnis ł nullus 26 quoniam
495ᵃ, 4. 7 *desgl.* 18 quoddam *übergeschrieben auf rasur* 23
non *von anderer hand übergeschrieben* 28 Uniuersalis 33 *unter*
den beiden sich kreuzenden Opposite. Oppositae *steht correspon-*
dierend der z. 28 Similes. 495ᵇ, 8 Quoniam *bis* 10 opposita.
am rande von anderer hand mit verweisung 9 iustvs 496ᵃ, 1
QUE SEQUATUR 29 diu *nah* náh, *mit strich oben und unten* 37
omnis *corr. aus* e 496ᵇ, 11 FALSÓ 26 nomen unde âue uer-
bvm? *am rande von anderer hand mit verweisung* 497ᵃ, 8 ne-
sprichit 497ᵇ, 6 óberên. 21 prędicatum 23 L. 27 signifi-
cant. *auf rasur* 31 missesázten *desgl.* 498ᵃ, 4 una *desgl.* 12
tiu *desgl.* 23 albus homo. *auf rasur von* homo albus 498ᵇ,
12 albus. *auf rasur* únbesprócheno *auf rasur von* g 23 albus

homo. *auf rasur von* homo albus   499², 5 uno. *corr. aus* u
11 éin *auf rasur*   16 affirmationem I   30 béllenten *rad.· aus* p
499ᵇ, 9 *vor so rasur*   17 sint *von and. hand übergeschr.*   500²,22
uuánda   23 beceicbenet. *corr. aus* i   500ᵇ, 15 caelesti.   17
cane.   20 *von hier ab ist die abkürzung für* quoniam *meist* q͞m,
vorher immer und auch einigemal im folgenden q͞u͞o   26 eliẹgere
28 opórtet   35 iihten   501², 12 heac   22 Vuánda   23 sih
    501ᵇ, 4 heac   502², 4 socrate *übergeschrieben*   7 tíser *von
anderer hand aus* e *corr.*   11 dáz *übergeschrieben von anderer
hand*   23 zeċrist *übergeschrieben*   24 uuánda   502ᵇ, 5 méino
15 chedenne *übergeschrieben*   31 uuile díu   503², 11 einemo
12 spréche.   15 éreren *auf rasur*   spréche.   18 Haec   19 Tiu
24 demo *auf rasur*   28 nieht *desgl.*   32 tinges   503ᵇ,6 béidví
am zeilenschluſse von anderer hand nachgetragen   30 L.
504², 5 conplexione   19 conpositio   22 So, *circumflex ausradiert
vor* mit *groſse rasur*   23 mag. *corr. aus* n   24 *vor* sâr *rasur*
26 châde.   29 díu *doppelt, das zweite ausradiert* er *von anderer
hand am zeilenschluſse nachgetragen*   31 socrate.   504ᵇ, 9
ᴅɪᴄᴇʀᴇ.   505², 9 uuâr   21 Vt   505ᵇ, 20 *also* ēr *ausradiert*
zû   24 uuâr.   31 est.   506², 9 eloquentem esse. *auf rasur*
12 ᴇᴀʀᴜᴍ.   19 esse *auf rasur*   21 et inpossibili   30 eorvm
    506ᵇ, 11 náls   13 *rasur nach* album   14 hominem   31
spréchenne.   507²,5 quantiscvmaque   8 ne *übergeschrieben*   13
vor ambulat *ist* non *durch puncte getilgt*   16 ságun., *am* g *oben
rasur*   29 eivs   507ᵇ, 1 que *bis* 3 uáren *auf rasur*   10 non
bis 11 diuidi *desgl.*   22 únderskeit   32 ambulaᵇile. *auf rasur*
    508², 4 inpossibile   27 modvm. *von anderer hand überge-
schrieben*   508ᵇ, 7 ist *desgl.* dien *übergeschrieben*   36 *desgl.*
    509², 4 pluuiam   9 ᴏᴘᴘᴏsɪᴛɪᴏɴᴠᴍ   29 uuérdent *von anderer
hand übergeschrieben*   509ᵇ, 9 esse. non est negatio necessarum
(sic) non esse. sed non necessarium esse. So   12 *rasur nach*
affirmatione   510², 3 vniuersaliter   9 uernín   32 consequen-
tiae   510ᵇ, 4. 7 lihet   9 sò *bis* 10 contingere. *am rande von
anderer hand mit verweisung*   12 zuéin.   14 kebúrit.   21 non
übergeschrieben   36 unde *doppelt, das zweite ausgestrichen*
511², 7 taz *auf rasur*   25 contradictorie. *desgl. bei dem ersten
schema fehlen die puncte ganz, bei dem zweiten hinter der zweiten
und vierten reihe   nach* inpossibile *z.* 31 *ist eine halbe seite frei,
auf der einige zeilen ausradiert sind*   512², 24 ún | dia   25

necesse *auf rasur* 512ᵇ, 7 *mittemen desgl.* 18 *contradictorie*
noh contrarie. desgl. 23 *éristun desgl.* 33 **non** *übergeschrieben*
von anderer hand 34 non est necessarium ~~esse~~. *am rande von*
anderer hand mit verweisung 35 *tes ne* ~~ist~~ *neh*éin *auf rasur*

513, 3 Inpossibile Non impossibile *auf. rasur* 4 Non possi-
bile est *auf rasur* non *von anderer hand übergeschrieben* vor
Contradictio. *ein wort ausradiert* 5 Negatio. *auf rasur diese drei*
zeilen stehen ebenfalls, genau wie sie Hattemer gibt und mit der
bezeichnung Rectius *auf einem eingehefteten zettelchen von der an-*
deren hand und es folgt darauf noch das schema von s. 515 *unten,*
wo man sehe 513ᵃ, 23 unde *in auf rasur* 513ᵇ, 14 Ána
desgl. 19 uuélsel. 22 uuíderuuártigo *aus* a *radiert* 27 idem
auf rasur 514ᵃ, 1.5 ᴄᴏɴᴛʀᴀ̄ʀ. *schwarz auf rasur von rotem* ᴅ̄
3 possib*ile auf rasur* 19 unde 514ᵇ, 10 ne *auf rasur* 32,
ᴅɪᴄᴛᴀ. 515ᵃ, 5 contingit *auf rasur* 6 a*n*tem *auf rasur* 12
necesse *desgl.* 28 possibile *desgl.* 29 mág *desgl.* 30 *n*on *desgl.*

515ᵇ, 2 ſone 27 inpossibile *corr. aus* i, *dann rasur von* æ
28 positis. *auf rasur* 34 Possibile *desgl. die abweichungen des*
beigefügten zettels (s. zu 513, 5) *sind* 33 Impossibile impossibile
34 Possibile esse 35 Non necesse est *non* esse. *ausradiert*
516ᵃ, 9 geh*é*lle *auf rasur* 13 non *desgl.* 20 utreque *auf rasur*
30 fúolget *ausradiert* 516ᵇ, 21 uuérde*n*t *von anderer hand*
übergeschrieben 27 racionem 28 an 29 habe*n*t *auf rasur* 32
inration*abilem. desgl.* 34 calefaciend*i desgl.* 517ᵃ, 1 po*t*estates
desgl. 2 plurimorum *desgl.* 3 opositorum 10 possibiles *aus-*
radiert 19 éina 32 Fóne 517ᵇ, 1 éina 4 eandem *aus dem*
letzten striche von m 8 só 15 úngeliche (*nach* sint) *am rande*
von anderer hand mit verweisung úngelicho *radiert aus* e 18
kesproche*n von anderer hand übergeschrieben* 25 ambulat. *auf*
rasur 27 démo 518ᵃ, 1 maht 2 túon *auf rasur* 5 ᴇsᴛ
schwarz auf rasur 7 solis est *auf rasur* 8 *immobilibus. von*
anderer hand übergeschrieben 18 quod *auf rasur* 25 negehíllet,
unten radiert 30 uniuersale, acut *ausradiert* 31 uolget *auf rasur*
32 ist 34 pose 518ᵇ, 3 so, *darüber rasur* 7 principi*um*
radiert aus um 16 quem 21 ᴛᴇᴍᴘᴏ|ᴘᴏʀɪs. 28 álso 29 ist.
auf rasur 519ᵇ, 18 mánnolîh *corr. aus* i 19 únreht. *aus-*
radiert Uuédir *bis* 20 únreht. (*übergeschrieben) am rande von*
anderer hand mit verweisung 520ᵃ, 3 contrarii *auf rasur* 22
opinatio *über unterpunctiertem* i 29 uuíderuuártig? 32 *demo*

auf rasur 520[b], 10 *est desgl.* 12 propositionum *von anderer
hand übergeschrieben* 18 QUAE 22 falsum *auf rasur* 26 Boni
desgl. 521[a], 7 Svnt 18 *pediu auf rasur* 19 tont 20 *von
hier ab stehen die überschriften auch schwarz am rande, sind aber
ausradiert* 24 BONVM 27 *iz auf rasur* 521[b], 13 opinantur.
26 *daz auf rasur von* a 36 uuésen 522[a], 34 gùot ist.
522[b], 1 *zùgeslingen. auf rasur* 9 tingis 523[a], 5 contrariam
von anderer hand übergeschrieben 6 dingolichemo *auf rasur* 7
lùkkero *auf rasur;* o *übergeschrieben auf rasur* 25 *est auf rasur*
30 *uuán übergeschrieben* 33 Uuànda *auf rasur* 523[b], 1 gùot.
12 Amplivs. 19 ubique 20 contraria *radiert aus* ū 26 quidem
auf rasur 33 den *von anderer hand übergeschrieben* 524[a], 4
contradictio *übergeschrieben* 10 Amplivs. óuh, *acut ausradiert*
17 bon*i radiert aus* ū 524[b], 9 ne *übergeschrieben* 14 bóume
auf rasur 525[a], 4 opinioni 22 állelichen *übergeschrieben* 25
opinione *auf rasur* 33 earum 38 affirmationis, *dann rasur*
uniuersalis *ausradiert* 525[b], 9 dero 14 uuíderuuartig
25 éinen *übergeschrieben* 31 íro *bis zum schlusse von der
anderen hand* .

VON DER MUSIK. 586[a], *(hs.* 242 *s.* 10 *ff)* 8 discrimina
aus corr. 14 órganùn *daz übergeschrieben* 15 síbene *ausradiert*
586[b], 13 ùf *auf rasur* 587[a], 2 die *auf rasur* 8 óberosto
15 únde *auf rasur* 19 éinero[11]fúnden. 587[b], 1 Uuánda
4 Únde 10 órgaxùn dríu *auf rasur* 13 stígendo 16 ába *aus
e corr.* 19 alphebeta 588[a], 5 sláchi ze 10 Únde 17
dorium[12] 21 íst *am zeilenanfange nachgetragen* 588[b], 8 ùf
demo *bis* óberósten *auf rasur* 14 Únde Úbe 16 uáhèn 17
úbe *übergeschrieben* 22 ypermixolidius *übergeschrieben* 25 mùgen
aus corr. 28 gát. *aus e corr.* 589[a], 3 ní[13]eht *auf rasur*
5 íh nù chád. *doppelt, das erste am zeilenschlusse ausradiert* 9
demo. C. in ypermixolidio. 11 sine | áhtoden bùohstabæ. 15
ánafánge. 16 *buóhstabe. auf rasur* 26 álso 32 só 33 níderór
34 hóhór. 35 in 36 chúnnǵ 589[b], 3 éristùn *auf rasur*
4 sie 11 lángiu [14] 16 gelímfìth 19 *trientem. auf rasur* 27
Mécha *auf rasur* 31 Únde 33 sí sí., *circumflex ausradiert*
590[a], 17 dánnán *corr. aus* e dero 20 Únde mít 21 Unde
22 fó[15]ne 24 lá. 33 bí 590[b], 4 Únz 10 *dh.*| todùn
auf rasur von ahto 11 Únde 14 *finstozéndun. auf rasur* 16
Úbe 18 Uuánda 19 fóre 28 *diametra. auf rasur* 29 [16]Uuíle

Seitenanfänge im Boethius: Quid [11] deinceps me.[13] i
quit. arbitror [25] Cum rex [27] queras [36] opini[40]onih
impellerent. [47] to[48]iomanne uersa [53] tûont. cxosa [6
quę [74] nam in [75] miseriam to[76] net geuéhet [79] ipsi [8
sunt [83] patiantur [92] collata [93] gladius [95] di[96]cet
cogi[98]tatis il[110]lam clauditur [118] tellvs [133] proxir
[134] fragili [138] il[140]lud queritis [141] honore [144] i
perfecta [148] ante [152] soli[153]dam summe [157] esse [16
bonum Securo [163] boni [165] participatione. inquam [16
autem [168] diuturni[169]tas. ordo [173] flagrantior [18
adi [188] piscerentur nullus [190] desi[192]stant. rabie [19
Quid [203] nam inpu[204]nitas hęc [205] amisso [20
po[209]tius. Quę [214] licet Elemen [217] ta pati[220]at
elimi[223] net. bonam [225] quę [236] geruntur prouiden
[242] con[260]ceptionem uideri [264] faciant [266] coad
tionem [269] diuinę.

im Marcianus Capella: Quin [6] ac [7] in [8] placabi
ipsius [13] mul[15] ta obliquis [17] contami[18]ne ratioi
[21] an [23] bela tamen [27] salo [28] ali [29] a comproben
[30] prior [31] magno [33] mantices [34] consci[36] u
conspexe [38] rat uene [39] rio mi[41] nore AVTEM [43] cla
[44] us nimiam [45] inmo[47] rari oportune [48] propter [4
in [50] dûot ex [54] altera omnes [55] unus [57] capit
[58] obumbran [59] tes or[64] natibus illis [78] inprouisa [7
Uo [81] biscum liget [82] coniuncti [99] one. conspicat
[101] sacramentis. [106] or[112] namenta tra[118] nat fa
[121] emque introfertur [123] terrigenę. [124] neces [126] s
rium. diccbera [129] redimi[130] culi domina [132] secun[13
darum Clau[135] sula nęc [136] admodum corpu[138] lent
obsequivm. [139] zéigota [140] quę [141] erithra dicta [14
Sáh sí [146] quod [155] quarto et [160] fatigati. fulgen[16
tes septa [165] maiu[166] genę totas [167] ac [168].

Berlin, september 1873. **STEINMEYER.**

ZUR KRITIK DES REINFRID VON BRAUN-SCHWEIG.

Die vollständige veröffentlichung des Reinfrid ist in doppelter hinsicht interessant, denn das gedicht bietet für die erforschung des alemannischen dialektes um 1300 reichen stoff und ist zugleich ein wichtiges zeugnis für den grofsen einflufs den um diese zeit die poesie Konrads von Wirzburg auf andere dichter im südwestlichen Deutschland ausübte.

Die überlieferung in der einzigen Gothaer handschrift ist eine sehr gute zu nennen. nur wünschte man dafs der herausgeber dieselbe mehr respectiert und den sprach- und reimgebrauch des dichters genauer beobachtet hätte. die zahl der stellen an denen im folgenden unrichtiges verfahren des herausgebers nachgewiesen wird, ist sehr grofs; und ich mufs bemerken dafs ich irgend welche vollständigkeit zu erreichen nicht gesucht habe. aufmerksame leser werden keine mühe haben den text auch an andern stellen zu berichtigen.

Bartsch sagt s. 806 'die orthographie der handschrift habe ich möglichst beibehalten, und nur da, wo die reime der von der handschrift gebotenen form widerstreben, geändert.' diese versicherung verspricht aber mehr als die ausgabe hält: denn nicht wenige formen die durch die reime als eigentum des dichters erwiesen werden, sind teils mit teils ohne consequenz beseitigt worden. und dann liegt es auf der hand dafs die reime des gedichtes allein nicht die richtschnur für die behandlung der orthographie sein können. es waren die örtlich und zeitlich nahe stehenden gedichte zu berücksichtigen und namentlich die urkunden, deren benutzung von mir im DHB 4, xii und von andern mehrfach verlangt worden ist.

Ich könnte, um diese beiden behauptungen zu beweisen, zuerst verbefserungen anführen die sich aus der beobachtung der reime des Reinfrid ergeben, und dann solche die von den reimen unabhängig sind. aber die folgenden bemerkungen werden übersichtlicher werden, wenn sie zuerst orthographie und grammatik, dann die metrik und zuletzt einzelne stellen des gedichtes be-

handeln die sich unter jene rubriken nicht gut
oder eine ausführliche besprechung verlangen.

1. Orthographie und grammatik.

In der anmerkung zu 181 sagt Bartsch, weil nur
iemen im reime stehen, habe er im verse das überlieferte *nien*
ieman nur da behalten wo die zweite silbe betont ist. es
kein grund die formen mit *e* in dieser weise durchzuführen, d
man kann *nieman ieman* im reime kaum erwarten bei ein
dichter der wie der des Reinfrid den ausfall der senkung
sehr wenige fälle beschränkt von denen weiter unten noch
sprechen sein wird. auch *dannan vornan hinnan innan unde*
waren nicht in *dannen vornen hinnen innen unden* zu veränd
Weinhold AG § 10. für das adverbium *lenger* ist 822. 8435. 8479
langer geschrieben, aber zu ende des 13 jhs. war die form mi
durchgedrungen, die unterscheidung des adverbiums und des
jectivums war aufgegeben. die synkopierten formen *nen*
nende gende usw. für *nemen geben nemende gebende* schr
Bartsch in der hergebrachten weise mit *ė*; daß dies unrichtig
habe ich in den Altd. studien s. 59 gezeigt. wie die kürze
kon genon für *komen genomen* durch zahlreiche reime des Re
frid und anderer alemannischer dichter fest steht, so ist
gen usw. zu schreiben. darauf führen die reime *vernen :*
5423. 12769. *nen : den* 26319. *gen : den* 26645, welches die e
zigen auf *en : ėn* wären, wenn man *nėn gėn* usw. schriebe. a
Eufrdten : gen ist 24957 zu schreiben, nicht *Eufraten : gėn*.
vergleichen ist noch im Rosengarten D^c s. 93 Grimm *wir g*
(d. i. *gebent*) : *wir went.* — Bartsch schreibt (s. 807) gegen
hs. *swer noel swaz* usw. 'weil die zeit, in der der dichter schri
das *s* noch allgemein hat'; Weinhold AG § 321 setzt allerdi
den abfall des *s* in das 14 jh., ob er aber nicht schon in
letzten jahrzehnten des dreizehnten sich findet, wäre zu unt
suchen. auch daß *iu* im nom. sing. fem. und nom. plur. ne
des artikels und des adjectivums in dieser zeit consequent dur
zuführen sei, bezweifle ich. wenn für das regelmäßig überliefe
<u>urlop</u> (nur 11939 steht *urloubes* ohne variante) *urloup ge*
wird, so läßt sich das rechtfertigen, da der schreiber auch so
oft *o* für *ou* setzt, zb. *geloben ogen togen*, und kein reim bew
daß der dichter *ô* für *ou* sprach. im Wolfdietrich D habe

mit den hss. *urlop* geschrieben wie zb. Lachmann in den Nib.
317, 1 und 646, 1 mit A. die form *urlop* die Weinhold in der
Alem. gramm. nirgend erwähnt, findet sich auch Nib. J 165, 4.
319, 1. 821, 1. 646, 1.

Im auslaut wird oft *e* zugesetzt; dies beweisen im Reinfrid
auch reime, *diu welte* : *gelte* 17726. *schaffe* (imp.) : *klaffe* 14348.
vgl. DHB 4, x und die anm. zum Ritter von Staufenberg 254.
trotzdem ist an zwei stellen im reim dieses *e* entfernt worden:
13721 schreibt Bartsch *grab* : *ungehab* für das überlieferte *grabe*
(acc.) : *ungehabe*, und 1944 *daz ez im ein schimpfe* (: *gelimpfe*)
wær wird *iht ze* statt *ein* in den text gesetzt. auch im verse
wird dies *e* von Bartsch beseitigt, indem er 1802 *hanfstengel* für
hanfestengel, 2508 *goltrichen* für *golderichen*, 146 *als uns für wdr*
diz mære seit für *als uns diz mær für wdre seit* schreibt und in
der anm. zu 1290 *diu küneginne hielte bî* den indicativ *hielte*
durch *habte* oder *hielt dâ* ersetzen will. nicht consequent zwar,
denn 20913 behält er zb. *daz neste*.

In der flexion ist manche dialektische eigentümlichkeit be-
seitigt, um die gewöhnlichen mhd. formen zu gewinnen. es war
zu behalten die starke flexion von *frouwe*, s. zu Wolfd. D vi 36
und zum Ritter von Staufenberg 206; von *sunne* 22777, s. zu
Neidhart 62, 36; die schwache von *rugge* die nur 26345 stehen
geblieben ist, s. zu Wolfd. B 500, 3; von *site*[1] 7145; von *veste*
16713. 16739, wenn auch daneben öfter die starke flexion be-
gegnet; von *genôze* 150. 915, die auch durch die reime *ge-
nôzen* : *blôzen* 12641. 22193 : *grôzen* 25096 bewiesen wird und
einmal 26277 im verse stehen geblieben ist; der schwache plural
von *sêle*, s. zu Wolfd. D ix 4.

Im gen. plur. setzt das alemannische sehr gern *en* statt *e*,
AG § 392. 398. 399. daher war zu behalten *landen* 6957.
rossen, knehten 10380. *rîmen* 12750. *kielen* 22011; ferner die
feminina für die auch der reim *kreften* : *heften* 20832 beweist,
schulden 6091. *nœten* 23150. *tugenden* 17234. *zühten* und *künsten*
in den sehr häufigen verbindungen *zühten rîch* und *künsten rîch*.
auch im Altswert ist 11, 17 mit AB *zühten rîch* zu lesen wie
47, 20 und *fischen rîch* 22, 20.

---

[1] 17660 und 26959 hat der herausgeber den dativ sing. *siten* unver-
ändert gelassen.

Nach Weinholds lehrreichen sammlungen AG § 274—
die natürlich keineswegs erschöpfend sind, war es geboten
fallendes·genus der substantiva nicht gleich zu verwerfen.
Reinfrid 3752 steht zb. *aht* als masc. was weder Weinhold n
Lexer kennen im reim *ahtes : brahtes.* darnach war der ö
begegnende genetiv *vorhtes* den ich sonst nicht gefunden ha
zu behalten: 10092. 10305. 12374. Bartsch schreibt übe
vorhte. schlimm ist dafs 15144 *mit tröst und senfteclichem*
geändert wird zu *senfteclicher,* obwol im Mhd. wb. 1, 938[b] sel
längst *lap* als masc. und neutrum nachgewiesen war; und *l*
als masc. 2811 wird zum fem. gemacht, obwol es Weinh
§ 274 anführt.

Wenn von der zweiten person pluralis die formen auf
und *ent* im reim vorkommen, so war deshalb die endung *en*
verse nicht zu verändern, zb. *wizzen* 5042. *hörten* 10244. 237
hœren 12917. *seiten* 18884.

In der anmerkung zum Ritter von Staufenberg 417 habe
darauf hingewiesen dafs zu ende des 13 jhs. verba die früher d
genetiv regierten mit dem accusativ verbunden werden·wie je
ich trage noch eine stelle nach: in einem liede Hartmanns v
Aue das nur in C 41 erhalten ist, steht *der guoten diu m*
schöne pflac MSF 214, 33. vdHagen hat das für Hartmann all
richtige *mîn* gesetzt; aber im Reinfrid sind diese accusative ni
zu ändern, zb. bei *gern* 1373. *gunnen* 3699. *jehen* und *verjeh*
25950 f. *pflegen* 6292. dafs daneben auch der genetiv vorkomm
ist kein grund ihn durchzuführen.

2. Metrik.

Befremdlich durch ihre inconsequenz erscheint die behan
lung der metrik. einfach genug sind die metrischen gesetze d
dichters. die senkungen werden im allgemeinen stets gesetzt,
dafs die meisten verse iambisch sind, eine geringere za
trochäisch. es dürfen auch zwei hebungen unmittelbar auf ei
ander folgen: dies geschieht öfter innerhalb eines wortes als
zwei wörtern. vgl. zs. 16, 402 f. doch gestattet der dichter di
zusammentreffen der hebungen nur einmal im verse und lä
vor der letzten hebung· die senkung fast nur innerhalb ein
wortes fehlen, so dafs der vers schliefst *hérzógen, sémitte, fü*
spréchen, Báldác, sóldán usw. äufserst selten fehlt die senku

zwischen den beiden letzten .hebungen die auf zwei worte
fallen:

> *solt er niht wîbe gruoz gern* 1373
> *tougenlîchen nâch sleich* 2954
> *dar inne nieman arm was* 21943.

Bartsch hat diese versschlüfse geändert: *gruozes gern, nâch ir
sleich* und *arm enwas.*

In der ausgabe findet sich das zusammenstofsen der hebungen
in einem worte sehr oft, in zweien seltener, zb.:

> 9889 *die leides sint ungewon*
> 10676 *des wil ich lip unde guot*
> 11170 *verswein von der sunnen maht*
> 13188 *er bat got und enthiez*
> 14685 *ros pherit kleider;*

aber in beiden fällen ist Bartsch oft bemüht die senkung gegen
die überlieferung herzustellen. daher schiebt er in wörtern, wie
*helflich weinlich menschlich kostlich dienstlich vorhtlich kurzlich göt-
lich ernstlich schallôs arbeit agstein verlorn geborn gevarn* fast
regelmäfsig ein *e* ein und schreibt 10930 *ingesigel* für *insigel.*
3189 *iuch dienstes gebunden si* wird umgestellt *dienstes iuch,* 3882
daz hâten gesindet erhält den zusatz *hie* nach *hâten,* 18090 *des
wolten die herren nie* und 23166 *und wolten die sache gar* müfsen
die in *dise* ändern. mehr schwierigkeit machte .es die senkung
zwischen zwei wörtern herzustellen:

> 4701 *enzwei möht geklieben* [*möht enzwei g.*][1]
> 3416 *daz ich tac unde naht* [*ich beide tac und*]
> 4532 *diu nôt diu mich troffen* [*getroffen*]
> 9531 *daz diu welt über al* [*welte*]
> 10340 *sprach dô man unde wîp* [*dô beide man und*]
> 11643 *von allem dem sô er gert* [*begert*]
> 19803 *des sich diu welt noch begât* [*welte*]
> 25068 *sus kâmen si über ein* [*si dô über*].

einige von diesen versen lafsen sich auch ohne fehlen der senkung
lesen, sobald man trochäisch mifst; aber es wird vorzuziehen sein
dafs man fehlen der senkung annimmt. sammelte man aus Rein-
frid oder einem andern gedicht das in der regel die senkung

---

[1] in klammern steht hier und in den folgenden beispielen die von
Bartsch vorgenommene änderung des überlieferten textes.

zwischen zwei hebungen setzt, die verse in denen die senkung
fehlt, so würde man auf dieselben resultate kommen die Wil-
manns aus der beobachtung der Liechtensteinschen verse ge-
wonnen hat, s. Berliner zs. für das gymnasialwesen 1870
s. 594—601.

Auch in bezug auf versetzte betonung, trochäische verse,
hiatus und apokope des *e* ist die ausgabe inconsequent.

Die versetzte betonung kommt mitten im verse oft vor und
wird von Bartsch an den meisten stellen nicht beanstandet:

707 *in der herberge dâ er lac*
12291 *alsus wurben die frouwen*
16736 *doch hatten si sich verwegen*
17680 *daz krump machent si slehte*
18654 *die tische, dô sâhen si kon*
23619 *die wile er hât zerunge;*

an andern stellen wird geändert:

934 *under sîner baniere* [sînr]
6883 *alsus wâren ir sinne* [wârn]
12392 *dâ was alles des überkraft* [al].

im anfang des verses ist die versetzte betonung wie bekannt
viel häufiger. trotzdem hat der herausgeber gerade hier fast
überall geändert:

3844 — 3892 *wange bî liehtem wange* [s. unten]
5447 *disen tac sider daz ich hân* [sît]
7351 *hinder daz ors ûf plânes velt* [hinderz]
9142 *arme noch rîche mohten* [arm]
9457 *wannan si fuor ald wâ si was* [wan]
9624 *iedoch swie ez hie nâch gevar* [swiez]
9881 *rieten si alle disen sin* [rietens]
10910 *hatten si minneclîch bekleit* [si hatten]
11549 *hatten si umb die künegin* [hattens]
12817 *sagent wie ez ze Rôme stât* [wiez]
14933 *gâben ir zwîvellîchen muot* [ir gâben]
16012 *werden wir strîtes træger* [werd]
22432 *ûzer des tôdes lâge* [ûz]
22900 *wannen dîn vart dich ûze trage* [wan]
23209 *fuoren gén Babylône* [fuorn]
27213 *wâren die ritter alle* [wârn].

dafs aber auch hier nicht consequent verfahren wird, zeigen die
änderung von 24552 und die verse:

* 14788 *wizzest, só hát zerstœret*
  16400 *wizzent ir niht, ich bin doch der*
  20802 *hetten si niht daz reine krût*
  21626 *úzer dem glas er balde sprach*
  23675 *sprâchen si, hinnen kéren*
  24313 *fuoren si von dem velde hin.*

trochäische verse werden nur zuweilen geändert:

  3345 *hât mich minn geworren [minne mich]*
  22299 *dâ mit er sich lôste dan [sich iht lôste].*

ebenso verse die einen hiatus enthalten:

  3009 *daz ander minneclîche an [minneclîchen]*
  27205 *wart ritterlîche âne nôt [ritterlîchen]*
  5468 ‘*dar umbe ir mich inne*
  des bringen' sprach der knappe dô.

Bartsch schreibt *dar umb ir mich sult inne,* wie es scheint,
um auch die endung der 2 person plur. zu beseitigen. über
2776 s. unten s. 512.

Die apokope des *e* ist sehr häufig und auch durch die reime
gesichert. demnach waren verse wie die folgenden nicht weiter
zu ändern als dafs man das auslautende *e* der hs. strich:

  494 *é daz daz oug dâ vinden [ouge vinden]*
  2779 *ob er fuog bî mâze treit [bî mâze fuoge]*
  3037 *an mange sach mê denn ze vil [sache mê dan vil]* [1]
  4601 *mich dick zesamen vallen [dicke zemen]*
  8744 *den mîn herz hât úz erwelt [herze hât erwelt].*

Dafs Bartsch die reime nicht richtig beobachtet hat, ist
schon mehrfach erwähnt worden. hier will ich nur zwei reime
behandeln, *ft : ht* und *en : e,* von denen der erste zugleich ein
beweis ist für das was oben s. 505 behauptet wurde, der zweite
sich aus der beobachtung des Reinfrid allein ergibt.

Dreimal reimt *ft : ht, braht : ritterschaft* 6991, *craft : über-
straht* 15629 und *maht : craft* 19711. den zweiten reim hat

___

[1] die anmerkung will die streichung von *ze* darum statthaft finden,
weil in der regel diese art der steigerung ohne *ze* stehe. aber im Reinfrid
wie in andern späten gedichten kommt gerade *mê denn ze vil* wieder-
holt vor.

Bartsch ohne weiteres beseitigt, indem er macht für *craft* in den text setzt; für den ersten reim bringt die anmerkung ähnliche vorschläge, 'doch' heifst es am schlufs 'vgl. 19711' und in der note zu 19711 wird wieder auf die zu 6991 verwiesen. der dritten stelle 15629 wird in den anmerkungen nicht gedacht. dafs alle drei reime nicht zu ändern waren, liefs sich aus Boner ersehen der 49, 7 *gemacht : gevatterschaft* reimt, und zweimal *f : ch*, *bůch : ůf* 59, 51 und *hof : noch* 75, 11. die lesarten zeigen nur an der dritten stelle einen andern reim, *gemeit : reit* in AG.

Der reim *en : e* ist in späten alemannischen gedichten so häufig (s. zs. 16, 221. DHB 4, viii. x. 5, xvi. xxxix) dafs es auffallend wäre wenn er im Reinfrid nicht vorkäme. dafs die hss. gewöhnlich *en : en*, seltener *e : e* oder *en : e* schreiben, wurde zs. 16, 414 angemerkt. so hat auch die hs. des Reinfrid gewöhnlich *en : en*, einmal *e : e* 2776 wo zu lesen ist *sô triuwe ich wol lâzen iuch hie bet niht ungewert*, und dreimal *e : en*, 4491 *sorge : verborgen*. 5487 *sinnen : küneginne*. 11611 *wil bescheiden : beide*. die andern stellen mit dem reime *e : en* die ich mir notiert habe, sind 2164 *blicke : stricken* wo in der folgenden zeile *die* mit der hs. zu lesen ist; 3510 *iuch eine : meinen*, vgl. 3507; 3821 *blicke : stricken*; 3844 — 3892 *wange bî liehtem wange : zergangen* und *bevangen*, s. oben s. 510; 4294 *iuch eine : reinen*; 12171 *süezen : grüeze*; 18179 *frouwe : schouwen*; 19773 *wol abe : haben*; 21258 *dühte : lühten*.

3. Einzelne stellen.

In den meisten der folgenden verse ist vom herausgeber die richtige überlieferung willkürlich verändert worden; nur an ein par stellen gebe ich nahe liegende verbeſserungen von fehlern der handschrift. ich wiederhole für diesen teil besonders was ich im eingang bemerkte, dafs ich viele fehler der ausgabe unerwähnt laſsen werde und dafs es denen die ich übersehe, nicht präjudicierlich sein soll.

718 f *daz diu sunne widergliz*
     nam von dem golde sô dâ schein.
die hs. hat *so den schein*, Bartsch setzt dafür *daz dâ schein*. das relativum *sô* ist überaus häufig im Reinfrid.

3290 *alleinen* ist zu *einen* verändert. aber so gut wie 25800 *alleinen* im text steht, war es auch hier zu behalten.

3692 f *waz iemer mir beschiht*
 dd von ze keiner stunde.

Bartsch setzt wie es scheint aus metrischen gründen *drumbe*
nach *iemer* zu; unmöglich wegen des folgenden *dd von.*

 5073 *mânes schîn,* Bartsch *mânen schîn,* wie er auch den
dativ *mâne* 18582 zu *mânen* ändert. die starke flexion von
mâne belegt Lexer 1, 1026; auch bei Rauch SS rerum Austr.
1, 352 ist *mânes* für *mannes* zu lesen: *ein slac daz er nicht weste
ob ez tac was oder mânes schîn.*

 5802 *dô ern brach, er las in zehant.* für *ern* hat die hs.
er in, dies behält Bartsch und streicht das zweite *in.*

 6684 f *dô tet si als si alle tuont*
 die man unschulde zihet.

so ist richtig überliefert: sie tat wie alle die man unschuldig
anklagt. Bartsch ändert *unschulde* zu *schulde.* zur lesart der hs.
ist zu vergleichen Rabenschlacht 1074, 6 A *man zihet vil un-
schulden den Bernære* und Mhd. wb. 2, 2, 186[b].

 8803 f *swer setzet an der sunnen schîn*
 meigen tou und klâren wîn:
 swie daz an wirdekeit der wîn
 für tref, doch nît der sunnen schîn
 daz tou und sweinet sînen fluz.
 der wîn stât unverséret sus,
 wan sunnen hitze nît sîn niht.

für *nît* 8806 hat die hs. *mît.* dies behält Bartsch und ändert
8805 *der* zu *den.* aber *für treffen* ist intransitiv und steht im
Reinfrid 11065. 14687 uö.; transitives übertreffen ist mhd. *ver-
treffen* und so ist R. 12913 und zs. 9, 25 statt *fürtreffen* zu
schreiben. die hs. des Reinfrid schreibt auch *für ellendet* 24510,
für lief 18390 und *fürbünnen* 4090 statt *verellendet, verlief,
verbunnen.*

 8826 heifst es von der minne:
 si tuot dem armen alsô wol
 als künege keiserinne.

Bartsch nimmt *kunig* als nominativ und ergänzt dahinter *und;*
der sinn wird dadurch ganz unklar.

 9070 f *daz — sich diu snîde drægen*
 kond nâhe zuo dem verhe.

> *nu gie diu wunde entwerhe*
> *durch des helmes gupfen.*

die hs. weicht nur darin ab dafs sie *entwerchse* schreibt: die ge-
wöhnliche genetivische form des adverbiums war dem schreiber
in die feder gekommen trotz des reimes. die dativische form
belegt Lexer 1, 597 durch den reim *entwerge : berge.* Bartsch
will sie vermeiden, obwol er sie 20432 stehen läfst, *dem verhe :*
entwerhe, und ändert · 9071 gewaltsam und undeutsch *konde nähe*
verhes : entwerhes.

> 9147 f *der künic — lopte im daz leben,*
> *ob er wolt unschuldic geben*
> *die vil wol getânen,*
> *die minneclîch Yrkânen,*
> *der sache sô si was bezigen*
> *oder sîn leben ligen*
> *mües in tôdes âhte.*

so hat die hs. gegen die Bartsch die beiden letzten verse schreibt:
oder sîn leben müese ligen in des tôdes âhte.

> 9204 f *nu kom er gestaphet*
> *har gên der küniginne.*

für *har* steht *hat,* was Bartsch streicht. vgl. 9256 f *nu kom der*
ritter hôchgemuot gestaphet wunneclîchen har.

> 10706 f *manegem würde dar zuo gâch*
> *der sin doch niht erhaben tar.*

Bartsch setzt *erheben* wie 7317 *heben* für das überlieferte *haben;*
23998 ist das handschriftliche *dô sich haben solt der strît* im text
gelafsen, aber die anmerkung meint wider 'wahrscheinlich ist
heben statt *haben* zu lesen.' dafs im alemannischen *haben* und
heben verwechselt werden, habe ich in der anm. zum Ritter von
Staufenberg 777 gezeigt. auch *huoben* für *habten,* obgleich im
Reinfrid mehrmals durch den reim bewiesen, wird von Bartsch
zu 20544 nur zweifelnd angenommen.

> 11372 f *ob dâ kein ritter rîse*
> *von ors durch satels rûme?*

was in der anmerkung vorgeschlagen wird 'vielleicht *ûz satels*
rûme' ist schwerlich mittelhochdeutsch. die überlieferung bedarf
wol keiner änderung.

12001 *von êrsten* das Bartsch doch 22376 stehen läfst,

wird hier unnötig geändert in *von érste*. im reime steht *von érsten* 15923.

12198 *swaz fröude von hovieren heizet unde heizen sol* ist richtig. Bartsch schreibt *und* für *von* und verschlechtert dadurch den sinn.

12583 f *dô er* (der vogel) *wolte fliegen*
   veder blut und flügel bar.
für *blut* hat die hs. *blůt*, Bartsch setzt *blôz*. die richtige lesart habe ich in der anm. zu Wolfdietrich A 409, 3 hergestellt. ebenso wie hier ist MSH 2, 384ᵇ *blůt* geschrieben wofür vdHagen nicht richtig *blůc* setzen will.

12670 f ist ohne fehler überliefert, sobald man richtig interpungiert:

   ez ist kein kint sô kleine,
   ez welle sine zit verzern
   in luoder schelten fluochen swern:
   spot spil und frezzente
   und alliu luoderie,
   dar ûf sint si besinnet.

Bartsch setzt das kolon hinter *luoderie* und ändert *aller* für das überlieferte *alle*.

12748 f *min sinne die hânt rûme*
   an hôher künste leider.
so ist zu schreiben, denn der dichter spricht hier von seiner kunst. die hs. und die ausgabe haben *kiusche* für *künste*.

13617 am beginn des abschnittes steht *uch*. nicht *ouch* wie Bartsch setzt, sollte geschrieben werden, sondern *Anch* d. i. *ach*. in der anmerkung zu 13754 wo im text *ouch* für *anch* gesetzt ist, wird *anch* richtig erklärt: aber schon 14720 ist wider in einem ausruf *anch* fälschlich zu *ouch* verwandelt.

13948 f *den hof sach man dô rûmen.*
   den einen hin, den andern har
   man sant: si liefen har und dar
   durch Westevâl, dur Saksen lant,
   als si der fürste het gesant.
so ist richtig überliefert. Bartsch verbindet gegen den sinn die beiden ersten verse und ändert den dritten: *man sach si loufen.*

14134 f *diu maget muoterlich gebar,*

hdn in irre gnâden pflege.

Bartsch setzt nach *maget* gegen die hs. *diu zu*; aber es heißt nach weit verbreitetem sprachgebrauch (s. MSD². 302): die *als* jungfrau gebar. Bartsch schreibt *si und mich* gegen die hs.; aber *und* fehlt im Reinfrid und ähnlichen gedichten so oft, daß es keiner beispiele hier bedarf. die ausgabe setzt mehrfach so wie hier *und* zu, zb. 5244 *er ist unschuldic, [und] ich frî.*

14553 *senfter dîn gemüete* ist überliefert; Bartsch schreibt *senfte.* aber gerade die spätmhd. dichter leiten mit vorliebe die verba die die frühere sprache vom positiv bildete, vom comparativ ab. ob zb. im Lanzelet 7644 *senftern* dem schreiber oder dem dichter gehört, ist zweifelhaft; und im Erec 2214 wo Lachmann zu Iw. 6514 die wahl ließ zwischen *lengert* und *langte* für das handschriftliche *lenget*, wird man *langte* vorziehen. bei Konrad von Wirzburg und seinen nachahmern sind aber diese verba auf *-ern* sicher nicht zu ändern. vorher 3160 war dem herausgeber auch *senftern* nicht der correctur bedürftig erschienen.

15296 *alliu iriu libes lider.* die hs. hat *alle ire,* s. oben s. 506 über die endung *iu* und *e.* Bartsch ändert ohne not *ires* wie er auch 5852 *alliu siniu lides lider* zu *sines* verändert.

15556 *si leibten eine stütze nie vor keiner veste tor.* rätselhaft ist, weshalb die ausgabe gegen die hs. und gegen die grammatik *einer* setzt.

16264 f *wan si der heidenschefte*

    haz von schulden truogen,

    an der flühte sluogen

    swaz in ie ze handen kam.

Bartsch setzt nach *truogen* punkt und ergänzt *si* vor *swaz.* aber es ist ein asyndeton, s. oben zu 14134. auch 18061 *sunder smeichen schônen* wo Bartsch ändert *smeichens,* ist so zu fafsen.

16314 f *den was sô übermæzic kraft*

    in einer naht gebrochen abe

    an liuten und sô richer habe

    daz dâ von nieman kan gesagen.

die hs. hat in der letzten zeile *das von,* wofür Bartsch setzt *dâ von.* die ergänzung von *dâ* nach *daz* scheint einfacher.

17654 f *min sin daz wol gesoûere,*

    möht der keiser sich bewarn,

> *er liez die kristenheit ouch varn*
> *als ir gelücke gœbe stat.*

Bartsch ändert die letzte zeile: *gelückes gebe stát.* der reim
stat : hât (oder vielmehr *hat,* s. Altd. studien s. 57f) hat zahl-
reiche analogien im gedicht.

19421 passt das präsens *trîbent* nicht in den zusammen-
hang. es ist *trîbent* zu schreiben: die endung *ent* für die 3 person
plur. prät. beweisen die reime *gâbent : âbent* 7394. 9760. vgl.
DHB 4, ıx.

20481 *von wildem fiure manic brunft : sigenunft* war mit der
hs. zu behalten, wie schon von Hildebrand DWB 5, 2648 an-
gemerkt ist. die ausgabe hat *brunst : sigenunst.*

20918 *nâch spîse erfüllet und erfröuwet.* *nâch* für *mit* ist
wol ein druckfehler oder ein versehen des schreibers: *nâch* steht
auch in der vorhergehenden zeile.

22310 f *er müese êwecliche stunt*
> *sîn selbes halp dâ sîn gewesen,*
> *wan, alsó ich hân gelesen,*
> *was er dar an geflohten.*

die hs. hat *als* für *alsô.* Bartsch setzt das *er* nach *wan.*

22448 f *er hette tôdes grimme*
> *willeclîchen dá erliten,*
> *daz daz schif het gebiten*
> *ein unlange stunde.*

Bartsch setzt *wœr daz daz schif.* sollte die betonung *schif hét*
vermieden werden? aber betonungen wie *dáz schif hét,* die im
Reinfrid vorkommen, werden vom herausgeber öfter beseitigt.

24552 wird in dem verzeichnis der frauen die ihren ge-
liebten briefe geschrieben haben, gesagt *Pillis grôzer liebe aht*
schreip dem helt Demesticô. Bartsch setzt *in* vor *grôzer* zu, aber
aht ist object.

24778 f *ob sî niht enbindent*
> *iuwer kunft von dirre nôt,*
> *sô wizzent daz sî schiere tôt*
> *lît von den arebeiten.*

enbindent reimt auf *windent* 3 plur. ebenso wie in der 2 person
plur. wird auch in der 3 sing. und im participium *nt* für *t* im
alemannischen gesprochen. dies zeigen im Reinfrid noch die
reime *grüsent* (3 sing.): *tûsent* 16155, vgl. zu Wolfd. D x 34.

16505. für die letzte stelle wird in der note eine änderung
vorgeschlagen die man ablehnen muſs. *grüſent* und *behüſent*
werden vom herausgeber geduldet, *enbindent* aber nicht, denn er
setzt in den text *ob ir ſi niht enbindent mit iuwer kunft.*

26512f muſs es vom salamander heiſsen *nu mügent ſines
lîbes lider ân fnr niht fliegen loufen gân; niht* ist hier ebenso
notwendig zuzusetzen wie 26510 wo Bartsch den fehler der hs.
verbeſsert.

26732f ist wunderlich misverstanden worden, obgleich die
zwei notwendigen berichtigungen der hs. sehr nahe liegen. von
Nebucadnezar wird erzählt:

> dem künic Jôachîm er ſit
> nam zepter unde dyadèm
> ze Judêâ, wan Jerusalêm
> von im ouch zerstœret wart.

künic fehlt, für *Judêâ* steht *India.* zu dem unverständlichen text
der ausgabe die an *India* keinen anstofs nimmt, bemerke ich
nur das *Jérusalêm* nicht richtig geschrieben wird, denn die mhd.
gedichte verlangen *Jérusalêm Jérusalê* oder *Jérsalêm Jérsalê* und
die hss. laſsen auch oft das *u* weg.

26956. die dromedare giengen *ſô ſneller île daz man einz
hundert mile het eins tages wol geriten.* Bartsch ändert *einz* zu
ein und schreibt 26952 *die* für *diu.* das neutrale geschlecht
von *dromedære* ist bekannt und wird auch noch 26950 von
Bartsch behalten: *zwei lange dromedære.*

27231. 2 steht zweimal *schon* in der hs. statt mit Bartsch
der auch in der note zu 17302 *sân* vorschlägt, für das zweite
hier *sân* zu schreiben, wird man lieber das erste *schon*
streichen:

> ſô wân ir ènkèr (oder wâren ir enker) bereit
> schôn und wurden în geleit.

27545 wird *manic minnenclîcher bluot* verändert in *minnen-
clîchiu,* aber die überlieferung ist ohne tadel.

Berlin, im august 1873.

OSKAR JÄNICKE
† 6 februar 1874.

GRAZER MARIENLEBEN.

Das auf den folgenden blättern zum ersten male gedruckte gedicht befindet sich in der pergamenthandschrift 40/111 4° der Grazer universitätsbibliothek. die handschrift enthält ein in der ersten hälfte des XIII jhs. geschriebenes lateinisches psalterium. die obern ränder sind gröstenteils beschrieben und zwar enthalten bl. 1ᵃ—70ᵇ die himmelfahrt Mariae des Konrad von Heimesfurt (vgl. zs. VIII, 156 f), bl. 71ᵇ—110ᵃ ein Margarethenleben (herausgegeben von Diemer, Kleine beiträge ı, 121 ff), bl. 110ᵇ—172ᵇ unser gedicht, das im handschriftenverzeichnis als 'leben von Joachim und Anna, von Maria und erzählungen aus dem leben Jesu' aufgeführt ist. die schrift dieser obern ränder dürfte aus dem anfange des XIV jahrhunderts stammen. der umstand, dafs zahlreiche schreibfehler und wiederholungen vorkommen, sowie, dafs ausgefallene worte bei einer revision mittelst verweisender zeichen nachgetragen wurden, deutet darauf hin dafs das gedicht nur in abschrift uns vorliegt.

Die eigentümlichkeiten der lautbezeichnung in der handschrift gehören dem bairischen dialekte an. es sind folgende: œ für ö steht durch, ebenso œ für ö vor r[1] vgl. Weinhold BG § 57. stets ie für i vor r § 90, oft ue für u vor r § 110. au für û, aber auch regelmäfsig für ou § 99, zweimal v. 480. 710 eu für ou. immer ai für ei, ei für î, ue für uo, eu für iu, ue für üe, e für æ. selten u für uo, i für ie, regelmäfsig du, due für dô. stets und an jeder stelle des wortes ch für k § 186, b für w §§ 124. 5 (nach § 210 ein bairisches merkzeichen vom XIII—XVI jh.). p für b im anlaut und teilweise im auslaut, im inlaut bleibt b.

Aber auch das gedicht selbst gehört dem bairischen sprachgebiete an. dafür zeugen die reime. â : a sind mit einander gebunden. vor

---

[1] Fast möchte ich meinen, dafs dieses sichtlich als dehnungszeichen verwendete e auch bei ö vor r dehnung anzudeuten habe und dafs diese bezeichnung mit der von Amelung (zs. für deutsche philologie III, 282 ff) nachgewiesenen zerdehnung zusammenzuhalten sei. Weinhold aao. hält die schreibung œ für ö für ein zeichen unechten umlautes.

n 1. 103. 147.·155. 175. 315. 497. 591. 779, *vor* r 67. 167.
261. 313. 321. 333. 353. 499. 523. 601. 615. 641.. 715. 735.
849. 875, *vor* t 243. 555.. 609. 729. 901, *vor* ch 365. 413.
613. 653. 957. — è : e 27. 163. — i : ie 187. 263. 393. 803. —
l : i *(vermutung)* 737. 761. *zu erwähnen sind noch* d : g 619,
bt : ft 491 *und die rührenden reime* teil : teil 917 *(doch vgl. die
anm.),* war : bewar 467, *die endung* -inne 395. 579, -lich 201.
299. 311, -lichen 379.

    *Nicht weniger spricht aber auch für die bairische heimat des
dichters, daß er offenbar Mai und Beaflor gekannt und unwillkür-
lich nachgeahmt hat. ich stelle hier die anklänge zusammen, ohne
für absolute vollständigkeit mich zu verbürgen:* 183 ich bin ein
engel gotes gehòrsam alles sìns gebotes. *Mai* 76, 35 ich bin ein
armiu dierne gotes gehòrsam alles sìnes gebotes.   283 von
vröuden wart ein gròzer schal. si vreuten sich dà über·al. *Mai*
90, 29 von den wart dà gròzer schal. si vröuten sich alle über
al. *vgl.* 10, 38 sò huop von vröuden sich ein schal. 87, 19 dò
huop sich vröude unde schal *und* 117, 38.   309 ir aller schœne
was ein wint diu noch wurden ie gesehen (: brehen). *vgl.* 337
mensche daz sò schœne ie wurde gesehen. *Mai* 9, 25 ir aller
schœne was ein wint die bì den zìten wurden gesehen. 341 *f*
gar reine ròt gar reine wìz. wand got selbe sìnen vlìz mit
wunsche het dar an geleit. *Mai* 9, 32 der leite an si wol sìnen
vlìz. gar reineclìch ròt unde wìz. *vgl. auch* 76, 19. 78, 30. 351
an zühten si sich verwìlte nie. *Mai* 11, 27 die man nie ver-
wìlen an ir zühten sach. 356 daz ez die liute nàmen vür vol.
508 daz si daz nam gar vür vol. *vgl. Mai* 1, 18. 20, 29. 53, 37.
60, 39. 73, 2. 81, 34. 95, 31. 103, 22. 117, 29. 151, 34. 198, 22.
362 dar zuo kunde si gebàren. *Mai* 126, 30 dar zuo kund er
gebàren. 371 si sprach gerne ir gebet. *vgl.* 258. *Mai* 51, 5 si
sprach gerne ir gebet. 20, 3 und sprach gerne ir gebet. *vgl.*
92, 25. 127, 37. 382 diu süeze sunder gallen ꝫ *Mai* 204, 34.
455 mit tugent und mit sælekeit. *Mai* 9, 21 an tugende und
an sælikheit. 681 ab der gewizzen bin ich vrì. *vgl. Mai* 48, 27.
74, 7. 138, 18. 172, 26. 188, 10. *in der wahl gleicher ausdrücke
finden sich noch folgende übereinstimmungen:* 257 si machten sich
ûf. *Mai* 69, 6. 118, 35. 329 si was der tugende manicvalt.
Mai 10, 10 reiner tugende manicvalt. 340 ir ougen liebt ꝫ *Mai*
10, 1. 378 diu valsches vrìe. *Mai* 12, 32 diu süeze valsches vrìe.

405 ûf nemen an. *vgl. Mai* 9, 20. 19, 40 *usw.* 406 *uõ.* blüende
jugent. *oft im Mai.* 542 des gewarte ûf mich — *Mai* 109, 20.
vgl. 140, 6.

Über die metrische form bemerke ich folgendes. aus vers-
schlüfsen mit verschleifung in der letzten senkung wie 672 sî
sprach süezer sûn sag mîr, 755 diu muoter sprach 'sun, nû sag
mir, 768 vil lieber süezer sun, sag mir, 911 unz an den dritten
tac lig ich *usw. ersieht man dafs der dichter nicht mehr die strenge*
mhd. regel befolgte. freilich lafsen sich die angeführten verse auch
alle mit versetzter betonung so lesen dafs die wörter lige und sage
hebung und senkung ausmachen, wie 861. *denn versetzte betonung*
ist in unserem gedichte sehr häufig anzunehmen. der dichter zählt
im grofsen und ganzen seine verse, die er dann nur durch das
setzen oder unterlafsen des auftactes unterscheidet, welcher sehr
häufig zweisilbig ist. daher fehlt die senkung selten und zwar nur
1. in compositis zb. 17 *usw.* 2. *bei einigen wörtern, die früher*
zweisilbig waren, besonders sun; *denn* 692 *läfst sich nur mit*
fehlender senkung lesen und man wird daher auch 540. 782. 947.
949. 955 *ebenso scandieren. dieselbe annahme mache ich für* 282.
349. 537. *dann bleiben nur die verse* 23. 50. 208. 280. 750
unregelmäfsig und bei einigen derselben kann man leicht durch
kleine änderungen helfen, so 208 *durch einschub von* hân, 280 *von*
der. *alle andern verse aber haben die senkung, wenn man hie und*
da versetzte betonung annimmt. daher habe ich auch leicht sich
bietende änderungen, die die verse gefüger gemacht haben würden
(*wie* 190 langer niht. 258 er sprechen gan. 323 wundern sich.
326 sich alle. 761 eine ich. 769 [des]. 915 lebendec ich; *auch*
62 ir leben hât), *unterlafsen, um den dichter nicht befser er-*
scheinen zu lafsen als er war. unter diesen voraussetzungen sind·
auch, aufser bei den adverbien auf -lich, *für welche die reime*
zeugen, nur wenig kürzungen anzunehmen. — erwähnen will ich
noch dafs auch eine reihe vierhebiger verse mit klingendem aus-
gange vorkommen und ·dafs sie dann entweder mit gleichartigen
oder aber mit dreihebigen gebunden sind. vgl. 191 *f.* 395 *f.* 483 *f.*
579 *f.* 731 *f.* 805 *f.* 831 *f.* 877 *f;* 25. 451. 759.

Schon bei einer ganz oberflächlichen durchsicht des gedichtes
mufs jedermann auffallen, dafs mit v. 671 *ganz unvermittelt ein*
gespräch zwischen Maria und Christus· beginnt. dieses gespräch
umfafst v. 671—958, *enthält also* 288 = 4 × 72 = 8 × 36

*verse und bricht plötzlich ab, damit auch die handschrift. es endet
dies stück mit der frage, welche Maria an Christus stellt*

> 955 wa bellbst dů, süezer sun mĭn,
>
> nách der urstende dĭn?
>
> und was wirst dů tuont dar nách?

der letzte vers 958 enthält die einleitung zur antwort

> gar süezeclĭch er zuo ir sprach.

*diese antwort selbst findet sich v. 509. von dort an wird dann
auch das gespräch fortgesetzt und mit v. 580 zu ende gebracht.
dieses schlußstück des gespräches enthält daher 72 = 2 × 36 verse.*

*Mit v. 671 hat das gespräch aber ganz ex abrupto begonnen;
ich glaube mich nicht zu teuschen, wenn ich v. 508 als den schluß-
vers der einleitung zu dem gespräch betrachte. wo diese einleitung
beginnt, ist auch nach vergleichung mit der quelle schwer zu sagen:
ich möchte v. 437, mit dem die besprechung eines neuen gegen-
standes ausdrücklich eröffnet wird, nach dem der früher behandelte
stoff in den versen 435. 6 ebenso ausdrücklich als erledigt bezeichnet
worden war, für den anfangsvers der einleitung halten. ist meine
annahme richtig, dann hätten wir abermals von v. 437—508 ein
stück von 72 = 2 × 36 versen.*

*Von v. 1 bis zu den bereits genannten schliefsenden versen
430—436 wird die geschichte Joachims und Annas, ferner das
jugendleben Marias erzählt. welcher von den versen 430—436
den sichern abschluß der erzählung gegenwärtig bilden soll, kann
nicht bestimmt angegeben werden. ich halte diese verse für einen
von späterer hand angefertigten vermittlungsversuch. ganz zweifel-
los scheint es mir aber, dafs die erzählung würklich mit einem
vers 432 abschlofs, bevor die einleitung zu dem gespräch daran
geknüpft wurde. wir haben 432 d. i. 6 × 72 = 12 × 36 verse.*

*Von dem ganzen gedichte bleibt noch das stück v. 581—670
zu betrachten übrig. mit vers 635 beginnt wieder ganz ohne ver-
mittlung eine erzählung von der verwandtschaft Marias, insbesondere
von den drei Marien. mit v. 670 bricht diese erzählung ab, v.
671 eröffnet das mittelstück des bereits besprochenen gespräches.
das bruchstück von Marias verwandten reicht von 635—670, ent-
hält somit abermals 36 verse.*

*Das stück 581—634 ist, wie man sich leicht überzeugen kann,
aus dem lobe Annas v. 47—64 und dem Marias 441—508 zu-
sammengearbeitet und enthält den preis Marias. wer solche reden*

holungen, wie sie hier vorkommen, nicht auffallend findet, den mache ich aufmerksam, daſs das stück 595—630 — 36 verse allerdings für sich zusammenhängt.

Es ist zwischen den einzelnen teilen des gedichtes und den vermittelnden übergängen keinerlei unterschied wahrnehmbar.

Sicher ist folgendes: das vorliegende gedicht enthält, an mehreren stellen durch eingeschaltete verse in zusammenhang gebracht, bruchstücke eines Marienlebens. dieselben waren in den resten einer handschrift aufgezeichnet, die auf einer seite (einspaltig) 36 verse zählte. zwischen den einzelnen teilen besteht weder sprachlich noch metrisch eine differenz, die auf bestimmte stücke der handschrift zurückzuführenden abschnitte haben somit denselben verfaſser wie die zwischenverse. es scheint mir dies nur dann zu erklären, wenn wir annehmen, daſs schon in den zu begränzenden teilen eine überarbeitung vorliegt, von deren autor denn auch die weniger genau bestimmbaren stücke stammen.

Die reste umfaſsen:

$$1—432 = 6 \times 72 = 12 \times 36 \text{ verse} = 6 \text{ blätter}$$
433—436 *zwischenstück.*
$$437—508 = 72 = 2 \times 36 \text{ verse} = 1 \text{ blatt}$$
$$509—580 = 72 = 2 \times 36 \text{ verse} = 1 \text{ blatt}$$
580—634 *zwischenstück* (595—630 = 36 *verse?*)
$$635—670 = 36 \text{ verse} \qquad = \tfrac{1}{2} \text{ blatt}$$
$$671—958 = 4 \times 72 = 8 \times 36 \text{ verse} = 4 \text{ blätter}$$
$$12\tfrac{1}{2} \text{ (13?) blätter.}$$

Das ursprüngliche gedicht muſs um die mitte des XIII jhs. verfaſst worden sein, wie aus der beschaffenheit der quellen hervorgeht, die überarbeitung aber kann nur bald darnach stattgefunden haben, da sprache, reim und metrum eine spätere abfaſsungszeit anzunehmen nicht gestatten.

Das gespräch zwischen Maria und Christus ist durchaus nach dem entsprechenden abschnitte der im anfange des XIII jhs. verfaſsten Vita beate Marie virginis et Salvatoris metrica gearbeitet, die auch dem Marienleben bruder Philipps zu grunde liegt. da die quellencitate Rückerts[1] in seiner ausgabe des bruder Philipp von der uns wichtigen stelle nichts enthalten, gebe ich hier den be-

---

[1] *Die handschrift, welche Rückert bei seinen citaten zu grunde gelegt hat, ist sehr schlecht. nicht bloſs hat sie zahlreiche verderbnisse,*

bibliothek. schreibfehler und auslafsungen befsere ich stillschweigend mit hilfe der gleichzeitigen, unabhängigen pergamenthandschrift 42/56 4° derselben bibliothek.[1]

(*fol.* 54ᵇ)   Incipit dialogus virginis Marie sive soliloquium
  Jesu cum Maria matre sua.

  Sepe cum dilectissimo Jesu residebat
  Maria solitaria cum ipsoque habet (*l.* habebat)
  dulce soliloquium diversaque querebat,
  que cuncta prudentissime Jesus exponebat.
5 Ait ergo Maria 'dulcissime mi nate,   **Maria**
  interrogare liceat' mihi quedam a te.'
  Jesus ait 'o mi mater, que vis interrogare   **Jesus**
  poteris et ea presto sum tibi revelare.'
  Ait ergo 'fili mi, scio quod es deus   **Maria**
10 atque dei filius, sed quomodo tu meus

es fehlen auch öfters verse. so mangelt gleich in der einleitung (s. 324*f der ausgabe abgedruckt) vor dem verse*

  corporis et anime decus et ornatum *der vers*
  descripserunt universe vite sue statum,

wie es scheint, unbemerkt. — für die beliebtheit der vita metrica zeugt, dafs aufser Walthers von Rheinau sclavischer bearbeitung auch das werk des Schweizers Wernher (vdHagen Grundrifs s. 549. MS iv, 515. *Germania* viii, 239—264) *eine genaue übersetzung davon ist und nicht, wie Gödeke Deutsche dichtung s.* 127 *und noch Gervinus Geschichte der deutschen dichtung* ii³, 111 *angeben, nach des Dionysius buch von Maria gearbeitet. — das in Mones anzeiger* 1838 *s.* 281 *aus einer Stuttgarter handschrift angeführte Marienleben, welches auch von Gödeke aao. s.* 128 *als selbstständiges werk erwähnt wird, ist nur eine handschrift von bruder Philipps werk. die von Mone citierten verse sind* = Phil. 78—82 *und* 9950. 1. *Rückert hat die handschrift übersehen.*

  [1] *Die an zweiter stelle genannte hs. enthält nach der Vita auf bl.* 64ᵃ—68ᵃ *eine* Passio Christi secundum quod eam beata virgo sancto Anshalmo indicavit *welche einen befseren text gewährt als die von Schade seiner ausgabe (Halis* 1870) *zu grunde gelegte Giefsner hs. und die sich von dieser und der Leipziger (Schröder in der Germania* 17, 232*ff) noch dadurch unterscheidet, dafs bei jedem verse angegeben ist, welchem evangelium er entnommen.*

nunc sis factus filius, hoc penitus ignoro.
ut hoc mihi sacramentum reseres, exoro.'

'eram in principio semper apud deum,   Jesus
celi terre creatorem atque patrem meum,

15 ipsi quoque pater (*l.* patri) manens semper coequalis
eadem in substancia seu coeternalis.'

'quod est hoc principium, quo dicis te fuisse   Maria
aput patrem et cum patre semper te mansisse?'

'hoc antiquum principium non est inceptivum   Jesus
20 ullius inicii vel inchoativum,
sed nullo sub inicio cum una deitate
ab eterno mansimus cum pari maiestate.'

'quod est hoc principium Moyses quod scripsit,   Maria
in quo celum atque terram creasse deum dixit?'

25 'hoc verum est principium, in quo sunt creata   Jesus
tempus, celum, angeli (per patrem ordinata),
dies, nox et sydera cum mundi firmamento,
paradysus, mare, fontes cum terre fundamento.'

'antequam hec crearentur, ubi tu mansisti,   Maria
30 vel ubi pater habitabat, aput quem fuisti?'

'in eadem gloria unius trinitatis,   Jesus
qua modo sumus, fuimus divine maiestatis.
non enim locus neque tempus nec celum capit deum,
nam terra, pontus, celum, ether conclusa sunt per eum.'

35 'quid est hoc quod mentionem fecisti trinitatis?   Maria
que est illa trinitas divine maiestatis?'

'sub personis tribus sumus in una deitate,   Jesus
in unaque substancia cum pari potestate.
(55') pater atque filius spiritusque sanctus,
40 quivis est ut alius dignitate tantus.'

'cum idem in substancia cum his sis unus deus,   Maria
qualiter tu solus es factus puer meus?'

'in persona sola mea deitas extensa   Jesus
est ad tuum uterum et carne comprehensa.
45 eternus patris filius nunc sum incarnatus
et ego sum, dulcissima mi mater, a te natus.'

'que pietas, que bonitas te sic humiliari   Maria
fecit? que necessitas coegit incarnari?'

'fraudes per dyaboli nunc est captivatum   Jesus

et a peccatis hominum genus liberandum.'

'humanum genus qualiter, mi fili, liberabis   Maria
et quomodo Leviathan, dilecte mi, ligabis?'

55 'per mortem, quam passurus sum nimis innocenter,   Jesus
mihi quam Leviathan inducet fraudulenter.
qui seducet impie gentem Judeorum,
ut mihi mortem ingerant malum in eorum.'

'Ve ve, fili, quid dixisti? numquid occideris,   Maria
60 illatam an ab aliquo mortem pacieris?'

'quod dixi non contristet te, mi mater, o Maria, . Jesus
in me nam inplebitur omnis prophecia;
ad hoc enim missus sum, ut in me conpleatur
scripta (l. scriptura) per me seculum salvandum que testatur.

65 'o fili mi, concussum est cor meum et expavit   Maria
et [ob] verbum, quod dixisti, me nimis conturbavit.
nam audire mortem tuam maximum dolorem
cordi meo generat et spiritus merorem.'

'Non recordaris, mater mi, verborum Symeonis,   Jesus
70 quum tu me presentabas in templo Salomonis?
qui dixit: meum gladium tuam transiturum
animam, cum me videres mortem moriturum.'

'illorum bene memini verborum, fili bone,   Maria
sed unam mihi questionem, deprecor, expone.
75 non potest genus hominum aliter salvari,
nisi te oporteat ab impiis necari?'

'posset quidem liberari divina potestate,   Jesus
sed reccius salvabitur iuris equitate.
nam se genus hominum sponte deputavit
80 dominio dyaboli iurique mancipavit.'

(55ᵇ)'que est hec iusticia, que fit in tua morte,   Maria
ut hominem tu liberes demonum a sorte?'

'ego iurisdictioni non sum obligatus   Jesus
dyaboli. nam ego sum absque labe natus
85 humane condicionis ac originalis
peccati seu libidinis contagii carnalis.'

'vere, fili, sicut dicis sine commixtione   Maria
virilis contagii seu pollutione

humane fragilitatis te concepi, salvo
90   pudore pudicicie seu castitatis alvo.'
'ergo demon in me ullam (*l.* nullam) habet potestatem,   Jesus
tamen suam contra me nitetur falsitatem
exercere. pro quo suo cyrographo privatur
et iure per quod hominem possidet spoliatur.'
95   'qualem tibi poterit iniuriam inferre   Maria
unde sibi suam predam, mi fili, vis aufferre?'
'me temptationibus suis attemptabit   Jesus
et suggestionibus mihi procurabit
mortem; et cum paciar in cruce, presens erit
100   atque meam animam usurpare querit.'
've, fili mi dulcissime, ve mihi, quid tu dicis?   Maria
iterum contremuit cor tue genitricis,
nam audita morte tua mens mea contabescit,
conturbatur spiritus et anima pavescit.'
105   'dulcis mater, noli tantum dolore commoveri,   Jesus
sed humano generi plus debes misereri.
nam sum ob humanum genus salvandum moriturus
et pro peccatis hominum ego sum passurus.'
'dic ergo, fili, quomodo per tuam liberabis   Maria
110   mortem genus hominum ipsumque salvabis?'
'cum in cruce moriar, cum anima migrabo   Jesus
ad infernum et ibi Leviathan ligabo.
indeque sanctas animas iustorum obseratas
educam et suscipiam in requiem locatas.'
115   'quid de dulci corpore tuo, quod manebit,   Maria
flet atque curam eius digne quis habebit?'
'corpus meum tumulo sepultum collocatur   Jesus
usque diem tercium ibique moratur.
revertar tunc cum anima corpus assumpturus,
120   redivivus iterum de morte surrecturus.'
'o fili, meus spiritus, qui nimis erat tristis,   Maria
est consolatus modicum nunc ex verbis istis,
(56ᵃ) quia tu dixisti te de morte surrecturum
et resumpto corpore denuo victurum.'
125   'ego tradar gentibus flagellis affligendus   Jesus
a Judeis impiis et crucifigendus,
et in cruce moriar, terciaque die

130 pre dolore morerer audita passione
tua. nam nunquam meum cor poterit gaudere,
tantam tibi passionem cum sciam imminere.'
'non te mea passio tantum contristabit   Jesus
quantum resurrectio te letificabit.

135 ego quia paciar homo nunc mortalis
surgamque glorificatus deus immortalis.'
'post tuam, fili, passionem numquid te videbo,   Maria
a te consolationem an aliquam habebo?'
'postquam resurrexero, tibi conparebo   Jesus
140 cunctamque tuam, mater mi, tristiciam delebo.'
'postquam resurrexeris, ubi tunc mansurus   Maria
eris et quid, fili mi, post hoc tu facturus?'
'super terram quadraginta dies commorabor   Jesus
meosque discipulos docens consolabor.'
145 'qui sunt hi discipuli, quos vis consolari,   Maria
tempore quo super terram disponis commorari?'
'duodecim apostolos mihi sociabo,   Jesus
quibus ego spiritum sanctum meum dabo,
ut per universam terram incarnationem
150 meam mundo predicent atque passionem.'
'post hos quadraginta dies quid tu es facturus,   Maria
fili mi dulcissime, vel quo tu es iturus?'
'celum ascensurus ego sum ad patrem meum,   Jesus
angelorum dominum, regem atque deum.'
155 'celum si ascenderis me solam derelinquis?   Maria
o mi fili unice, cui me relinquis?'
'non te, mater amorosa, solam derelinquam,   Jesus
sed ego tibi plurima solacia relinquam.
ex meis fidelibus in me credituri
160 qui sunt, et tibi propter me libenter servituri.'
'sine te solacium nullum acceptabo;   Maria
tui si caruero, mori plus optabo.'
'absque consolatione te mea non dimittam,   Jesus
tibi nam paraclitum mitissimum remittam.
165(56ᵇ)hic est sanctus spiritus procedens ore dei,
qui te consolabitur bene loco mei.'

'ad me numquid aliquando, mi fili, reverteris,   **Maria**

an in celo semper manens apud patrem eris?'

'celum cum ascendero, tibi preparabo   **Jesus**

170   locum in quo te post vitam istam collocabo.

nam in tuo transitu sum ad te reversurus

atque te suscipiam in celum traducturus.'

Unser gedicht folgt der quelle genauer als das Marienleben
des bruder Philipp. ich habe aus dem letzteren in den anmerkungen
die ähnlichst klingenden stellen beigebracht, um dadurch die volle
selbstständigkeit unseres gedichtes Philipp gegenüber um so deutlicher
aufzuzeigen.

Der erste teil v. 1—432, der von Joachim und Anna erzählt,
auch die jugendgeschichte Marias kurz behandelt, ist nach den sechs
ersten kapiteln des evangelium Pseudo-Matthaei (Tischendorf
Evangelia apokrypha p. 53—63) bearbeitet.[1] eine anzahl, von
belegstellen enthalten die anmerkungen. welcher handschriftenklasse
des evangeliums aber die quelle unseres gedichtes angehört habe, ist
schwer zu bestimmen. den vater Annas nennen der Vaticanus und
der von Schade (Liber de infantia Mariae et Christi salvatoris,
Halis 1869) *herausgegebene Stuttgartensis* Ysachar, *so auch unser*
gedicht. v. 21 *desselben heifst es* lember kitz und wollen. *das*
stimmt befser zum Stuttgartensis der sive in agnis, sive in hedis,
sive in lanis *liest, während die übrigen* codices ovibus für, hedis
haben. dagegen liest man in unserm gedichte von den knechten,
die den von der erscheinung des engels betäubten Joachim rasch
aufheben v. 233. 4

dar zuo treip si gar gróze nòt

wan si wânten er wære tòt   .

und dies stimmt zu der angabe des Vaticanus und Laurentianus pu-

[1] *Dafs nicht die vita metrica quelle ist, ergibt sich schon aus fol-*
gendem. der name von Annas vater ist in der v. m. nicht angegeben.
in unserm gedichte erscheint der anonyme engel erst Joachim, dann
Anna, in der v. m. ist die sache umgekehrt, auch ist dort der engel
Raphael genannt. in der botschaft des engels erzählt die v. m. auch
die anweisung, das verkündigte kind Maria zu nennen; dies fehlt unserm
gedichte. in der v. m. ist Maria bei der ersten Jerusalemfahrt 80 *tage*
alt, in unserm gedichte 40 *usw. überdies zeigt jeder vers unseres ge-*
dichtes die grösten abweichungen von dem bösartigen schwulste der
vita metrica.

~~iubent cum suis moriturim, aber nicht~~ zu dem texte des Parisiensis
~~und Stuttgartensis putantes quod se ipse~~ vellet interficere. be-
~~deutender scheint es mir, wenn in der erzählung~~ von der Joachim
~~im tempel angetanen schmach der Laurentianus in~~ übereinstimmung
~~mit dem evangelium de nativitate Marias und mit~~ unserm gedichte
einen pontifex (Isachar)[1] nennt, während in den übrigen hand-
schriften der scriba Ruben Joachim aus dem tempel weist. ferner
stimmt der context der ganzen stelle des Laurentianus im gegen-
satze zu den übrigen handschriften so sehr mit unserm gedichte,
dafs ich eine handschrift von der klasse des Laurentianus als quelle
für die verse 1—432 bezeichnen möchte. wenn in der handschrift
unseres gedichtes v. 80 der hohe priester Abiathar heifst, so ist das
sicherlich nur als eine verwechslung mit dem in der erzählung
des apokryphen evangeliums vorkommenden fürsten aufzufasen,
durch die ähnlichkeit des klanges veranlafst und ohne weitere
wichtigkeit.

Wegen seines geringen umfanges ist dem stück 635—670,
welches von Marias verwandten spricht, schwer eine bestimmte quelle
zuzuweisen. der codex Laurentianus hat im letzten kapitel des
evangelium Pseudo-Matthaei (Tischendorf. l. c. p. 104) folgende
notiz Et cum Joseph, senectute decrepitus, mortuus et sepultus
cum parentibus suis fuisset, beata virgo Maria cum nepotibus
suis sive cum filiis sororum suarum erat. Quoniam Anna et
Emerina sorores fuerunt. De Emerina (codex Hemerina) nata
fuit Elisabet mater Johannis baptistae. Anna beatae Mariae mater

---

[1] Allerdings fehlt, wie meine klammer oben andeutet, die ausdrück-
liche angabe des namen Isachar im Laurentianus, er mufs aber not-
wendiger weise aus der identischen stelle des evangelium de nativitate
Mariae ergänzt werden. Tischendorf hat es denn auch schon getan.
damit wird die angabe Schades (anm. 29 aao.), dafs schon aus der be-
schaffenheit des tempelhüternamen die quelle erschlofsen werden könne,
hinfällig. unser gedicht liefert sogleich ein beispiel. — ich erwähne
noch bei dieser gelegenheit, dafs Schade auch geirrt hat, als er es be-
stimmt aussprach, Wernher habe in seinem Marienleben den namen von
Annas vater nicht genannt, sondern bezeichne sie blofs als ûz Dâvidis
geslehte Fundgruben II 151, 20. allerdings verhält es sich an dieser
stelle würklich so, aber einige verse später (freilich schon auf der
nächsten seite) 152, 2 heifst es:
    der froen annam gebar, der furste hiez ysachar
und 155, 31 wird von Anna gesagt dô sprah diu tohter ysachar.

cum esset decora valde, mortuo Joachim nupsit Cleophae, de
quo habuit filiam secundam: vocavit eam Mariam, quam dedit
Alphaeo in uxorem, de qua ortus est Jacobus Alphaei et Philip-
pus frater eius. Mortuo secundo marito Anna nupta fuit tertio
marito nomine Salome, de quo habuit tertiam filiam: vocavit
eam similiter Mariam, quam dedit Zebedaeo in uxorem, de qua
natus est Jacobus Zebedaei et Johannes evangelista. *diese notiz
scheint mir jedoch nur ein auszug aus einer umfangreicheren zu
sein, die Tischendorf mit der angabe folgen läfst* pertinet huc alia
de eadem re notitia, quae principio evangelii nostri Pseudo-
Matthaei praeposita est. *beiden stellen fehlen einige namen unseres
stückes. alle namen hat der folgende abschnitt der vita metrica,
der auch im wortlaute einige übereinstimmung mit unserem ge-
dichte zeigt.*

> (*fol.* 58ª) De sororibus Marie et filiis earum et viris.
>> Sed ex his duodecim apostolis cognati
>> erant quinque Jesu Christi. nam fuerunt nati
>> duabus de sororibus virginis Marie,
>> sicut narrat series genealogie.
> 5 (58ᵇ) nam Anna et Ysmeria sorores extiterunt
>> uno patre sive matre nateque fuerunt.
>> genuit Ysmeria Elizabet, que duxit
>> Zachariam, de quo mundum prophecie illuxit
>> lumen, atque genuit Johannem precursorem
> 10 et baptistam domini, fidei doctorem.
>> Anna duxit Joachim, qui virginem Mariam
>> genuit, hec peperit Jesum, prolem piam.
>> hec Maria Joseph sancto fuit desponsata,
>> virgo semper permanens incontaminata.
> 15 tunc mortuus est Joachim et Anna viduata
>> est viro per coniugium secundo copulata.
>> et hic erat frater Joseph Cleophas vocatus,
>> qui secundis nuptiis est Anne sociatus.
>> hic Annam fecit iterum germine fecundam,
> 20 que Mariam genuit, filiam secundam.
>> hec Maria data fuit in conjugem Alpheo
>> genuitque quatuor filios ab eo:
>> Jacobum et Symeonem et Judam, appellatum

Tatheum, atque Joseph iustum, Barsabam vocatum.

25 quatuor isti domini fratres dicebantur,
nam geniti de fratribus duobus putabantur.
duarum quoque filii sororum extiterunt,
vultuque simillimi domino fuerunt.
sed et iste Cleophas cum moriebatur,
30 Anna viro tercio pro conjuge dabatur.
ille virque Salome per nomen vocabatur.
ex his duobus tercia Maria procreatur.
ista sibi virum duxit, vocatum Zebedeum
atque duos filios genuit per eum:
35 Jacobum apostolum et evangelistam
Johannem. generationem descripsimus nunc istam.

*Hinzufügen will ich noch, dafs wenn die verse 635—670
nach dem vorstehenden abschnitte der vita metrica gearbeitet sind,
sie in der ursprünglichen ordnung nach dem gesprächgedichte ge-
standen haben müfsen. bruder Philipp hat diese kapitel der v. m.
gar nicht übersetzt, obschon er später noch namen daraus angibt.*
Graz, october 1873. ANTON SCHÖNBACH.

Ez was hie vor ein edel man,
der gote was gerlich undertân
und gar gehôrsam sîme gebote.
emzeclîchen diente er gote.
5 Jôachim was er genant,
der sich in rehtez leben ie want.
(111ᵃ) von dem geslehte Judâ
was er. dâ noch anderswâ
vant man sô rehte linden man,
10 nît noch haz er nie gewan.
der arbeite er sich bewac
daz er wan sînes vihes pflac;
(111ᵇ) dâ gap er sîn almuosen von.
die armen wâren des gewon
15 daz er in half wol teglîch.

3 sein   4 enzichleichen   8 danoch noch nicht   9 lenden
12 wand   14 arm

ez het der edel muotes rîch
gar ein guote gewonheit,
dâ mit er schanden sich entseit:
er dritteilt alle sîne habe.
20 der gewonheit kom er niht abe.
lember kitz und wollen
(112ª) und swaz er het envollen
gap er durch got ein teil
· den armen liuten durch sîn heil,
25 witewen weisen pilgerînen.
den die sich kunden pînen
, in gotes dienste, den gap er
daz ander teil, den pfaffen hèr,
die emzeclîchen dienten got
30 und lèrten wie man sîn gebot
stæte behalten solde.
mit dritteile er wolde
(112ᵇ) sich und sîn gesinde nern.
sus kunde er schande sich wern.
35 dise vuore nam er sich an
dô er fümfzehen jâr gewan.
got im dar umbe mèrte
sîn guot, und swar er kèrte
dâ vant er niender sîn gelîch:
40 sô gar macht er in guotes rîch.
niemen er übel mit übele galt.
Dô er wart zweinzec jâr alt,
(113ª) dô nam ze wîbe er Annam
diu im ze wîbe wol gezam,
45 wand er mit ir gar wol genas,
diu Isachâres tohter was.
si was ein reine lebendez wîp
und het gar reine ir süezen lip

---

23 enteil   25 pilgerimen   29 enzichleichen   34 erwern?
35 hoc itaque inchoavit facere quindecim annorum habens aetatem.
l. c. cap. 1   37 in   39 er *fehlt*   43 er ze beib   46 *von den hand-*
schriften des evangelium Pseudo-Matthaei haben der Vaticanus Tischen-
dorfs und der von Schade herausgegebene Stuttgartensis Ysachar, *die*
übrigen Achar, Agar, Aquar

behalten her von kintheit.

50   ir wâren tugende vil bereit.

gar herzenlîch si minnete,

nâch rehter minne si sinnete,

(113ᵇ) in dem rehten phade si gie.

got was ir ze vordrist ie,

55   an den si sich genzlîchen lie,

dem si nie gewancte hie.

swelch wîp noch in ir phade gât,

diu ist behuot vor missetât.

si ist wol ein bildærinne

60   tugende und wârer minne:

mit den was ir herze ervult.

ein wîp hât ir leben übergult,

(114ᵃ) diu nâch ir bilde leben wil:

seht, diu hât iemer êren vil.

65   Jôachim und Annâ dô

lebten mit einander sô

âne kint gar zweinzec jâr

und was ir leben doch lûter gar.

an got si sich liezen.

70   des wolden si geniezen

daz er in hiete gerben geben,

dâ mite gekrœnet wære ir leben.

(114ᵇ)   Nû was ouch komen ir hôchzît

(als ez an der schrift lît),

75   daz er sîn opher wolde

ouch bringen als er solde

ze dem tempel nâch gewonheit.

dar zuo het er sich bereit

daz er daz opher bræhte dar.

80   der hôhe priester Abjathar

warf ez ab dem alter hin.

er sprach 'ir sît âne sin,

daz ir sus (115ᵃ) her komen sît.

verfluochet ist iur hôchzît,

---

50 vil tugende   65 ff cumque simul permansissent per annos viginti, filios aut filias ex ea non habuit. *l. c. cap.* ı   71 gegeben   76 er *fehlt*

85   wand ir sit verfluochet.

        got iurs ophers niht geruochet,

        daz ir gelobet hât lange zit

        und gar noch âne kint sit.'

        daz opher er dâ ligen lie.

90   weinunde er ûz dem tempel gie,

        er schamte sich sin sêre:

        hin heim kom er niht mêre,

(115ᵇ) er sprach 'owê der êren min.'

        vûr sich gie er zem vihe sin,

95   verre er ez von danne treip

        zeime gebirge da er beleip,

        er und ouch sin gesinde.

        er klagte und weinte swinde.

        er beleip fûmf mànôde gar,

100   daz des sin wîp nie wart gewar,

        wâ er ie wære komen hin.

        'owê wie schadehaft (116ᵃ) ich bin,

        wie ist benomen mir min man,'

        sprach si 'wê waz ich sorgen hàn!

105   und ist er tôt der wirt min,

        ich solde in nâch den êren sin

        êrbærlîchen hân begraben.

        ich muoz mich billîch missehaben.'

        vil manege zaher si dô lie.

110   weinunde si in ir garten gie.

        dâ stuont ein lôrboum inne

(116ᵇ) (bekumbert wârn ir sinne),

        dar ûf si ein sperchen sach;

        ûz siuftundem herzen si dô sprach

115   'almahtger got, wie sol ich leben?

---

90 *ff* passus itaque verecundiam in conspectu populi abscessit de templo domini plorans, et non est domi reversus. *l. c. cap.* ɪɪ = *bruder Philipp* 116
    94 er *fehlt*   99 *ff* — ita ut per quinque menses nullum nuntium potuisset, audire de eo Anna uxor eius. *l. c. cap.* ɪɪ   102 awe be   109 zaher *fehlt*   115 *ff* domine deus omnipotens, qui dedisti filios omni creaturae, bestiis et iumentis, serpentibus et volucribus et piscibus, et gaudent omnes super filios suos, me solam a benignitatis tuae dono excludis. *l. c. cap.* ɪɪ.   117 *vgl. Walther* 8, 32

aller crèatiure dû hàst geben,
swaz vliuzet, kriuchet, vliuget
od bein ze ime biuget,
daz allez vreut sich sîner vruht.
120 dâ bî lîde ich die jâmers suht.
mit jâmer gât mîn leben hin,
(117ᵃ) daz ich sô gar âne kint nû bin.
herre, dû kennest wol mîn leben:
und hietest dû mir kint geben,
125 diu wæren loblîch gophert dir
in dem tempel dîn von mir.'

Als si daz wort vol gesprach,
einen engel si vor ir sach
der ir erschein und sprach alsô
130 'Annâ, niht vurht dir und wis vrô.
von gotes gebote dû swanger wirst,
(117ᵇ) und daz kint daz dû gebirst,
daz wirt aller werlde trôst.
al menschen geslehte wirt erlôst
135 von dem süezen wuocher dîn.'
dô verswant des engels schîn
vor ir ougen al zehant.
si gie dâ si ir kamer vant
und leit sich an ir bette sâ
140 und lac rehte als vür tôt aldâ
al die naht (118ᵃ) und al den tac
daz si niht des gebetes pflac.
dô das geschach, si ruofte zir
ir dierne 'nû wie stêt daz dir?
145 enweist dû wie mir ist geschehen,'
sprach si 'sît dû mich hâst gesehen?
mir ist leit deich niht enhân
bî mir mînen lieben man.'
diu dierne ir antwurte dô
150 spotlîche (des wart si unvrô),

124 si tu, deus, dedisses mihi filium aut filiam, obtulissem eos ibi in
templo sancto tuo. *l. c. cap.* ɪɪ   131 quoniam in consilio dei est germen
suum. *l. c. cap.* ɪɪ   136 sein   139 let   140 quasi existens mortua.
l. c. cap. ɪɪ   145 wie enbaiz vn̄   146 sît] daz

(118ᵇ) si sprach 'daz tuon ich dir vür baz.

sit daz got dir ist gehaz

und dines wuochers ruochet niht,

sich, swaz dir nû dâ von geschiht,

155   dâ bin ich gar unschuldec an.

nû waz solde ich dir hân getân?'

ir unwillen si erscheinte.

dar umbe diu frouwe weinte.

   Diu schrift mir (119ª) des urkunde git,

160   daz der engel in der zît

erschein alsam ein jungelinc

Jôachime der gar sîn dinc

an knehte unde an vihe het.

bî im der engel sprach 'wie stêt

165   dir daz daz dû sô lange vrist

von wîbe und ouch von hûse bist?'

er sprach 'dâ bin ich zweinzec jâr

(119ᵇ) mit mînem wîbe gewesen gar

und sîn doch âne kint beliben.

170   dar umbe ich smæhlîch wart vertriben

ûz dem tempel, des ich mich

schamen muoz die wîl daz ich

hine vür geleben mac.

ich hân gelebet hie manegen tac

175   mit grôzer schame, daz ich doch hân

(120ª) getân daz beste daz ich kan.

sit mir got niht hât kint gegeben,

sô wil ich hie mit jâmer leben,

und swaz ich hân, dâ wil ich mite

180   got dienen nâch mîm alten site.'

---

154 waz   157 erzeigte   159 ver chund   160 eodem tempore apparuit quidam iuvenis in montibus Joachim, ubi greges suos pascebat. *l. c. cap.* ɪɪɪ   164 *ff* quare non reverteris ad uxorem tuam? *l. c. cap.* ɪɪɪ
167 *ff* dixitque Joachim: per viginti annos eam habui, et noluit ex ea mihi deus dare filios. ego ergo cum verecundia de templo domini exprobratus exivi. ut quid revertar ad eam, semel abiectus et valde despectus? hic ergo cum ovibus meis ero: et quamdiu huius seculi deus mihi lucem concedere voluerit, per manus puerorum meorum pauperibus et orphanis et deum colentibus suas partes libenter tribuam. *l. c. cap.* ɪɪɪ   179 waz

als er daz gesprochen hete,
der engel antwurt an der stete,
er sprach 'ich bin ein engel gotes
gehôrsam alles sîns gebotes.
185 (120ᵇ) dîner kone ich hiute erschein.
ich seite ir, si het über ein
ein tohter enpfangen vone dir,
diu gotes tempel würde schier.
var heim zuo der konen dîn,
190   dû solt niht langer hie sîn.
ich sage dir daz si hât empfangen
von dînem sâmen, des bevangen
gar dîn ungemüete wirt.
(121ᵃ) eine tohter si gebirt,
195   diu wirt gesegent èweclîch
und wirt aller tugende rîch.'
Jôachim zem engel sprach
'nû senfte mir mîn ungemach,
und kum her und sitze zu● mir.'
200   er sprach 'ich wil künden dir,
mîn ezzen ist unmenschlîch
und ouch mîn trinken ungelîch
(121ᵇ) des menschen ûf der erde,
noch dazz gesehen werde
205   von menschen ougen hie.
ich sage dir rehte wâ unt wie
dû nû solt rihten dîn leben.
swaz dû mir woldest geben,
daz selbe solt dû ophern got,
210   dâ mite behaltest sîn gebot.'
'ich getar daz opher niht
(122ᵃ) geophern, ez sî daz daz geschiht
daz dû von dem gewalte dîn
mir jehest, dazz müge wol gesîn.'

186 daz si   190 lenger   192 da vō pegraben   199 sede modi-
cum in tabernaculo meo. l. c. cap. ɪɪɪ   204 noch daz daz geschehen
205 von eines?   210 du sin   211 ff non ausus essem domini holo-
caustum offerre nisi iussio tua daret mihi pontificiam offerendi. l. c. cap. ɪɪɪ
214 gebst

215 'geloube mir diu mære:
west ich niht daz ez wære
sîn herzenwille, ich riete ez niht.
dâ von ez ân angst ·geschiht.'
zehant leit er daz, opher dar,
220 unz daz 'er des nû wart gewar
(122ᵇ) daz der engel von im verswant.
der vuor mit dem opher ûf zehant,
gegen himele gie sîn phat.
dô viel er nider an der stat
225 und lac alsam er wære tôt.
　　Sus lac er in sîner nôt
von sexte unz hin ze vesperzît
(als uns diu schrift urkunde gît),
unz sîne knehte quâmen.
230 　ùnd dô (123ᵗ) si daz vernâmen,
daz er sus lac,· si liefen dar
und zucten in ûf ungevar;
dar zuo treip si gar grôze nôt,
wan si wânten er wære tôt.
235 dô seite er in diu mære
wie ez ergangen wære;
daz im der engel kunde,
daz seit er an der stunde.
daz er im ouch anderstunt
240 erschein, daz tet er ouch in kunt,
(123ᵇ) dô er unversunnen lac
und deheiner witze pflac.
die knehte sprâchen an der stat
'iur herze hât swachen rât.

215 er sprach g.　　216 beste beste ich　　217 ich irrez nicht
220 vū daz　　221 daz dˀdengel engel vō　　222 dē　　223 gen h.
227 hin. ab hora diei sextạ usque ad vesperam. l. c. cap. m　　230 vñ
daz si　　231 lage　　232 vngebar　　239 *die quelle erzählt ausführlich,
dafs der engel dem zweifelnden* (si reverteretur an non) *Joachim im
schlafe* (sopore *vgl. v.* 241 *f*) *noch einmal warnend vnd mahnend er-
schienen sei. diese episode hat der verfafser unseres gedichtes fort-
gelafsen und blofs die v. 239—242 enthaltenen andeutungen behalten*
240 auch im da chund

245 　　　daz ir des engels gebot
　　　　　übergàt, deist wider got.
　　　　　wil dù nù mit gemache sîn,
　　　　　sô hüete des bî dem·lebene dîn,
　　　　　daz dù niht mère übergàst
250 　　　des engels gebot als (124ᵃ) dù è hàst.
　　　　　wil dù leben und ère bewarn,
　　　　　sô solt dù ze hûse varn.'
　　　　　alse er die rede vernam,
　　　　　schiere er des enein kam,
255 　　　der vil getriuwe Jôachim,
　　　　　liute und vihe nam er zuo im.
　　　　　si machten sich ûf und fuoren dan.
　　　　　sîn gebet sprechen er began
　　　　　Jôachim mit seneder klage.
260 　　　Dô si gefuoren drîzec tage,
(124ᵇ) do erschein Annen der engel klàr.
　　　　　er sprach 'wis ûf unde var
　　　　　zer guldînen porten schier.
　　　　　dà kumt hiute dîn man ze dir.'
265 　　　si stuont ûf snelleclîche,
　　　　　diu reine tugentlîche,
　　　　　mit ir dierne si balde gie
　　　　　in die porten dà si nie
(125ᵃ) durch warten was kumen hin
270 　　　wan an dem tage. si kèrte ir sin
　　　　　gegen got mit reinem gebet,
　　　　　daz si mit reiner andàht tet.
　　　　　uber lanc sach si ir man.
　　　　　gegen dem si loufen began.
275 　　　an sînen hals si sich hienc.
　　　　　getriuwelîch si in enpfienc
(125ᵇ) und sprach 'nù wol mich iemer dîn!
　　　　　dù ringest mir die swære mîn.

---

260 du si due g. spatio triginta dierum morando revertentes. *l. c.*
cap. III　　262*ff* vade ad portam quae dicitur porta aurea et occurre viro
tuo in via, quia hodie ad te veniet. *l. c. cap.* III　　268 daz si　　270
band　　274*f* occurrens illi ad collum eius se suspendit. *l. c. cap.* III

ich was ê witewe, ich, dîn wîp;

280 unberhaft was mîn lîp::

der stêt nû swanger vor dir.

wirt, nû wol heim mit mir!'

Von vreuden wart ein grôzer schal.

si vreuten sich dâ über al

285 daz er wider komen (126ª) wære,

und vreuten sich ouch der mære

daz vrou Annâ swanger was,

diu dar nâch schiere genas

einer tohter die si dâ

290 zehant nante Marjâ.

dô ditz kindel wart geborn,

dô wart versüenet êwger zorn

zwischen gote und der mennescheit:

daz wart dô allez hin geleit.

295 dô Annen wurden die vierzec tage

(126ᵇ) ervüllet nâch der schrift sage,

in den tempel si brâhten dô

daz süeze kint. des wurdens vrô.

daz vreute daz volc algelîch,

300 wand daz kint was sô wunneclîch,

daz si des alle jâhen,

daz si nie kint gesâhen

sô schœne noch sô liehtgevar.

ir varwe was durchliuhtec gar.

305 (127ª) ez wart getriutet dâ genuoc,

dô man ez von dem alter truoc.

si truogen wider heim daz kint.

ir aller schœne was ein wint

diu noch wurden ie gesehen.

310 des muost man im von schulden jehen

(127ᵇ) daz sîner schœne niht was glîch.

Diu muoter zôch ez muoterlîch.

279 witewe] bilde vidua eram, et ecce iam non sum; sterilis eram, et ecce iam concepi. l. c. cap. III 290 nante fehlt 295 f nicht in der quelle enthalten. über die angabe in der vita metrica (fol. 16ᵇ) und des bruder Philipp vergleiche die einleitung s. 529 anm. 299 die v. 303 das zweite sô fehlt 310 in

dô ez kom über daz dritte jâr,
dô brâhten si ez zem tempel dar
315   als si vor heten getân.
dar kômen frouwen unde man.
dâ mit in (128ᵃ) wart daz opher brâht
als sîn der vater hete gedâht.
dô erz sazte zer stiegen nider,
320   ez ensach niht hinder sich wider,
vür sich lief ez die staffel gar,
der wâren fümfzehen vür wâr.
sêre sich wundern began
dirre geschihte wîp unt man.
325   des tempels vürsten begunden
(128ᵇ) alle sich an den stunden
ouch wundern sêre dirre geschiht
daz im daz kint dâ vorhte niht.
si was der tugende manicvalt.
330   dô si was drîer jâre alt,
dô rette diu reine tugentrich
als wol und alsô volleclich
als ob si hiete drîzec jâr.
alsô was si wol gevar:
335   ir antlütz (129ᵃ) sô durchliuhtec schein,
daz niender lebte mensche dehein,
daz sô schœne ie wurde gesehen.
der sunnen klâr liehtez brehen
was sô schœne niht vür wâr:
340   ir ougen lieht, ir wengel klâr,
gar reine rôt, gar reine wîz,
wand got selbe sînen vlîz
mit wunsche het dar an geleit.
(129ᵇ) an schœne und ouch an wîsheit,
345   an allen dingen was si volkomen.
von kinden hie nie wart vernomen
sô gar vollekomen tugent;

313 quam cum tertio anno ablactasset. *l. c. cap.* IV   320 enschach
322 fumfzich ita veloci cursu ascendit quindecim gradus. *l. c. cap.* IV
323 sere si sich   343 w. gar dar   346 kinde?

iemer süeze in blüender jugent
pflac si gar reiner site.

350 dirre muot ir stæte volgte mite.
an zühten si sich verwilte nie,
stæte (130ª) si als ein engel gie.
dō si kom in daz fümfte jár,
dō nam si ir werke war.

355 diu kunde si würken alsō wol,
daz ez die liute námen vür vol.
·alle die daz sáhen,
des besten si ir jáhen,
und nam si wunder alle gelich,

360 daz si sō gar was künste rich
(130ᵇ) bī alsō jungen járen.
dā zuo kunde si gebáren
als si wære aller künste vrī,
und was diu süeze doch dā bī

365 sō künste rich: swaz si sach,
daz worhte si vil baz nách
denne ez vor ir gebildet was.
von got si ouch vil gerne las.
si pflac zweier hande site

370 dā si die (131ª) zīt verzerte mite.
si sprach gerne ir gebet,
daz si mit grōzer andáht tet,
dar nách si an ir werc saz.
daz worhte si danne baz

375 danne ieman dō tæte.
si worhte od si næte
mit spelte od mit der drīe:
daz kunde diu valsches vrīe
sō gar volkomenlichen,

348 sueze bluende   350 die muet   353 *diese zeitangabe hat die
quelle nicht, ebenso keine der mir bekannten anderen apokryphen er-
zählungen des lebens Mariae.* die *vita metrica hat fol.* 17ᵇ.
    Tempus iam infancie Maria cum transisset
    et annorum spatium s e p t e m inplevisset
    356 nam *von hier ab ungefähr ist eine bestimmte quelle überhaupt
nicht weiter zu erkennen*   365 waz   375 den iem al due tete

380 (131ᵇ) daz ir nieman gelîchen
　　　　kunde under in allen.
　　　　diu süeze sunder gallen
　　　　mit sîden und mit golde
　　　　worhte swaz si wolde
385　　　sô meisterlîch daz man ir jach,
　　　　daz nie bezzer werc geschach.
　　　　　Nû heten sich aldâ begeben
　　　　juncfrouwen die gar reine ir leben
　　　　und kiusche wolden (132ᵃ) behalten
390　　　und alsô wolden alten.
　　　　zuo den man die süezen lie,
　　　　diu gedanc noch willen nie
　　　　gewan ze süntlîcher gir.
　　　　si hete bî in gelernet schier,
395　　　daz si ir aller meisterinne
　　　　wart, dâ von si küneginne
　　　　von in allen dâ genant wart.
　　　　sô liep was si und sô zart,
　　　　daz si si alsus nanten,
400　　　wand si an ir erkanten
　(132ᵇ) hôhe kunst und reinez leben.
　　　　diu süeze hete ouch sich ergeben
　　　　alsô, daz si wolde iemer mê
　　　　belîben an magetlîcher ê.
405　　　si nam ûf an aller tugent.
　　　　diu süeze zierte ir blüende jugent
　　　　mit scham mit kiusche mit diemuot.
　　　　si was gedultec und was guot.
　　　　mit mâze (133ᵃ) tet si alliu dinc.
410　　　aller tugende ein ursprinc
　　　　was diu vil reine guote.
　　　　ir worte si sô huote,
　　　　daz si nie müezec wort gesprach.
　　　　der wâren minne gie si nâch,
415　　　diu het si durchflôrieret gar.

384 baricht　　387 heten sit　　397 *vielleicht* genennet　　402 hete
an sich　　415 durch vloren

aller sünden was si bar,
si vleiz sich aller reinekeit.
alsô wuohs diu reine meit
(133ᵇ) in tugende bî den meiden klâr.
420   Dô si gewan driuzehen jâr,
do wart ein botschaft ir gesant.
ein engel der tet ir bekant,
daz von ir solde werden
geboren hie ûf erden
425   aller werlde erlœsære.
sunder wê und âne swære .
empfienc si und gebar ouch in.
(134ᵃ) ir herze, ir lîp und ir sin
gekreftigt und bestætigt wart,
430   dô si den in ir truoc verspart,
der himele und erde schepher was,
des si ze Betlehêm genas.
ân aller manne mitewist
gebar si ir sun Jêsû Christ.
435   ez ist iu ofte kunt· getân
wie daz allez ist ergân.
II? (134ᵇ) dâ von lâzen ez belîben
und râten guoten wîben,
daz si die süezen reinen
440   von allen sinnen meinen,
Mariam, die man loben sol,
diu aller gnâden ist vol,
und aller barmunge ist rîch.
ir barmunge ist unzellîch.
445   ir barmunge ist lanc, breit unt wît.
an ir barmunge vil trôstes lît.
(135ᵃ) si ist muoter der barmunge.
ir barmunge dîn zunge

---

419 pei der magden   420 *vgl. zu dieser angabe die anmerkung* 99
zu Schades ausgabe des liber de infantia Mariae et Christi salvatoris.
die vita metrica hat fol. 22ᵇ
      Cum annum quartum decimum Maria iam implesset
      et intra quintum decimum etatis annum esset
    422 enge   425 aller welde weser   428 und *fehlt*   435 chun

　　　　　kan volrechen niemer.
450　　　si wert iemer und iemer.
　　　　　sich wîp, diu ist dîn bildærinne.
　　　　　nû kêre alle dîne sinne
　　　　　dar nâch daz dû kumst in ir spor,
　　　　　daz si dir hât getreten vor
455　　　mit tugent und mit sælekeit,
　　　　　und bit die hôchgelobten meit,
(135ʰ)　daz si an hôhem lebene dich
　　　　　behalte reine, daz rât ich,
　　　　　unz an daz ende. si ist sô guot
460　　　das si ez endeclîchen tuot.
　　　　　sich, wîplîch wîp, nû wis vrô,
　　　　　daz got dich hât gehœhet sô,
　　　　　daz er sich durch dich menschlîchen lie
　　　　　hie sehen und alhie emphie
465 (136ᵃ) die menscheit von wîplîcher art.
　　　　　aldâ dîn name gehœhet wart
　　　　　über alliu wîp. nû nim war
　　　　　dîner werdekeit und bewar
　　　　　dînn namen, sît got die muoter sîn
470　　　nâch dir und nâch dem namen dîn
(136ʰ)　genennet hât. wîp, waz ist wîp?
　　　　　erkennest dû daz, sô belîp
　　　　　stæte an disem süezen namen.
　　　　　wil dû dich sîner hœhe schamen,
475　　　diu an dem hôhen namen lît
　　　　　der alle werdekeit dir gît,
　　　　　sô wil dû ûz dem wege varn.
　　　　　dû solt dich an dem namen bewarn
　　　　　alsô, daz er sich (137ᵃ) vüege dir.
480　　　dû solt daz wol gelouben mir,
　　　　　dô got hât sô liep sîn wîp,
　　　　　er hât ir werden süezen lîp
　　　　　im selben erwelt ze minne,

---

　　449 cha　　453 daz dumst in　　*nach* 456 vū pitet die hoechgeporn
meit　　464 alu hie　　466 war　　469 nam　　475 namem　　477 *vgl.*
57 *f.* 619 *f*　481 da got nicht hat　　483 minnen

und zeiner gebietærinne
485 hât er gemacht ir eine
über himel und erde gemeine:
(137ᵇ) dâ sol si gewaltec sîn.
dar an er uns machet schîn
daz er wîplich geslehte hât
490 gehœhet über sîn hantgetât
und über al sîn geslehte.
in sîner magenkrefte
wolde er über sich haben doch
(138ᵃ) meisterschaft, daz er. daz joch
495 trüege in sîner kintheit.
der muoter sîn was er bereit
aller dinge und undertân.
daz erzeicte er ir dar an
daz er ir was gehôrsam gar.
500 ofte diu süeze muoter klâr
nam ir süezen sun heimlîch.
(138ᵇ) diu süeze muoter tugentrich
vrâgte in maneger mære,
waz ditz und enez wære,
505 von maneger hande sachen.
daz solte er ir kunt machen.
daz beschiet er ir sô wol,
(139ᵃ) daz si daz nam gar vür vol.

IV 'muoter, gerne ich dir daz sage.
510 ûf der erden vierzec tage
belîbe ich nâch der marter pîn
und trœste die jünger mîn.'
'wer sint die jünger die dû wil
trœsten hie? ist der niht vil,
515 die dû ze·jüngern næme,
(139ᵇ) ob es dir gezæme?'
'daz sage ich, süeze muoter, dir:
zwelf boten ich geselle mir.

490 al sin   498 dar *fehlt*   505 manigen hand' s.   508 vür *fehlt*
vgl. 356   513 *bruder Philipp* 5285 sage wer die junger sîn
515 iunger   516 si dir gezemen

den heilgen geist den sende ich in,
520   der gît in kraft und ouch den sin
daz si über al die werlt gânt
und daz durch niemens vorhte lânt,
sin predigen den gelouben gar
(140ᵃ) und al die marter mîn vürwâr.'
525   'waz wirst dû nâch den vierzec tagen,
sun mîn, tuont, daz solt dû sagen,
und wâ kêrst dû denne hin?
daz sage als liep ich dir bin.'
'ze himele ich wunneclîchen var
530   mit aller der gevangen schar
(140ᵇ) die mit mir sint erstanden gar.
die bringe ich wunneclîchen dar
ze aller engel herren klâr,
ze mînem vater, dâ ich vürwâr
535   bî im sitze ebengelîch
in dem klâren himelrîch.'
'sô dû ze himele gevarn bist,
(141ᵃ) wâ sol ich eine sîn die vrist,
od wâ sol ich enbîten dîn?
540   daz sage mir, süezer sun mîn.'
'muoter mîn, ichn lâze dich
niht eine, des gewarte ûf mich.
ich sende dir helfe und trôstes vil
(141ᵇ) an den, die tuont swaz dû wil.
545   mîne getriuwen die an mich
geloubhaft sint, die trœstent dich
und sint dir stætes dienstes bî
mit ganzer liebe wandels vrî.'
'deheiner slahte trôst ân dich
550   mac, süezer sun, getrœsten mich.
(142ᵃ) ich wil mit willen sterben ê,
sol ich mit dir niht wonen mê.'
'ân mînen trôst lâz ich dich niht.
ich sende dir hôhes trôstes pfliht,

555 den heilgen geist an mîner stat,
der dir gît volles trôstes rât.'
(142ᵇ) 'süezer sun, sô daz geschiht,
kumst aber dû her wider iht
zuo mir? od ob dû dort, sun mîn,
560 belîbest bî dem vater dîn?'
'alse ich hin ze himele var,
sô bereite ich dir aldar
gar wunneclîche stat bî mir
(143ᵃ) und kume denne wider nâch dir,
· 565 muoter, sô dû solt hinne varn:
sô wil ich selbe dich bewarn,
daz dû ân alle sorge verst.
dâ du manege sêle ernerst,
dar vüere ich dich gar lobelîch
570 hin in daz klâre himelrîch,
(143ʰ) dâ dû hâst aller vreuden wal
und dâ dir aller engel zal
dienent iemer und iemer
(daz wirt verwandelt niemer),
575 und dâ dû himele und erde bist
gewaltec vrouwe sunder vrist.
und ouch swer dîner helfe gert
(144ᵃ) dâ, der wirt wol von dir gewert,
dâ dû wirst gebietærinne
580 und der himele küneginne.'

———

[dô diu wehselrede geschach,
diu muoter und diu tohter sach
sun und vater in einer heit.
diu tohter muoter unde meit
585 (144ʰ) in truoc, von dem diu süeze wart
getragen; und doch in ir verspart,
alsus verslozzen er si truoc:
daz was doch wunderlîch genuoc.
daz wunder ist ze ꞌwundern wol,

———

579 *bruder Philipp* 5324 f und du solt werden küneginne und der
engel keiserinne

590   nieman sich des verwundern sol,
    wand got der (145ª) mac getuon unt kan
    swaz er noch tuot und hât getân.
    da gehœrt niht tôren vrâge hin,
    wand uns ze tief ist gotlich sin.
595 ·   Marjâ diu vil süeze,
    die ich loblichen grüeze,
    die ich von herzen minne,
(145ᵇ)   diu ist ein bildærinne
    reiner wîbe mit ir leben.
600   den kan si wol bilde geben.
    ir durchliuhtec leben klâr
    ist reiner wîbe bilde gar.
    diu sich nû wîplich leben an nimt,
    der êren bilde ir wol gezimt
605   daz ir diu reine (146ª) süeze meit
    hât vorgetragen mit reinekeit.
    nû nim war, wîplich lebendez wîp,
    wie dich ein wîplich lebender lîp
    gehœhet und getiuret hât
610   mit reinem bilde an maneger stat.
    dîn bildærin Marie,
    diu rôse dornes vrîe,
(146ᵇ)   der bilde solt dû volgen nâch,
    diu dîner êren obedach
615   ist mit reinem leben vürwâr.
    der tiufel niemer dich getar
    von ir helfe gedringen.
    si kan dir swære ringen,
    und vindet si dich in ir pfade,
620   sô hât ein ende (147ª) gar dîn klage.
    des maht dû dich iemer vreun.
    dû solt dich niht understreun
    valscher geselleschefte.
    hüete, daz dich iht hefte
625   gemeinschaft lihter wîbe.
    bî den reinen belibe,

608 dich ein] dein   613 pilde pilde

(147ᵇ) mit den solt dû haben pfliht.
man sol edel gesteine niht
stæte werfen under diu swîn.

630 dar an solt dû gewarnet sîn.
sich, alsus hât ez diu schrift.
dû solt in der reinen stift
dich haben unde ziehen
und (148ᵃ) solt die swachen vliehen.]

V 635 Unser vrouwen künne ich gernde
lobte; wolde si mich wernde
dar zuo der genâden sîn,
sô tæte ich lobes willen schîn.
sant Anne het zwô tohter noch

640 (148ᵇ) an Christes muoter, die iedoch
sô lebten hie, daz si vürwâr
sint in der gelobeten schar.
die wâren ouch Marjâ genant.
an der schrift sint si wol bekant.

645 diu eine zwêne süne gebar,
die sint beide heilec gar.
sant Johans der eine hiez,
(149ᵃ) den got sîn tougen wizzen liez.
der süeze êwangeliste

650 · der entnucte ob Jêsû Christe.
am âbentezzen er entslief
ûf Christes brust, dâ er gar tief
maneger tougen wunder sach,
diu der werde schreip her nâch.

655 dâ von ist ez uns beliben,
(149ᵇ) daz er ez selbe hât geschriben.
der ander sun der hiez Jakop
von dem ouch gote kom manec lop.
Marjâ Alphêî diu truoc

660 vier süne die heilec wârn genuoc,
sant Simêôn und ouch Judam,

---

die Christ ze (150ª) jūngern an sich nam,
und Jakop den bruoder sīn
der Jēsū truoc gelīchen schīn,
665 dā bī man in erkante
und Jēsū bruoder nante.
ez het ein swester sant Annā,
diu was genant Ismeriā,
diu sant Elsbêten muoter was,
670 diu sant Johans Baptist genas.

III (150ʰ) Si sazte in eines tages zuo ir.
si sprach 'sūezer sun, sag mir,
sol ich mit urloube vrâgen dich?'
er sprach 'dū solt wol vrâgen mich,
675 sūeziu muoter, swes dū wil.
es sī lützel oder vil,
daz mache ich dir allez kunt.'
dô sprach diu muoter (151ª) an der stunt
'ich weiz gar wol daz dū got bist
680 und gotes sun und mīn sun Christ,
ab der gewizzen bin ich vrī,
wie ich dīn muoter worden sī.
die inerkeit solt dū mir sagen.'
'jâ, des wil ich dich niht verdagen.
685 ich sage dir rehte wā und wie.
(151ʰ) von angenge was ich bī got ie
der himele und erde schepfer ist,
bī mīnem vater, sunder list,
im ebengelīch und ebenhêr
690 in einem bilde, und iemer mêr
trage ich im gelīchen schīn.'
si sprach 'lieber sun mīn,
waz ist daz angenge, daz dū bist
(152ª) gewesen alle dīne vrist

662 die schrift ze iunger   664 iesus   679 *bruder Philipp* 5100 *f*
wand ich weiz wol daz du bist got schepher alles des dā ist   680
su . . . . . st   681 d gizzen   686 anegen *bruder Philipp* 5106*ff* vrou,
wizze daz, daz ich bī mīnem vater was ie und ie ân aneginne   693 daz
ist daz

730   in unser wâren trinitât

(154ᵇ) und in der geselleschefte

    unser hôhen magenkrefte.

    wand stat noch zît noch himel mac

    bevâhen got, der sunder krac

735   erde und mer, die himele gar

    und elliu dinc hât vûrwâr

    bevangen mit dem ge(155ᵃ)walte sîn.

    ich und mîn vater gelîchen schîn

    tragen in einer gotheit.

740   daz sî dir vûrwâr geseit.'

    'nû, lieber sun, waz ist daz dû

    sprichest von der drîunge nû?

    nû wer ist diu drîvaltekeit

    der gotlîch magenkraft ist breit?'

745 (155ᵇ) 'daz sage ich dir, muoter mîn.

    mit drin persônen wir sîn

    und doch in einer gotheit

    und in eine forme gekleit

    mit êweclîcher gewalt,

750   mit tugenden manicvalt,

    der vater, der sun, der heilec geist

    mit gelîcher êre (156ᵃ) volleist.

    swaz einer ist und haben sol,

    daz ist und hât ieslîcher wol.'

755   diu muoter sprach 'sun, nû sag mir,

    wie hât sich daz gevûeget dir,

    daz dû enein gewesen bist

    in der drîvalt und wie daz ist

    komen, daz dû mîn sun bist eine

760 (156ᵇ) worden' sô sprach diu reine.

    'in den persônen ich eine bin

    mit mîner gotheit komen in,

    dâ ich den lîp von dir enpfie.

---

736 hat got 738 geliche sin 743 *Walther v. Rheinau* 120,50 *f* waz ist, das du mir geseit hast von der drivaltkeit, waz die drivaltkeit si, der götlich magenkraft ist bi? 748 forme chlait 749 ewiclichem gewalte

750 manicvalten 757 in ain 758 *bruder Philipp* 5127 *ff* wâ von ist daz du aleine bist min kint worden?

der vater mîn mich nie verlie.
765 des êwigen vater sun bin ich,
sô hâst dû, süeziu muoter, mich
(157ᵃ) getragen und bin geborn von dir.'
'vil lieber süezer sun, sag mir,
waz hôher güete dich des betwanc,
770 daz dû hâst disen lîp sô kranc
an dich genomen? sun mîn, daz sage.'
'daz ist des ich dir niht verdage.
(157ᵇ) menschen geslehte der tiufel hât
gevangen umbe ir missetât.
775 nû bin ich her dar umbe komen,
daz im daz werde nû benomen
von mir und ich den hellehunt
binde gar in der helle grunt
und lœse die gevangen dan,
780 die mînen willen hânt getân.'
(158ᵃ) 'wie wil dû lœsunde sîn
menschlîch geslehte, sun mîn,
und wie wil dû Leviathân
binden, der daz hât getân?'
785 'mit dem bittern tôde den ich
unschuldec lîde, den ûf mich
(158ᵇ) Leviathân gerâten hât
den Juden. daz in übele ergât.'
'wê wê, sun mîn, waz sagest dû?
790 solt dû ertœtet werden nû?
owê, von wem sol daz geschehen?
sol ich den jâmer an dir sehen?'
'dû solt dich niht betrüeben lân,
muoter, daz ich (159ᵃ) gesprochen hân,
795 süeziu Marjâ, und nim war,

768 *bruder Philipp* 5143 waz twanc dich dar zuo daz du mensche
woldest werden? 779 loesen 780 *vgl.* 900) 781 *ff Walther v.*
Rheinau 121, 30 *ff* 'min vil lieber sun Jhesu, den menschen lösen wie wilt
du und binden Leviathan? daz solt du mich wissen lân.' 'mit dem tode?
den ich lidende wirt unschuldeclich, den da mir Leviatan fueget mit un-
triuwen getan. der da Adam verriet, der wirt der judeschen diet raten uf
den minen tot und uf ir selber ewig not.'

jâ müezen die wîssagen gar
an mir ervüllet werden
genzlîchen hie ûf erden.
dar umbe ich bin her gesant,
800 daz von mir wirt diu nôt verwant,
die menschlîch geslehte hât
(159ᵇ) gerâten, und swaz geschriben stât,
⌐ daz daz ervüllet werde an mir.
 sô wirt diu werlt erlœset schier.'
805 'wê, sun, mîn herze ist versêret
und erkomen und gar verkêret,
daz ich hân dînen tôt vernomen.
dâ von ist mir (160ᵃ) solch jâmer komen
mit volle an mîn herze,
810 dâ iemer der jâmersmerze
vîleget jâmerberndiu leit,
diu mîn herze kûme treit.'
'süeziu muoter, niht krenke
dînen lîp, doch gedenke
815 (160ᵇ) der Simêônis worte
diu er sprach an der porte
des tempels, dô er mich nam
ûf die arme (daz wol zam).
er sprach 'daz swert der marter mîn
820 durchvarn sol die sêle dîn.'
'dû solt eines berihten mich,
lieber sun, des vrâge (161ᵃ) ich dich.
⌐ sît dûz der wâre got bist,
↓ mac dich deheiner hande list
825 von dem bittern tôde ernern
und dîner vinde dich erwern,
daz dû erlœstest ân den tôt
menschlîch geslehte und ân die nôt?'
'mit gotlîchem gewalte ich wol
830 (161ᵇ) erlœste si, wand daz ich sol
mit rehtikeit si erlœsen.

797 eruolet 798 auf d'erden 805 au be sun mein mein herze
811 gar bernde 814 l. noch g. 817 da er dich nam 827 dem

wand si sich den vinden bœsen
hânt willeclichen gegeben,
in ir gewalt ir vrtez leben.'
835 'waz rehtikeit mac diu sîn,
sun, diu an dem tôde dîn,
(162ª) dâ mit der mensch sol werden
erlôst hie ûf der erden
von des tiufels banden
840 und êwigen schanden?'
'Mariâ, muoter, werdiu meit,
ich bin deheiner rehtikeit
gebunden gên dem tiufel niht,
wand mîn geburt ist sunder pfliht
845 (162ᵇ) scham, und aller sunden vrî
(der deheine wont mir bî
angeborn noch fleischlich),
âne meil und sældenrîch.'
'süezer sun, dû sprichest wâr.
850 mîn lîp dich sunder meil gebar
und âne allen mitewist
dû von mir geborn bist.
ân scham (163ª), ân wê ich dich enpfie
mit unmæliger kiusche hie.'
855 'dâ von der tiufel niht enhât
an mir dehein gewalt. doch stât
er gên mir mit sîner valscheit,
dâ von sîn kraft ist hingeleit
und wirt dâ von mit rehte entwert
860 (163ᵇ) und ouch der mensch von im ernert.'
'vil lieber sun, nû sage mir,
waz unrehtes mac er gegen dir
geavern, dâ dû im wil mite
den roup benemen mit rehtem site?'
865 'daz sage ich dir waz er wil.
sîner bekorunge der ist vil

854 ungemæligter 855 *bruder Philipp* 5170 *ff* ein mensch bin ich;
dar umb hân ich genomen dich ze einer muoter, maget reine, daz der tievel
müge enkeine haben gewalt noch reht an mir: des bin ich worden mensch
von dir 857 gegen 863 geuueren in

(164ª) und sínes valschen râtes gir.
dâ mit er an dem tôde mir
ze belîbenne bî hât muot.
870 an dem kriuze er daz tuot,
daz er wartet der sêle mîn,
ob si müge werden sîn.'
'ach owê sun, owê wie nû!
süezer sun, waz sprichest dû?
875 (164ᵇ) dîner muoter herze ist gar
verwunt unz in den tôt vürwâr.
daz ich dînen tôt hân gehœret,
dâ von mîn muot ist gar betœret
und mîn geist betrüebet sô,
880 daz ich kan niemer werden vrô,
(165ª) wand von dirre jâmers nôt
ist mîniu sêle an vreuden tôt.'
'dû solt, süeziu muoter mîn,
niht sô gar betrüebet sîn.
885 dû solt noch mêr erbarmen dich
über menschlîch geslehte, daz ich
mit mînem tôde erlœsen muoz,
daz in der sünden werde buoz.
(165ᵇ) durch die erlœsunge bin ich komen,
890 daz si dem tiufel werden benomen.'
'nû sage an, lieber sun, nû wie
wil dû mit dînem tôde hie
erlœsen menschlîch geslehte
und mit welhem rehte?'
895 'als ich nim an dem kriuze den tôt,
(166ª) sô lœse ich si von aller nôt,
und mîne sêle ze hellen vert
(dâ mit die rehten werdent ernert),
und binde al dâ Leviathân.
900 die mîns vater willen hânt getân,
die vüere ich an die stat,
dâ si hânt voller ruowe rât.'

867 valschēs 877 deinem 886 meschleich 888 und in werden

(166ᵇ) 'waz geschiht dem libe din?
wer sol des pflegen, sun min,
905 daz ez der süezekeit sin tüge
und sin ruochlichen pflegen müge,
daz mir dâ von (167ᵃ) iht herzenleit
widervar und jâmerkeit?'
'muoter, daz si dir geseit,
910 min lip wirt in ein grap geleit.
unz an den dritten tac lig ich
(167ᵇ) in dem grabe. dar nâch man mich
vrœliche erstanden vindet.
din trûren gar verswindet,
915 so ich lebendic erschine dir.'
diu süeze (168ᵃ) sprach 'daz wort hât mir
min herze her wider brâht ein teil,
daz het gewunnen jâmers teil.
o sun, daz wort hât minen geist
920 (168ᵇ) gevreut, getrœstet aller meist,
daz dû solt von dem tôde erstân,
dâ von ich trôst und vreude hân.'
'ich wirde verrâten und verkouft,
gehalssleget (169ᵃ), bespit, gerouft,
925 geslagen mit geiseln langen
und an das kriuze erhangen.
von bœsen Juden daz geschiht.
an dem kriuze man mich sterben siht
(169ᵇ) und erstên an dem dritten tage,
930 als geschriben hât der wissage.'
'ich het des lebenes min verzaget,
und hietest dû mir niht gesaget
von di (170ᵃ) ner urstende,
ez wære gewesen min ende.
935 doch durch die grôzen marter din
sô muoz min herze liden pin
(der man dir swinde hât gedâht):
(170ᵇ) diu hât mich gar von vreuden brâht.'

918 *vielleicht* meil? 929 dritem 932 sun uñ *bruder Philipp*
5263*ff* hetest du mir niht daz gesagt daz du wider ûf der erden solt ge-
sunt und lebendic werden, von grôzem leide bræch min herze

940 sô sêre niht betrüeben tuot,

  als dich vreut, süezez muo(171ᵃ)terlîn,

  diu lobelîche urstende mîn.

  ich stirbe hie an der menscheit

  und erstên·in lobelîcher heit,

945 got und mensche untœtlich gar

(171ᵇ) und mit mir manc loblîchiu schar.'

  'sol aber ich, süezer sun mîn, ·

  dich nâch der bittern marter dîn

  gesehen und sol, lieber sun, mir

950 (172ᵃ) dehein trôst geschehen von dir?'

  'sô mîn urstende geschiht,

  sô erschîne ich dir, des lâze ich niht,

  und vertilge dîn trûren sô,

  daz dû wirst mit samt mir vrô.'

955 (172ᵇ) 'wa belîbst dû, süezer sun mîn,

  nâch der urstende dîn?

  und waz wirst dû tuont dar nâch?'

958 gar süezeclîche er zuo ir sprach . . . .

939 dich *fehlt*

EIN SEGEN.

Eine wenig abweichende fassung des von Bartsch in der Ge- mania 18, 46 aus einer Engelberger hs. mitgeteilten segens fin- sich auch in der Gregors werke enthaltenden Basler pergamenths. v 21 auf bl. 120ᵇ von einer hand des 13 jhs. aufgezeichnet; ab es fehlt der schluſs.

In nomine patris & filii et spiritus sancti tres angeli a bulauerunt in montem sinay et obuiauerunt illis male pestilen nessia nagedo stechedo crampho troppho Gibt (*sic*) paraly crancrum Caducus morbus cum suis commitibus et febris Tu angeli dei interrogauerunt eas vnde uenitis I quo pergitis qu responderunt Nos imus ad famulam dei N.ora eius siccare m dullas euacuare (a *aus corr.*) neruis et uenis insidias (s *aus cor* inducere et totum corpus eius inquietare Tunc angeli dixeru adiuramus uos per patrem et filium et spiritum sanctum et p sanctam mariam per angelos per arcangelos per tronos et d minaciones per nouem ordines . . . . ST.

Da herr geh. hofrat Bartsch an verschiedenen orten uns immer wieder versichert, Pfeiffer und er hätten wahrscheinlich gemacht dafs der Kürenberger der verfafser des Nibelungenliedes sei; so wird es nicht überflüfsig sein, die gegengründe zusammenzufafsen, vielleicht durch neue zu vermehren und ansichten endlich vorzulegen, die ich bereits im winter 1864 auf 65 und seitdem wiederholt meinen zuhörern mitgeteilt.

Der eigentliche vater der famosen Kürenberger-hypothese ist Holtzmann, Untersuchungen über das Nibelungenlied s. 76. 134: nur dafs er den Kürenberger weiter mit seinem meister Konrad identificiert und demgemäfs in das zehnte jahrhundert setzen mufs.

Pfeiffer aber entrifs Holtzmann den ruhm dieser weltbewegenden entdeckung, indem er an dem zwölften jahrhundert festhielt und auf weitere identificierungen verzichtete.

Seine beweisführung läfst sich etwa so formulieren:

E r s t e n s. Den lyrischen dichtern des deutschen mittelalters war es nicht erlaubt, strophenformen zu verwenden welche andere erfunden hatten.

Z w e i t e n s. In der epischen poesie galt dasselbe gesetz bis in die zweite hälfte des dreizehnten jahrhunderts, 'wo die begriffe von mein und dein sich zu verwirren begannen' (s. 101).

D r i t t e n s. Das Nibelungenlied ist bearbeitung eines älteren gedichtes aus der ersten hälfte des zwölften jahrhunderts, welcher auch die minnelieder des Kürenbergers angehören, eines gedichtes das ebenso wie diese lieder in unreinen reimen abgefafst war.

V i e r t e n s. Die *Kürenberges wîse* ist die Nibelungenstrophe.

Folglich ist der Kürenberger der verfafser des Nibelungenliedes.

Pfeiffer hat diese von ihm, wie er meint, neugewonnene tatsache sofort eingeordnet in unsere litteraturgeschichte; er hat damit consequenzen angedeutet, an welche seine anhänger entfernt nicht zu denken schienen; und er hat damit allein schon — ihre völlige unmöglichkeit bewiesen.

am hofe bischof Reginmars von Pafsau (1121—1138) gel
über Pafsau kamen die heerztüge der kreuzfahrer. 'wer 1
in der umgebung des gastfreien, glanz- und prachtlieben
kirchenfürsten lebte, konnte die blüte romanischer ritterscl
strahlend in poetischer und religiöser verklärung an sich v
über ziehen sehen' (Pfeiffer in dem Bericht über die feierli
sitzung der kais. academie 1862 s. 117). diese anregung
Magenes von Kürenberg zu seinem werke begeistert. er
der erste und älteste namhafte dichter ritterlichen standes
Deutschland.

Also Pafsau ist ein brennpunct romanischer einwürku
während die ritter und städte am Rhein dafür noch ganz
zugänglich sind! also der Kürenberger hat die epische dicht
aus der hand der fahrenden und geistlichen entnommen, er
das gelesenste deutsche epos des mittelalters geliefert und
dennoch keine nachfolge gefunden: er ist von Eilhart von Obe
er ist von dem verfafser des grafen Rudolf durch eine k
von vier bis fünf decennien getrennt!

Und noch ein anderes: der Kürenberger hat das gelesei
deutsche epos des mittelalters geliefert als ein ungefähr z
genofse des verfafsers der Kaiserchronik; von dieser haben
alte handschriften, von verschiedenen weit weniger berühm
dichtungen die später umgearbeitet wurden, vom Alexander,
Rolandslied, vom Reinhart fuchs, von Eilhards Tristrant ha
wir wenigstens bruchstücke der alten texte — von
Nibelungen ist auch nicht der schatten eines altertümlichen f
mentes in ungenauen reimen zu tage gekommen, obgleich
gegen dreifsig vollständige und unvollständige handschriften
Nibelungen besitzen und obgleich die fünfzehn lyrischen strop
desselben Kürenbergers sich in der sonst nach reimgenauig
strebenden hs. C ganz unberührt erhalten haben!

Pfeiffer versucht auch, redewendungen, wortschatz, poetis
bilder für seine hypothese zu verwerten. er legt auf die l
schen elemente des Nibelungenliedes ein ganz besonderes
wicht. er übersieht dafs gerade die auffasung der minne, ei
tiefgreifenden unterschied zeigt: Nib. str. 294 verkettet na
und liebesgefühl; die str. 295, 4. 736, 4. 1459, 2 kennen
conventionellen frauendienst als etwas ganz feststehendes

gewöhnliches das zum ritter gehört; in str. 292, 2 wird das
aufblühende gefühl von mädchen und mann in die worte gefaſst
si twanc gên einander der senenden minne nôt. all dies uner-
hört in den lyrischen gedichten, worin doch reichlich gelegen-
heit dazu vorhanden war, ja worin solche auffaſsungen — wenn
sie bestanden — gar nicht umgangen werden konnten.

Aber kehren wir zu dem kern von Pfeiffers beweisführung,
zu den obigen vier argumenten, zurück.

Pfeiffers folgerung ist richtig; kein zweifel, wenn jene vier
sätze stich halten. aber sie müfsen a l l e wahr sein, nicht e i n
glied darf in der kette fehlen, sonst zerfällt das ganze.

Um denn nun gleich behauptung gegen behauptung zu
setzen: das erste, zweite und dritte argument sind falsch, die
Kürenberges wîse ist allerdings w a h r s c h e i n l i c h die Nibelungen-
strophe; aber wir besitzen kein einziges gedicht, das wir mit
sicherheit dem Kürenberger zuschreiben könnten.

Was den e r s t e n punct anlangt, so könnte man sich zu
einwendungen allgemeinster natur versucht fühlen.

Wenn nur selbsterfundene ·töne gebraucht werden dürfen,
so setzt das die anerkennung litterarischen eigentumes voraus.
solche anerkennung ist wol einer ausgebildeten kunst zu allen
zeiten gemäfs und naheliegend. aber kann sie schon in den
ersten anfängen einer neu aufblühenden kunst vorhanden sein?

Allein, wie weit die Kürenbergslieder einer erst aufblühen-
den oder schon in blüte stehenden kunst angehören, das müfsen
wir dahin gestellt sein lafsen. die ältere deutsche dichtung legt
allerdings keinen wert auf die autornamen, noch die ganze
geistliche poesie des zwölften jahrhunderts ist beinahe frei da-
von, denn ein beliebiger Heinrich oder Hartmann, der keine
nähere bestimmung seines namens hinzufügt, hofft und verlangt
doch nicht als person auf die nachwelt zu kommen. ehre und
ruhm, durch poetische kraft errungen, schweben ihm nicht
lockend vor. aus diesen trieben aber ist anspruch auf litterari-
sches eigentum entsprungen. die lyrik des elften und der
früheren jahrhunderte, diese gelegenheitspoesie die der augen-
blick gab und der augenblick mit fort nahm, ist verweht, weil
den autoren nichts daran lag sie zu bewahren. und was wir
von anonymer lyrik besitzen, ist daher nicht viel und nur zu-
fällig unter falschen autornamen erhalten. aber die überlieferte

beweisen dafs zur zeit dieser lieder das recht des erfinders bereits geehrt wurde.

Von hier aus also können einwendungen gegen Pfeiffers erstes argument nicht geholt werden. entscheidend ist ein anderes.

In der blütezeit der mittelhochdeutschen lyrik selbst ist es vorgekommen dafs namhafte dichter sich der von anderen erfundenen strophenformen bedienten. Wilmanns Walther s. 30 hat aus dem MF folgende entlehnungen angeführt:

Dietmar von Aist 35, 16; Veldeke 67, 9. 65, 13; Rugge 103, 3.

Fenis 81, 30; Bligger v. Steinach 118, 19; Hartwig von Raute 116, 1.

Engelhard v. Adelnburg 148, 25; Reinmar 191, 34; Hartmann 211, 20.

Albrecht v. Johansdorf 92, 14; Reinmar 193, 22.

Heinrich v. Morungen 137, 17; Reinmar 203, 10.

Reinmar 177, 10; Walther 91, 17.

In dem vorletzten beispiel mufs es wol heifsen 137, 10; aber auch dann bleibt noch eine differenz: die reimordnung bei Morungen ist ababcbc, bei Reinmar ababccc.

Es ist gleichgültig, wie man die erscheinung erklären will, jede erklärung kann auf das verhältnis der lyrischen zur epischen Nibelungenstrophe angewendet werden. wenn es zb. richtig ist dafs in solchen fällen zwar verslänge reimgeschlecht und reimordnung überein stimmte, aber die melodie verschieden war: was hindert uns, dasselbe bei der Nibelungenstrophe anzunehmen?

Aber noch mehr. nicht blofs namhafte dichter haben die strophen anderer benannter poeten benutzt, sondern es ist unstreitig vorgekommen dafs namenlose dichter in den strophenformen berühmter meister dichteten. alle unsere nachweise unechter gedichte in echten tönen setzen dieses verhältnis voraus. so hoffe ich ein ander mal zu beweisen dafs MF 14, 1—13, dem Meinloh zugeschrieben und in einem seiner töne verfafst, unecht ist; so scheint 35, 32 ff nicht dem Dietmar von Aist zu gehören; so liefert MF 3, 17 ein beispiel von dem ersten ton des Kürenbergers. wer auf den persönlichen ruhm der autorschaft verzichtete, der mochte sich gegebener strophen gern bedienen und bekannten melodien neue texte unterlegen.

Und auch diese auffafsung kann auf das Nibelungenlied an-
gewendet werden, dem erst im neunzehnten jahrhundert allerlei
autornamen aufgeheftet sind. —

Pfeiffers zweites argument steht und'fällt mit der voraus-
setzung dafs der Rosengarten, Ortnit, Wolfdietrich und Alphart
jünger als die erste hälfte des dreizehnten jahrhunderts seien.

Für die Rosengärten in ihren erhaltenen fafsungen mag
das richtig sein. aber der Ortnit ist bestimmt um 1225/26 ge-
dichtet (Müllenhoff zs. 13, 185 ff; Amelung DHB 3, xvuff). und
was die Wolfdietriche anlangt, so ist bereits die fortsetzung des
Wolfdietrich A im Eckenliede, dem vermutlich frühesten werke
des Albrecht von Kemenaten benutzt, welchen Rudolf von Ems
in dem (nach Bartsch, Germanist. studien 1, 6) zwischen 1231
—35, wahrscheinlich bald nach 1231 verfafsten Wilhelm von
Orlens und in dem etwa 1240—45 abgefafsten Alexander als
zeitgenöfsischen dichter nennt: vgl. Müllenhoff Zur gesch. der
Nib. s. 10 anm. und Amelung hat im DHB 4, 267 jetzt noch
einen weiteren grund hinzugefügt, der die abfafsung des Wolf-
dietrich A schon bald nach dem Ortnit wahrscheinlich macht.
eben diese fortsetzung des Wolfdietrich A benutzt aber schon
den Wolfdietrich B, der nicht allzu lange nach 1222 verfafst
sein kann (Jänicke im DHB 3, lxx). und die ursprüngliche ab-
fafsung des Wolfdietrich C wird nicht viel später als 1230 fallen
(DHB 4, xxix). erst die uns erhaltene gestalt des Wolfdietrich C
(ibidem) und der 'niederschwäbische' (Jänicke DHB 4, ix) Wolf-
dietrich D gehören der zweiten hälfte des dreizehnten jahrhun-
derts an, letzterer dem achten jahrzehnde nach Jänickes un-
gefährer bestimmung (DHB 4, xv).

Vom Alphart anerkennt schon Bartsch, dafs er dem
Nibelungenliede gleichzeitig sein müfse; es ist daher nur conse-
quent, wenn er auch dieses gedicht dem Kürenberger aufbürden
will, — falls er es noch will, denn in seinem Koberstein 1, 202
beobachtet er darüber ein bescheidenes schweigen; und falls ich
überhaupt die bemerkungen in seinen Untersuchungen s. 354
richtig verstehe. das setzt natürlich auch für den Alphart eine
ältere grundlage, ungenaue reime usw. voraus.

Halten wir uns dabei nicht auf. jedenfalls wird Bartsch
die achtung vor dem litterarischen eigentum höchstens bis zum
jahre 1220 dauern lafsen, damit der auch von ihm als ein ge-

dicht des jahres 1225/26 anerkante Ortnit (Koberstein 1², 203)
nicht unbequem werde.

Für uns andere beweist er mit den Wolfdietrichen und dem
Alphart dafs für die epische poesie jenes gesetz nicht galt oder
dafs wenigstens gerade die Nibelungenstrophe davon nicht be-
troffen wurde, sondern jedem der sie gebrauchen wollte zu freier
verfügung stand. —

Die ausbildung des dritten argumentes hat sich ins-
besondere Bartsch angelegen sein lafsen und diesem gegenstande
hauptsächlich seine Untersuchungen über das Nibelungenlied
gewidmet.

Wenn Bartsch den ersten langvers einer beliebigen strophe
des Nibelungenliedes aus der recension A und den welcher dar-
auf reimen soll aus der recension B nimmt und dann ein un-
genauer reim herauskommt, — wenn es also möglich ist,
durch vermischung zweier recensionen ungenaue reime herzu-
stellen, so folgt daraus doch wol nicht dafs diese ungenauen
reime würklich gewesen sein müfsen.

Von mehr gewicht scheinen die stumpfen reime *Uoten : guoten*
udgl. und die consonantisch oder vocalisch ungenauen reime auf
Hagene, welche nach Bartsch unbedingt auf die mitte des zwölften
jahrhunderts hinweisen.

Aber mit recht hat schon Zarncke entgegengehalten: warum
haben alle bearbeitungen diese reime immer wieder stehen
lafsen? wenn die bearbeiter sie für unerlaubt hielten, so hätten
sie ja eher den vers verderbt oder unsinn geschrieben oder
sonstige heroische mittel angewandt, als sie ruhig stehen zu
lafsen. hierin wie in allen anderen dingen müsten sich über-
haupt unsere sonstigen erfahrungen an jüngeren bearbeitungen
ähnlicher tendenz, zb. an der minnesängerhs. C, wiederholen.
wenn noch in der recension C der Nib. sich solche reime finden,
so sind sie eben kunsttradition für diese strophenform. und
wenn sie kunsttradition sind, so brauchen sie sich nicht aus
älteren texten desselben gedichtes herzuschreiben. Bartsch selbst
weifs s. 9 für den klingenden reim in den zusatzstrophen von
C keinen anderen rat, als die meiner ansicht nach ganz richtige
bemerkung: 'da der bearbeiter sie in seiner vorlage schon fand,
so hielt er sie eben für unanstöfsig.' warum wendet Bartsch
nicht s. 3 dieselbe bemerkung auf den reim *Hagene : gademe* an?

warum setzt er nicht auch von diesem voraus dafs ihm gelegent-
lich jüngere bearbeitungen neu einführen konnten?

Metrisch zweisilbige reime von der form *Uoten : guoten*
haben wir auch beim anonymus Spervogel (man gestatte diese
seltsam klingende aber bequeme bezeichnung für den dichter
des zweiten Spervogeltones) und in . den Kürenbergsliedern
neben dem einsilbig stumpfen reime. aber sie können un-
genau in beiden teilen sein, in der ersten und in der zweiten
silbe. im Nibelungenliede sind sie genau in beiden teilen.
dieselben reime finden sich aber auch noch bei Dietmar von
Aist (32, 17. 18), der fast zur genauigkeit des reimes durch-
dringt, dh. sie finden sich bis dicht vor der entstehung der
ältesten Nibelungenlieder. hier läfst sich die unmittelbare tradi-
tion also verfolgen.

Die dreisilbigen reime, die fast nur auf *Hagene* begegnen,
zeigen in der ersten und zweiten silbe allerdings ungenauigkeit,
sogar im vocal. und diese reime sind weder beim anonymus
Spervogel noch bei Dietmar von Aist noch bei einem anderen
älteren lyriker, selbst in den Kürenbergsliedern nur einmal
(8, 18. 20 *edele : hemede*) nachweisbar. aber bei Dietmar von
Aist (32, 21. 34, 3) zeigt sich wenigstens, dafs er waisen mit
derartigem schlufse vollkommen einer stumpfen waise gleich
setzt. hieraus darf man folgern dafs der verfafser des ältesten
Nibelungenliedes, der den ton und die regel für alle übrigen
festsetzte, sich mit der forderung genauen reimes durch die
reinheit der letzten silbe abfand, die er stets gewahrt hat, wenn
er es auch nie gewagt haben würde, schwaches *e* allein für
reimfähig zu halten.

Reimgedichte von den Nibelungen hat es auch vor den uns
erhaltenen liedern gegeben, und solche reimgedichte überlieferten
den verfafsern dieser lieder ihren stoff. die kunsttradition bricht
nie ab innerhalb der volkstümlichen poesie, und so werden die
üblichen reime auf *Hagene,* so weit sie auf *-e* ausgiengen, auch
in die neue technik herüber genommen sein. unerklärbar oder
verwunderlich ist an dieser tatsache nichts, als die seltsame ver-
wunderung, die sie bei Holtzmann und seinen nachfolgern er-
regt hat.

Aber Bartsch will zwischen dem Nibelungenliede und den
Kürenbergsliedern noch ganz besondere metrische übereinstim-

mungen entdeckt haben, die sich auf den bau der achten h
zeile beziehen, vergl. s. 142 ff. 358 f. die senkung soll
zwischen der zweiten und dritten hebung fehlen und verse di
beschaffenheit sollen bei weitem überwiegen. auch das wäre
begreifen, es würde zur technik der strophe gehören, von
urheber derselben festgestellt wie reimgebrauch, verslänge
alles übrige.

Aber die beobachtung selbst ist mehr als zweifel
Bartsch wird ohne weiteres zugeben dafs sie wesentlich auf
neuen grundsätzen der betonung beruht, welche er s. 1
gegen Lachmann aufstellt. Bartsch will lesen: *verliesén den
Geré der degen, vliezén das bluot, liebé mit leide* udgl. und l
RHügel Über Otfrids versbetonung (Leipzig 1869) überträgt
auch auf den Otfridschen vers und betont: *gimmá thiu w
uabén thaz sang, hüattá thes kindes.* durchweg die flexionss
erhöht über das selbständige wort, damit nach diesem nicht
senkung fehle.

Für das mittelhochdeutsche, das uns hier allein ang
läfst sich der gegenbeweis auf das bündigste führen. wenr
erlaubt war ein schwaches *e* über den vollen vocal einer wur
silbe zu erheben, so würden die lyriker und Konrad von W
burg betonungen wie *küneyés dem, sibené daz, himelé diu, má
der* darbieten. diese werden aber vermieden. wenn Neid
50, 16 geschrieben hat *die vérewént mich,* so ist das eine
einzelte freiheit die er sich nimmt. bei Reinmar 160, 33 *l
ndch wtbe* mag alemannisches *lebeti* (Weinhold s. 374. 375)
erklärung genügen. in Kourads Partouopier 13453 steht frei
(swaz mit im höher geste) wás von künegén dd kómen, aber
stelle ist auch sonst bedenklich: zu lesen etwa *was von Pe
dâ komen.*

Auch diese stütze also wankt. die ersten drei argume
Pfeiffers und damit seine ganze ansicht über den dichter
Nibelungenliedes erweist sich als hinfällig.

Wie steht es dagegen mit dem vierten puncte, der
hohes interesse für sich darbietet, auch ganz abgesehen
jener frage? ist die *Kürenberges wise* die Nibelungenstrophe?
Ich glaube, ja.

In einem liede (MF 8, 1—8) von der form der Nibelung
strophe bezieht sich die frau, welche darin redet oder red

eingeführt wird, auf den gesang eines ritters, und dieser gesang war in die *Kürenberges wise* gekleidet. derselbe ritter antwortet jener dame in der str. 9, 29—36, und das lied trägt wieder die form der Nibelungenstrophe. daraus folgt mit grofser wahrscheinlichkeit dafs auch das erste gedicht des ritters, worauf sich die dame bezieht, in der Nibelungenstrophe abgefafst war: diese war also die *Kürenberges wise*. der kleine liederstreit vollzog sich in einer und derselben strophenform, deren beide streitende teile sich bedienten: gerade wie zwischen Reinmar und Walther, zwischen Neidhart und seinen gegnern. auch der ungenannte spielmann der MF 20, 18 den Spervogel citiert (Deutsche studien 1, 392), thut es in dessen ton.

Das verhältnis hat etwas natürliches, die beiden sicher zusammengehörigen strophen 8, 1 und 9, 29 weisen es bestimmt auf, wir dürfen auf die dritte uns unbekannte zurückschliefsen.

Worin besteht das eigentümliche der *Kürenberges wise?*

Die richtige metrische auffafsung dafür hat Müllenhoff seit jahren in seinen vorlesungen gelehrt und schon meine behandlung der Spervogeltöne in den Deutschen studien 1, 284 ff. 354 war im wesentlichen auf seine grundanschauung gebaut. die typographische darstellung dieser und aller verwandten töne im MF drängt uns die erklärende vermutung fast von selber auf.

Es handelt sich um die entwickelung und den gebrauch der waisen oder reimlosen zeilen.

Die in der poesie des zwölften Jahrhunderts so häufigen verlängerten schlufszeilen der strophen, über deren ursachen zu den Denkmälern zweite ausgabe s. 420. 425 gehandelt ist, konnten, wenn sie bis zu acht hebungen anwuchsen, durch eine caesur halbiert werden: die erste hälfte. das stück vor der caesur, das ist die waise. sie tritt, wie jedermann weifs, vor der schlufszeile der strophe zuerst und auch später am liebsten auf.

Wird die waise als selbständiger vers behandelt, so sind drei hebungen klingend gleich vier hebungen stumpf. klingende waise bei stumpfem reim, stumpfe waise bei klingendem reim, das ist ein natürliches verhältnis, das sehr bald gewöhnlich wurde und worauf ich schon in dem aufsatze über Spervogel hinwies (vgl. zb. noch Reinmar MF 156, 22 ff wo *das ich dir geringe* vermutlich als waise anzusehen ist). es handelt sich da-

überwiegen des einen ausganges über den anderen.

Vierzeilige strophe mit stumpfem reim und klingender w
vor der letzten reimzeile, das ist die Moroltstrophe.   - 1

Verallgemeinert man das princip, so dafs allen reimge
waisen vorgeschoben werden, so erhält man aus der vierzeil
reimstrophe einen ton A, den wir nicht nachweisen kön
(denn Dietm. 33, 15 ff hat stumpfe waise und stumpfen re
aus der sechszeiligen reimstrophe Meinlohs zweiten ton 14, 1
aus der achtzeiligen reimstrophe einen ton B, den wir eben
nicht nachweisen können.

Wenn hierdurch das ursprüngliche princip des verlänge
schlufses, aus welchem die waise hervorgieng, aufgehoben w
so sind gewisse fernere veränderungen bestimmt, es wieder
zuführen.

Ein verfahren ist verdoppelung der letzten waise.
gewandt auf Meinlohs zweiten ton ergibt es Meinlohs ersten
11, 1 ff. angewandt auf den ton B ergibt es Meinlohs dri
ton 15, 1 ff.

Ein zweites vermutlich älteres verfahren mit gleic
zweck ist die verkürzung aller reimzeilen, mit ausnahme
letzten, um je eine hebung. angewandt auf den ton A er
es die *Kürenberges wise* oder den zweiten Kürenbergston i
unserer überlieferung. wird darin nicht die letzte, sondern
dritte waise verdoppelt, so bekommen wir den ersten Kü
bergston MF 7, 1. 3, 17.

Auf andere modificationen, worin verkürzte und unverkü
reimzeilen, verlängerte waisen und verlängerte reimzeilen
gesellen, gehe ich hier nicht ein.

Derjenige also dem das geistige eigentum
der *Kürenberges wise* zukommt, hat in der fe
A die drei ersten reimzeilen um je eine hebi
verkürzt.

Ich zweifle nicht dafs dieser urheber der *Kürenberges*
Kürenberg geheifsen hat und aus dem ober- oder niederös
reichischen geschlechte der Kürenberge hervorgegangen ist.

Benennungen der melodien sind von alters her üb
schon Notkers sequenzmelodien führen jede ihren namen, i
die modi des zehnten und elften jahrhunderts werden di

solche unterschieden. wenn nun auch in jenen früheren zeiten
die benennung nie nach den autoren geschieht, so darf man
diese erfahrung doch kaum auf die *Kürenberges wise* anwenden.
die *Kürenberges wise* ist vielmehr in eine reihe zu stellen mit
den benennungen der meistersinger, denn ihre methode der be-
nennung geht auf die mhd. blütezeit zurück, die ganze lyrik
vom zwölften bis ins sechszehnte jahrhundert zeigt die entfaltung
eines kunstprincips und einer technik. für alles finden wir im
zwölften jahrhundert den keim. der ruhm des erfinders soll
durch die benennung gewahrt werden, niemals fehlt daher der
autorname.

Kürenberg ist also nicht der held irgend eines historischen
gedichtes, dessen berühmte melodie anderwärts verwendet wurde.
Kürenberg ist wol auch nicht der ortsname, nicht der name des
oberösterreichischen waldgebirges an der Donau bei Linz, weil
dort etwa ein metrum dieser art in volksliedern zuerst gebraucht
wurde. Kürenberg ist aller wahrscheinlichkeit nach
der name des urhebers, ein dichtername.

Aber gerade wenn wir unsere erfahrung über die melodien-
namen der meistersinger hier verwerten, so erhebt sich ein ge-
wichtiges bedenken. die strophe heifst nicht Kürenberges lange
weise oder kurze weise oder schwarze weise oder *Kürenberges
hovewise*, sondern schlechthin *Kürenberges wise*. daraus folgt
dafs es nur eine Kürenbergsweise gab: der Kürenberger bediente
sich nur einer strophenform wie die spielleute, wie der anony-
mus Spervogel, wie Spervogel selbst, wie der junge Spervogel,
wie Reinmar von Zweter. daraus folgt, wenn unsere annahme
der identität der *Kürenberges wise* und der Nibelungenstrophe

~~Kürenbergs, wie erwähnt wird, und die man~~ als ein zeugnis
die autorschaft des Kürenbergers in anspruch nehmen könnt

Indessen folgt daraus, ganz abgesehen von der autorsc
der strophe, — folgt daraus auch nur daß der ritter welc
die dame singen hörte und der ihr in str. 9, 29 antwo
Kürenberg geheißen habe?

Nehmen wir einmal an, wir hätten in der neueren zeit
ähnliche verbindung zwischen musik und dichtkunst, wie sie
mittelalter bestand. nehmen wir ferner an, die melodie
liedes 'freut euch des lebens', die wie man weiß von H
Georg Nägeli herrührt, sei unter dem namen 'die Nägelis
melodie' ganz allgemein bekannt. und nun läge uns ein
dicht vor, worin eine dame redend eingeführt wäre und uns
zählte: 'gestern abend hörte ich einen herren sehr schön sin
in der Nägelischen melodie.' würden wir daraus schließen,
der herr, den die dame singen hörte, Nägeli geheißen habe?

Vielmehr, wir würden das gegenteil daraus schließen: je
sänger hat nicht Nägeli geheißen. und so hat jener ritter,
verfasser von MF 9, 29 nicht Kürenberg geheißen.

Oder könnte man vielleicht die auffassung von Bart
teilen? er sagt Germ. 13, 243: 'die frau steht bei später na
zeit an der zinne und hört einen ritter singen; der ritter
wie aus der vierten zeile sich ergibt, der mann den sie li
sie kann ihn nicht sehen, aber sie erkennt ihn an der we
die er singt, und diese weise ist Kürenbergs weise; die ei
natürliche auffassung der stelle ist also: der ritter, den
singen hört, muß der Kürenberger sein," die liebende erke
ihn an der von ihm gesungenen weise.' muß? muß
Kürenberger sein? er muß nur dann, wenn es unmöglich
daß ein beliebiger ritter ohne litterarische prätensionen sich
Kürenbergsweise bediente: was doch eben sehr wol möglich v
und er muß nur dann, wenn die Kürenbergsweise in der
ganze berühmte Nibelungenlied abgefaßt war zur zeit ihrer e
stehung so unbekannt blieb, daß die dame hier durch i
nennung besondere 'litterarische und musikalische kenntnisse
zubringen' (Bartsch nao.) scheinen konnte. aber er muß ni
nur nicht, sondern mit mehr recht werden wir behaup
dürfen: die dame konnte den Kürenberger oder der Kür
berger, wenn er durch den mund der dame redet, konnte s

selbst nur in dieser weise kenntlich machen, wenn es unmöglich war dafs ein beliebiger ritter ohne litterarische prätensionen sich der Kürenbergsweise bediente. da dies eben durchaus möglich war, so ist die auffasung von Bartsch durchaus unmöglich. ich bitte um verzeihung für diese pedantische art zu argumentieren. aber ich möchte in der frage keine hintertüre offen lafsen, durch welche irgend eine unklarheit des denkens eindringen und sich in scheinwiderlegungen ergehen könnte.

Oder — um auch dies noch zu erwähnen — hält man es für möglich dafs *in Kürenberges wise* nur bedeute 'in der art des Kürenberg' und dafs damit auf den Kürenberger selbst hingedeutet werden soll, etwa wie in den Nibelungen von Volkers fiedelbogen gesagt wird, er sei *gelich eime swerte* und ähnlich MF 8, 32 und anm. dazu? man wird bemerken dafs der fall etwas anders und die auffafsung von *Kürenberges wise* im technischen sinne, an der übrigens noch niemand gezweifelt hat, durchaus notwendig ist.

Wir haben also hier das schon oben berührte verhältnis dafs namenlose dichter sich bekannter strophenformen für ihre poetischen ergüfse bedienen.

Ist der unbekannte ritter nun auch der verfafser von *Ich stuont mir nehtint spāte*? oder ist es die dame selbst die darin redend auftritt? denn dafs ein unbeteiligter dritter das gedicht gemacht habe, wird niemand behaupten wollen.

Es wäre sehr wünschenswert dafs die frauenstrophen der mhd. lyrik eine besondere zusammenhängende erörterung fänden. einige gesichtspuncte treten doch ziemlich klar hervor.

Wenn Heinrich von Veldeke seiner geliebten dame ein gedicht in den mund legt (nach älterer weise mit ausdrücklich epischer einführung derselben MF 57, 12. 13), worin sie sich bitter über ihn selbst beklagt und ihm die freundschaft kündigt, so mag sie ähnliche gesinnungen in der tat ausgesprochen haben. der dichter ist von tiefer reue erfüllt, er spricht diese nicht blofs direct aus, sondern er demütigt sich so weit, dafs er so zu sagen im namen der frau sich selbst den text liest. gewis hat er dabei aber auch noch das interesse, 'den leser' über die veranlafsung seines in eigenem namen reue kundgebenden gedichtes aufzuklären.

~~Es läst sich mehrfach~~ nachweisen, und ich werde da⸗ ~~anderwärts zurückkommen,~~ dafs die dichter ihre lieder in ~~storischer folge aufschreiben liefsen und~~ dafs dieselben d⸗ ~~einen kleinen roman darstellen.~~ so ist es bei Meinloh; so Rietenburg; so in Dietmars zweitem liederbuch (MF 36, 34 — 3. 37, 30—40, 18); so bei Friedrich von Hausen innerhalb einzelnen liederbücher (Müllenhoff zs. 14, 138); so bei Hein⸗ von Veldeke, wenn man nur ein par blattversetzungen der⸗ handschrift wieder in ordnung bringt; so bei Rudolf von , wie dr Pfaff in einer mir vorliegenden arbeit nachweist; so Rugge in seinem ältesten liederbuch[1]; so bei Morungen wenigs⸗ in einer partie seiner gedichte MF 140, 32—144, 37. wir sitzen leider keine biographien der minnesänger, wie man graphien der troubadours hat: bis auf einen gewissen grad tr

[1] Ich meine das in B erhaltene. es umfafst alle töne in denen reiner reim vorkommt (abgesehen von 109, 19 *naht : gedâht*), gerade töne mehrstrophiger gedichte 103, 3ff (B 1—4) 106, 24ff (B 7—10) 108 (B 18—20) 110, 25ff (B 22. 23). aufserdem begreift es nur töne, in d ausschliefslich einstrophige lieder gedichtet wurden 103, 35ff (B 5. 6. 15⸗ 107, 11ff (B 11—14), dazu 100, 23 (B 21): und diese sind sämmtlich gereimt. die handschrift C bezeugt im allgemeinen von da an, wo die einstimmung beginnt, dieselbe quelle, doch fehlt B 5, B 15—17 dh. strophen bis auf eine vom tone 103, 35ff. ob daher auch B 6 nich⸗ sprünglich und etwa in der quelle von BC nur an dieser stelle geschrieben? wolgemerkt, die ausgeschiedenen sind rein gereimt. strophe C 34 stand ohne zweifel in der quelle von BC, aber verstüm (wie denn verstümmelungen aus nahe liegenden gründen am schlufse liederbücher einzutreten pflegen), daher wurde sie von B weggelafsen was übrig bleibt für die quelle BC, wobei man B 6 und die übrigen meinschaftlichen reingereimten einstrophigen gedichte mitrechnen mag, gibt den verlauf eines liebesverhältnisses: vorangestellt das resultat, kenntnis von seite des mannes und der dame und allgemeine grundsä⸗ einem spruch, dann werben im winter, gewähren im sommer; b⸗ sprüche die nicht streng chronologisch geordnet (B 14 gehört vor jener in den winter, dieser in den sommer) und wovon B 12 überhaupt zweifelhaft. von den sprüchen abgesehen folgt die satire B 18—20; v⸗ B 21 im namen der frau, sorgen heimlicher liebe, B 22. 23. C 34 g⸗ glücklichen besitzes, von beiden seiten ausgesprochen: und dahin g⸗ nun der anfang. — für Heinrich von Rugge ist, wenn ich nicht irre, viel zu thun. kann man sich denken, dafs Reinmar den kreuzleich s⸗ so stark nachgeahmt haben sollte, wie 181, 5ff verglichen mit 98, 28 f weisen würde? sollten nicht vielmehr unter den Reinmarschen noch man Ruggesche gedichte stecken?

solche chronologisch geordnete liedersammlungen dafür ein. sie
sind gleichsam ein frauendienst ohne verbindenden text, und
man begreift daraus wie Lichtenstein, zu seinem plan ge-
kommen ist.

Diese epische rücksicht ließ es wünschenswert erscheinen
daſs auch das eingreifen der frau, ihre gesinnung, ihre bot-
schaften, ihre antworten usw. zu poetischem ausdruck kämen.
öfters also wird der dichter würkliche mündliche oder schriftliche
äuſserungen der geliebten versificieren. manchmal werden ihm
vielleicht sogar verse als material vorliegen, wie sie Ulrich von
Lichtenstein seinem Frauendienste wörtlich einschaltet ohne sie
zu glätten und zu überarbeiten (Lichtenst. 60, 25. 99, 29. 101,
17. 195, 25. 231, 29). Dietmar von Aist treibt die 'objective ge-
wissenhaftigkeit' so weit, sich seine untreue vorwerfen zu lafsen
und gibt eine naive gar nicht schmeichelhafte charakterdarstellung
seiner selbst. manchmal verfaſst der dichter solche lieder viel-
leicht, um der dame gesinnungen zu leihen die er ihr wünscht?
manchmal beruhen sie gewis auf liebevoller versenkung in eine
stimmung welche der liebende sich ausmalt, weil er sie voraus-
setzt. so hat wol Friedrich von Hausen die gunst einer dame
errungen, deren langes schwanken er kannte — sie hatte es
ihm etwa selbst geschildert —, daraus macht er sein wundervolles
gedicht 54, 1 ff. manchmal wieder handelt es sich um repräsen-
tation des liebesverhältnisses nach auſsen, zurückweisung der
gegner und verräter, ableugnung des sinnlichen characters udgl.
und der dichter redet dann zuweilen im namen der dame,
die am meisten angegriffen oder compromittiert ist. so ua. bei
Meinloh.

Jenes epische interesse könnte wol auch zum verständnis
der vorliegenden strophen, zunächst *Ich stuont mir nehtint spâte*
und *Nu brinc mir her vil balde*, herbeigezogen werden. äuſser-
ungen, die von beiden seiten in der bestimmten weise gefallen,
wären festgehalten und auf vers und reim gebracht. und wenn
bei Dietmar von Aist und anderwärts solche zusammengehörige
strophen in der überlieferung unmittelbar auf einander folgen,
so ist dies zwar ein unterschied, aber kein zwingender, bei
welchem jene auffassung nicht bestehen könnte.

Dagegen fällt es allerdings auf daſs der ordner unserer
kleinen wie wir jetzt sagen dürfen anonymen sammlung offenbar

die männerstrophen nachfolgen zu lassen. eine ähnliche anlage findet sich nirgends. das princip wird nur geschädigt durch strophe 8, 9, welche ein rein epischer dialog ist: denn auch die vier ersten zeilen müßen wol als rede eines mannes in anführungszeichen gesetzt werden wie die darauf folgende antwort der frau. der dichter tritt nur mit den worten *só sprach das wip* hervor. diese die frauenlieder unterbrechende strophe jedoch verdankt ihre aufnahme ohne zweifel der vorangehenden und war kein ursprünglicher bestandteil des kleinen liederbuches. der anfang *Ich stuont mir nehtint spâte* erinnerte einen besitzer desselben an den ähnlichen *Jô stuont ich nehtint spâte* und er schrieb die strophe an den rand, von wo sie in den text gekommen ist.

Sehen wir daher von dem einen gedichtchen ab, so behalten wir neun strophen, in denen frauen sprechen, und fünf in denen ein mann das redende subject ist.

Zwischen den zwei gruppen herscht nun ein bemerkenswerter gegensatz der stimmung. die beiden geschlechter sind auf das entschiedenste charakterisiert. zwischen der männlichen und weiblichen empfindung gähnt eine unausfüllbare kluft. Der mann erscheint hier, wie in aller deutschen poesie bis ins zwölfte jahrhundert (vgl. Preufs. jahrb. 31, 487 ff) stolz und hart, roh, begehrlich. nur die frau kennt die sehnsucht.

Sie errötet in der stillen kammer, wenn sie des geliebten gedenkt. sie klagt dafs sie ihn nicht erlangen könne. sie fleht dafs er ihr hold bleibe und erinnert ihn an heimliches gespräch bei vertrauter begegnung. sie hat keine andere freude als ihn; wenn er ihr genommen wird, so büfst ihr herz für immer den frohsinn ein. sie weint und sucht versöhnung, wenn sie ihn erzürnt glaubt. sie blickt ihm nach wie dem entflohenen falken und betet in rührendem seufzen zu gott um vereinigung mit dem geliebten.

Er dagegen bringt es nicht höher als zu der trockenen versicherung dafs sie ihm lieb sei. auch wo er wirbt, streicht er nur den eigenen wert heraus, er wünscht ihr keinen schlechteren mann. er weist sie an, wie sie sich benehmen müse um ihre liebe nicht zu verrathen. er möchte sie nicht länger als mädchen sehen. er rühmt sich seines sieges: 'weiber und falken werden, leicht zahm, wenn man sie nur zu locken versteht, dann suchen sie den mann.' oder er spottet der liebenden und thut als ob er das land räumen müste um sich ihrem verlangen zu entziehen.

Nein, diese männer können nicht jene zarten frauenlieder gedichtet haben.

Wollte jemand einwenden, die empfindungsweise sei zwar verschieden, aber die dichter schilderten eben die frauenempfindung wie sie war und ebenso ihre eigene, beide nach der würklichkeit, jede daher verschieden: so ist dem entgegen zu halten dafs naive künstler, von der gelegenheit ergriffen, vom augenblick befangen, inneres leben ohne wahl gestaltend, unmöglich gefühle besingen können, die sie niemals gehabt haben, und dafs männer die ihrerseits so wild begehrlich auftreten daneben nicht die zartheit haben werden, sich in die seele der frauen zu versenken und die regungen ihres herzens zu belauschen. die frauen sind die genialen entdecker in den tiefen des gemüthes: von ihnen haben die männer, unter dem einflufs milderer sitte, erst langsam gelernt.

Ich nahm daher schon Preufs. jahrb. 16 (1865), 267 an und glaube es noch, dafs alle jene gedichte unserer kleinen sammlung, in denen weibliche zartheit der empfindung hervortritt, auch würklich von frauen herrühren. das sind aber sämmtliche neun strophen mit ausnahme der einen viel besprochenen 8, 1, in welcher man höchstens einen gewissen sinn für die romantik der nacht finden und hieraus auf gröfsere weichheit der seele schliefsen könnte. dafür ist aber das ende was man heute 'unweiblich' nennen würde.

Indessen scheint es doch geraten, alle frauenstrophen einer einheitlichen auffafsung zu unterwerfen und das princip des ordners als eine beabsichtigte scheidung der autorschaft anzusehen. die dichterinnen haben den vortritt, die dichter folgen nach. die beiden zusammengehörigen strophen erhalten so nun erst recht prägnanten sinn.

Wie viele dichterische individualitäten zu unterscheiden seien, darüber kann man blofs raten. natürlich redet in 8, 1 eine andere person als in 8, 17. dort denkt man unwillkürlich an eine unabhängige frau, etwa eine wittwe und reiche erbin im vollbewustsein von macht und schönheit; hier an ein junges mädchen voll schüchternheit und scham.

~~haltüss beziehen. Julius Zupitza (über Franz Pfeiffers versuch den~~
~~Kürenberger als den dichter der Nib. zu erweisen, Oppeln 1869,~~
~~s. 28 ff) nimmt drei verschiedene reihen an, aber er wirft gerade~~
8, 1 und 8, 17 zusammen, die ich für ganz unvereinbar halte.

Es ist auch vergeblich, unter den fünf männerstrophen
nach dem gedichte zu suchen, welches nächtlicher weile vor
dem ohr jener dame ertönte. obgleich es sich darunter be-
finden k a n n.

Den charakter der gelegenheitspoesie und der improvisation
wird man für alle zugeben, vgl. Deutsche studien 1, 331 ff. man
mag sie auch mit Lachmann (Zu den Nib. s. 5) gerne 'volks-
lieder' nennen, wenn man die entstehung in adeligen kreifsen
dadurch nicht ausschliefsen will.

Jacob Grimm hat in der schönen recension über Tigri
(Germ. 2, 380) toskanische volkslieder ganz allgemein mit
unserem altdeutschen minneliede verglichen. die Kürenbergs-
lieder und ihre verwandten haben ein näheres recht darauf.
Müllenhoff (Denkm. zweite ausgabe s. 364) erinnert an die *rispetti*
der Italiener, ich möchte noch lieber die ritornelle herbeiziehen,
vgl. Paul Heyse bei Lazarus-Steinthal 1, 197 und über die im-
provisation in diesen gesängen ibid. 188. 198.

Im Magazin für die litteratur des auslandes waren einmal
(1869, s. 24) umbrische volkslieder mitgeteilt. eines erinnerte
mich sofort an *Swenne ich stân aleine.*

> *La giovinotta quanno fa lo letto,*
> *De lacrime le bagna le lenzuola*
> *E s'arimira in quello bianco petto:*
> *'Queste 'n so carne da dormì più sola.'*

Ich wiederhole auch die übersetzung welche dort bei-
gefügt war:

> wenn früh sein bett das mädchen macht, so fallen
> die thränen in das bettzeug ihm hinein,
> es siehet seinen weifsen busen wallen:
> 'nicht bin gemacht ich um allein zu sein.'

Ein anderes klingt mit seinem trotz und seiner prahlerei
an unsere männerstrophen an:

> *Nulla m'importa, amor, se m'hai lassato;*
> *Ché oggi mangerò con più appetito,*

Sta notte dormirò più riposato;
Ma tu te vanterai che m'hai lassato,
E io me vanterò che'n t'ho voluto;
E poi me vanterò d'un' altra cosa:
Sul tuo giardino ci ho colta 'na rosa. —

Ist unsere auffassung richtig, so dürfen wir auch umgekehrt fragen: in einer solchen poesie des momentes, der improvisation, mufs es da nicht eine strophenform geben, deren sich jeder bedienen kann?

Wie beliebt die Kürenbergsweise zu diesem zwecke war, lehrt unsere sammlung. viele anonyme dichter bedienten sich des von dem Kürenberger geschaffenen metrums zum ausdruck ihrer empfindung. und die in der lyrik so gerne gebrauchte strophe wurde bald darnach in der epik verwendet um auch dort einer reihe von dichtern sei es für die Nibelungensage, sei es für andere stoffe zu dienen.

Denn schwerlich gab es gleichzeitig mit jenen lyrischen schon epische gedichte in der Kürenbergsweise.

Es steht nicht fest, ob die Nibelungenlieder von rittern herrühren oder von spielleuten die sich wie der anonymus Spervogel in ritterlichen kreisen bewegten oder ob ritter und spielleute sich in das verdienst der abfassung teilten, ob einige lieder von diesen, andere von jenen herrühren.

Aber so viel ist sicher: wenn die ritter beteiligt waren, so sind sie in die schule der fahrenden gegangen, denn epische poesie in gleichen strophen war nirgends sonst vorhanden. und daher wird es am natürlichsten sein, die ältesten Nibelungenlieder den fahrenden zuzuschreiben. dann aber ist die verwendung der Kürenbergsweise in denselben ein symptom des aufsteigens, der veredlung der fahrenden. die Kürenbergsweise mufs längere zeit in dem lyrischen gebrauche des adels gestanden haben, ihre beliebtheit mufs entschieden gewesen sein und die spielleute bahnten sich mit ihr den weg in die aristokratischen kreise. dazu stimmt dafs die Nibelungenlieder der epoche des reinen reims angehören, die lyrischen strophen dagegen der epoche des unreinen reims, dh. dafs die Nibelungenlieder jünger sind als die liebeslieder, doch aber nicht sehr viel jünger, denn erstens löst sich reiner und unreiner reim überhaupt nicht schroff ab (der unrein reimende Hausen citiert die

rein gereimte Veldekesche 'Aeneide); z w e i t e n s mag in dilet-
tantenkreisen sich unreiner reim am längsten erhalten
wie Ulrich von Lichtensteins dame 60, 27 *dinge : sinne* reimt;
d r i t t e n s sind, wie Lachmann Zu den Nib. s. 5 bemerkt, ältere
verse zu drei hebungen so selten, dafs man keinen allzu langen
gebrauch der strophe annehmen darf.

Rein reimen nach den principien des Nibelungenliedes drei von
unseren fünfzehn strophen: 8, 17 *(hemede : edele, tuot : muot)* 8, 25
(getân : hân, schedelich : gelich) 10, 1 *(sich : mich, man : getân)*.
die strophe 10, 17 will ich doch nicht hierher rechnen, obgleich
zam : man durch Nib. *frum : sun* gerechtfertigt scheinen könnte.

Von den zwölf anderen haben fünf im ersten reimpar den
scheinbar klingenden, in wahrheit zweisilbig stumpfen reim.
dieser reim ist stets ungenau, der darauf folgende aber eben so
stetig genau.   7, 19 *wünne : künde*, aber *nit : sit*; 8, 1 *zinnen :
singen*, aber *menigin : sin*; 8, 9 *bette : wecken*, aber *lip : wip*; 9, 5
fliegen : riemen, aber *guldin : sin*; 9, 13 *geweine : scheiden*, aber
leit : gemeit.   dafs damit noch kein streben nach genauigkeit des
einsilbig stumpfen reims überhaupt verbunden zu sein braucht,
zeigt 8, 33 die zu 9, 5 gehörige strophe mit *jâr : hân*. die
männer bedienen sich dieser reimart gar nicht, es müste denn
der dialog 8, 9 einen mann zum verfaser haben.

Die übrig bleibenden ungenauigkeiten sind *(a : â* nicht ge-
rechnet) im ersten reimpar *liep : niet* 7, 11; *jâr : hân* 8, 34; *zam :
man* 10, 18; im zweiten reimpare *was : sach* 7, 7; *liep : niet* 9,
26; *si : sin* 9, 34; *niet : liep* 10, 13.   den reim *-î : -in* hat noch
Spervogel (Deutsche studien 1, 286), und auch die übrigen un-
genauigkeiten sind nicht schlimm, nur consonantisch, zweimal
liquida auf liquida *(m : n, r : n)*, einmal spirans auf spirans
(s : ch) und allerdings dreimal tenuis auf tenuis *liep : niet*. dieser
reim aber mit der ältesten technik des minneliedes auf das engste
verknüpft (schon 37, 16) und daher auch einer der letzten der
überhaupt verschwindet.

Beide reimpare sind nirgends ungenau.

Merkwürdig dafs dies in MF 3, 17, einer frauenstrophe und,
wie schon Lachmann Zu den Nib. s. 5 annahm, einem gedichte
im ersten Kürenbergston der fall ist: *lobesam : man, liep : niet*.
dasselbe gedicht unterscheidet sich von sämmtlichen liedern
unserer sammlung durch die contrastierung von naturfreude

und liebesschmerz: naturgefühl kommt hier nirgends zum
ausdruck.

Das gedicht ist nach den reimen älter und durch diese
combination von natur und liebe volkstümlicher als irgend eines
der dem Kürenberger zugeschriebenen sammlung. und gleichwol
ist es bereits in einer variation der Kürenbergsweise abgefasst.
dürfen wir daraus schliefsen dafs uns die ältesten gedichte der
Kürenbergesweise dh. Kürenbergs eigene lieder in der tat ver-
loren sind, dafs sich unter den erhaltenen fünfzehn keines von
ihm selbst befindet?

Diese würden dann etwa die letzten noch geretteten aus-
läufer der Kürenbergschen weise bezeichnen. und wie dem auch
sei, das lehrt jedesfalls die vergleichung von MF 3, 17 dafs sie
einem verhältnismäfsig engen kreifse und einer ziemlich straff
zusammenhangenden schule angehören.

Es sind die jüngsten die in einer bestimmten gegend noch
umliefen und gerne gesungen wurden, vielleicht zu einer zeit,
als in derselben gegend die Nibelungendichtung bereits begonnen
hatte, an welche sie durch ihre verhältnismäfsige jugend ziemlich
nahe heran rücken.

Wir zählen vierzehn strophen, wenn wir den dialog ab-
rechnen, dh. zweimal sieben. dabei kann zufall im spiele sein,
wie denn in dieser ganzen untersuchung, bei so geringem ma-
terial, die sicherheit nur eine geringe ist. aber wenn kein zu-
fall obwaltet, so erinnern wir uns an die durch sieben teilbaren
strophenbestände der Nibelungenlieder und ihrer ältesten inter-
polationen, und ich darf mit bezug auf meine deutung derselben
(Deutsche studien 1, 309) hinzufügen: die sammlung bestand aus
einem blatte von dem format der Nibelungenliederbücher mit
28 zeilen auf der seite. dadurch werden wir erst recht auf jene
spielleute hingewiesen, denen, ob sie nun selbst autoren waren
oder nicht, doch gewis die verbreitung der Nibelungenlieder
oblag.[1]

[1] Ich will nicht unterlafsen, nachträglich noch die schrift von dr Karl
Vollmöller 'Kürenberg und die Nibelungen' (Stuttgart 1874) zu erwähnen,
die sich mit dem vorliegenden aufsatze mehrfach berührt. eingehende
prüfung derselben war mir noch nicht möglich.   22. 3. 74.

Baden-Baden, october 1873.   W. SCHERER.

MITTELNIEDERDEUTSCHE GLOSSEN.

aptitudo	bequamelicheyt
abditum	verborgenheyt
—	missehagen
actus imparatus	engebodin werch
5 actus —	en — werch
actus productus	eyn v . . . brengende werch
actus —	— — werh
actuum inceptio	eyn wirkende begin
— —	eyn czugegeuen wolkomheyt
10 adherere	zukleuen (*fol.* 223*)
appetitus intellectualis	vernuftliche begeringe
appetitus sensualis	zinliche begeringe
actus absolutus	eyn vri wirken
actus utendi	urberende wirken
15 actus fruendi	gebruchliche wirken
actualica	wirclicheyt
abyssus	gruntloesich
attributale	zugegeuen of gedragen
adjectum	eyn sichicheit
20 absolutissimus	alze afgescheyding
arbitrium	. . wilcoren
adeptio finis	eyn beringhe des endes
auctoritas	ghowelt
afficitur illi	eyn gunsticheyt
25 aureola aromatum	eyn bedck yn der wolruchende crude
benivolentia	wolwillicheyt
benignitas	goederteyrenheyt (*fol.* 223ᵇ)
cognitio exempli	zicher bekenntn . .
corruptio	vergeueliche luft
30 circumincessio	eyn samelich in bli . . .
caracter	eyn geystilich zeyn
cautio	sichirheyt
calamitas	jamerlicheyt of vngemach

continentia	zuuerheyt
35 causa efficiens	wirkende zache
causa formalis	formeliche sache
causa subjecta	onderwerpende sache
cognitio abstracta	eyn abgezogen beke . . .
cognitio intellèctiva	eyn aneschauende bekennin
40 creatio activa	eyn wirkende geschepe
cognitio vespertina	eyn auentbekennen
cognitio matutina	eyn clar bekennen
creatum	eyn sachende wesen
cardinale — —	. . . . liche doegend
45 corelatio	glichliche widirdrach (fol. 224ᵃ)
coessentia sapientia	medeweseliche wisheyt
gratuita	geuende ghauen
genimina	quaet gheslechte
generositas	edilkeyt
50 — intellectualis	eyn vernufthebbeliche
habitus moralis vel speculativus	eyn sedelich beschowen
heceytas	ditheyt of dysetheyt
holocaustum medulatum	gemirde rauch
—	der wydir
55 judicium —	onderstant
jeerarchia ecclesiastica	orden der kerken
ignorantia	vnwiczenheyt
— possibile —	verstennisse mogelich w . . .
imaginativa virtus	beeldende craft
60 idoneus	orborliche
idemptitas	. . . . . heyt
ipostasis nature	eyn vndersc . . . .
instinctus naturalis	naturlich zu . . . .
insitum verbum	eyn yngeprüfft wort
65 informare	inbildin (fol. 224ᵇ)
intellectus	eyn bekennin
instans nature originis	— der naturen of vrspruch
inradiare	inglenzen of inlichten
idoneytas	delincheyt
70 — veritas	eyn onvergaderde warheyt
intellectus compositus	— verstennisse zusamen seczen
· in verbo apparato	in dem worde zu eygeliche

intellectus speculativus	eyn schauuende verstentnisse
largitas clementie	. . . . fliczende myldecheyt
75 longanimitas	langhe duricheyt
congruentia	bequemelicheyt
clementia	genadicheyt
donum pietatis	gaue der mildecheyt
dispositio	zazinge of . . . bewirken
80 distinctio realis rationalis vel formalis	ondersceyt der dinge der reden of formen
d . . . . vel decor	zuzicheyt sirheyt
directa distinctio	warlicheyt ondirsceyt
directa existentia rei	ondersceyt van naturen
donum sapientie et — —	gaue de wisheyt . . verst . . . . (fol. 225ᵃ)
85 distinctio modalis	gedanclich onderstant
dos	gaue
distinctio objectalis	vorworplich undersceyt
de congruo	von bequemelicheyt
de condigno	vaen werdicheyt
90 deificatio	eyn gotbildicheyt
distancia	eyn wegelich vndersceyt of . . . .
dispositio subjecti	inlike redene des vorworps
existentia actualis	eya wirkende ystecheyt
effigies	eyn sien gelichenisse
95 ens reale rationis	eyn wesen der dinch of der reden
ens obliquum —	eyn wesen dez vnrechtes
ens intellectuale s	verstendelich ein lidende wesen
efficacia efficiens	sicherheyt wissenheyt
effectus	werk der sachen
100 existens	wesende
eternitas	wesende ewicheyt vor en na ewin ewicheyt vor en nyt na
ens intellectuale	eyn vernuftlike ystecheyt (f. 225ᵇ)
ens objectum	eyn worpliche ystecheyt
105 ens virtualis contentum	wesen treftliche inthalden
ens eminens	eyn ouersueuende ystecheyt
ens fictum	eyn betrogen ystecheyt
eminenter	oeuersueuendelich

equalitas	eyndrachncheyt of gelicheyt
110 enunciabile	vssprachliche
exemplar	eyn vorspor of gebeelde
— positus	in eyn of zinlicheyt ghezat
forma substantialis rationalis intellectualis	eyn naturlich inwendelich forme
fluxus	wloet
115 facultas	mogelicheyt
faws	feyme
opposita —	vydersache anenemende
objectiva distinctio	vorworplich vndersceyt
— —	leueliche craft
120 — —	vorworplich mogelicheyt
originale peccatum .	ane geboerin sûnde (fol. 226³)
memoria intellectiva	vernuftliche gehûgnisse
majestas	getelheyt of herlicheyt
modus intuitivus	inwendege wise of manire
125 mysterium	gotliche hemelicheyt
notio	merkinge of bekenninge
notitia enigmatica	eyn dunkil bekennen
notitia specularis	spegelich bekennen
notitia abstractiva	eyn afghesceyt bekennen
130 necessitas	noetheyt
nardus	crût of gut rauch
posteriorum priorum	lestelich erstelich
pullulantes	bloemde minne utsprechich
positive	seczicheyt
135 principium contractum in	eyn gemeynsam beghin in ystic- heyt gods
principium productum formale	eyn vortbrengende beghin der forme
— executiva	eyn erwolgende moegenheyt
participare	deylinge
proportio	ouerdragelicheyt
140 passio	lidinge of doegenge (fol. 226ᵇ)
predestinatio	versien zu glorien
prescitus	versien zu pynen
prudentia	vroetheyt
productum	vûrbrengen

220 conceptus — vel fortis	eyn weselich begrif of f . .
conceptus contradicatus	eyn wesselich begrif
conceptus denominatus	eyn vswesselich begrif
conclusio	eyn endeliche leere
consignificatio	meyde bezechinge
225 conceptus perfectus	volencomen begrif
consideratio	merkinge
contactus	bydeghe . . . .
contagium	vnfladicheyt
contremisco	byueren
230 contrarium nature	naturen dy en widerzijn.

*Die vorstehenden glossen finden sich auf fol. 222ᵇ—228ᵇ
des 8 centimeter hohen und 6 centimeter breiten codex ı. c. 2 der
Fürstenbergischen bibliothek in Prag, den ich im Serapeum 1868,
pag. 114 beschrieben habe.*

*Die lateinischen wörter sind teilweise aufserordentlich ab-
gekürzt, die deutschen dagegen vollständig ausgeschrieben. nur für
er und n sind mitunter die gewöhnlichen abkürzungszeichen gesetzt.*

*Buchstaben, welche nicht zu erkennen sind, habe ich durch
. . . . ., wörter aber, welche nicht gelesen werden können, durch
— angedeutet.*

*Dafs eine anzahl der mitgeteilten wörter anderwärts nicht
belegt werden kann, wird niemand entgehen. eben darin aber,
sowie in dem versuch, kunstausdrücke der scholastischen philosophie
zu verdeutschen, liegt der wert dieser kleinen sammlung.*

Prag.   JOH. KELLE.

BRUCHSTÜCKE MHD. DICHTUNGEN II.

5. ZUM WIGALOIS DES WIRNT VON GRAVENBERG.

*Suppl. 2722, von einem doppelblatt in 4° aus dem 13 jh.,
das, soweit es beschrieben war, in mindestens drei querstreifen zer-
schnitten worden ist, die beiden ersten. jede der zwei spalten einer
seite enthielt ursprünglich 39 zeilen zwischen linien: die verse (ab-
sätze natürlich abgerechnet) fangen alle in derselben linie und mit
minuskeln an. das fragment ist zum teil sehr schwer zu lesen,
hier eine vergleichung mit Pfeiffers text.*

$1'a = 86, 10 - 38.$

10 *absatz* bet nicht vorvinc   11 vnde   ginc   12 genz-
lichen sach   13 zv   rittere   14 sint   nicht mvget   15 ich
ovch   16 di` vch   17 wenet   lichte: *auch im folgenden
regelmäſsig* cht *für* ht   18 zv minnerne min armvt   19
gvt: *regelmäſsig* v *oder* u *für* uo   20 lvte: *regelmäſsig* v *oder*
u *für* iu   vnde   22 vweren   23 *unlesbar, da die scheere
durchgieng*   24 wan   rát hán *verlöscht*   25 mvste phert
    26 treip *ez*   27 ritter   vil *fehlt*   28 wan   her *immer
statt* er   allez   29 were: *regelmäſsig* e *statt* æ   lip oder
30 vrloub   31 *nur* ℭ *vor gewöhnlichem buchstaben* ritter dó
fehlt   32 schonen   zvhant   33 vnde alles des daz dar
34 vnde   35 ivncvrowen   37 rittere   38 vch *regelmäſsig
statt* iu *und* iuch   é *fehlt*

$1'b = 87, 9 - 37.$

    9 liz ez ab *fehlt*   10 di   vorlorn   13 denne   zv *regel-
mäſsig statt* ze   14 begonde   .17 stigen di⁻ herzen   18
niman   19. 20. 21 di   22 *absatz*   frevden   23 getwerge
    im   24 schone   25 vnde wer   27 vnde wi ez stvnde
zv irlant   28 hi   mit   30 vnde   31 di   vortriben
32 treip   di   36 schon   37 wi   iu *fehlt*

$1''a = 88,.8 - 36.$

    8 gezelde   12 gegen   gezelde   13 wan si gesellen
westen da   14 vnde di nacht da volden vort`ben   15 ritter-
lich   16 rittere   17 sach   18 vmme   19 begonde
20 bede   21 gedachte   ritterschaft   22 i   24 oder
25 *absatz* gezeldes   27 geleit hvbesliche   28 einer colten
    30 vnde   di   31 zv im dar sach   32 wolde her
33 ginc gein   enphinc   35 im

$1''b = 89, 7 - 35.$

    7 oder   vil *fehlt*   8 vnphunden   12 wigoleis   13
sint   vorboten   14 vil *fehlt*   15 dise mait   16 zv
17 kvnige   19 set riten hie   20 kvnic   minnenclich   21
di   22 qvam   23 iman   24 ritterlichen   25 zv korin-
tin wolde holn   26 mvste   kvmmer   31 wan   et *fehlt*
    32 vber iren   34 mir *fehlt* ich da min   35 dá só *fehlt*
des] sin

Lightning Source UK Ltd.
Milton Keynes UK
UKHW011335100219
336964UK00010B/820/P